第4版

無歯顎補綴治療学
Prosthodontic Treatment for Edentulous Patients

編集

市川哲雄

大川周治

大久保力廣

水口俊介

執筆（執筆順）

徳島大学名誉教授 **市川哲雄**	北海道大学名誉教授 **横山敦郎**	鹿児島大学病院講師 **村上 格**
明海大学名誉教授 **大川周治**	鶴見大学歯学部教授 **大久保力廣**	日本大学松戸歯学部特任教授 **河相安彦**
北海道医療大学歯学部教授 **越野 寿**	鶴見大学名誉教授 **細井紀雄**	長崎大学大学院教授 **村田比呂司**
広島大学大学院教授 **津賀一弘**	九州歯科大学名誉教授 **鱒見進一**	大阪歯科大学名誉教授 **岡崎定司**
広島大学大学院准教授 **吉川峰加**	松本歯科大学教授 **黒岩昭弘**	大阪歯科大学教授 **髙橋一也**
東京歯科大学教授 **上田貴之**	日本歯科大学名誉教授 **小出 馨**	大阪歯科大学名誉教授 **小正 裕**
東京歯科大学名誉教授 **櫻井 薫**	東京医科歯科大学（現 東京科学大学）名誉教授 **鈴木哲也**	朝日大学歯学部教授 **藤原 周**
九州大学名誉教授 **古谷野 潔**	昭和大学歯学部教授 **古屋純一**	朝日大学歯学部准教授 **横矢隆二**
九州大学大学院教授 **鮎川保則**	東北大学大学院教授 **服部佳功**	大阪大学大学院教授 **池邉一典**
東京医科歯科大学（現 東京科学大学）名誉教授 **水口俊介**	東北大学大学院助教 **田中恭恵**	大阪大学歯学部附属病院講師 **権田知也**
岡山大学名誉教授 **皆木省吾**	奥羽大学歯学部附属病院教授 **山森徹雄**	愛知学院大学歯学部教授 **武部 純**
岡山大学学術研究院准教授 **原 哲也**	奥羽大学歯学部准教授 **松本知生**	愛知学院大学歯学部教授 **近藤尚知**
日本大学歯学部教授 **飯沼利光**	徳島大学病院教授 **永尾 寛**	大阪大学大学院准教授 **和田誠大**
奥羽大学歯学部教授 **髙津匡樹**	神奈川歯科大学特任教授 **玉置勝司**	東京科学大学大学院教授 **金澤 学**
昭和大学歯学部教授 **馬場一美**	福岡歯科大学学長 **髙橋 裕**	東京科学大学大学院准教授 **岩城麻衣子**
日本歯科大学名誉教授 **志賀 博**	福岡歯科大学教授 **都築 尊**	
大阪歯科大学教授 **小野高裕**	大阪大学大学院教授 **西村正宏**	

医歯薬出版株式会社

This book is originally published in Japanese
under the title of :

MUSHIGAKUHOTETSU-CHIRYOGAKU
(Prosthodontic Treatment for Edentulous Patients)

Editors :
ICHIKAWA, Tetsuo et al.
ICHIKAWA, Tetsuo
  Professor and chair
  Tokushima University

© 2004 1st ed., © 2022 4th ed.

ISHIYAKU PUBLISHERS, INC
  7-10, Honkomagome 1 chome, Bunkyo-ku,
  Tokyo 113-8612, Japan

第4版　序

　『無歯顎補綴治療学』の第4版を発行する運びとなりました．本書は，歯学教育モデルコアカリキュラム，共用試験，歯科医師臨床研修など歯科医学教育の変革に対応する新しい全部床義歯補綴学の教科書として，細井紀雄先生，平井敏博先生の編集企画で2004年9月に第1版が出版されました．その後，2009年に第2版が，2016年に第3版が発行され，各版で増刷を重ねました．本書が多くの大学で教科書に採択され，教育，臨床の場で活用されていることに対し心から謝意を表します．

　今回の改訂にあたり，本書を創刊された細井先生，平井先生がご勇退され，水口俊介，大久保力廣が編集委員に加わり，われわれ4名で編集を引き継ぐことになりました．本書は一般的な歯科補綴学領域の教科書のように，補綴装置に"学"をつけた「全部床義歯学」とはせず，「無歯顎補綴治療学」としたところに，細井，平井両先生の強い意思を感じます．装置を作るだけの学問ではなく，生命科学と健康科学に立脚し，人工臓器としての全部床義歯を用いて無歯顎という障害を回復し，口腔機能を維持する治療学であるという考えを，この教科書のタイトルに託されたと思っています．第4版でもこの考えを踏襲しています．

　現在，無歯顎患者は減少しているといわれるものの，歯列回復，機能回復，補綴歯科治療に関する基本事項は全部床義歯による補綴歯科治療の中に網羅されています．そして，無歯顎補綴治療を取り巻く環境は，対象とする患者の高齢化，難症例化，CAD/CAMをはじめとするデジタルデンティストリーの機器と材料の進歩，インプラントオーバーデンチャーの需要の増加など数多くの変化がみられます．診察，検査の可視化，アウトカム評価もより求められています．このような状況に対応するために，第4版では項目を再整理し，より無歯顎補綴治療が高齢者の健康維持，増進に貢献できる内容となるよう努めました．

　本書が，歯学部学生，臨床研修歯科医だけでなく，歯科専門医制度の整備が進む中，より多くの歯科医師の無歯顎補綴治療の必携の書として活用されることを切に望んでいます．

　最後になりましたが，新型コロナウイルス感染症蔓延下において，さまざまな制約の中ご執筆いただきました全国の歯科大学，歯学部の担当の先生方と医歯薬出版編集部に深甚なる謝意を表します．

　2022年1月

市川　哲雄　　大川　周治
大久保力廣　　水口　俊介

第3版 序

　本書は，2004年9月に初版が，2009年2月に第2版が発行され，そしてこのたび第3版を発行する運びとなりました．10年を超える期間にわたって，学生，研修歯科医，歯科医師の方々に広く活用されていることに，心から感謝の意を表する次第です．

　周知の如く，2000年に策定された「健康日本21」では，生活習慣病とその原因となる生活習慣等の課題について，「歯の健康」を含む9分野ごとの対策が組まれました．その結果として，「8020運動」の効果とともに歯の喪失数は減少し，診療室での無歯顎患者は減少し，無歯顎補綴治療学の意義は低下しているように見えるかもしれません．しかし，高齢化のスピードは一段と加速し，さらに医療と福祉とがボーダーレスになり，現在の医療政策では，要介護者や認知症などの老年症候群への対策や，フレイル，サルコペニアに対する早期の介入など，要介護にならないことへの対策に重点が移りつつあります．本書の初版には，「無歯顎補綴治療は無歯顎患者の形態的・機能的障害の改善や回復を目指すことからリハビリテーションの一分野でもある．また，リハビリテーションの究極的な目標はQOLの維持・向上であり，無歯顎補綴治療はまさに21世紀に求められる主要な医療の一つである．」という強いメッセージが込められておりました．いまこそ，真の意味でこのことが求められてきているものと考えます．

　もう一つの押し寄せてきている大きな波は，デジタル化です．既にインプラントやクラウンブリッジの分野では，重要な臨床術式の一つとなっています．有床義歯についても，この大きな波がすぐそこまで来ていることから，本書でもその章を新たに設定しました．ここで重要なことは，デジタル化の時代だからこそ，そして前述の老年症候群の対策が求められる時代だからこそ，無歯顎補綴学とそれに立脚した無歯顎補綴治療に関しての術式や製作法と並んで，診察・検査・診断と治療計画の立案，アウトカム評価などの能力が一層強く問われるということです．学生諸君や若い歯科医師の方々には，このような共通の認識の上で，補綴歯科治療学の基盤を成し，学術的に膨大な知識が凝縮された無歯顎補綴治療学とその臨床を学習あるいは認識していただくことが必要であると考えます．本書は，それに対応可能な教科書になっていると信じております．

　第3版は，当然のことながら，初版および第2版の編集の枠組みを踏襲しております．そして，現在ではそれほどは使用されていない治療材料，器具，手技につきましても，無歯顎補綴治療を理解する上で必要と考えられる基本的な事項を十分に吟味した上で継承するとともに，最新の事項と合わせて記載いたしました．

　また，初版では14歯科大学・歯学部，第2版では23歯科大学・歯学部の先生方にご執筆をいただいたのに対して，第3版では29歯科大学・歯学部のすべての無歯顎補綴治療学担当教員の方々に分担執筆をお願いいたしました．お忙しい中ご執筆いただいた先生方に深甚なる謝意を表します．

　最後になりましたが，本書がより一層多くの歯学部学生と研修歯科医の教科書として，また，日々臨床に携わる歯科医師の方々の必携の書として利用されることを祈念する次第です．

　2016年1月

編集委員一同

第2版　序

　『無歯顎補綴治療学』の初版が2004年9月に出版されて以来今日まで，歯学部学生をはじめとして，多くの方々が本書を活用してくださっていることに対しまして，心から謝意を表します．
　この度の改訂にあたり，新たに市川哲雄教授，大川周治教授に編集委員として加わっていただきました．さらに23校に及ぶ歯科大学・歯学部の有床義歯補綴学担当教員の方々に分担執筆をお願いしました．なお編集方針につきましては，初版と同じく『歯科医学教授要綱』と『歯科医師国家試験出題基準』に準拠した構成としました．しかし高齢社会の急速な進展に対応し得るために，一部内容を補足し，新たな章を加えました．主な変更点は，「第2章 診察，検査，診断」に（社）日本補綴歯科学会が長年にわたる検討を経てまとめた「症型分類」を加えたこと，「第3章 治療」としてくくられていた「I 前処置」「II 印象採得」「III 顎間関係の記録」「IV 下顎運動の記録と咬合器装着」「V 人工歯の排列」「VI 蠟義歯とその試適」「VII 埋没，重合，研磨」「VIII 重合義歯の咬合器再装着と咬合調整」「IX 義歯の装着」をそれぞれ独立した章として記述したこと，さらに新たに「複製義歯による治療」と「無歯顎患者に対する歯科訪問診療」の章を加えたことなどです．また，全頁をカラー印刷とし，図や写真などの理解を深められるように配慮するなどの改変を試みました．
　ここ数年，高齢化のスピードは一段と加速し，それに伴い高齢無歯顎患者も増加している状況にあって，今回の改訂は無歯顎補綴治療の社会的要請にも応える内容となっております．さらに歯科医師国家試験はますます厳しさを増し，狭き門になりつつある状況下で，無歯顎補綴学とそれに立脚した臨床に関しても，術式や製作法と並んで診察・検査・診断と治療計画の立案などの能力が問われております．加えてインプラント治療は，無歯顎補綴治療の選択肢として重要な位置を占めるようになりました．このような背景から，多くの歯学部学生と歯科医師およびその関係の方々には，共通の基盤に立って新しい無歯顎補綴治療学とその臨床を学習あるいは認識していただくことが必要であると考えます．
　ご承知の通り，21世紀におけるわが国の健康政策であります「健康日本21」では，改善重点項目の一つとして「歯の健康」が掲げられています．顎口腔系の健康が全身の健康と密接に関係していることがエビデンスをもって示された所以です．適正な全部床義歯の装着が高齢者の健康の維持・増進に重要な役割を担っていることを強調したいと思います．「咬合・咀嚼が創る健康長寿」を具現化しなければなりません．
　本書が多くの歯学部学生と研修歯科医師の教科書として，また，日々臨床に携わる歯科医師の参考書として活用され，無歯顎患者の診断と治療に有効に生かされることを切望いたします．
　2009年1月

編集委員代表　細井紀雄
平井敏博

序

　近年の教育改革の波は歯科医学教育分野にも及んでおり，歯学教育モデル・コア・カリキュラムが提示され，共用試験の本格実施および歯科医師臨床研修の完全義務化が決定されている．そこで，これらの変革への対応が可能な無歯顎補綴治療に関する教科書が必要であると考えた．

　従来から，全部床義歯補綴学あるいは無歯顎補綴学とよばれる学問は，究極的には患者の健康の維持・増進をはかるために必要な理論と技術を考究することを目的としている．したがって，全部床義歯補綴学を含む歯科補綴学は，生命科学や健康科学をベースとする実学であり，人々の健康・福祉の向上に貢献する役割を担う学問である．すなわち，歯科補綴学は歯科補綴治療学であるといえる．このことから，本書名を"無歯顎補綴治療学"とした．また，無歯顎補綴治療とは，無歯顎患者の形態的・機能的障害の改善や回復を目指すことから，リハビリテーションの一分野であるといえる．リハビリテーションの究極的な目標はQOLの維持・向上であり，無歯顎補綴治療は，まさに21世紀に求められる主要な医療の一つであるといえる．なお，最新の"歯学教授要綱"では，"基本方針・到達目標"として，"口腔疾患の予防と健康の保持・増進に寄与する人材の養成""患者の全身状態を把握し対応する能力を有する人材の養成"があげられている．この理由としては，人口の高齢化に伴う複数の基礎疾患を有する高齢者の増加が考えられる．また，国民の健康に対する関心の高まりと，咬合・咀嚼が全身の健康に重要な役割を果たしていることを示す多くの客観的データの提示も見逃せない．無歯顎患者への義歯補綴治療の重要性は明白である．

　以上のことから，本書では，まず健康あるいはQOLと密接な関係にある老化に関する基礎的知識を整理し，全人的見地から無歯顎患者を診ることができる能力を涵養する記載を心がけた．また，無歯顎という病態についての理解を深めるためには，顎口腔系の常態との比較が必要であると考え，総論部分では健常有歯顎者の形態と機能に関する詳細な記載を行った．また，臨床術式に関しては図と写真を多用し，それらを記述と平行して掲載することによって理解を容易にした．さらに，各章末には一般目標，到達目標とkey wordsを設定し，全般的な教育内容と修得すべき指標を記載した．なお，用語に関しては，"歯科補綴学専門用語集"（日本補綴歯科学会編）に準拠した．

　本書が歯学部学生，臨床研修医および歯科医師に広く活用され，人々の健康の維持・増進に寄与することを切望する．

　最後に，本書の発刊に貴重なご示唆を賜りました東京医科歯科大学名誉教授　林　都志夫先生に心から深謝いたします．

　2004年　盛夏

編　者　細井紀雄
平井敏博

無歯顎補綴治療学 第4版
CONTENTS

I編　総論（基礎編）

第1章　無歯顎補綴治療の健康に果たす役割と全部床義歯　　市川哲雄　1

1　高齢者の健康・QOL ……………………………………………………………… 1
2　フレイルとオーラルフレイル …………………………………………………… 2
3　顎口腔系の変化と無歯顎 ………………………………………………………… 2
4　全部床義歯と無歯顎補綴治療 …………………………………………………… 5

第2章　無歯顎補綴治療の歴史と変遷　　大川周治　7

1　木床義歯 …………………………………………………………………………… 7
2　蒸和ゴム床義歯 …………………………………………………………………… 9
3　レジン床義歯 ……………………………………………………………………… 9
4　インプラントの応用 ……………………………………………………………… 10
5　CAD/CAM技術の応用 …………………………………………………………… 10

第3章　無歯顎の病因と病態　　越野　寿　11

I 無歯顎の病因 ………………………………………………………………………… 11
II 歯の寿命および喪失歯数と全部床義歯装着者数 ……………………………… 12
III 無歯顎の病態 ………………………………………………………………………… 14
　　1　歯の喪失後の顎骨の変化 ………………………………………………………… 14
　　2　歯の喪失後の顎堤粘膜の変化 …………………………………………………… 18

第4章　加齢と歯の喪失に伴う咬合機能の変化　　20

I 顎口腔系の形態的変化，機能的変化 …………………………………………… 20
　　1　顎関節 ……………………………………………………… 津賀一弘，吉川峰加　20
　　2　筋 …………………………………………………………… 上田貴之，櫻井　薫　21
　　3　神経系 ……………………………………………………… 津賀一弘，吉川峰加　29
　　4　下顎運動・下顎位 ………………………………………… 古谷野　潔，鮎川保則　31
　　5　唾　液 ……………………………………………………… 津賀一弘，吉川峰加　45
　　6　味　覚 ……………………………………………………………………………… 46

II 咀嚼・嚥下・構音機能の変化 ... 47
1 咀嚼障害 ... 越野 寿 ● 47
2 嚥下障害 ... 48
3 構音障害 ... 市川哲雄 ● 51

III 精神心理的な変化 ... 水口俊介 ● 54
1 社会性の喪失による変化 ... 54
2 高次脳機能の低下 ... 54
3 人格の変化 ... 54
4 疾患による精神心理的変化 ... 54
5 認知症 ... 54

第5章 補綴装置としての全部床義歯 ... 皆木省吾,原 哲也 ● 57

I 全部床義歯の構成要素 ... 57
1 人工歯 ... 57
2 義歯床 ... 58

II 全部床義歯の各部の名称と役割 ... 58

III 全部床義歯の維持 ... 59
1 唾液による物理的維持力 ... 59
2 陰圧による物理的維持力 ... 60
3 筋圧による生理的維持力 ... 60
4 維持力に影響を及ぼす解剖学的因子 ... 60

IV 全部床義歯の支持 ... 62

V 全部床義歯の安定 ... 62
1 咬合平衡 ... 62
2 上下顎顎堤の前頭面での対向関係 ... 62
3 上下顎顎堤の矢状面での対向関係 ... 62

第6章 全部床義歯装着者にみられる主要症候 ... 皆木省吾,原 哲也 ● 64

1 義歯床下粘膜および周囲組織の疼痛 ... 64
2 咀嚼障害 ... 65
3 審美障害 ... 65
4 発語障害（構音障害） ... 65
5 顎機能異常 ... 65

II編　各論（治療編）

第7章　診察，検査，診断　66

- **I 医療面接とインフォームドコンセント**　飯沼利光，髙津匡樹　66
  1. 医療面接の基本　66
  2. 無歯顎患者の医療面接　67
  3. 医療面接情報の記録　69
  4. インフォームドコンセント　69

- **II 診察，検査**　70
  1. 一般的な診察　馬場一美　70
  2. 局所的な診察と検査　馬場一美，志賀　博〔5〕〕　77

- **III 診断と治療計画の立案**　小野高裕　90
  1. 無歯顎補綴治療における診断　90
  2. 心理的な診断情報　91
  3. 全身的な診断情報　91
  4. 局所的な診断情報　92
  5. プロブレムリストの作成　93
  6. 治療計画の立案　94
  7. 治療効果　95
  8. 治療計画の提示と患者指導　96
  9. 診断と治療計画の意義　97

第8章　前処置　横山敦郎　98

- **I 補綴前処置**　98
  1. 治療用義歯による粘膜治療　98
  2. 治療用義歯による咬合治療　99
  3. 複製義歯による治療　100
  4. 残根に対する処置　104

- **II 外科的前処置**　105
  1. 口蓋隆起，下顎隆起に対する外科的処置　105
  2. 骨鋭縁部に対する外科的処置　105
  3. 顎堤のアンダーカットに対する外科的処置　105
  4. 高度な顎堤吸収に対する外科的処置　105
  5. 軟組織に対する外科的処置　106

- **III その他の処置**　106

第9章 印象採得 — 108

I 印象採得の目的 ……大久保力廣, 細井紀雄 — 108
II 印象採得用材料 — 108
1 印象材の所要性質 — 108
2 印象用材料 — 109
III 印象法の種類 ……上田貴之, 櫻井 薫 — 112
1 印象材の組合せ別 — 112
2 目的別 — 113
3 粘膜への圧力別 — 114
4 粘膜の静的・動的状態別 — 116
5 その他の印象 — 117
IV 概形印象採得 ……大川周治 — 120
1 目 的 — 120
2 印象法 — 120
V 研究用模型の製作 ……大久保力廣, 細井紀雄 — 126
1 使用目的 — 127
2 製作法 — 127
VI 精密印象採得 — 128
1 目 的 — 128
2 印象法 — 128
VII 作業用模型の製作 ……鱒見進一 — 138
1 使用目的 — 138
2 製作法 — 138
3 模型の調整 — 139

第10章 顎間関係の記録 — 142

I 咬合床の製作 ……黒岩昭弘 — 142
1 咬合床の構成 — 142
2 咬合床の製作 — 143
II 仮想咬合平面の決定 — 146
1 咬合床の試適 — 147
2 前歯部の修正とリップサポート — 147
3 仮想咬合平面の設定 — 148
4 下顎咬合床の高さの調整 — 149

Ⅲ 垂直的顎間関係の記録 ……小出 馨●150
1 形態的根拠に基づく方法 ……152
2 機能的根拠に基づく方法 ……156

Ⅳ 水平的顎間関係の記録 ……鈴木哲也, 古屋純一●161
1 一般的な水平的顎間関係の記録法 ……162
2 特に器具を必要としない方法 ……163
3 特殊な器具を使用する方法 ……165

Ⅴ 標示線の記入 ……171

Ⅵ デンチャースペースの記録法 ……鱒見進一●172
1 デンチャースペースを構成する筋群 ……174
2 デンチャースペースの記録法 ……174

第11章 下顎運動の記録と咬合器装着　180

Ⅰ 下顎運動の記録 ……志賀 博●180
1 下顎運動測定の目的 ……180
2 下顎運動の記録法 ……183

Ⅱ 咬合器 ……服部佳功, 田中恭恵●187
1 咬合器の構造と機能 ……187
2 咬合器の種類 ……188
3 模型の咬合器への装着 ……191
4 バーチャル咬合器の利用 ……196

第12章 人工歯の排列　197

Ⅰ 前歯部人工歯の選択と排列 ……山森徹雄, 松本知生●197
1 前歯部人工歯の選択 ……197
2 前歯部人工歯の排列 ……203

Ⅱ 臼歯部人工歯の選択と排列 ……市川哲雄, 永尾 寛●209
1 臼歯部人工歯の選択 ……209
2 臼歯部人工歯の排列 ……216

第13章 歯肉形成とろう義歯試適　玉置勝司●228

Ⅰ 歯肉形成 ……228
1 審美的形態 ……228
2 機能的形態 ……228

II ろう義歯試適時の検査 ... 230
1 義歯床形態 ... 230
2 咬合関係 ... 230
3 人工歯の排列位置と舌房 ... 231
4 審美性 ... 231
5 発語機能 ... 233

第14章 埋没，重合，研磨
高橋 裕，都築 尊 ● 234

I ろう義歯試適から装着までの流れ ... 234
1 スプリットキャスト法 ... 234
2 Tench のコア法 ... 234

II 埋 没 ... 235
1 埋没の前準備 ... 235
2 埋没法 ... 236
3 埋没の手順 ... 237

III 流ろうとレジン塡入 ... 239
1 流ろう ... 239
2 レジン塡入 ... 239

IV 重 合 ... 241
1 レジン重合法 ... 241
2 各種重合法の特徴 ... 242

V 義歯の取り出し ... 243

VI 研 磨 ... 244
1 意 義 ... 244
2 手 順 ... 244

第15章 重合義歯の咬合器再装着と咬合調整
西村正宏，村上 格 ● 246

I 重合の完了した義歯の咬合器再装着 ... 246
1 スプリットキャスト法 ... 246
2 Tench のコア法 ... 247
3 フェイスボウを用いる方法 ... 247

II 人工歯の削合 ... 248
1 選択削合 ... 249
2 自動削合 ... 251

第16章 義歯の装着　　大川周治 252

I 装着時の調整　252
1. 形態に関する調整　252
2. 機能に関する調整　255
3. 審美に関する調整　256

II 装着時の患者指導　256
1. 義歯への慣れに関する指導　256
2. 摂食に関する指導　256
3. 義歯および口腔内の清掃に関する指導　258
4. 就寝時における義歯の取り扱いに関する指導　259
5. リコールとメインテナンスに関する指導　259

III 装着直後の調整　260
1. 調整時期　260
2. 咬合調整と義歯床の調整　260

IV 治療効果の評価　260

第17章 義歯装着後の経過観察　262

I 装着後の生体と義歯の変化　河相安彦 262
1. 生体の変化　262
2. 義歯の変化　264

II 定期検査と評価　266
1. 残存組織について　266
2. 咬合について　267
3. 義歯について　268
4. 患者指導　268

III 修　理　268
1. 破折の原因　268
2. 修理法　269

IV リライン　村田比呂司 272
1. 直接法によるリライン　274
2. 間接法によるリライン　276

V リベース　280

VI 咬合面再形成　280

第18章 金属床義歯による治療

岡崎定司，髙橋一也，小正　裕　283

1　金属床義歯の利点と欠点 ……………………………………………………………283
2　金属床義歯の構造 ……………………………………………………………………284
3　金属床義歯の製作手順 ………………………………………………………………284

第19章 即時全部床義歯による治療

横矢隆二，藤原　周　291

1　即時全部床義歯の利点と欠点 ………………………………………………………291
2　診療手順と製作法 ……………………………………………………………………292
3　即時全部床義歯の装着に関する注意事項 …………………………………………295
4　暫間義歯（即時義歯，移行義歯，治療用義歯，診断用義歯）…………………295

第20章 オーバーデンチャーによる治療

池邉一典，権田知也　296

1　オーバーデンチャーの利点と欠点 …………………………………………………296
2　オーバーデンチャーの適応症 ………………………………………………………297
3　支台歯の処置方法の選択 ……………………………………………………………297
4　装着後の経過観察 ……………………………………………………………………299

第21章 各種機能障害に対する治療

飯沼利光　300

1　スピーチエイド ………………………………………………………………………300
2　鼻咽腔の障害への対応 ………………………………………………………………301
3　軟口蓋の障害への対応 ………………………………………………………………301
4　舌の障害への対応 ……………………………………………………………………302

第22章 顎義歯による治療

武部　純　304

1　顎義歯を適用した顎補綴治療の臨床的意義 ………………………………………304
2　顎補綴患者の病態と補綴的対応 ……………………………………………………305

第23章 インプラント義歯による治療　311

1. 無歯顎におけるインプラント治療の利点と欠点……近藤尚知　311
2. インプラント材料に対する生体反応……313
3. インプラント治療の基本術式……313
4. 固定性上部構造……314
5. 可撤性上部構造（インプラントオーバーデンチャー）……池邉一典，和田誠大　316
6. インプラント治療の有効性とその将来……近藤尚知　320

第24章 全部床義歯製作のデジタル化　水口俊介，金澤　学，岩城麻衣子　322

I 全部床義歯製作工程のデジタル化……322
1. デンチャースペースの採得とデータ化……322
2. 義歯のデザインと人工歯排列……324
3. 義歯の試適……325
4. 切削加工または積層造形による最終義歯製作……327

II 無歯顎補綴治療におけるデジタル化の意義……329

第25章 無歯顎患者に対する歯科訪問診療　水口俊介　330

I 歯科訪問診療の目的と意義……330
1. 歯科訪問診療の目的……330
2. 要介護高齢者の口腔状況と歯科訪問診療の意義……330

II 診察・検査・診断……331
1. 歯科訪問診療と安全管理……331
2. 患者とのコミュニケーションと診療時の体位……332
3. 診察・検査・診断の要点……333

III 器具，器材……334
1. 診療器具・器材と環境の整備……334
2. 感染予防……334

IV 治療方針・治療計画と処置……335
1. 治療方針・治療計画の立案……335
2. 歯科訪問診療の実際……335

V 患者指導……337
1. 義歯および口腔内の清掃に関する指導……337
2. 義歯への慣れ，摂食に関する指導……338
3. メインテナンスに関する指導……338

CONTENTS

第26章 補綴歯科治療における作業環境の整備 ……………………………… 市川哲雄 ● 339

 1 感染対策 …………………………………………………………………………… 339
 2 粉塵対策 …………………………………………………………………………… 342

COLUMN❶	「無歯顎補綴治療学」と「全部床義歯学」「全部床義歯補綴学」	編集委員 ●	6
COLUMN❷	顆路傾斜角と顆路角	編集委員 ●	43
COLUMN❸	中心咬合位	大川周治 ●	56
COLUMN❹	発音・発語・構音	市川哲雄 ●	97
COLUMN❺	筋圧形成（筋形成，辺縁形成）	編集委員 ●	111
COLUMN❻	開口印象と閉口印象	上田貴之，櫻井 薫 ●	119
COLUMN❼	チェックバイト	編集委員 ●	179
COLUMN❽	平衡咬合の理解を深めるために	水口俊介 ●	227
COLUMN❾	咬合平衡と平衡咬合	編集委員 ●	233
COLUMN❿	義歯安定剤と口腔保湿（湿潤）剤	河相安彦 ●	290

文　献 ………………………………………………………………………………… 343
索　引 ………………………………………………………………………………… 350

専門用語使用の難しさ

あらゆる勉強を進めるにあたって，用語の意味するところを押さえることは基本中の基本であり，これが曖昧であると学術情報を正確に理解できないし，誤解なく伝達することもできない．一方，専門家にもそれぞれの用語に思い入れがある場合があり，また各自が勝手な解釈をしている場合もある．本書でも，その使用に多少の混同がある用語をコラムにて解説する．

第1章 無歯顎補綴治療の健康に果たす役割と全部床義歯

1 高齢者の健康・QOL

　ヒトの活動は，生命を維持するための活動，ヒトとしての尊厳を保つための活動に加えて，社会活動や精神活動などから構成されている．口腔の機能と形態は，これらの活動にとって不可欠であり，歯科医学・医療の目標は，これらの形態や機能を維持あるいは回復させることによって，健康・福祉の向上に貢献することである．

　Quality of Life（QOL：生活の質）とは，人間らしく，満足して生活しているかを評価する概念で，精神的自己実現，満足度の指標である．多くの歯科医療は，このQOLの改善，向上を目指すものである．その一方で，高齢者の増加とともに，認知症，要介護者の増加も問題となっている．日常生活動作 Activities of Daily Living（ADL）とは，普段の生活の中で日常的に行っている食事や排泄，入浴，移動，更衣，寝起きなどの動作がどの程度自立してできるかを測るための指標である．歯科医療でもこのようなADLの低い患者への対応が求められるようになっている．さらに病状が進行的で不可逆であり，近い将来の死が不可避となった終末期に，どのような口腔の機能と形態で死を迎えさせられるかという死の質 Quality of Death（QOD）の概念にも目を向ける必要がある．それは，単に死に方を指すのではなく，死を前提としながら現在を生きることの意味を見出すことと深くかかわっている（**図1-1**）．

　高齢者の誰もが辿る過程において，自らの持てる力を維持・回復し，なるべく自立した生活を確保することが重要である．楽しい食事と会話のある毎日を過ごし，その状態を保って終末期を迎えられることが望ましい．

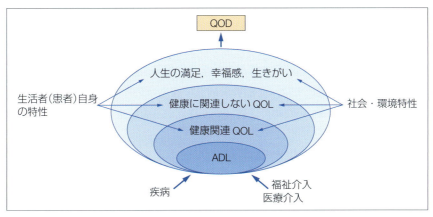

図1-1　人間らしく生活するためのレベル：QOL，ADL，QODとの関係

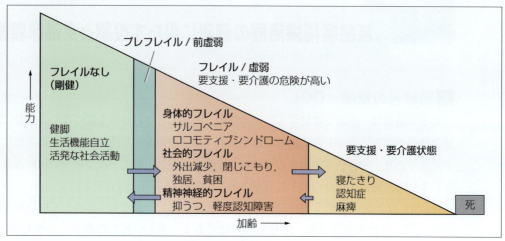

図1-2 フレイル（葛谷，2009をもとに作成）

2 フレイルとオーラルフレイル

　高齢者は，脳卒中のように，突然，健康な状態から要介護状態に移行する場合もあるが，多くはフレイル frailty（虚弱）という前段階を経て，徐々に ADL が低下し，要介護状態に陥る（**図1-2**）．そのために，フレイルの状態あるいは健康リスクを評価しての早期の介入や対応が求められている．すなわち，適切な介入や対応によって，元の状態に戻りうるという可能性を期待している．

　このフレイルの予防・対策を考える際に，その上流に位置する栄養状態の悪化，さらには食生活の悪化，口腔機能の低下などの口腔環境の虚弱状態が起点となってフレイルが生じるという概念があり，「オーラルフレイル」として提示されている（**図1-3**）．オーラルフレイルは，口腔内に現れる虚弱という加齢による心身の変化の1つであり，病的なものではないが，フレイルのリスクに加え，その先にある要介護状態との関連や総死亡リスクも上昇させるとの報告もあるため，歯科医療分野だけではなく医療・介護分野でも注目が集まっている．この概念は，第1レベルの「口の健康リテラシーの低下」，第2レベルの「口のささいなトラブル」，第3レベルの「口の機能低下」，第4レベルの「食べる機能の障害」の4つのフェーズから構成される．特に第3のレベルに関連して，口腔機能の低下を予防，維持，管理していくために「口腔機能低下症」という病名が新設された．

　このように，現代では，高齢者が病気にならないための予防，重症化しないための予防，深刻な状態に陥らないための予防という観点からの健康・疾病対策が求められる．

3 顎口腔系の変化と無歯顎

　われわれが治療の対象とする顎口腔系 stomatognathic system は，歯，上下顎歯列と咬合，歯周組織（顎堤粘膜），上顎骨，下顎骨，舌骨，顎関節と，これらに付着する筋，口唇・頰などの軟組織，唾液腺およびこれらの器官に関与する神経系で構成されている．この顎口腔

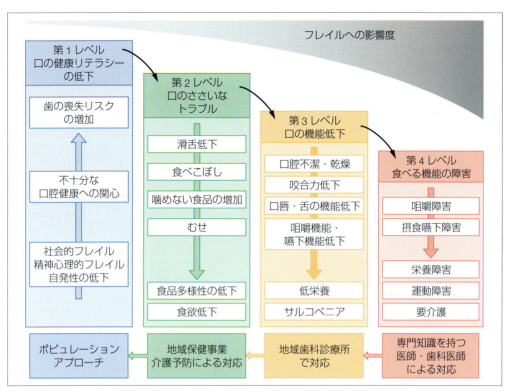

図 1-3 オーラルフレイルの一連の過程（日本歯科医師会，2020）

系の働きによって，咀嚼 mastication/chewing，発語 speech，嚥下 swallowing，噛みしめ clenching などの顎口腔機能 stomatognathic function が発現する．

　歯，歯列は顔の外観 appearance，つまり審美性を保つためにも大きな役割を果たしている．歯を失えば，審美性は著しく低下し，また老人様顔貌 senile appearance といわれる状態を呈する．したがって，義歯の装着は，審美性の低下の改善，つまり形態回復の役割を果たしている（**図 1-4～6**）．一方，なんらかの原因で眼球を失った場合にも審美性のために義眼を装着する場合がある．しかし，義眼は審美性の回復だけのものであるが，歯の喪失によって装着される義歯は審美回復と同時に上記に記述した機能回復も求められる．ここが大きく異なり，義歯が人工臓器であることを理解する必要がある．

　さらに，顎口腔系の働きを考える場合に，咬合 occlusion ということがしばしば取り上げられる．咬合とは，①下顎が閉じる行為あるいは過程，または閉じている状態，②上顎あるいは下顎の歯や補綴装置の切縁あるいは咬合面間における静的な関係，と定義されている．咬合には，歯だけではなく，下顎自体の動きに関与する顎関節および筋と，これらに存在する感覚受容器からの情報を統合している中枢神経系が相互に関連している．有名なスウェーデンの補綴学者である Posselt は，その著書 "The Physiology of Occlusion and Rehabilitation"（1962）の序文に，"Occlusion is a basic principle in dentistry" と記載し，歯科医学・医療における咬合の重要性を強調している．

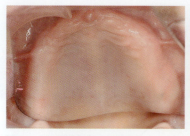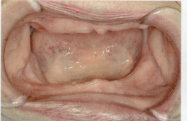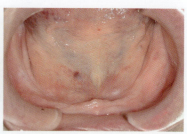

図1-4 無歯顎患者の口腔内

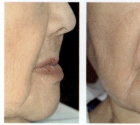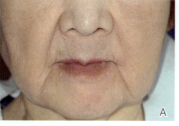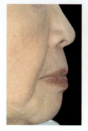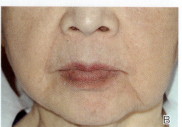

図1-5 無歯顎患者の全部床義歯装着による顔貌の変化
A：義歯装着前．B：義歯装着時．

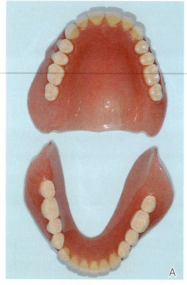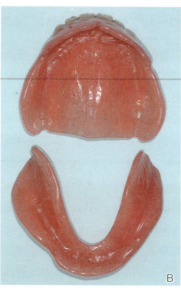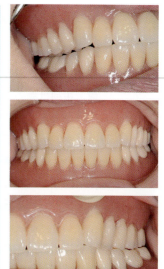

図1-6 全部床義歯の咬合面観（A），粘膜面観（B），口腔内装着時（C）

　このような顎口腔系においては，齲蝕，歯周病などの感染と，咬合力による力学的，機械的な刺激，および老化などの原因によって，形態が失われ，機能が低下する．歯の喪失が進むにつれて，顎口腔系の機能と形態が大きく損なわれていくことは容易に想像できる．すなわち，前歯の喪失は顔の外観や発語に，臼歯の喪失は主に咀嚼や嚥下に障害をもたらすこと

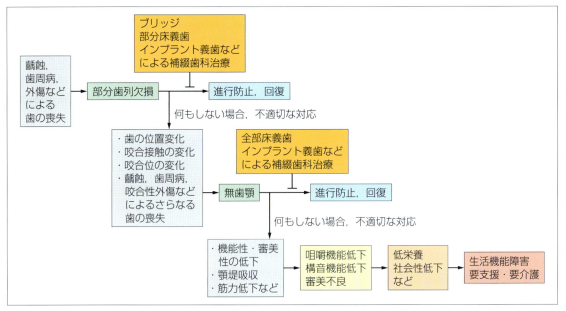

図1-7 歯の喪失から機能低下，障害への流れと，それを防止するための補綴歯科治療

になる．また，歯の喪失による心理的影響も少なくない（**図1-7**）．

　歯をすべて喪失した，もしくは歯が存在しない上顎もしくは下顎を無歯顎 edentulous jaw といい，歯の喪失によって生じる骨吸収の後に残遺した歯槽骨あるいは顎骨と粘膜とによって形成される堤状の高まりのことを顎堤 residual ridge（**図1-4**），そういった患者を無歯顎患者 edentulous patient とよぶ．したがって，無歯顎は疾患ではなく，齲蝕，歯周病などの疾患の一種の後遺障害ととらえることができる．つまり，歯列弓という形態が失われ，顎堤という形態に変わり，咬合関係が喪失し，機能が低下し，機能障害が生じた状態が無歯顎ということになる．

4 全部床義歯と無歯顎補綴治療

　歯質や歯列の一部あるいは全部を失うことによって生じる審美障害や咀嚼障害などを人工装置（補綴装置）dental prosthesis によって修復・整形する理論や技術を考究する学問が歯科補綴学 prosthodontics であり，その臨床部分が補綴歯科治療 prosthetic dentistry である．

　患者や術者が着脱できる義歯を可撤性義歯 removable denture とよび，全部床義歯と部分床義歯に分けられる．無歯顎に装着する義歯を全部床義歯 complete denture（総義歯 full denture）とよび（**図1-6**），部分歯列欠損（部分無歯顎）に装着する義歯を部分床義歯 removable partial denture とよぶ．一方，任意に着脱のできない，歯に固定する義歯を固定性義歯 fixed partial denture とよび，ブリッジが相当する．さらに，顎骨の中に人工歯根を植立し，その上部に義歯を装着する場合をインプラント義歯 implant denture とよぶ（☞ p.311 参照）．

可撤性義歯のほとんどは義歯床 denture base を有する義歯であり，有床義歯ともいわれる．義歯床とは，義歯の構成要素の1つで，欠損部顎堤や口蓋部を覆い，天然歯の代わりに用いる人工歯 artificial tooth が設置される部分のことである．この義歯床上の人工歯に加わった咬合力は，全部床義歯の場合，顎堤粘膜とその下層にある骨に伝達される．部分床義歯の場合は顎堤粘膜と歯根膜に力が伝達され，固定性義歯であるブリッジの場合は歯根膜に伝達される．

　歯科補綴学は，このような治療に用いる装置別に，全部床義歯補綴学，部分床義歯補綴学，クラウンブリッジ補綴学とよぶ場合があるが，歯科補綴学は装置をつくることを学ぶ学問ではない．歯・口腔・顎，およびその関連組織の先天的欠如，後天的欠損，喪失および異常を，人工装置を用いて修復し，喪失または障害された顎口腔機能（咬合，咀嚼，発語，嚥下）と外観（審美性）を回復するとともに，継発疾病の予防をはかることを目的とする学問である．したがって，歯科補綴学は生命科学や健康科学をベースとした実学としての補綴歯科治療学であり，人々の健康・福祉の維持・向上に貢献する役割を担うものである．本書の『無歯顎補綴治療学』というタイトルには，この考え方に基づき無歯顎という状態の機能回復と審美回復をするための歯科補綴学であり，その治療手段として全部床義歯やインプラント義歯があるという意味がこめられている．

（市川哲雄）

COLUMN ❶ 「無歯顎補綴治療学」と「全部床義歯学」「全部床義歯補綴学」

　歯科補綴学とは，本章に記載したとおり，単に補綴装置を製作することだけではなく，製作された補綴装置を用いて失われた口腔の形態と障害された機能を回復し，それらを維持することに関する学問である．そのため本書ではあえて，装置名に「学」をつける「全部床義歯学」や「全部床義歯補綴学」とするのではなく，医科学と同様に，疾患（障害）名である「無歯顎」の患者に対する「補綴治療」を行うための学問であることを強調するために「無歯顎補綴治療学」とした．すなわち，無歯顎患者のための補綴歯科治療の学問である．さらに，無歯顎患者のためのインプラント治療が普及した現在，「全部床義歯補綴学」や「インプラント義歯治療学」という装置を主体とした学問体系よりも，診断と治療の選択肢を広げた「無歯顎補綴治療学」のほうがふさわしいという意味がこめられている．

（編集委員）

第2章 無歯顎補綴治療の歴史と変遷

　無歯顎補綴治療では，義歯床と人工歯により構成される全部床義歯という人工装置を用いる．すなわち，無歯顎補綴治療の歴史は，義歯床および人工歯に用いられた材料の歴史であり，各時代における人工物製作技術の発展と密接な関連がある．各年代における無歯顎補綴治療の歴史とともに，今後の無歯顎補綴治療の方向性について述べる（**表 2-1**）．

1 木床義歯（1400年ごろ？〜1900年ごろ）

　日本では，仏像製作の機会を失った仏像彫刻家が義歯を製作するようになったのが，木床義歯の始まりと考えられている．使用者の判明している最古の木床義歯（1538年）は願成寺の創始者である仏姫（本名：中岡テイ）の上顎の全部床義歯で，世界最古の全部床義歯とされている（**図 2-1**）．その他，天然歯応用の下顎全部床義歯（黄楊の木床義歯，使用者：羽間彌次兵衛浄心，1673年60歳で逝去），上下顎蠟石歯応用の上下顎全部床義歯（黄楊の木床義歯，使用者：柳生飛驒守宗冬，1675年63歳で逝去）が知られている．義歯の使用を開始したと推定される年齢から逆算すると，1650年代には木床義歯の製作技術はほぼ完成されていたと考えられる（**図 2-2**）．

表 2-1 無歯顎補綴治療の歴史

年代	無歯顎補綴治療の変遷
1538年	世界最古の全部床義歯（上顎の木床義歯：使用者の判明している最古のもの） 使用者：仏姫，本名：中岡テイ（願成寺の創始者）（図 2-1）
1673年	天然歯応用の下顎全部床義歯（黄楊の木床義歯） 使用者：羽間彌次兵衛浄心
1675年	上下顎蠟石歯応用の上下顎全部床義歯（黄楊の木床義歯） 使用者：柳生飛驒守宗冬
1728年	Pierre Fauchard（1678〜1761）が上顎全部床義歯を製作（図 2-3）
1850年	Goodyear兄弟，硫黄との化学反応により生ゴムを硬化させる方法を開発
1855年	Charles Goodyear，床用材料に蒸和ゴムを利用することに成功
1860年	ゴム床義歯の技術が西洋歯科医術として，日本に伝えられる
1880年	蒸和ゴムが日本に輸入されるようになる
1800年代後半〜 1900年代前半	蒸和ゴム床義歯の時代
1945年	レジン床義歯の登場．米国歯科医学の導入により，ポリメチルメタクリレート樹脂が使用されるようになる
1990年頃	インプラント，CAD/CAM技術の応用が始まる
2000年以降	CAD/CAM技術のさらなる進化，新しい床用材料の開発

図 2-1 仏姫の木床義歯（上顎）（願成寺のご厚意による）
使用者の判明している世界最古の全部床義歯である．前歯，臼歯ともすべて木に彫ってある．

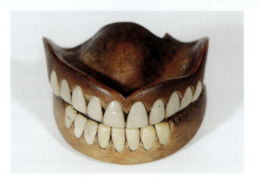

図 2-2 上下顎蝋石歯応用の上下顎全部床義歯
（神奈川県歯科医師会 歯の博物館所蔵）
黄楊の木床義歯で，使用者は不明．

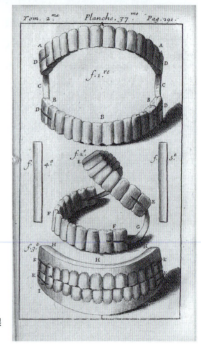

図 2-3 Pierre Fauchard 製作の上顎全部床義歯
（Fauchard, 1728）
木床義歯のように吸着させるのではなく，下顎全部床義歯と弾線（スプリング）でつないで上顎全部床義歯を保持する構造である．

　一方，海外では，1700年以前においては，上顎全部床義歯の製作はまったく不可能とされていた．1728年近世歯科学の父といわれた Pierre Fauchard（1678～1761）が上顎全部床義歯を製作したのが最初となる（**図 2-3**）．ただし，木床義歯のように吸着させるのではなく，下顎全部床義歯と弾線（スプリング）でつないで上顎全部床義歯を保持する構造となっており，食事用ではなく外見を保つために使用されるものであった．すなわち，日本の木床義歯は，世界における全部床義歯の起源であり，現在の全部床義歯と同様に，上顎の顎堤粘膜に吸着し，食事の際に脱落しないように製作されていた．そして，木床義歯は日本人の高い木彫り技術の象徴であり，近世歯科学の父といわれた Pierre Fauchard の誕生前に，すでに木床義歯が実用化されていたことは世界史上特筆すべきことである．

木床義歯の床材としては，強靭で肌触りのいい黄楊が頻用された．品質として劣る桜，梅，杏子は変形しやすいことから，乾燥後，渋または漆を塗ったうえで使用されていた．

歯型（人工歯）材としては，象牙，牛骨，蝋石，黒檀，鯨骨，黒柿などで，歯根部分を鳩尾形にして床に陥入するようにして植え込んだ．天然歯も使用されていたが，高価であった．歯型の歯根部（鳩尾形の箇所）に，近遠心方向の孔もしくは溝を付与し，三味線の糸もしくは細い金属線を，その孔に貫通もしくは溝に適合させて各歯型を連結し，糸もしくは金属線の端を小臼歯舌側部分でくさびを陥入させ床と一体化させるという方法で，歯型と床を強固に固定していた．この歯型と床の固定方法は，通常の陶歯と同様の原理（機械的嵌合）であり，世界最古の方法といえる．

安価な臼歯部の歯型としては，平坦な床面に三角形の突起を彫刻したもの，ケンピンという金属（純銀，真鍮，銅，鉄）製の合釘鋲を打ち込んで咬頭としたものなどがあった．

上下顎の木床義歯の製作には通常2〜3日かかったが，熟練者では1日に1個を製作したとされる．この製作時間は驚嘆に値するが，難しいものでは1か月を要したともいわれる．

人工歯としては，1790年代に de Chamant が陶製の人工歯を開発したが，全人工歯列と義歯床が一体となったものであった．1808年に Fonzi が1歯ずつ単独の陶歯を初めて製作し，White社，Ash社などにより大量生産されるようになった．

2 蒸和ゴム床義歯（1800年代後半〜1900年代前半）

1850年に Goodyear 兄弟が，硫黄との化学反応により生ゴムを硬化させる方法を開発した．そして，1855年 Charles Goodyear が床用材料に蒸和ゴムを利用することに成功し，蒸和ゴム床義歯が誕生した（**図2-4**）．1880年ごろ，「デンタルガム®」として日本にも輸入されるようになり，蒸和ゴム床義歯時代が到来した．蒸和ゴム床義歯の人工歯は陶歯が主であり，終戦直後まで蒸和ゴム床義歯が使用された．

3 レジン床義歯（1900年代後半以降）

1930年代にポリメチルメタクリレート樹脂（PMMA）が開発され，1941年にはPMMAによるレジン歯が製造されるようになった．日本においては，終戦と同時に米国歯科医学の導入により，PMMAが使用されるようになり，現在に至るまで歯科臨床における主たる床用材料となっている．加熱重合型，常温重合型，光重合型など種々の床用レジンが開発，改良されて臨床に応用されている（**図2-5**）．鋳造技術の発達に伴い，コバルトクロム合金製などのフレームワークを用いた金属床義歯も製作されるようになった（**図2-6**）．1980年代後半に，ポリサルホン樹脂，ポリエーテルサルホン樹脂およびポリカーボネート樹脂が機械的強度に優れる床用材料として登場し，臨床で使用されるようになったが，適合性や修理の操作性にやや難があり，PMMAに代わる材料とはなりえなかった．

人工歯に関しては，真空焼成法の応用（1955）により材質が向上した陶歯とともに，レジン歯が使用されていたが，陶歯と比較して光沢や透明感がなく，耐摩耗性に劣っていたこと

 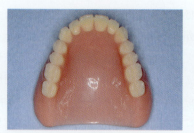 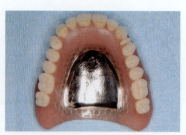

図2-4 蒸和ゴム床義歯（島根県歯科医師会 歯の歴史資料館所蔵）　　図2-5 レジン床義歯　　図2-6 金属床義歯

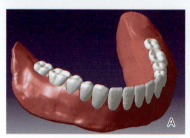 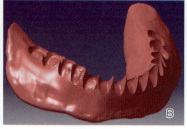 

図2-7 CAD/CAM技術による全部床義歯（水口・金澤, 2014）
A：CADソフトにより，人工歯排列と歯肉形成を終えた義歯データ．
B：データ上で人工歯を取り除き，義歯床のみのデータとする．
C：Bのデータをもとにレジン（PMMA）ブロックから義歯床を削り出した．これに人工歯を接着させれば完成である．

から，1990年ごろに超微粒子フィラーを含む硬質レジン歯が開発され，臨床で主に使用されるようになった．

4 インプラントの応用

　1990年ごろからインプラント治療が普及するとともに，無歯顎症例にインプラントを応用した補綴歯科治療も多くみられるようになってきた．固定式・術者可撤式インプラント義歯（ボーンアンカードブリッジなど）とともに，1〜数本をインプラント支台としたオーバーデンチャーが臨床応用されるようになり，従来の全部床義歯との有効性の相違について議論されるようになった．

5 CAD/CAM技術の応用（図2-7）

　CAD/CAM（computer aided design/computer aided manufacturing）技術を全部床義歯に応用する試みはすでに1990年代にスタートしている．PMMAに代わる素材はまだ登場していないが，ミリングや3Dプリントに適した新たな床用材料開発の試みは絶えることなく行われている（☞p.322参照）．現在，全部床義歯の製作方法に関しては，急速なデジタル技術の進歩により新たな展開を迎えつつある．

（大川周治）

第3章 無歯顎の病因と病態

I 無歯顎の病因

すべての歯を喪失する，もしくは欠損する原因としては，齲蝕や歯周疾患，あるいは事故や打撲による外傷，さらには腫瘍の摘出などがあげられる．これらは病的因子とよぶことができる．しかし，齲蝕に関しては，加齢に伴う歯肉の退縮や咬耗，唾液分泌量の減少なども誘因としてあげられている．また，歯周疾患のリスクファクターとして，老化 aging があげられている．すなわち，歯の喪失もしくは欠損には病的因子に加えて，老化因子が関与していることになる．

老化とは，時間経過に伴う形態的および機能的変化のうち，成熟期以降に起こる組織的崩壊あるいは機能的減退のことをいう．また，"加齢によって生理機能の減退を伴った状態"とも定義されており，時間経過に伴う活動性の低下と考えることができる．すべての生理機能は加齢とともに低下する．これらの低下は各組織・器官における細胞数の減少に起因している．

老化には，加齢に伴い必然的に起こる生理的老化（正常老化）と，この老化のうえにさらにストレス（生活習慣に起因する糖尿病，高血圧，動脈硬化などを含む）が加わって，老化現象が促進される病的老化（異常老化）がある（図3-1）．なお，老化の特徴には，①普遍性 universality（老化は集団構成員のすべてに起こる），②内在性 intrinsicality（老化は遺伝的規制を受けた現象である），③進行性 progressiveness（通常の条件下では進行性で不可逆的な過程である），④有害性 deleteriousness（すべての機能が低下する）の4つがあげられている．また，老化の機序に関しては多数の学説があるが，本質的に遺伝子機構に内在するプログラムによる，いわば分化の延長線上の表現とみるものと，プログラムに生じた内外因による誤りとするものの2つの見方ができるとされている．

老化によって，恒常性（ホメオスタシス homeostasis）の維持機能が低下する．恒常性とは，生体が外的あるいは内的環境の変動に合わせて自己調節し，常に体内環境を一定に保とうとする状態を意味している．恒常性を維持するために，生体には防衛能力，予備能力，適応能力，回復能力が備わっている．防衛能力とは，健康を脅かすストレッサーに抵抗，あるいはこれを回避することによって恒常性を保つ能力であり，免疫力や反射に代表される．予備能力とは，体内に蓄えられているゆとりの能力であり，これが十分であればストレッサーが加わっても対処が可能である．また，適応能力とは，ストレッサーが生体のストレスにならないように順応していく能力であり，回復能力とは，ストレスを受けても修復して元に戻そうとする能力を意味している．しかし，加齢に伴ってこれらの能力が低下するため，高齢者は健康を損ないやすい状態になっている．

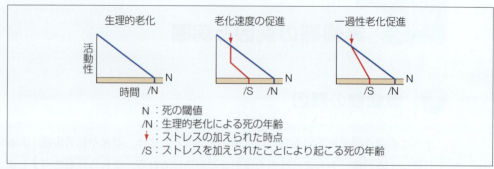

図 3-1 生理的老化と病的老化（Lamb, 1977 より改変）

　以上のように，生体の老化に起因する老化因子が病的因子と相まって，歯の喪失を進行させ，無歯顎に至ると考えられる．加えて，歯の喪失が老化を進行させるストレスとなって，全身の病的老化を促進することも考えられる（**図 3-1**）．

　なお，わが国では，1989 年から「8020 運動」（80 歳で 20 本以上の自分の歯を保つための啓発活動）が推進されている．この中では，乳幼児期からの正しい口腔のケアと青年期のセルフケアの重要性が強調されている．すなわち，歯の喪失および無歯顎の原因は老化だけではなく口腔ケアが重要であることを銘記すべきである．

歯の寿命および喪失歯数と全部床義歯装着者数

　2000 年 4 月，厚生省（現 厚生労働省）は"健康寿命〔痴呆（認知症）や寝たきりにならない状態で生活できる期間〕の延伸"を目的として，「健康日本 21」と命名した健康づくり運動を開始した．この中には，"歯の健康が生活の質の確保の基礎である"と謳われており，高齢者にとっては咬合・咀嚼機能の維持・管理が健康の源であると考えられる．なお，「健康日本 21」では，平成 5（1993）年歯科疾患実態調査で 11.5％であった「8020 達成者」を平成 22（2010）年には 20％以上にすることを具体的な数値目標として掲げ，令和 4（2022）年には 51.6％に達した（**図 3-2**）．

　80～84 歳における歯の残存率〔平成 23（2011）年歯科疾患実態調査〕を **図 3-3** に示す．残存率は，男女比較では，歯の部位に関わらず男性が女性より高く，部位別では犬歯が最も高い傾向を示していた．上下顎の比較では，前歯部は下顎が高く，大臼歯部では上顎が高い傾向を示し，小臼歯では一定の傾向を示さなかった．

　これらの結果から，下顎大臼歯部→上顎大臼歯部→上下顎小臼歯部→上顎前歯部→下顎前歯部の順番で歯は失われていく傾向にあると考えられる．したがって，上下顎無歯顎に至る直前としては，下顎前歯部のみが残存しており，上顎無歯顎に対応した全部床義歯と，下顎前歯部残存の両側性遊離端義歯が装着されている状況が多いと考えられる．

　平成 17 年から令和 4 年までの調査結果をみると，各年齢階級を通じて部分床義歯装着者

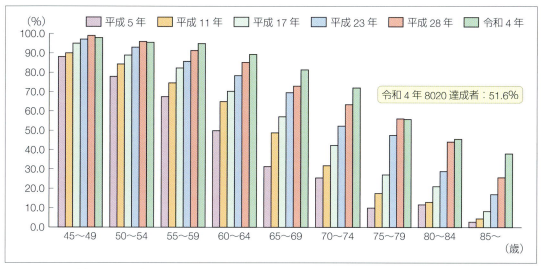

図 3-2 8020 達成者の推移（歯科疾患実態調査，2022）
令和 4 年度の 8020 達成者は 51.6％であり，平成 28 年度の 51.2％から微増している（8020 達成者は，75 歳以上 85 歳未満の数値から推計）．

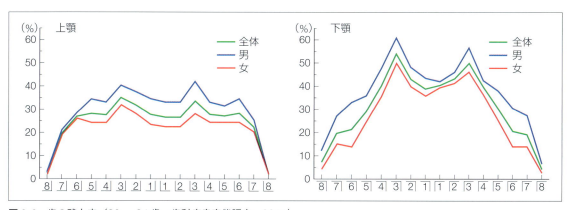

図 3-3 歯の残存率（80 ～ 84 歳，歯科疾患実態調査，2011）

の割合は経年的な変化は少なく，ブリッジは全年齢階級を通じておおむね増加しており，特に 80 歳以上の年齢階級で顕著である．全部床義歯装着者の割合は経年的に大幅に減少している．特に 74 歳以下の年齢階層における全部床義歯装着者は激減しており，このことは全部床義歯装着者の高齢化を示している（**図 3-4**）．

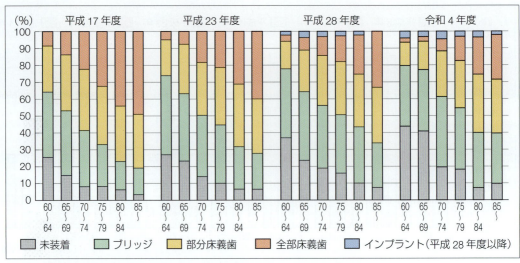

図 3-4　各補綴装置の装着者の割合（歯科疾患実態調査 2005, 2011, 2016, 2022）
各年齢階級を通じて部分床義歯装着者の割合は経年的な変化は少なく，ブリッジは全年齢階級を通じておおむね増加しており，特に 80 歳以上の年齢階級で顕著である．全部床義歯装着者の割合は経年的に大幅に減少している．

Ⅲ　無歯顎の病態

　すべての歯を喪失することによって，顎口腔系の機能と形態はどのように変化するか，もしくはどのような障害が生じるか，無歯顎の病態を把握する必要がある．

　歯の喪失に伴う顎口腔系の機能と形態の変化には，加齢に伴う生体の変化，すなわち老化による変化が含まれている．したがって，無歯顎の病態を考える場合には，加齢に伴う顎口腔系の変化をあわせて考える必要がある．

　ここでは，歯を失った後の顎骨と顎堤粘膜に加えて，顎口腔系諸組織・器官の形態的，機能的な加齢変化を，歯の欠損がなく，かつ健全な顎口腔系機能を営んでいる，いわゆる健常有歯顎者の状態と対比しながら，無歯顎の病態についての理解を深めることにする．

1　歯の喪失後の顎骨の変化

　歯は，歯根膜を介して，上顎骨歯槽突起あるいは下顎骨歯槽部（以下，歯槽骨 alveolar bone とする）と連結している．したがって，健常有歯顎者においては，咬合・咀嚼時に咀嚼筋などによって発揮される力は，歯根膜で受け止められることになる．これを歯根膜負担（歯根膜支持）tooth-support という．加えて，歯根膜にある機械的感覚受容器は，筋にある筋紡錘および顎関節にある顎関節受容器とともに感覚情報の伝達や筋活動の調節に大きく関与している．一方，すべての歯を喪失することによって装着される全部床義歯では，機能時に生じる圧は義歯床を介して，その下にある粘膜と歯槽骨によって受け止められる．これを

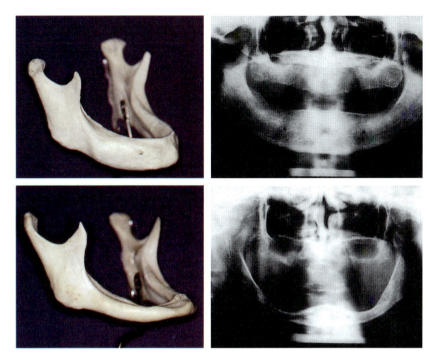

図 3-5　顎堤吸収量の異なる下顎骨とパノラマエックス線写真

粘膜負担（粘膜支持）tissue-support という．したがって，義歯床下組織には，加齢現象と同時に外的刺激によって種々の変化が生じる．また，歯の喪失によって歯根膜受容器をあわせて喪失するため，感覚情報の伝達が障害され，結果的に筋活動をはじめとする種々の運動の調節に障害が生じることになる．さらに，末梢からの情報が統合・制御される中枢神経系への影響も考えられる．なお，全部床義歯の支持は顎堤でなされるため，全部床義歯装着者にとっては，顎堤の形態などが咀嚼機能の回復へ大きな影響を及ぼすことになる．

　一般に，顎堤は以下のように形成される．歯の抜去により抜歯窩が血餅によって満たされる．次いで，血餅中に幼若な結合組織と血管が入り込み，抜歯窩は肉芽組織で満たされる．ほぼ同時に歯槽突起の上縁は吸収され，側方からは骨膜と口腔粘膜（歯肉）が肉芽組織上に伸びてきて，これを被覆する．この後，骨新生と骨改造（リモデリング remodeling）の経過をとり，骨膜は緻密骨を形成する．抜歯から約 2〜3 か月後には，骨梁の形成が行われ，6 か月ごろまでには，残された歯槽骨と粘膜によって形成される堤状の高まり，すなわち顎堤となる．しかし，顎堤には経時的な形態変化が生じる．いわゆる，顎堤吸収 reduction of residual ridge である（図 3-5）．

1）無歯顎顎堤の垂直的高さの経時変化

　無歯顎の顎堤吸収に関しては，頭部エックス線規格写真による多くの研究がなされている．
　Carlsson は 34 名について，抜歯後の下顎前歯部における骨の高さの喪失量（mm/ 年）を調べた．すなわち，最小と最大の骨喪失量を示した 2 名の患者の最初の 2 年間，最初の 5

表 3-1 下顎無歯顎顎堤の経時的な垂直的顎堤吸収量

	最初の2年間（mm）	最初の5年間（mm）	3～5年目まで（mm）
最小の顎堤吸収を示した患者	0.75	0.4	0.13
最大の顎堤吸収を示した患者	4.5	2.9	1.8
顎堤吸収の平均値	2.75	1.36	0.5

(Carlsson, 1967)

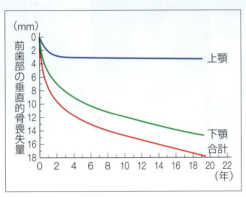

図 3-6 ある患者の 19 年間にわたる垂直的顎堤吸収曲線（Atwood, 1971）

年間，3年目から5年目までの値を平均値と比較している（**表 3-1**）．この表から，2名の骨喪失量の間に大きな差異があること，また，特定の患者にとっての顎堤吸収のパターンは初期に決まってしまい，その後5年間にわたってそれが保たれていることがわかる．

Atwood は，19 年間にわたって1人の患者の顎堤吸収を調べ，上顎骨前歯部の顎堤吸収は最初の3年間に3 mm であったが，その後はほとんど変化しないことを示している．一方，下顎骨は，早期に著明な骨吸収を示した後に，年間 0.4 mm 程度となり，19 年間で 14.5 mm になったことを示している．すなわち，上顎に比べて下顎の吸収が著明であることがわかる（**図 3-6**）．

2）無歯顎顎堤の水平的幅径の経時変化

水平的な無歯顎顎堤の経時変化については，歯の喪失による歯槽突起あるいは歯槽部の骨改造によって鞍状に変化した顎堤の頂上，すなわち歯槽頂 alveolar ridge crest の位置を観察することになる．歯槽頂は歯槽突起の内側（舌側，口蓋側）と外側（頰側）の骨改造の相違によって，その位置が変化する．

上顎骨は，内側（口蓋側）に比べて外側（頰側）の吸収が著明である．この理由としては，頰が外側から圧を加えること，上顎臼歯は頰側が複数根であるため，外側は薄く多孔性であることなどがあげられる．この結果，楕円形または放物線形を示す上顎の無歯顎歯槽頂を連

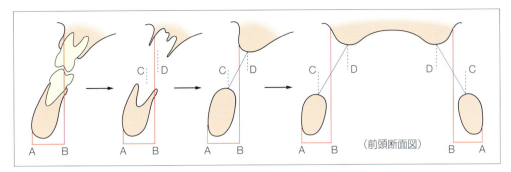

図 3-7　抜歯後の垂直的な歯槽頂の経時的変化（Boucher, 1975 より改変）
A-B：上顎顎骨上のある１点と下顎外側縁までの同一距離．C, D：歯槽頂の中央部．

ねた形態，すなわち顎堤弓 alveolar ridge arch, alveolar arch は内側（口蓋側）へ移動することになる．なお，口蓋は変化の最も少ない部位である．これに反して，下顎骨では，内側（舌側）の吸収が著明である．この理由としては，内側には舌圧が加えられること，外側は緻密骨に富み，吸収されにくいうえに緻密な外斜線が走っていることなどがあげられ，結果的に下顎の顎堤弓は外側（頬側）へ移動することになる．したがって，一般的には無歯顎における上下顎顎堤の前頭面からみた対向関係は，上下顎の歯槽頂を結ぶ線，すなわち歯槽頂間線 interalveolar crest line/interalveolar ridge line が「ハの字状」を呈することになる（**図 3-7**）．

3）顎堤吸収に関わる因子

　顎堤吸収は解剖学的因子，新陳代謝的因子，力学的因子が複雑に絡み合った多因子的な生物力学的疾患と仮定されている．

　解剖学的因子としては，顎堤の骨の量と質が考えられる．すなわち，骨の量が多ければ，咀嚼圧を受け止めるという顎堤の機能には有利であると考えられる．また，骨密度が高いほど顎堤吸収は少ないと考えられる．なお，歯槽頂上の骨に関しては，緻密な皮質骨層が認められる顎堤，ナイフエッジ状の顎堤，皮質骨がなく，海綿骨（骨梁）のみが存在する顎堤が観察されることが報告されている．

　新陳代謝的因子としては，ホルモンやビタミンに加えて，義歯清掃の不良などに起因する内毒素，破骨細胞を活性化する因子，プロスタグランジン，歯肉の骨吸収刺激因子，ヘパリンなどが含まれる．また，この他の潜在的，局所の骨吸収因子としては，適合不良の義歯に起因する炎症性刺激が考えられる．すなわち，炎症による循環障害が局所の栄養障害を引き起こし，炎症性細胞などによる局所の破壊が生じる．また，適合の不良な義歯の装着によって，上皮の基底細胞や結合組織の線維芽細胞からプロスタグランジンが放出され，それが破骨細胞を誘発し，骨を減らし顎堤吸収へつながることになる．

　力学的因子としては，廃用性萎縮や義歯を介して伝達される過剰な力，すなわち機械的刺激などが考えられる．特に後者に関しては，補綴学的因子ともいえるものであり，義歯の設計に際しては，顎堤吸収を可及的に少なくするために，顎堤に加わる力の総量を減らすこと

を十分に考慮しなければならない．また，不適切な義歯の設計が炎症性刺激の原因となることもある．

顎堤吸収の大きな要因として，骨粗鬆症 osteoporosis があげられる．これは，特にエストロゲンの血中レベルが著しく低下した閉経後の女性をはじめとして，高齢者にみられる代謝性骨疾患であり，皮質骨の菲薄化と海綿骨の骨梁の減少を呈し，骨基質と骨塩の比率が一定のまま骨量が減少する．なお，無歯顎下顎骨における同様の変化がエックス線学的研究によって明らかにされており，また骨粗鬆症が重篤であるほど下顎顎堤の高さが減少していることが報告されている．

骨粗鬆症では，骨吸収と骨形成とのバランスが崩れることによって，骨の老化による骨吸収が起こっても，それを補うだけの骨形成が起こらない状態になり，結果的に骨量が減少する．骨吸収と骨形成は，主に骨代謝ホルモンによってコントロールされている．すなわち，閉経によってエストロゲンの欠乏が起こり，カルシトニンの分泌が低下し，活性型ビタミンDのレベルが低下する一方，副甲状腺ホルモンは上昇し，ホルモンのバランスが崩れた状態になり，骨吸収が促進される．さらに，カルシウム摂取量の不足，運動不足，日光浴不足などの要因が複雑に関与すると考えられている．著しい顎堤吸収がみられる無歯顎患者は骨粗鬆症の影響を受けていることが推測される（**図 3-5**）．

なお，骨粗鬆症に対してビスホスホネート製剤などを使用している患者において，抜歯などの歯科治療により顎骨壊死が引き起こされることがあることが知られている．抜歯などの外科処置のみならず，歯周外科治療，歯内治療，歯周治療などでも注意が必要である．原因薬剤の違いにより，ビスホスホネート系薬剤関連顎骨壊死（BRONJ），骨吸収抑制薬関連顎骨壊死（ARONJ），薬剤関連顎骨壊死（MRONJ）などとよばれるが，病態はほぼ同様である．

2 歯の喪失後の顎堤粘膜の変化

歯を失った後の顎堤粘膜は，義歯床とその下の支持骨との間にはさまれ，クッション様の役割を果たしている．なお，顎堤粘膜は粘膜上皮（重層扁平上皮）と粘膜下組織からなっている．

顎堤粘膜は機能時の圧を受け止めるため，上皮は角化層に覆われ，粘膜下組織は骨膜と堅固に付着していることが望ましい．そのためには，十分な密度と厚さが必要とされる．上顎では，歯槽頂付近の粘膜は，この条件にかなっており，一次的圧負担域 primary supporting region といえる．歯槽頂から斜面に沿って歯肉頬移行部までは，次第に骨膜との堅固な付着は失われるようになり，支持能力は歯槽頂付近より劣る．硬口蓋前方部および側方部の粘膜下組織には脂肪細胞が，また，硬口蓋後方部および側方部には腺組織が含まれており，これらの部位での支持には大きな期待はできず，さらに，正中口蓋縫合では，粘膜下組織は薄いか，またはまったく存在しない場合もあり，支持には不適切な部位である．一方，下顎残存歯槽頂付近の粘膜下組織は骨膜に堅固に付着している場合もあるが，上顎に比較してスポンジ状の小柱化した海綿骨であるため，一次的圧負担域とはいえない．下顎残存顎堤の一

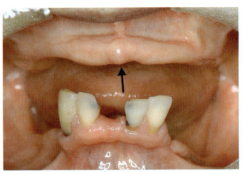

図 3-8　フラビーガムの一例
（コンビネーションシンドローム）

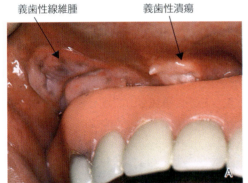
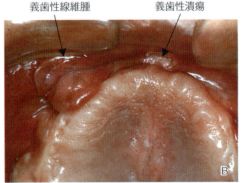

図 3-9　義歯性線維腫と義歯性潰瘍の一例
A：義歯装着時．B：義歯非装着時．

次的圧負担域は，頰棚 buccal shelf（頰小帯の後方で，下顎歯槽頂から外斜線までの範囲）である．この理由は頰棚部の骨が緻密骨であることと，支持面がほぼ水平であることによる．

無歯顎における顎堤粘膜の異常としては，フラビーガム flabby gum（図 3-8），義歯性線維腫 denture fibrosis，義歯性潰瘍 denture ulcer（図 3-9）があげられる．

フラビーガムは，顎堤に発現する被圧変位量の大きな粘膜過形成組織であり，不適切な義歯の長期使用による機械的刺激によって生じ，歯槽骨の吸収と粘膜の肥厚および粘膜下組織の線維性増生がみられる．特に，上顎が無歯顎で，下顎前歯のみが残存している症例に認められることが多く，コンビネーションシンドローム combination syndrome（1972 年に Kelly によって提案された症候群）の 1 症状である（図 3-8）．

義歯性線維腫は，床縁部の粘膜に多くみられる炎症反応性の増生物である．しかし，真の線維腫ではない．上顎歯肉唇移行部に好発し，下顎にも生じることがある．床縁部の機械的刺激が主な原因である．

義歯性潰瘍は，顎堤粘膜の同一部位が義歯により繰り返し圧迫されて，上皮細胞が壊死することで褥瘡が生じる異常である．

（越野　寿）

第4章 加齢と歯の喪失に伴う咬合機能の変化

I 顎口腔系の形態的変化，機能的変化

1 顎関節

顎関節 temporomandibular joint（TMJ）は頭蓋にある唯一の関節であり，解剖学的にも運動学的にも他の関節と異なる構造や機能を有する．顎関節は側頭骨下顎窩（関節窩）および関節結節と下顎骨関節突起の頭部である下顎頭 condyle，そしてこれらの間に介在する関節円板 articular disk からなり，これらの外側は線維性結合組織である関節包 joint capsule により包まれている（図4-1）．

1）顎関節の構造
（1）下顎頭

下顎頭は，軟骨層，軟骨下層および皮質層から構成され，軟骨層では軟骨内骨化を営み，下顎骨の成長にかかわる．この成長は20歳代で停止するが，その後，歯の咬耗，移動および喪失による上下顎咬合関係の変化によってリモデリングは生涯にわたって行われる．咬合の異常を常に完全に補償するほどの高度な適応性はなく，長期にわたる下顎運動の異常は下顎頭の骨改造変化として出現する．

（2）関節円板

関節円板は部分的に硝子軟骨化した密な結合組織線維であり，関節腔を上関節腔と下関節腔に二分している．また関節円板は下関節腔を介して帽子のように下顎頭を覆っており，前

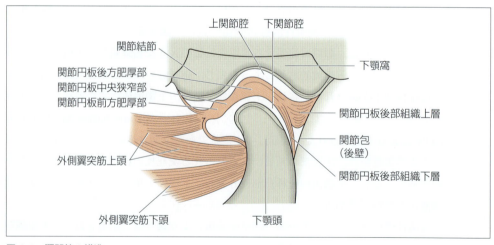

図4-1 顎関節の構造

方肥厚部，中央狭窄部，後方肥厚部に分けられる．関節円板の内側と外側は関節包に移行しており，内側端と外側端は下顎頭の内側極と外側極に付着している．円板の前方は上葉と下葉に分かれ，上葉は関節結節の前縁に，下葉は下顎頭の前面に停止している．この上・下葉の間を外側翼突筋上頭の一部の線維が走行し，関節円板に停止する．関節円板後方肥厚部の後方（関節円板後部組織または二層部とよばれる）は弾性線維からなる上層と，膠原線維からなる下層から構成され，下顎骨自体のさまざまな運動と協調した動きを行う．

(3) 関節包

関節包は関節結節を含む顎関節を包んでいる結合組織であり，側頭骨と下顎頭とを連結している．なお，関節包の内面は滑膜で覆われており，ここから滑液が分泌される．

(4) 支配神経

顎関節は下顎神経の耳介側頭神経によって支配されている．その受容器は主として関節包全体に広く分布する自由神経終末であり，機械的受容器（自由神経終末，ルフィニ型終末，ゴルジ腱器官，パチニー様小体）が関節包の外側部および外側靱帯に存在しており，下顎の位置を認識し，咀嚼運動の調節機構の1つとなっている．

無歯顎者の補綴歯科治療における顎間関係記録時に，顎関節内の下顎頭や関節円板の位置関係を考慮することは重要であり，上記の解剖学的構造を十分に理解する必要がある．

2）顎関節の加齢変化

顎関節には顎骨の加齢変化および歯の喪失に伴って形態や機能の著しい変化が生じる．加齢に伴う形態的変化としては，関節窩の前方斜面の傾斜が緩くなり，相対的に関節結節が平坦化することが報告されている．一方，下顎頭の前方斜面が吸収され，上面も平坦化する．この結果，無歯顎者の矢状顆路傾斜角（☞ p.36 参照）は有歯顎者と比べて小さくなり，容易に下顎位が変化するようになる．また，加齢に伴い関節包や外側靱帯などの軟組織にも緩みが生じるため，下顎頭の運動範囲が大きくなる．

加齢とともに下顎頭の骨改造は徐々に退行性変化を示し，有歯顎者と比較して無歯顎者では下顎頭上部は平坦化する．さらに義歯を装着していない場合や，不適合な義歯を装着している場合では下顎頭の異常変形を認めることもある．

このような顎関節の加齢変化によって引き起こされる病態の1つである習慣性顎関節脱臼の発生頻度は，脳血管疾患，認知症および Parkinson 病などの疾患をもつ患者において高いと報告されている．そのような疾患と随伴して起こる慢性的な咀嚼障害や頻回の脱臼に伴う疼痛コントロールの困難性はわが国の超高齢社会において重要な治療課題となっている．

（津賀一弘，吉川峰加）

2 筋

咬合・咀嚼・嚥下・発語機能に関与する顎口腔系の筋には，咀嚼筋 masticatory muscles とよばれる4つの筋と，下顎の下制（開口），舌骨の固定，舌の運動，口腔底の挙上などに関与する舌骨上筋群 suprahyoid muscles と舌骨下筋群 infrahyoid muscles とがある（図

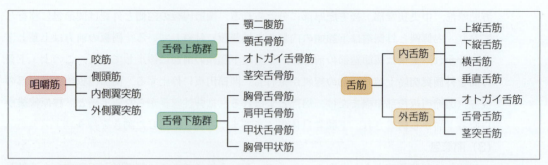

図 4-2　咀嚼筋，舌骨上筋群，舌骨下筋群，舌筋

4-2)．加えて，顔の外観あるいは表情に関与し，さらに食塊の形成とその上下顎歯列間への運搬などに関与する顔面筋 facial muscle（表情筋 mimic muscles），舌筋 lingual muscles および軟口蓋を形成して動かす筋がある．さらに，頭部の運動や姿勢保持が主な機能である胸鎖乳突筋 sternocleidomastoid も咬合・咀嚼機能に関与している．

1）咬合・咀嚼・嚥下・発語に関与する筋

(1) 咀嚼筋

(a) 咬筋

咬筋 masseter muscle は浅部と深部の2層からなり，浅部は頬骨弓前部の下縁から起こり，下顎枝外面および咬筋粗面をはじめとして広く下顎角外面に停止している．深部は頬骨弓後方部の下縁から起こり，垂直に下方へ走り，下顎枝外面の上部に停止している（**図 4-3**）．

最も強力な下顎挙上筋であり，咬合力発現時の主働筋として働く．また，この起始部が停止部に対してわずかに外側にあるため，片側の咬筋はその方向に下顎を動かすことができる．さらに深部は下顎が前方位にあるとき，その後退に役立つ．咬合力を発現する際，触診により筋の膨隆を感じることができる．

(b) 側頭筋

側頭筋 temporal muscle は扇形をした筋で，扇の上縁部は側頭骨の下側頭線から中央部で側頭窩さらに頬骨弓の下部で側頭下窩までの広い範囲から起こり，扇の要の部分は下顎骨筋突起に停止する（**図 4-3**）．

側頭筋は，前部筋束，中部筋束，後部筋束に分けられ，前部筋束と中部筋束は下顎の挙上に，後部筋束はほとんど水平に走行しているため，下顎の後退運動に関与している．また，停止部が起始部に対してわずかに内側にあるため，片側が働いてその方向に下顎を引くことができる．咬筋と同様に触診によって，咬合時の筋の膨隆を感じることができる．

(c) 内側翼突筋

内側翼突筋 medial pterygoid muscle は，咬筋とほぼ鏡像の関係にあり，蝶形骨の翼状突起の翼突窩から起こり，下顎枝内面の翼突筋粗面に停止する四角形の筋である（**図 4-3**）．

内側翼突筋は，咬筋とともに，下顎を強力に挙上する働きがある．また，筋の停止は起始よりも後方にあるため，下顎の前方運動にも関与する．

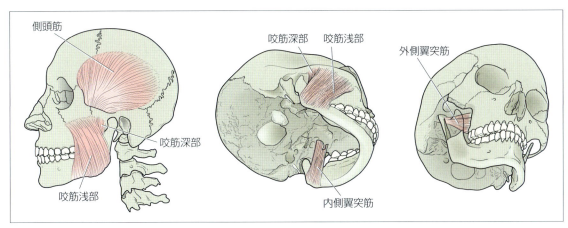

図 4-3 咀嚼筋（咬筋，側頭筋，内側翼突筋，外側翼突筋）（井出，1990 より一部改変）

(d) 外側翼突筋

外側翼突筋 lateral pterygoid muscle は，小さな上頭と大きな下頭の2つの筋頭をもち，4つの咀嚼筋中で唯一の前後的に走行する筋である．上頭の起始は蝶形骨大翼側頭下稜から側頭下面にかけてであり，下頭の起始は翼状突起外側板の外側面である．また，上頭の一部の停止は関節円板であり，上頭の大部分と下頭は下顎頭の頸部にある翼突筋窩に停止する（**図 4-3**）．

外側翼突筋は，下顎を前方に動かすための主要な筋であり，下顎頭と関節円板を前方に引くことができる．また片側の外側翼突筋が収縮することによって，収縮する側の下顎頭が前下内方に引かれ，下顎を側方に動かす．ゴシックアーチ描記は主に外側翼突筋の収縮によって描かれているといってもよい．

(2) 舌骨上筋群

(a) 顎二腹筋

顎二腹筋 digastric muscle には，後腹と前腹とがあり，後腹は側頭骨乳様突起内側基部の乳突切痕から起こり，舌骨の大角の方向に下向し，中間腱として集まり，筋膜のトンネルを通り抜け，さらに前腹につながる．前腹は下顎骨二腹筋窩から，中間腱に停止する（**図 4-4**）．

顎二腹筋は，他の舌骨上筋群とともに，舌骨下筋群が緊張して舌骨が固定されると開口筋として働く．

(b) 顎舌骨筋

顎舌骨筋 mylohyoid muscle は，下顎骨内面顎舌骨筋線から起こり，内下方に走り，前方は正中線上で縫合線を形成し，後方は舌骨の前角に停止する（**図 4-4**）．

顎舌骨筋は，オトガイ舌骨筋とともに口腔底を形成する筋であり，開口時には収縮して下顎が舌骨に向かって引き下げられるので，口腔底は浅くなる．一般的に下顎臼歯部における舌側床縁は，顎舌骨筋線をわずかに越えた位置に設定される．

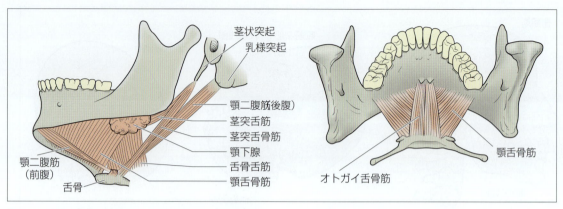

図 4-4　舌骨上筋群（小林ほか，1990 より一部改変）

(c) オトガイ舌骨筋

オトガイ舌骨筋 geniohyoid muscle は，下顎骨体内面の正中部下部にあるオトガイ棘から起こり，左右の筋束が寄り添って顎舌骨筋の上を後走し，舌骨体前面に停止し，開口筋として働く（図 4-4）．また，舌と舌骨を挙上して嚥下運動を助ける．

(d) 茎突舌骨筋

茎突舌骨筋 stylohyoid muscle は，茎状突起から起こり，舌骨体前端に停止する．舌骨を上後方に引き上げる（図 4-4）．

(3) 舌骨下筋群

舌骨の固定には，舌骨下筋である胸骨舌骨筋 sternohyoid muscle，肩甲舌骨筋 omohyoid muscle，甲状舌骨筋 thyrohyoid muscle，胸骨甲状筋 sternothyroid muscle が働く．

(a) 胸骨舌骨筋

胸骨舌骨筋は，肋骨柄ならびに鎖骨前端部後面から起こり，下方に走り，舌骨体下縁に停止する．舌骨を下方に引き下げる（図 4-5）．

(b) 肩甲舌骨筋

肩甲舌骨筋には，上腹と下腹があり，下腹は肩甲骨上縁から起こり，上前方に走り中間腱として集まり，さらに上腹に移行し，舌骨体外側部に停止する．舌骨を下後方に引き下げる（図 4-5）．

(c) 甲状舌骨筋

甲状舌骨筋は甲状軟骨斜線から起こり，舌骨体の体角下縁に停止する．舌骨を固定したとき甲状軟骨を挙上し，甲状軟骨を固定したとき舌骨を引き下げる（図 4-5）．

(d) 胸骨甲状筋

胸骨甲状筋は胸骨柄ならびに第一肋骨後面から起こり，甲状腺を越えて上行し，甲状軟骨斜線に停止する．甲状軟骨を引き下げる（図 4-5）．

(4) 顔面筋（表情筋）

茎乳突孔から出た顔面神経支配の筋を顔面筋とよぶ．顔面筋のうち表情をつくるものを表

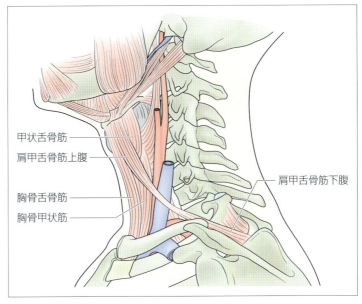

図4-5 舌骨下筋群

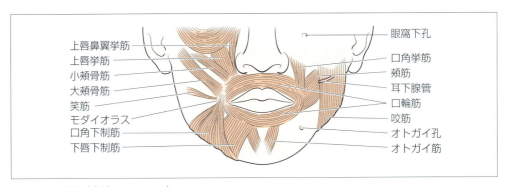

図4-6 表情筋（小林ほか，1990）

情筋という．

(a) 口唇を形成し，動かす筋（図4-6）

　口唇は，口裂を境として上唇と下唇に分かれており，口裂周囲を取り巻く口輪筋からなる筋板である．頰筋，笑筋，大頰骨筋，小頰骨筋，口角挙筋，上唇挙筋，口輪筋，下唇下制筋，口角下制筋および上唇挙筋は，口角のすぐ外側にあるモダイオラス modiolus（口角結節）と口角部の口輪筋に停止している．

　モダイオラスは，口輪筋を構成している上顎骨体の前面から起こった口もとの表情筋が口角の外方に集まり，ここで一部の筋束が上下に交差して上唇および下唇に移行するために厚くなった部分で，頰との移行部である．"えくぼ"は，モダイオラスのすぐ外側にできる．

　口輪筋は，線維性結合組織束である上唇小帯として，鼻下の正中線上の上顎骨に，また下唇小帯として，正中線上の下顎骨に付着する．したがって，上唇を下げる，あるいは下唇を

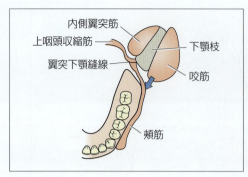

図 4-7 頬筋

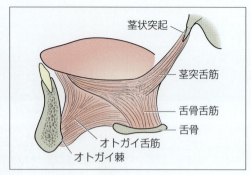

図 4-8 外舌筋

上げるように筋が働くと唇部口腔前庭は浅くなり，口唇粘膜と歯肉粘膜との移行部の上下的な位置が，安静時に比較して下方あるいは上方に位置することになる．

(b) 頬を形成し，動かす筋（図 4-6）

　頬を形成する筋の大部分は頬筋である．これには上顎骨前面の表情筋，表層では下方からの広頸筋などの筋束の一部が加わっている．

　頬筋は，口角部から頬の側壁全体を形成しており，上下顎大臼歯部頬側の歯槽部，下顎大臼歯部後方の頬筋稜，翼突下顎縫線から起こり，前走して口唇に達し，ここで反対側の筋束につながる．上半分の筋束は上唇に，下半分の筋束は下唇に移行し，中央部の表層の筋束は口角外方の結節で交差し，下部の筋束は上唇に，上部の筋束は下唇に入る．頬筋が口唇に入ってからは口輪筋となる．また後方は，下顎枝の舌側面を通過して翼突下顎縫線部で上咽頭収縮筋と結合する（図 4-7）．

　頬筋は水平に走行しているため，収縮によって歯列を頬側から押さえつけ，食塊が頬側前庭に流失するのを防ぐ．すなわち，咀嚼時には舌と共同して，頬舌側の前庭部にこぼれた食塊を咬合面に移動する働きがある．なお，頬筋は，線維性結合組織束である上下顎の頬小帯として小臼歯部で上顎骨ならびに下顎骨に付着する．

(5) 舌筋

　舌筋には，内舌筋と外舌筋とがある．内舌筋は舌の内部から起こり，舌の中で停止する．

　内舌筋には，上縦舌筋，下縦舌筋，横舌筋，垂直舌筋があり，舌の形を変化させる働きがある．

　一方，外舌筋には，オトガイ舌筋，舌骨舌筋，茎突舌筋があり（図 4-8），舌の位置を変化させる働きがある．オトガイ舌筋は，下顎骨のオトガイ棘から起こり，舌の中に扇状に広がり，舌背の全領域に停止し，舌の突出，後退および下制に働く．舌骨舌筋は，舌骨から起こり，舌の外側部に停止し，舌の後退および下制に働く．茎突舌筋は，茎状突起から起こり，舌の外側面の中へ入り込む．舌の両側を引き上げ，嚥下の際に舌背にくぼみをつくる他，舌を後上方に引く．

　以上のように，舌筋は，咀嚼時には頬筋と共同して，舌側に移動した食塊を咬合面に移動

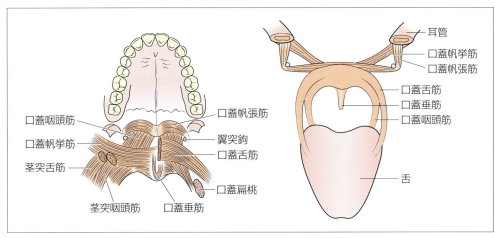

図 4-9 軟口蓋を形成し，動かす筋（林，1982 より一部改変，伊藤，1983）

する働きがあり，さらに嚥下に至るまでの食塊形成に重要な役割を果たしている．

(6) 軟口蓋を形成し，動かす筋（図 4-9）

　軟口蓋は，上顎骨口蓋突起と口蓋骨水平板とからなる硬口蓋に続いて，口蓋後方部約 1/3 を形成する筋板で，粘膜（上方は鼻粘膜，下方は口腔粘膜），粘膜下の口蓋腺（粘液腺），口蓋腱膜と，口蓋腱膜に付着する口蓋舌筋，口蓋咽頭筋，口蓋帆挙筋，口蓋帆張筋，口蓋垂筋から構成される．

　口蓋舌筋は，口蓋腱膜から起こり，外下方を経て，舌の両側に入り込み，口蓋舌弓（前口蓋弓）を構成している．口蓋咽頭筋とともに働き，舌と軟口蓋を近づけ，口峡（固有口腔と咽頭との間の狭窄部）を閉鎖する．口蓋咽頭筋は，口蓋腱膜から起こり，後下方に延び，咽頭の外側壁の中に入り込んでおり，口蓋咽頭弓（後口蓋弓）を構成している．口蓋帆挙筋は，耳管から起こり，口蓋腱膜に入り込む．軟口蓋を挙上させ，咽頭口部と咽頭鼻部の間を閉鎖する．口蓋帆張筋は，耳管外側面と舟状窩から起こり，翼突鉤を経由して，口蓋腱膜に入り込む．収縮すると，翼突鉤を滑車として軟口蓋を引張り，嚥下時やあくび時に耳管を開く．口蓋垂筋は，後鼻棘から起こり，口蓋垂の粘膜下に張り込む一対の筋であり，この筋線維が収縮すると，口蓋垂を短縮させ，上方に引張り，咽頭鼻部を閉鎖する．

　以上のように，軟口蓋は，口蓋舌筋と口蓋咽頭筋の収縮によって舌背へと近づき，咽頭口部と口腔との間を閉鎖する．また，口蓋帆挙筋，口蓋帆張筋，口蓋垂筋の収縮によって咽頭後壁に向かって軟口蓋が持ち上がって，鼻咽腔閉鎖が生じる．これは嚥下時に起こり，結果的に，食物が鼻腔に入るのを防ぐ．

　軟口蓋は，安静時には，硬口蓋の後面から咽頭腔へ下垂しているが，口を大きく開いて「アー（Ah）」と発音させると，口蓋帆張筋に続き口蓋帆挙筋が収縮するために軟口蓋が挙上され，発音を中止すると，これらは元に戻る．この軟口蓋の"動く部分"とその前方の"動かない部分"，すなわち口蓋の可動粘膜と不動粘膜との境界を"アーライン Ah-line"と

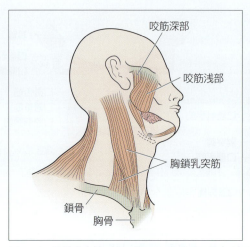 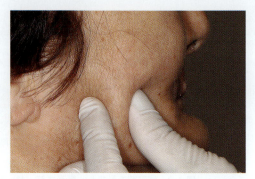

図4-10 胸鎖乳突筋（小田嶋，1992より一部改変）　　図4-11 咬筋の触診

いう．上顎全部床義歯の義歯床後縁は，この位置に設置される（☞p.120 図9-17参照）．なお，アーライン付近に口蓋小窩がある．これは後鼻棘基部，口蓋正中縫合をはさんで左右に1個ずつ，正中から数mm離れて存在する一対の粘膜のくぼみである．本来，粘液腺の開口部であるが，不明瞭な場合もある．上顎全部床義歯の義歯床後縁は，この位置も参考に設定される．

(7) 胸鎖乳突筋

　胸鎖乳突筋（**図4-10**）は，胸骨ならびに鎖骨から起こり，側頭骨乳様突起に停止する．本来，この筋は頭部の運動や固定に関与するが，咬合力発現時などには，咬筋などの閉口筋に同調した筋活動が観察される．また，顎関節や咀嚼筋に異常を訴える患者の中には，この筋の圧痛を訴える者もいる．したがって，胸鎖乳突筋も咬合・咀嚼に関与する筋といえる．

2）筋の加齢変化

　一般的に筋の解剖学的な加齢変化としては，筋線維数の減少，筋線維の萎縮，速筋線維（タイプⅡ線維）の割合の減少などがあげられる．また，高齢者における筋萎縮のメカニズムについては，神経細胞の栄養障害による神経筋接合部の機能低下や運動単位の減少，さらには運動量の減少などが指摘されている．

　加齢などによる筋量および筋力の低下を示す状態をサルコペニアsarcopeniaとよぶ．咀嚼筋の筋力の評価には，咬合力測定などがある．また，咬合力を発現するために働く咬筋は，触診によって簡便に咀嚼筋の老化の程度を推定することができる（**図4-11**）．超音波画像検査により咬筋の老化を評価する試みも行われている．

　加齢に伴う筋の変化によって，高齢者においては，最大筋力の低下，筋の持続力の低下，反応時間の延長，巧緻性の低下などがみられる．その結果，咬合力の低下，下顎運動および舌・口唇運動の巧緻性の低下，食べこぼし，咀嚼能率の低下，食事時間の延長，嚥下困難，構音障害などが生じる．また加齢変化以外にも，歯が欠損したにもかかわらず義歯を装着し

ていなかったり，咬合力を十分に発揮できないような義歯を装着していたりすると，口腔周囲筋の廃用性萎縮を起こす．

（上田貴之，櫻井　薫）

3 神経系

1）神経系の生理的機能

神経系は，中枢神経系と末梢神経系に分けられる．中枢神経系はさらに脳と脊髄より構成されており，脳は大脳，脳幹（中脳，橋，延髄），小脳という大きく3つの構造からなる．

脳幹は大脳を脊髄へつないでおり，咀嚼や嚥下，唾液分泌などの中枢が分布している．脊髄は脳に出入りする神経線維を有する反射の調節を行っている．末梢神経系は感覚神経と運動神経を有している．疼痛や，触刺激，温度情報を運搬する感覚線維は後根を経由して脊髄に入る．また運動線維は前根から出て，筋と腺に神経を分布する．

神経系の機能には独自の機能である高次機能（記憶，学習，認識，判断，言語など）と，他の系（内分泌，呼吸，循環，消化，排泄，運動，感覚，免疫など）との連絡のもとに恒常性を維持する機能（運動，感覚，自律神経機能）とがある．

2）神経系の加齢変化

一般に，加齢により記憶や学習能力は低下する．過去に経験した出来事であるエピソード記憶は著しく低下する一方，学習することで獲得した知識である意味記憶はほとんど低下しないことが報告されている．また，新しい環境への適応などに必要な流動性知能は30歳前後から衰え始めること，学習や経験に基づく結晶性知能は高齢になっても安定していることが報告されている．このような加齢に伴う一部の高次機能の低下には，ニューロン数の減少，神経伝達速度の低下，神経伝達物質（アセチルコリン，ドーパミン，アドレナリン，ノルアドレナリンなど）の減少，神経成長因子 nerve growth factor（NGF）の減少，脳血流量の減少などが関連している．Alzheimer型認知症に関しては，前脳基底部のマイネルト核のアセチルコリン含有ニューロンが特に著しく減少していることや，アセチルコリンについては大脳皮質の学習・記憶などの働きに関与していること，さらに前脳基底部のコリン作動性ニューロンの変性が大脳皮質や海馬の血流量低下を引き起こす可能性があることなどが報告されている．

加齢に伴い，種々の運動機能（筋力，瞬発力，持久力，柔軟性，バランス力，運動速度，運動技能など）も低下する．この原因は，中枢神経系，感覚受容器，および中枢神経系と骨格筋あるいは感覚受容器とをそれぞれ中枢神経系と結びつける末梢神経系のそれぞれの機能低下が総合的に影響しあった結果であると考えられている．

咀嚼運動のような巧妙かつ高度な運動では，黒質線条体のドーパミン作動性ニューロンが線条体のコリン作動性ニューロンと協調的に働いている．しかしながら，黒質線条体のドーパミン作動性ニューロンが変性すると，筋固縮，無動，振戦，姿勢保持障害を四徴候とするParkinson病が出現する．歯科治療に際しては主治医との連携をはかり，全身状態および服

表 4-1　オーラルディスキネジアの種類

薬物性オーラルディスキネジア
遅発性ディスキネジア 　　長期間の抗精神病薬服用の途中から出現し，薬の使用を中止しても消失せず，非可逆的に持続する．原因薬剤としては，定型抗精神病薬のハロペリドール，ブロムペリドールなどである．発現機序に関する詳細は明らかではないが，中枢ドーパミン作動性神経の機能の亢進によって発現すると考えられている． 抗 Parkinson 病薬によるディスキネジア 　　L-dopa などの抗 Parkinson 病薬の服用により高頻度に発生する．大脳基底核や線状体などの部位におけるコリン作動系とドーパミン作動系との間のバランスが崩れることにより生じるといわれている．
特発性オーラルディスキネジア
主として 60 歳以上の高齢者に生じ，特定の基礎疾患や薬物服用がないため老人性オーラルディスキネジアともよばれている．加齢に伴う線条体の変性や前頭葉の病変と考えられている．構音障害，歩行障害，前頭葉徴候が高率に出現するが，四肢，体幹にディスキネジアを発症するものは少ない．
錐体外路系疾患
Huntington 病，Wilson 病，肝脳疾患，Meige 症候群
その他の疾患
各種の脳炎，赤血球増多症，副甲状腺機能低下症，Addison 病

用中の抗 Parkinson 病薬およびその副作用の発現状況を把握すべきである．

　さらに，薬物の副作用あるいは薬物とは無関係に特発的にオーラルディスキネジア oral dyskinesia が出現する場合がある（**表 4-1**）．オーラルディスキネジアとは口腔領域にみられる異常な常同的不随意運動で，orofacial dyskinesia，口唇性不随意運動，モグモグ運動などとよばれており，60 歳以上の高齢者に発現することが多い．空口時にモグモグと下顎を動かすだけでなく，舌の突出と異常な口唇の動きを伴うのが特徴であり，歯科治療には困難や危険が伴う．義歯の安定がはかれず，義歯床下粘膜へ負担をきたすなど義歯装着が困難な場合もある．抗 Parkinson 病薬や抗精神病薬の長期投与による薬物性オーラルディスキネジアや，高齢者における特発性のものや錐体外路系疾患によるものがあり，いったん発現するとその治療は困難である．一方で，義歯装着によって改善がみられたとの報告もある．歯科領域の症状誘発の要因としては，歯の欠損による不安定な咬合支持，義歯の不適切な咬合位や義歯床粘膜面の不適合などがあげられる．一般的にオーラルディスキネジアがあっても本人はその程度にかかわらず食事，会話などに支障をきたしていないことも多いが，外科的処置や歯冠形成，下顎位の決定といった処置はほとんど不可能な状態となる．軽度の場合，診察姿勢の工夫やコミュニケーションを良好に保つなどの配慮可能なケースもあるが，歯科治療そのものが緊張感を高めるため，症状が増強することが多い．確実な治療を行うにはオーラルディスキネジアを抑える必要がある．なお，服用薬剤の変更などについては慎重を要するため，主治医との連携が不可欠となる．

（津賀一弘，吉川峰加）

4 下顎運動・下顎位

　食物を摂取する，咀嚼する，嚥下する，あるいは言語を発するなど，およそ口腔に関与する機能を営む際には下顎が動く．したがって，歯の欠損による障害の治療に際しては，下顎運動についての理解が必要である．また，歯の欠損の治療に際して，いくつかの基準となる下顎の位置，すなわち下顎位 mandibular position についての理解が必要である．そのためには，まず健常な有歯顎者の下顎運動と下顎位の正常像を理解したうえで，歯の欠損や加齢によるその変化を理解する必要がある．

A 健常有歯顎者における下顎運動と下顎位
1）下顎の運動範囲

　下顎は前後，左右，上下に動くことができる．しかし，四肢の運動範囲にも限界があるのと同様に，解剖的な規制によって運動範囲は制限される．下顎運動は，上下顎の歯の接触，顎関節の構造，そして筋，靱帯や下顎骨周囲の軟組織などによって規制される．下顎が動きうる最大範囲の運動は限界運動とよばれ，咀嚼や嚥下，発語などのすべての機能運動は，この限界運動範囲内で営まれる．

　下顎運動はその運動範囲ばかりでなく，運動様相も解剖学的要素により規制を受ける．たとえば，左右方向への運動においても，下顎は純粋に平行移動することはできず，一方の顎関節を中心として下顎が水平方向に回転するような運動となる．また，上下方向の運動についても同様に，下顎は平行に移動することはできず，左右の顎関節を軸とした回転運動を基本とした，いわゆる開閉口運動となる．また，前後方向への運動にも制限があり，上下顎の歯をしっかりと咬み合わせた位置（咬頭嵌合位 intercuspal position）からは，後方へはわずかしか動くことができず，主に前方に運動する．

　健常有歯顎者の切歯点 incisal point（下顎両側中切歯の近心隅角間の中点）の限界運動範囲を特に矢状面に投影したものを Posselt の図形 Posselt figure とよぶ（図 4-12）．

　限界運動路の上面は，上下顎歯の接触を保ちながら下顎が前後に動いて描かれる軌跡を示す．また，前方限界運動路は，下顎を最前方に保ちながら開閉口したときの軌跡を，後方限界運動路は，下顎をできるだけ後方に引きながら開閉口したときの軌跡を示す．そして，この前後の限界運動路は，最大開口位 maximum opening position で交わり頂点を形成する．なお，下顎最後退位から下顎が純粋な回転運動を行うことができるのは下方の変曲点（図 4-12 B の 7）までであり，この運動路は終末蝶番運動路 terminal hinge movement path（図 4-12 B の H）とよばれる．

　切歯点の運動範囲の上面は，上下顎歯の接触を保ちながら下顎が前後・左右に動いてできる面を示しており，菱形を呈している（図 4-12 C）．下顎が側方へ最大限運動したときの位置がこの菱形の左右の頂点を形成している．運動範囲の水平断面は，どの面で切っても同様な菱形を呈しているが，下方にいくに従ってその面積は小さくなり，最大開口位では一点に収束する．

　切歯点の運動範囲が菱柱形を呈しているのに対して，下顎頭の運動範囲は上下的には薄い

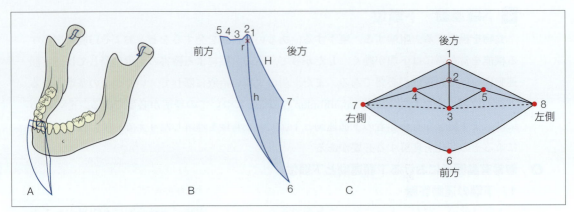

図 4-12 Posseltの図形（Posselt, 1962）
A：切歯点と下顎頭の三次元運動範囲．切歯点の三次元的な限界運動範囲は，歯，顎関節，靱帯，筋などにより規制されている．上方には上下顎の歯が接触する下顎位があり，最下方は最大開口位に収束する．この限界運動範囲の大きさには個人差がみられるが，一般的に上下は約50 mm，前後は約12 mm，左右は約20 mm程度である．一方，下顎頭のそれは薄い短冊様の平板がS字状に彎曲している．
B：切歯点の矢状面内限界運動範囲．
1：下顎最後退位，2：咬頭嵌合位，3〜4：前方咬合位，5：最前方咬合位，6：最大開口位，7：終末蝶番運動からさらに開口し，最大開口位に至る経路の変曲点，r：下顎安静位，h（2〜6）：習慣性閉口路，H（1〜7）：終末蝶番運動路，5〜6：前方限界運動路，1〜7〜6：後方限界運動路．
C：切歯点を水平面に投影した各種下顎位．上下顎の歯が接触滑走する運動範囲上における各種の下顎位．
1：下顎最後退位，2：咬頭嵌合位，3：前方咬合位（切端咬合位），4：右側側方咬合位，5：左側側方咬合位，6：最前方咬合位，7：右側側方限界咬合位，8：左側側方限界咬合位．

短冊様の平板がS字状に彎曲し，前方に傾斜した状態を呈している（**図4-12 A**）．

2）下顎位

　下顎位とは，上顎に対する下顎の限界運動範囲内における三次元的な位置関係を表す用語であり，下顎がとりうる位置ともいえる．なお，下顎頭位とは，下顎窩に対する下顎頭の位置関係を表す用語である．

（1）咬頭嵌合位

　咬頭嵌合位とは，上下顎の歯列が最も多くの部位で接触し，安定した状態にあるときの下顎位と定義されており，咀嚼運動の終末位や前方および側方運動などの偏心運動の開始点として，機能的に最も重要な下顎位である（**図4-12 B**の2，**C**の2）．なお，咬頭嵌合位は下顎頭位には関係なく，歯によって規制された位置であり，歯の咬耗や，欠損に起因する移動，傾斜，挺出などにより変化する下顎位である．

　咬頭嵌合位の機能的な意義は次のとおりである．

（a）咀嚼終末位

　咀嚼の初期では，下顎は歯と歯が接触せずに（咬頭嵌合位には至らずに），反射的に開口するが，食品が粉砕された後期では，咬頭嵌合位付近に位置するようになる．そして，嚥下直前では，咀嚼運動の終末位は咬頭嵌合位に収束する．なお，咀嚼運動は嚥下をもって完了するが，嚥下時には咬頭嵌合位のわずか後方で歯の接触が起こり，次いで滑走して咬頭嵌合

位に戻る．

(b) 習慣性閉口終末位

日常的に無意識に行われている反射的な下顎の開閉運動を習慣性開閉口運動という．この運動で上下顎の歯の接触する位置はほとんど咬頭嵌合位と一致している．このことから習慣性咬合位とよばれる習慣的な閉口運動での咬合接触位は，咬頭嵌合位の同義語とされている．

(c) タッピングポイント収束位

習慣性開閉口運動で，特に開口量の少ないリズミカルな開閉口運動はタッピング運動とよばれ，その収束位は咬頭嵌合位と一致する．

(d) 全身運動に付随するクレンチング時の下顎位

重いものを持ち上げるなど，肉体的ストレスや感情的，精神的ストレス，あるいは緊急事態に伴う緊急動作時に発現する上下顎の強い噛みしめをクレンチング clenching という．この現象は健常有歯顎者の約60％にみられ，このときの下顎位は咬頭嵌合位であることが報告されている．

(e) 筋肉位

咀嚼筋群が協調した状態で，下顎安静位から閉口することによって得られる咬合位である．健常有歯顎者では，筋肉位と咬頭嵌合位が一致するといわれている．

以上のように，咬頭嵌合位は機能的にきわめて重要な下顎位であり，筋機能に適した位置でなければならない．

(f) 顆頭安定位

下顎頭が下顎窩の中で緊張することなく安定する位置を顆頭安定位という．咬頭嵌合位が不明瞭な者や無歯顎者においては顆頭安定位には幅があるが，正常な咬頭嵌合位を有する者では顆頭安定位は狭い範囲に収束するとされ，その場合，下顎頭は前後的に 0.3 mm，上下的に 0.1 mm 程度の範囲に収束するとされている．

(2) 下顎最後退位

下顎最後退位（図 4-12 B の 1）は中心位 centric relation とよばれたこともあった．中心位は，McCollum によってヒンジアキシス理論とともに提示された．すなわち，McCollum は，下顎運動は左右の下顎頭を結ぶ回転軸，すなわち蝶番軸 hinge axis を中心とした回転と蝶番軸の移動によって成り立っているとした（図 4-13）．そして，下顎が純粋な回転を行うことができる下顎位が存在し，その回転軸を終末蝶番軸 terminal hinge axis とよび，このときの下顎は中心位にあり，下顎頭は下顎窩内において最後退位にあるとした．なお，蝶番軸とは左右側の下顎頭が滑走運動を伴わないで純粋に回転したときにその回転中心となる仮想の軸のことであり，この軸を左右の皮膚上に示した点を蝶番点 hinge point という．

しかし，中心位の定義はこれまで多くの変遷を経ており，最新の定義では「下顎頭の前上方が関節結節の後斜面に対して接している際の上下顎の位置関係」となっている．

また，この下顎位は靱帯位 ligamentous position と同義と考えてよい．すなわち，下顎最後退位は，歯の規制を受けない，下顎の上顎に対する位置関係を表す用語であり，歯の咬耗

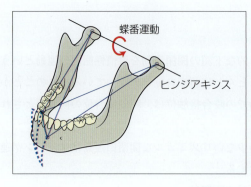

図4-13 ヒンジアキシスと蝶番運動（古谷野・矢谷，2002）
両側の下顎頭が純粋な回転のみを行う運動を蝶番運動とよぶ．この蝶番運動時の切歯部での開口量が約25 mmであり，下顎頭は約10°回転するとされている．

や欠損に起因する歯の移動，傾斜，挺出などの影響を受けず，再現性の高い下顎位とされている．

なお，下顎後退位のうち，歯の接触がある場合を下顎後退接触位 retruded contact position とよび，さらに下顎後退接触位のうち下顎を最も後退させた咬合位を下顎最後退接触位 most retruded contact position とよぶ．また，健常有歯顎者において，咬頭嵌合位と下顎最後退位との前後的距離は1 mm程度であり，この位置での異常な初期接触，あるいは両側性ではなく，片側性の歯の接触は顎機能に悪影響を与えることが指摘されている．

（3）下顎安静位

下顎安静位 physiologic rest position（**図4-12 B**のr）は上体を起こして安静にしているときの下顎位と定義され，下顎安静位では上下顎歯の咬合接触はなく，上下顎の中切歯で約2～3 mmの垂直的空隙がある．この空隙を安静空隙 free-way space という．

下顎安静位は主に閉口筋の姿勢反射によって保たれる下顎位であり，咬頭嵌合位のような明確な基準がない．また，下顎安静位は体位や頭位によって，また筋の緊張の程度や疼痛の有無などによって，上下的，左右的，前後的にある程度変化するため，下顎安静位の評価の際には，姿勢や頭位，筋の緊張状態，下顎安静位への誘導方法などに注意する．

臨床的に下顎安静位は，咬頭嵌合位が明確な健常有歯顎者においてはそれほど重要ではない．しかし，無歯顎やすれ違い咬合などの咬頭嵌合位が失われた患者においては，咬合高径を決定する際に利用される重要な顎位である．

（4）最大開口位

最大開口位は，開口時において上下顎の離開度が最大となる下顎位をいう（**図4-12 B**の6）．最大開口位は，主に顎関節部の解剖学的構造によって制約を受ける．健常有歯顎者の最大開口位における上下顎中切歯間の距離（最大開口量）は，平均50 mm程度であるが，顎関節や咀嚼筋に疼痛などの障害が生じると，障害の程度に応じて最大開口量は減少し，開口障害を呈することがある．

（5）切端咬合位

咬頭嵌合位から下顎を前進させた下顎位を前方位といい，そのうち歯の接触がある場合を

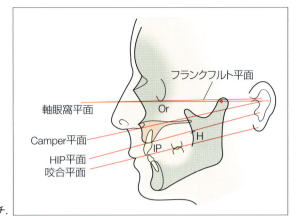

図 4-14 咬合平面と各種基準面
Or (orbitale):眼点.
IP (incisive papilla):切歯乳頭.
H (hamular notch):ハミュラーノッチ.

前方咬合位とよぶ（**図 4-12 B, C**）．切端咬合位 edge to edge occlusal position とは，前方咬合位のうち上下顎中切歯の切縁同士が接触する咬合位をいう．

(6) 側方咬合位

側方咬合位 lateral occlusal position は咬頭嵌合位から上下顎の歯を接触させた状態で，下顎を左側方あるいは右側方へ滑走運動させたときの下顎位をいう（**図 4-12 C**）．臨床的には，側方咬合位の中に咀嚼運動の咬合相（上下顎の歯が閉口時に咬合接触してから開口時に離開するまで）における下顎位が含まれるという点が重要である．

3）下顎運動

下顎運動を分類するにあたってはさまざまなとらえ方があるが，ここでは，下顎運動を基本運動，習慣性運動および機能運動に分類する．

なお，下顎運動は上顎（頭蓋）に対する動きであるため，その分析にあたっては，特に水平的な基準面が必要となる．

補綴学的に多く用いられる水平基準面としては，以下のものがあげられる（**図 4-14**）．

① 咬合平面 occlusal plane：切歯点と両側下顎第二大臼歯遠心頰側咬頭頂を含む平面．
② フランクフルト平面 Frankfort horizontal plane：左右側いずれかの眼点 orbitale（眼窩点ともいい，眼窩下縁最下点をさすが，側方頭部エックス線規格写真法などの骨組織上では，両側眼窩の最下点の中央点を意味する）と両側の耳点 porion（耳珠上縁点をさすのが普通であるが，頭部エックス線規格写真法では，外耳孔の最上縁の点をさす）とを結んでできる平面．眼耳平面ともいう．咬合平面となす角は，約 10°である．
③ Camper 平面 Camper's plane：左右側いずれかの鼻翼下縁と両側の耳珠上縁によって形成される平面．なお，側貌エックス線写真など骨組織上では，鼻棘点（前鼻棘底尖端部）と外耳道の中央を通る平面をいう．咬合平面とほぼ平行であり，鼻聴道平面ともいう．
④ 軸眼窩平面 axis orbital plane：蝶番軸と左右側いずれかの眼窩下点を含む平面．
⑤ HIP 平面 hamular-notch incisive papilla plane：左右側のハミュラーノッチと切歯乳頭

の中央点によって構成される平面．咬合平面と平行であるとされている．

(1) 下顎の基本運動
(a) 開閉口運動

開閉口運動には，咬頭嵌合位あるいは下顎最後退接触位（下顎最後退咬合位）から最大開口位に至るまでの開口運動と，その逆の，最大開口位から咬頭嵌合位あるいは下顎最後退接触位（下顎最後退咬合位）に至るまでの閉口運動が含まれる．健常有歯顎者では，開閉口運動は左右対称の運動として観察される．すなわち，顎関節部では両側の下顎頭を結ぶ軸（顆頭間軸）を中心とした回転と，顆頭間軸の前方移動によってとらえることができる．この中で左右の蝶番点を結ぶ軸（蝶番軸）を中心とした下顎の開閉運動路が終末蝶番運動路である（図4-12 Bの H，図4-13）．

(b) 前・後方運動

前・後方運動は，咬頭嵌合位から下顎を前方，あるいは後方へ動かす運動をいい，前述の開閉口運動と同様に，左右対称の運動として観察される．ただし，後方運動については，下顎頭の移動量が小さいため，移動量，運動方向ともに，必ずしも左右対称とはならないことがある．

前方運動とは，下顎が咬頭嵌合位から上下顎歯の咬合接触を保ちながら前方へ移動することであり，下顎の全運動範囲の上限で行われ，最前方咬合位までの運動量は約 10 mm である．

前方運動時の顎関節部は，下顎頭が下顎窩を関節結節後壁に沿って前下方に移動する．この移動する経路は前方顆路 anterior condylar path とよばれ，矢状面投影では関節結節の形態に影響を受け，通常 S 字状の曲線となる（図4-12 A）．曲線によって描かれる前方顆路を，起点と移動した点を結ぶ直線で代表させた場合，この直線が水平基準平面となす角度を矢状顆路傾斜角 inclination of sagittal condylar path あるいは矢状顆路角とよび，有歯顎者では Camper 平面を基準とした場合には平均 33°，軸眼窩平面（蝶番軸と左右側いずれかの眼窩下点を含む平面）に対しては平均約 45° である．

一方，前方指導要素は上下顎前歯部であり，前方滑走運動時に下顎は上顎前歯舌面により誘導され，咬頭嵌合位から切端咬合位までに至るが，このときの切歯点の経路を矢状切歯路 sagittal incisal path とよぶ．したがって，矢状切歯路は上顎前歯舌面形態とオーバーバイト overbite（垂直被蓋 vertical overlap ともいい，咬頭嵌合位で，上顎前歯の切縁が下顎前歯に対して垂直的に被蓋している関係をいう）およびオーバージェット overjet（水平被蓋 horizontal overlap ともいい，咬頭嵌合位で，上顎前歯の切縁が下顎前歯に対して水平的に被蓋している関係をいう）の量によって影響を受ける．そして，咬頭嵌合位を起点として前方咬合位までの切歯路を直線とみなした場合，これと基準平面とのなす角度を矢状切歯路傾斜角 inclination of sagittal incisal path あるいは矢状切歯路角という．

矢状切歯路傾斜角は，健常有歯顎者の場合，咬合平面からの傾きが 40～50° とされている．これは矢状顆路角の平均より約 5° 大きく，その結果，前方咬合時に臼歯は離開する．

全部床義歯の場合，前歯部の排列位置や角度によって矢状切歯路傾斜角を変化させることができるが，矢状切歯路傾斜角を大きくしすぎると，前方運動時における臼歯部の離開量が大きくなり，義歯の転覆の原因となる．そのため，義歯では前方咬合時における咬合平衡，つまりフルバランストオクルージョン（☞p.221 参照）を得るためには，前歯部排列時にオーバーバイトを小さく，オーバージェットを大きく排列し，矢状切歯路傾斜角を矢状顆路角より小さくすることによって前方運動時の臼歯部の離開を防ぐ．

前方滑走運動は，前歯部が下顎を誘導して，咬頭嵌合位のごく近くを除いては，原則として臼歯に咬合接触がみられないのが健常有歯顎者の咬合であるといえる．

後方運動とは，咬頭嵌合位から下顎最後退接触位に至るまでの約1 mmの下顎の運動をさす．このときの下顎頭の運動方向は上方，後方，後上方などさまざまであり，前方運動時の顆路の方向とは関係がない．また，咬頭嵌合位と下顎最後退位が一致しており，後方運動が認められないものも10％ほどあるとされる．

(c) **側方運動**

側方運動 lateral movement とは，咬頭嵌合位から下顎を左右側へ動かす運動をいう（**図4-15**）．このうち，歯の接触を保った状態で側方運動を行った場合を側方滑走運動とよぶが，一般に，側方滑走運動のことを単に側方運動とよぶことが多い．臨床的には，特に咀嚼運動との関連で，咬頭嵌合位から上下顎犬歯の尖頭同士が接触する下顎位（側方咬合位）までの運動が重要視される．

側方運動時に下顎が外側方へ移動する側を作業側 working side とよび，その反対側を非作業側 non-working side，あるいは平衡側 balancing side とよぶ．側方運動は開閉口運動や前・後方運動とは異なり，下顎上の各部位は作業側と非作業側とで異なる動きを呈する．そのため側方運動を観察する際には，運動方向が左右どちら側であるか，および観察部位が作業側か，それとも非作業側かを認識しておく必要がある．

(i) **切歯点の運動**

側方運動時の切歯点の運動軌跡を側方切歯路 lateral incisal path とよび，咬頭嵌合位から上下顎犬歯の尖頭同士が接触する下顎位までの運動をさす．側方切歯路の水平面投影を水平側方切歯路とよぶが，その直線的距離は約4〜5 mm とされている．また，左右の水平側方切歯路がなす角度は水平側方切歯路角とよばれ，その角度は約120〜150°と報告されている．この左右の水平側方切歯路によって描かれる矢印状の図形はゴシックアーチ gothic arch（☞p.168 **図10-30**参照）とよばれる．

(ii) **下顎頭の運動**

側方運動時の下顎頭の動きを観察すると，作業側の下顎頭は関節窩内でわずかな側方移動を示す．この側方運動時における作業側下顎頭の側方運動をBennett 運動 Bennett's movement という（**図4-16**）．反対側である非作業側の下顎頭は下顎窩前壁内斜面に沿って前下内方への大きな移動を示す（**図4-17**）．このため，下顎全体としてはわずかな側方移動を伴う回転様の運動を示すこととなる．

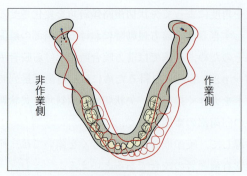

図4-15 側方運動（古谷野・矢谷, 2002）
側方運動時に下顎が移動した側を作業側，その反対を非作業側（平衡側）とよぶ．

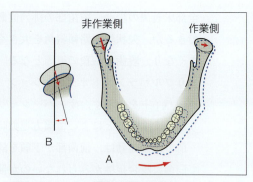

図4-16 Bennett運動（林, 1982）
側方運動における作業側下顎頭の側方移動をBennett運動という．作業側下顎頭は側方運動時の回転中心となり，下顎全体は側方移動（A）する．非作業側下顎頭は前下内方に移動する．このとき矢状面と非作業側側方顆路のなす角度を水平面から見たものをBennett角とよぶ（B）．

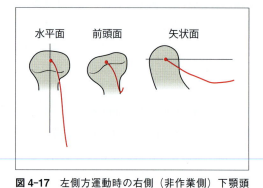

図4-17 左側方運動時の右側（非作業側）下顎頭の運動軌跡（古谷野・矢谷, 2002）
側方運動時に非作業側（平衡側）下顎頭は，前下内方へ移動し，作業側下顎頭はその場で回転運動しながらわずかに外側方へ移動する．水平面投影において非作業側側方顆路が矢状面となす角度を側方顆路角またはBennett角といい，矢状面投影において水平面と顆路がなす角度を矢状顆路傾斜角という．

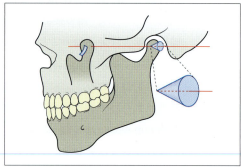

図4-18 作業側下顎頭の運動範囲（林, 1982）
滑走型に属する作業側下顎頭の運動方向は個体でほぼ一定しているが，滑走型群全体としては，顆頭間軸を中心として外側に頂点が60°の円錐形の範囲内を移動する．

①作業側下顎頭の運動（Bennett運動）

　Bennett運動時における作業側下顎頭の移動量は平均0.68 mmときわめて小さく，運動様相は個人差が大きい．側方運動時の作業側下顎頭の運動を詳細に分析すると，下顎頭が下顎窩に納まったまま，下顎頭自体を中心とした回転を示すタイプ（回転型）と，回転しながら外側方に滑走移動するタイプ（滑走型）が認められている．回転型の側方への移動量は0.3 mm程度であり，移動方向も一定していない．一方，滑走型の側方への移動量は約1 mm程度であり，その移動方向は顆頭間軸を中心として外側に広がる60°の円錐形の範囲内であるとされている（**図4-18**）．

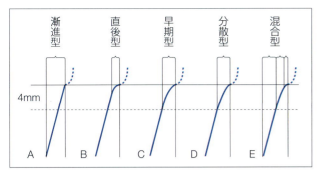

図 4-19 水平面上における左側下顎頭の非作業側側方顆路（Guichet, 1970）
側方運動時の顆路の水平面および前頭面投影において，非作業側側方顆路に特徴的なサイドシフトが観察される場合がある．すなわち，非作業側の側方顆路は必ずしも直線的ではなく，およそ図のような4基本型（A〜D）と混合型（E）がある．
A：起点から漸進的にほぼ直線的な経過をとって側方移動するもの．
B：発進直後から明らかな側方移動があるもの．
C：発進後比較的早期に側方移動を示すもの．
D：やや緩慢な側方移動を示すもの．
E：A, B, Dの混合型．

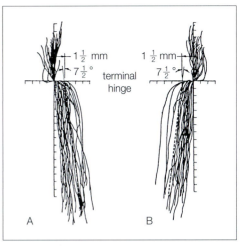

図 4-20 Bennett角とイミディエートサイドシフト（Lundeen, 1973）
Lundeenは50名の側方顆路から，非作業側顆路は最初正中方向にサイドシフトした後，平均7.5°の方向に移動すると報告した．A：右側．B：左側．

②非作業側下顎頭の運動

　側方運動時の非作業側下顎頭は，下顎窩を関節結節に沿って前下内方へ滑走する．このときの前方への移動経路は，前述の前方運動時の顆路とは異なっているために，特に矢状側方顆路とよぶ．すなわち，矢状側方顆路とは側方運動時の顆路を矢状面投影したものである．この矢状側方顆路は，前方運動時の矢状顆路傾斜角（矢状前方顆路傾斜角）より平均5°大きく，両者の矢状顆路傾斜角の差をFischer角 Fischer angleという（☞ p.195参照）．

　また，非作業側顆路が矢状面に対して内方（正中方向）に向かう角度を水平面に投影した場合，正中矢状面に対する角度は，側方顆路角あるいはBennett角 Bennett angleとよばれ，健常有歯顎者では約15°といわれている（図4-16）．なお，この非作業側の側方顆路は，ほぼ直線的に前内方に移動するタイプと，運動の初期においては内方（正中方向）へのずれ，あるいは移動（サイドシフト side shift）が大きいタイプがある．

　Guichetは，側方への運動初期4mmの間の側方顆路にみられるサイドシフトの様相を，漸進型 progressive type，直後型 immediate type，早期型 early type，分散型 distributed type，混合型 progressive, distributed and immediate typeの5型に分類した（図4-19）．

　Bennett角に関して，Gysiは平均13.9°と報告したが，Lundeenは従来の側方顆路角に相当する角度は約7.5°と一定しており，個人差は側方運動開始直後（4mm以内の範囲）にみられる下顎の側方へのずれ，すなわちイミディエートサイドシフト immediate side shift量の差異によるものであると主張した（図4-20）．

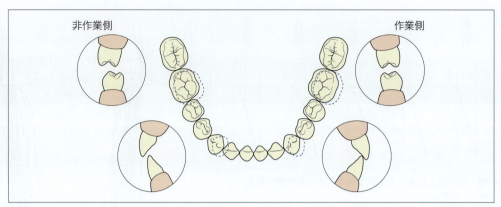

図 4-21 犬歯誘導咬合（渡邉ほか，1996 より改変）
犬歯誘導咬合では，側方運動時に作業側の犬歯のみに接触滑走がみられ，作業側の臼歯および非作業側の歯は離開する．

(2) 側方運動と咬合様式

　側方滑走運動時における上下顎の歯の接触関係は，咀嚼運動時のそれに類似するため，顎機能に大きく関与している．このことから，側方運動時に下の歯が接触して下顎を誘導するかが問題となる．側方咬合位における咬合接触状態は，咬合様式 occlusal scheme とよばれ，補綴学的に望ましい咬合様式が提唱されている．なお，どの咬合様式においても，咬頭嵌合位では安定した咬合接触が確立されていることが前提である．

(a) 犬歯誘導咬合

　犬歯誘導咬合 cuspid protected occlusion は，側方滑走運動時，作業側の上下顎犬歯のみが接触滑走し，作業側の臼歯部および非作業側の歯は離開する咬合様式である（**図 4-21**）．健常有歯顎者の中でも犬歯部の咬耗が著明でない個体に観察される．

　また，この咬合様式は前方運動時には前歯部が接触滑走し，臼歯部は離開するため，臼歯離開咬合 disocclusion/disclusion ともよばれる．臼歯部の離開状態は前歯部のガイドによって大きく影響を受ける．そのため，臼歯離開咬合は臼歯部の離開の時期により，前歯部のガイドによってすぐに臼歯部が離開する即時離開咬合 immediate disclusion と，遅れて離開する遅延離開咬合 delayed disclusion とに分類されている．

　ミューチュアリープロテクテッドオクルージョン mutually protected occlusion は，咬頭嵌合位においては臼歯部が咬合し，前歯部はわずかに離開する．そして前方滑走運動においては前歯部が，側方滑走運動においては犬歯が接触滑走し，臼歯部は離開する咬合様式で，犬歯誘導咬合の咬合様式に近似している．

(b) グループファンクション

　グループファンクション group function は側方滑走運動時に作業側の複数の歯が接触滑走し，その際に非作業側の歯は離開する咬合様式である（**図 4-22**）．健常有歯顎者において最も多くみられる咬合様式である．

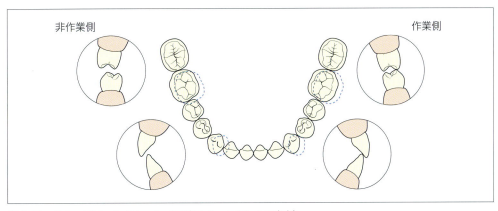

図 4-22 グループファンクション（渡邉ほか，1996 より改変）
グループファンクションでは，側方運動時に作業側の犬歯および臼歯に接触滑走がみられ，非作業側の歯は離開する．

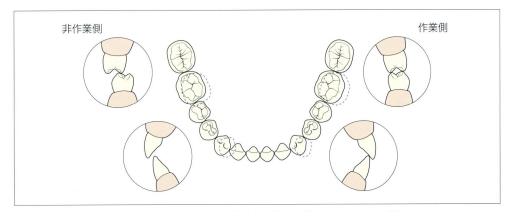

図 4-23 バランストオクルージョン（両側性平衡咬合の場合）（林，1982 より改変）
バランストオクルージョンでは，側方運動時に作業側の犬歯および臼歯，さらに非作業側の臼歯に接触滑走がみられる．

　歴史的には，グループファンクションは側方滑走運動時に作業側のすべての歯を接触滑走させて側方圧を分担させ，非作業側の歯の接触滑走を除去するという考えに基づいて導入された．しかし，健常有歯顎者においてそのような咬合状態はまれであり，また，大臼歯，特に最後臼歯が負担する側方圧は前歯部と比較して過大であることから，必ずしも大臼歯まで含む必要はなく，"作業側の複数の歯の接触滑走" という緩やかな定義になった．すなわち現在では，側方滑走運動時に作業側の犬歯を中心とした切歯から小臼歯が接触滑走し，作業側の大臼歯は離開するのが望ましいとされている．

(c) バランストオクルージョン

　バランストオクルージョン balanced occlusion は側方運動時に作業側と同時に非作業側の歯が接触滑走する咬合様式である（図 4-23）．義歯の安定を考慮し，全部床義歯装着患者に

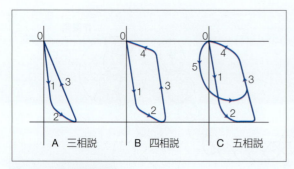

図4-24 咀嚼運動経路
A：三相説（Zsigmondy）．
B：四相説（Gysi）．
C：五相説（中沢）．

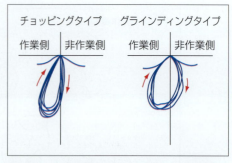

図4-25 咀嚼運動の代表的な経路（前頭面観）
切歯点における咀嚼運動の代表的な運動経路を示す．その形状から，チョッピングタイプ（左）とグラインディングタイプ（右）とに分類される．

付与する（平衡咬合）．健常有歯顎者においても，咬耗により作業側の側方ガイドが緩やかになった個体で観察されることがある（☞ p.227 コラム8参照）．

(3) 機能運動

機能運動とは，日常生活で行われる生理的な運動をいい，咀嚼運動，嚥下運動，発語運動などがある．

(a) 咀嚼運動

咀嚼運動とは咀嚼時の下顎運動を意味しており，摂食嚥下に際して，嚥下に至るまでの，食物の咬断（嚙み切る），粉砕（嚙み砕く），臼磨（すりつぶす）などの動作を含む．

健常有歯顎者の切歯点における咀嚼運動経路を前頭面に投影すると，咬頭嵌合位から下顎は作業側へやや偏位しながら直線的に開口し（第一相），続いてさらに外側方に偏位し（第二相），開口路よりも作業側寄りの経路を描きながら閉口し，食物を粉砕しながら再び咬頭嵌合位に戻る軌跡を呈する（第三相）．その結果として作業側に偏った不整紡錘型（涙滴型）の経路が描かれる（三相説）．しかし，咬頭嵌合位付近の運動をさらに詳細に観察した結果から，閉口路において直接咬頭嵌合位に戻るのではなく，側方位で歯の接触が起こり，咬頭の接触滑走（第四相）によって咬頭嵌合位に戻るとする説（四相説），さらには，閉口後に咬頭嵌合位からさらに反対側へ咬頭が接触滑走（第五相）するとする説（五相説）などが報告されている（**図4-24**）．

咀嚼運動経路は咀嚼する食物の種類や個人で異なる．また，食物の性状によっては，咀嚼の進行に伴ってその経路が大きく変化することがある．咀嚼運動時の切歯点における運動経路の前頭面観は，チョッピングタイプとグラインディングタイプとに大きく分類されている．すなわち，開閉口路がともに作業側にあり，開閉口路が接近した経路を描くタイプをチョッピングタイプ，開口時に非作業側への偏位を伴うタイプをグラインディングタイプとよぶ（**図4-25**）．咀嚼運動中における上下顎の歯の咬合接触の有無については統一見解が得られていないが，咬合接触がある場合には，歯の咬合面形態や側方運動時のガイドが咀嚼運動に影響を及ぼすと考えられる．

健常有歯顎者の1回の咀嚼周期は0.6〜0.8秒であり，咀嚼開始直後を除けば，各咀嚼周期（サイクル）にかかる時間や経路は個人内において安定していると報告されている．なお，咀嚼周期 chewing cycle/masticatory cycle とは，咀嚼時の下顎の運動経路，運動距離，開口・閉口・咬合相時間，開閉口運動速度などを包含しており，健常有歯顎者の様相と比較することによって，顎機能の診断が可能となる．

(b) 嚥下運動

嚥下時には，閉口筋の活動によって下顎は閉口し，上下顎の歯が接触する．すなわち，舌骨上筋群などの嚥下運動に関連する筋群の固定源として，下顎が固定される．このときの下顎位は咬頭嵌合位よりやや後方に位置するとされ，嚥下位 swallowing position とよばれている．また，この時期は，摂食の5期（先行期，準備期，口腔期，咽頭期，食道期）のうちの第3期である口腔期に相当し，従来の嚥下の3相（口腔相，咽頭相，食道相）のうちの第1相である口腔相に相当する（☞ p.48 参照）．

(c) 発語運動

発語時にも下顎が移動し，舌の運動と協調して発音に適切な口腔内の空間を形成する．発音時の切歯点の運動は上下的な動きが主体であり，前後的な動きはわずかで，左右的な動きはほとんどない．

[s]発音時には，下顎は前方に移動し，上下顎前歯部は約1mmの距離で切端咬合に近づく．このときの上下顎間距離は最小発音空隙 closest speaking space とよばれ，無歯顎の咬合高径と前歯部人工歯の排列位置の決定に応用する方法も提唱されている（☞ p.159 参照）．また，[m]発音時の下顎位は[m]発音位とよばれ，下顎安静位に近いとされている．

COLUMN ❷ 顆路傾斜角と顆路角

顆路傾斜角とは，矢状面に投影した顆路が水平面となす傾斜の角度をいい，前方および側方滑走運動時の角度をそれぞれ，矢状前方顆路傾斜角，矢状側方顆路傾斜角とよぶ．

一方，側方顆路角とは，側方運動時に水平面投影した非作業側下顎頭の運動経路が正中矢状面となす角度をいう．このように，顆路も切歯路も矢状面の動きには「傾斜」という文字が入るので注意する必要がある．なお，英語表記では矢状顆路および矢状切歯路の角度には"inclination"が，側方顆路および側方切歯路の角度には"angle"が使われている．

(編集委員)

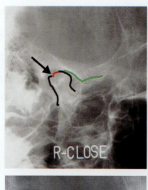
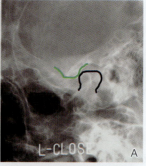
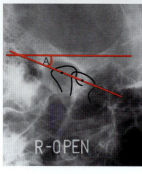
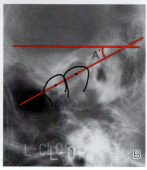

図 4-26 80 歳女性の顎関節エックス線写真
A：閉口時．下顎頭（黒線）の変形（赤線）が右側下顎頭においてみられる（矢印）．また，右側の関節結節は左側より低くなっている（緑線）．
B：閉口時と開口時のエックス線写真の重ね合わせ．関節結節が低くなっている右顎関節の矢状顆路傾斜角 A は左の矢状顆路傾斜角 A' より緩傾斜になっている．

Ⓑ 加齢に伴う下顎位と下顎運動の変化（無歯顎ならびに全部床義歯装着者における下顎位と下顎運動）

　健常有歯顎における三次元的な下顎の全運動範囲が**図 4-12 A** に示されている．しかし，無歯顎の場合には，歯の咬合面による規制がなくなるため，下顎運動範囲は上方へ広がることになり，また**図 4-12 B** に示されている 1〜5 の下顎位が喪失する．したがって，無歯顎者には全部床義歯を装着し，健常有歯顎者に近似した下顎位を確保する必要がある．

　また，顎関節は加齢により下顎頭，関節結節や関節円板の形態が変化する．具体的には，下顎頭の上面は平坦になり，関節結節の高さ低下により関節窩が浅くなる（**図 4-26 A**）．そのため，高齢者は顎関節の脱臼リスクが高くなる．また，関節円板の弾性が低下し，薄くなる．これらのことより，矢状顆路傾斜が有歯顎者より小さくなる（**図 4-26 B**）．加えて，関節包や外側靱帯の緩みが生じるため，下顎頭の運動範囲が大きくなるという報告がある．また，習慣性の脱臼がみられるなどの状態を示すことがある．これらは，有歯顎において咬合力を歯で負担していたところ，無歯顎では咬合接触が消失するために，咬合によって作用される力が顎関節に過大に作用することになり，下顎頭の吸収や関節円板の圧迫，場合によっては穿孔をきたすためである．適切な義歯の装着・使用はこれらの退行性変化を防ぐと考えられるが，不適切な義歯の使用，片側遊離端欠損での義歯の不使用（健側のみでの咀嚼）や，パラファンクションの存在などは症状を悪化させると考えられる．いずれにせよ，歯の欠損を放置すると顎関節に大きな負担がかかることを念頭におき，適切な義歯の製作，装着を行う必要がある．

図 4-27 顎機能異常（85 歳女性）
A：ゴシックアーチを描記させたが，矢印状の形態は描記できなかった．
B：タッピングポイントのばらつきもみられた．

　さらに，加齢に伴って神経筋系や感覚系機能の変化などが起こり，加えて歯根膜からの力学的信号の入力は咀嚼筋群の運動を制御しているので，歯の欠損と加齢は下顎運動にかかわる筋の協調性を低下させる．筋の協調性低下は顎関節の形態変化と相まって，顎機能異常をきたすことがある．それはたとえばゴシックアーチがきちんと描記できない，タッピングポイントが安定しないなどのかたちで現れる（**図 4-27**）．タッピングポイントのばらつきは，咬頭対辺縁隆線，あるいは咬頭対窩の精密な咬合接触を阻害するため，モノプレーンオクルージョン（☞ p.225 参照）を採用する必要があるなど，義歯に付与する咬合様式に制約を生じることがある．

（古谷野　潔，鮎川保則）

5 唾　液

　全部床義歯装着者において唾液は，義歯床下粘膜の保護に働くのみならず，義歯床粘膜面と顎堤粘膜との間に介在することにより，その付着力が義歯の維持の主体となる．したがって，唾液分泌量が減少した全部床義歯装着者においては，義歯の維持力低下に加えて，義歯床下粘膜が機械的刺激を受け，粘膜に発赤・びらん・潰瘍などが生じ，日常生活でさまざまな問題を生じる．

1）唾液の役割

　唾液は古くから知られる消化作用や殺菌作用に加えて，安静時には口腔粘膜や歯の表面を湿潤し，乾燥を防止して発語機能を円滑にするとともに，歯間部などに貯留した食物残渣を洗い流す自浄作用によって齲蝕や歯周病の予防に寄与している．また，咀嚼時には，粉砕された食物と混和されて味覚を発現させ，嚥下に適した食塊形成を行う役割を担っている．

2）唾液の種類と分泌量

　唾液は，安静時唾液と刺激時唾液に分けられる．通常，唾液分泌機能の診断では 10 分間の安静時唾液分泌量が測定される．分泌量の正常値は報告者によって異なるが，若年有歯顎者（平均年齢 27.2 歳）は約 0.4 mL/ 分，高齢義歯装着者（平均年齢 78.6 歳）で口渇を自覚

していない者では約 0.12 mL/分，口渇を自覚している者では約 0.04 mL/分であったとの報告がある．

いくつかの口腔機能の低下による複合要因により現れる口腔機能低下症の診断基準の 1 つに口腔乾燥の有無があげられる．口腔水分計（ムーカス，ライフ）を使用し，口腔湿潤度を測定する方法や Saxon テストによって 2 分間における唾液量を測定し，口腔乾燥と判別する方法がある（☞ p.87 表 7-5 参照）．

3）唾液の分泌量減少および過剰分泌の原因

唾液分泌量が減少する原因として，加齢に伴う唾液腺の腺房部の萎縮と間質における脂肪組織および結合組織の増殖，降圧薬や向精神薬などの薬物，糖尿病，腎疾患，Sjögren 症候群などの慢性疾患あるいは頭頸部領域における放射線治療などがあげられる．極度に唾液の分泌量が減少した患者は，口腔乾燥症 xerostomia と診断される．一方，口腔および咽頭における炎症，Parkinson 病やてんかんなどの神経疾患あるいはピロカルピンやコリンエステラーゼなどの薬物の影響により唾液分泌量は過剰に亢進される場合もある．特に，神経疾患患者においては唾液をうまく嚥下できず，流涎や誤嚥を誘発することもある．

6 味　覚

食品の味は 5 基本味（甘味，塩味，酸味，苦味，旨味）に基づいている．味覚は食品中の呈味成分が咀嚼などにより唾液中に溶け，舌，軟口蓋，喉頭蓋および食道上部に存在する味蕾に存在する味細胞を刺激し，味覚神経を介し味覚中枢に伝達されることで認知される．そのため唾液分泌の低下，咀嚼能力の減退および義歯による口腔粘膜の被覆により味を感じにくくなることがある．

1）加齢と味覚

これまでの研究で，若年者と比較して高齢者の甘味，塩味，酸味および苦味の認知閾値が有意に高いとの報告や，加齢により塩味の認知閾値が高くなるなどのさまざまな報告がされ，一般的に高齢者では味覚が減退していると考えられている．高齢者の味覚の減退は特に塩味で大きく，甘味では比較的小さいとされている．

2）味覚障害

高齢者の味覚障害の原因としては，ACE 阻害薬，脳循環改善薬，向精神薬，抗癌剤，リウマチ治療薬，AIDS 治療薬といった亜鉛のキレート作用がある薬剤や唾液分泌を抑える薬剤による薬物性の他，脳腫瘍，脳血管障害，聴覚腫瘍，中耳炎および顔面神経麻痺に代表される末梢・中枢の神経障害，亜鉛欠乏症，消化器系疾患，肝障害，糖尿病およびインフルエンザなどの全身疾患があげられる．

味覚障害に関係する口腔内疾患としては，Sjögren 症候群に代表される口腔乾燥症，口腔カンジダ症および舌炎などがあげられる．また，頭頸部における扁平上皮癌に対してしばしば行われる放射線治療により放射線の影響を受けやすい味細胞が障害され，副作用として重度の味覚障害が認められる．

加齢変化として，老化に伴い有郭乳頭中の味蕾の数が高齢者では乳児の1/2〜1/3になるといわれている．超高齢社会を迎えたわが国では，味覚障害を有する高齢者数も増加している．味覚機能の低下も伴って，食欲不振による低栄養を招き，フレイルから要介護へとつながる可能性もある．

（津賀一弘，吉川峰加）

咀嚼・嚥下・構音機能の変化

　すべての歯を喪失することで，口腔内の形態は大きく変化する．結果として，咀嚼を営む咬合が失われることで咀嚼機能は低下し，それによって嚥下機能も変化することになる．また，歯の欠損や顎堤吸収によって構音をつかさどる舌と口蓋や歯との接触状況が変化し，構音機能にも変化をもたらす．

1 咀嚼障害

　咀嚼とは，食物を口腔内に取り込んでから，これを噛み砕き，唾液を混ぜながら食塊を形成し，食塊を咽頭から食道へ移動させる嚥下に至るまでの一連の過程である．その前段階として，視覚や嗅覚，さらには過去の記憶などを通じて"食べる"という意志や意識が生じる．また，咀嚼によって，顎・口腔・顔面領域の機械的受容器（触覚，圧覚），温度受容器（冷覚，温覚）と，味覚をはじめとする化学感覚受容器からの感覚情報が脳に送り込まれ，まず"おいしい"とか"まずい"などを感じる．それと同時に，食感としての食物の硬さをも感じながら下顎の運動が行われる．すなわち，咀嚼を含む一連の摂食行動には，大脳皮質の感覚野，運動野，味覚野，視覚野，嗅覚野などに加えて，記憶に関与する海馬や扁桃体，また，これらからの情報が送られる大脳皮質連合野など，多くの大脳領域の各部位が連携して活動している．なお，自律機能の中枢である視床下部には摂食中枢と満腹中枢が存在する．

　すべての歯を失うことによって，噛み切ることや噛み砕くことなどが不可能となり，咀嚼障害 masticatory disorder/masticatory disfunction/masticatory impairment がもたらされる．無歯顎者の咀嚼障害は全部床義歯の装着によってかなりの部分が克服される．しかしながら，全部床義歯は粘膜負担であるため，全部床義歯装着者の咀嚼能力は，健常有歯顎者のそれに比べて劣っている．

　無歯顎患者の補綴治療を行う場合に，その咀嚼機能の回復には諸因子が関与する（**図4-28**）．すなわち，全部床義歯の装着による咀嚼能力は，術者の診療に関する知識，技能や設備などの"術者側の因子"に加えて，患者自身の神経筋制御能力や顎堤形態，唾液分泌量など，"患者側の因子"に大きく影響を受けるため，機能回復の程度には，大きなばらつきが生じることになる．

　一般的に，十分な咀嚼ができない場合には軟らかい食物が好まれ，食物繊維が多く含まれる食品の摂取量が少なくなる傾向がある．特に高齢者においては，咀嚼障害が栄養摂取バラ

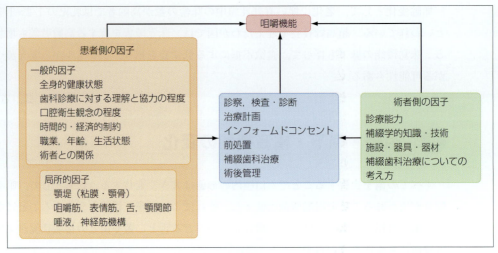

図4-28 無歯顎患者の咀嚼機能の回復に関与する諸因子

ンスの乱れや便通異常をはじめとする消化器症状に関与している．したがって，全部床義歯装着者の咀嚼能力に大きな影響を及ぼす術者側の因子が重要となる．

　全部床義歯装着者の咀嚼能力の評価には，直接的検査法として，篩分法による咀嚼効率 masticatory efficiency や咀嚼値 masticatory performance に代表されるピーナッツなどの試験試料を咀嚼させ，その粉砕粒子の分布状態により判定する方法，チューインガムやグミゼリーなどを咀嚼試料として，糖やゼラチンなど内容物の溶出量により判定する方法，リストアップされた摂取可能食品をアンケート表で問い，点数化することによって，総合的に評価・判定する方法などがある．一方，間接的検査法として，咀嚼試料を咀嚼させて切歯点の運動を記録し，運動経路，運動リズム，運動速度などを分析することによって咀嚼能力を評価・判定する方法，咀嚼時の筋活動を記録して，筋電図を分析することによって判定する方法，咬頭嵌合位における咬合接触面積や咬合接触点数を測定し，咬合接触状態から判定する方法，最大咬合力から判定する方法などがある．これらのうち，摂取可能食品アンケート法以外の方法は，全部床義歯装着者のみならず，他の補綴装置装着者や顎関節症患者などにおける咀嚼能力の診断や治療効果の判定にも用いられている（☞第7章参照）．

2 嚥下障害

　嚥下とは，食塊が口腔から咽頭，食道を経て胃に送り込まれる一連の動作を意味している．嚥下運動においては，食塊の移動状態を示す相 phase と，嚥下に関与する筋による嚥下の進行状況を示す期 stage を区別して考える必要がある．すなわち，正常な嚥下運動では，phase と stage が一致しているが，障害がある場合には，これらにずれが生じるため，気道への誤嚥 aspiration をきたすことになる（嚥下障害 swallowing disorder/swallowing difficulty/swallowing impairment）．

　摂食嚥下は，以下の5期に分けることができる．①食物を認知してから口腔内に取り込む

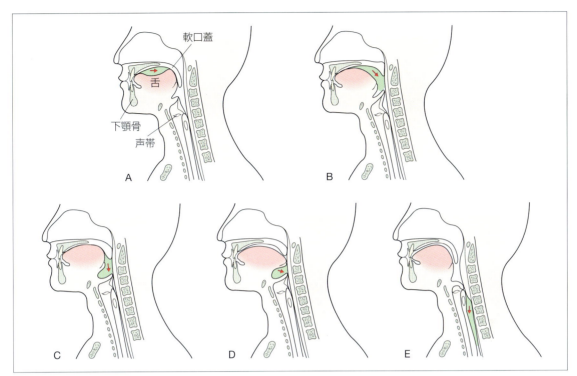

図 4-29 嚥下時の食塊の移動（Logemann, 2000）
A：準備期．B：口腔期．C, D：咽頭期．E：食道期．

先行期 anticipatory stage（認知期 recognize stage），②摂食から食塊形成までの咀嚼を行う準備期 preparatory stage（咀嚼期 chewing stage），③食塊を後方に送り込むための舌運動の開始から，咽頭期が誘発されるまでの口腔期 lingual stage，④嚥下反射が誘発されてから食塊が咽頭を通過するまでの咽頭期 pharyngeal stage，⑤食塊が食道入口部から胃に送り込まれるまでの食道期 esophageal stage の5段階である（**図 4-29**）．

準備期とは，咀嚼が進行し，食塊形成が終了し，飲み込む準備が完了するまでをいう．このときは，喉頭と咽頭はまだ活動しておらず，気道は開放されており，もしも食塊の一部が咽頭にこぼれると，これが喉頭から気管に入り込む場合がある．すなわち，誤嚥である．

口腔期の始まりは，食塊を後方に送り込むための舌運動が開始した時点である．舌はその中央部と硬口蓋の間に食塊を挟み，これを搾り出すように後方に送り込む．このとき，口唇は閉鎖され，硬口蓋への舌圧が大きくなり，陰圧が生じ，頰筋が緊張する．したがって，Donders の空隙（下顎が安静位にあり，口唇を閉じているときに，舌背と口蓋との間に生じている空隙）は消失する（**図 4-30**）．これらの情報は大脳皮質と脳幹に送られ，フィードバックされて嚥下反射が誘発される．すなわち，咽頭期の誘発である．

咽頭期には，まず鼻咽腔閉鎖（軟口蓋が後上方に挙上して食塊が鼻腔に入るのを防ぐ動作）が生じ，舌骨と喉頭が前上方へ挙上し，喉頭蓋，喉頭前庭部，声帯が3重に喉頭を閉鎖し，食塊の下気道への進入を防止する．次いで，咽頭から食道への食塊の移動を容易にする

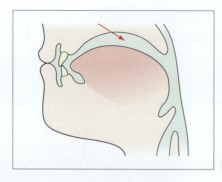

図4-30 Dondersの空隙（藍，2002）

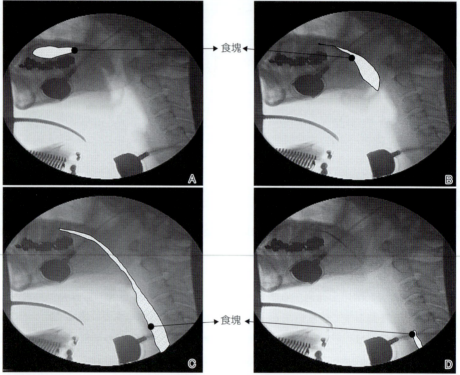

図4-31 エックス線ビデオ透視検査（VF）における食塊の移動
A：食塊が舌と口蓋との間に保持されている．B：舌運動により，食塊が咽頭に送り出されている．
C：食塊が食道入口部を通過している．D：食塊が完全に食道に移動している．

ために食道入口部が拡大し，舌根が前方に突き出した咽頭壁と接触し，咽頭収縮筋が上から下へ連続的に収縮し，食塊が食道入口部から食道に入り，食道期に至る．

　高齢者における不顕性誤嚥（むせない誤嚥）や誤嚥性肺炎の一因として，咀嚼・嚥下障害がある．この原因としては，加齢に伴う嚥下反射と咳反射の低下や，脳血管障害や認知症などの神経疾患などがある．無歯顎では，咬頭嵌合位が喪失しているため，下顎の挙上量が大きくなり，食塊の送り出しが完了するタイミングと喉頭蓋などが閉鎖するタイミングとが近接するため，誤嚥を惹起しやすい状態にあると考えられる．なお，1日の平均嚥下回数につ

いては，約 600～2,500 回と報告によって大きなばらつきがある．

嚥下時にみられる上下顎歯の咬合接触では，咬合圧が生じる．したがって，両側の歯が均等に接触しない場合には，片側のみに力が加わるために接触する歯および歯周組織に負担過重をもたらすことや，咀嚼筋や顎関節の機能を障害することがある．

嚥下機能の評価に関しては，医療面接や質問用紙などを用いる方法や少量の水を飲ませる水飲みテストなどのスクリーニング検査と，エックス線ビデオ透視装置（**図 4-31**），内視鏡，超音波診断装置などを用いた精密検査に大別できる（検査法の詳細は☞第 7 章参照）．

嚥下障害を改善するためには，まず口腔準備期での食塊形成と，嚥下反射が誘発されるまでの口腔期での陰圧をつくりだすことが重要である．したがって，義歯をはじめとする補綴装置の役割がきわめて大きいといえる．

（越野　寿）

3 構音障害

1）音声（言語音）のつくられ方

音声は，言語中枢で形づくられた音の並びが神経筋機構によって末梢での音声生成の一連の運動に変換され，生成される．音声の生成器官は肺，気管，喉頭，咽頭，鼻腔，口腔からなり，肺から口唇および鼻孔につながる複雑な形の管とみなすことができる（**図 4-32**）．

呼吸 respiration によってつくられた気流が音声のエネルギー源であり，主として横隔膜の上下動によりしぼり出される．その後，有声音の場合には，肺から流出した空気の流れが声帯の動きによって振動を起こして喉頭原音 buzz がつくられる．この過程を発声 phona-

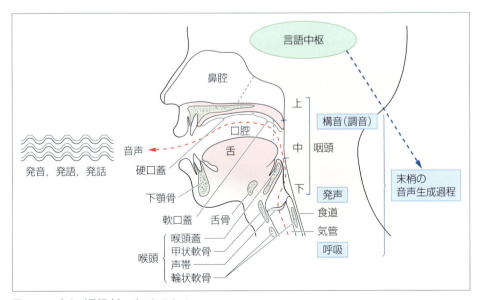

図 4-32　音声（言語音）ができるまで

表 4-2 日本語音の分類表（国際音声記号に準ずる）

			両唇音	唇歯音	歯音	歯茎音	後部歯茎音	硬口蓋音	軟口蓋音	咽喉音
子音	破裂音	無声	パ行			タ, テ, ト			カ行	
		有声	バ行			ダ, デ, ド			ガ行	
	鼻音	無声								
		有声	マ行			ナ行音				
	摩擦音	無声	フワ	フ(f)		サ, ス, セ, ソ	シ	ヒ		ハ, ヘ, ホ
		有声	ワ	ヴ(v)		ザ, ズ, ゼ, ゾ	ジ	ヤ, ユ, ヨ		
	破擦音	無声				ツ	チ			
		有声				ヅ	ヂ			
	弾音	無声								
		有声				ラ行音				
母音	小開き母音 半開き母音 大開き母音							イ エ ア (前舌←　　　　→後舌)	ウ オ	

tion とよぶ．さらに声門より上の部分である咽頭，口腔，鼻腔の部分を声道とよび，声道の形を変化させること，すなわち構音（調音）運動 articulation によって各種の音がつくられる．つまり，喉頭原音が声道で共鳴 resonance，増幅されて実際に耳に聞こえるさまざまな音色の音となる．特に軟口蓋による呼気の鼻腔への遮断を鼻咽腔閉鎖とよぶ．構音において最も積極的に活動を行うのは舌，口唇，軟口蓋であり，したがって，口腔の果たす役割は非常に大きい．下顎運動はこれらの運動を補助する．

こういった一連の音声の生成をスピーチとよぶ．「発音」「発語」「発話」は，最終的に生成されたものが「音」か「語」か「文」かによって生成過程として区別される．歯科では「発音」ということばが使われることが多く，ほぼ構音と同義であり，母音や子音といった音韻的情報（分節的特徴）を生成するときの運動を指す．一方，発語，発話は，ストレス，イントネーションなど音韻区分を超えて，超分節的特徴までを含む運動動作を指すことばである．

2）言語音の分類

表 4-2は，国際音声記号（IPA）に基づく標準日本語音の分類表である．まず母音（ア，イ，ウ，エ，オ）と子音に大別される．母音は声帯の振動を伴い，舌の位置（舌背の高まりの位置），下顎の位置（開口量），口唇の形態によって規定される音で，軟口蓋は咽頭後壁にほぼ接し，鼻腔との境界は閉鎖される．子音は，呼気が口腔を通過するときにその流路が妨げられ，その妨げられる構音の方法（表の縦欄）と構音の部位〔表の横欄，構音点（調音点）〕により分類され，さらに声帯の振動のあるなしで，有声音と無声音に区別される．構音の方法とは，各構音器官がどのように音をつくるかということで，破裂音は声道の途中をいったん遮断して呼気をせき止めて，急に開放することによってつくられる音であり，鼻音

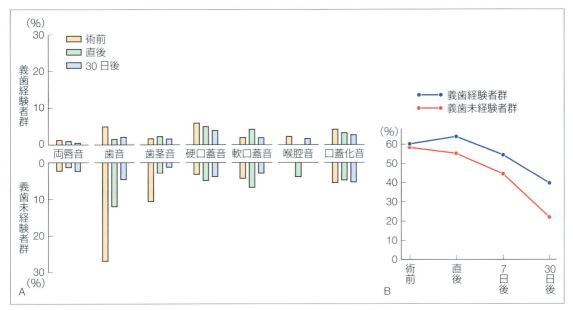

図 4-33　全部床義歯装着における構音障害の出現
A：語音明瞭度検査で判別された障害音（松木，1971）．B：自覚的発音障害の出現率の経時的変化（松木，1971）．

は口蓋垂を垂れ下げて呼気を鼻腔に流すことで発する音であり，摩擦音は声道の一部を狭窄させ，ここを呼気が流出するときに乱流を起こしてできるものである．また，破擦音は破裂の直後に摩擦が接続した音であり，弾音は呼気によって弾くようにして発する音をいう．**表4-2**のような構音方法と構音部位を理解しておくことは，全部床義歯治療におけるスピーチの障害の対応を容易にする．

3）構音障害

　構音障害 dysarthria/speech disorder は，器質性構音障害，運動性構音障害，機能性構音障害に分けられる．器質性構音障害は，歯の欠損，唇顎口蓋裂，腫瘍摘出などの構音器官の実質欠損による障害を指す．運動性構音障害は構音器官の運動障害，麻痺に起因するもので，脳卒中の後遺障害が代表的な原因としてあげられる．機能性構音障害は，構音器官の欠損もなく，運動障害も認められないものの，構音のタイミングなどで不正な音を発するものを指す．

　補綴歯科治療としては，補綴装置によってこれらの障害の改善を目指すことが目標である．無歯顎になれば，当然，構音点である歯を喪失するので，構音障害を生じ，その回復のためにも全部床義歯は装着される．さらに，悪性腫瘍術後や中途障害における構音障害の改善のために，義歯に積極的なスピーチの補助装置を付与する場合がある．軟口蓋の運動障害による鼻咽腔閉鎖不全に対しては，軟口蓋挙上装置（PLP）を，舌運動障害や舌切除後の患者には舌接触補助床（PAP）を，中咽頭や上顎欠損患者には栓塞子を全部床義歯に付与する場合もある（☞第21，22章参照）．一方で，全部床義歯の装着によって，構音障害，つまり発

音のしづらさ（自覚的障害）や音のひずみ（他覚的障害）を生じることがある．多くの場合，装着後1か月程度で消失するが，それ以上続く場合には，何らかの対応をする必要がある（**図 4-33**）．

（市川哲雄）

III 精神心理的な変化

1 社会性の喪失による変化

　高齢者は，仕事からの引退，病気などによる地域社会への参加の停止，親族や友人との死別により徐々に他者とのつながりがなくなってくる．特に配偶者との死別は大きなストレスとなり生活への意欲低下やうつ状態となる．これらが原因となり口腔健康管理への意欲が薄れ（口腔リテラシーの低下），齲蝕や歯周病などの口腔疾患の進行を助長することとなる．

2 高次脳機能の低下

　加齢に伴い，過去の出来事などに関する"エピソード記憶"は低下するが，語彙などに関する"意味記憶"は変化しない．また，新しい学習・記憶，新しい環境への適応のための"流動性知能"は低下するが，過去の知識や経験に基づく"結晶性知能"は維持される．これらは中枢神経系におけるニューロン数の減少や神経伝導速度の低下，神経伝達物質の減少，脳血流の減少に起因するといわれている．

3 人格の変化

　元来の人格が強調されてくる人格の尖鋭化や，以前とはまったく逆の性格を呈する人格の反転，性格の角がなくなり調和がとれてくるような性格の円熟化など，さまざまな変化を示す．

4 疾患による精神心理的変化

　高齢者には認知症，うつ，せん妄，妄想がある．認知症は後で詳述するが，これらは前述のさまざまな原因によって生じ，抑うつ状態，不安などの精神症状や睡眠障害，食欲低下などの身体症状を示す．またこれらは薬剤の服用による口腔乾燥症や義歯に関連する不定愁訴につながる．うつに関しては認知症との鑑別診断が重要である（**表 4-3**）．

5 認知症

　認知症は認知機能が進行性に低下し，日常生活に支障をきたした状態である．近年患者の増加は著しく，要介護の原因1位にもなっている．認知症はその原因から4つに大別されている．

表 4-3　高齢者に生じる精神心理的な変化

A	加齢によって生じる精神心理的な変化

①社会性の喪失による変化
　仕事からの引退，地域社会への参加の停止，親族，友人との死別
　　→うつ状態，口腔リテラシーの低下
②高次脳機能の低下
　エピソード記憶，流動性知能の低下，意味記憶，結晶性知能は維持
③人格の変化
　人格の尖鋭化，人格の反転，性格の円熟化

B	疾患による精神心理的変化

認知症，うつ，せん妄，妄想

1）認知症の分類

(1) Alzheimer 型認知症

　Alzheimer 型認知症が最も多く認知症の約半数を占め，アミロイドβ，τ（タウ）といわれるタンパク質の異常な蓄積により，脳の海馬を中心に神経細胞が萎縮し，認知機能の低下が生じる．症状は中核症状として注意障害，実行機能障害，記憶障害，失語，失認，失行，情動認知障害があり，周辺症状として抑うつ，興奮，妄想，徘徊，暴言，異食などがある．Alzheimer 型認知症は比較的ゆっくり進行し，歯科的には初期には口腔衛生不良や義歯清掃の不良が認められるが，進行すると咀嚼機能や嚥下機能が障害されることが多い．

(2) 脳血管性認知症

　脳血管性認知症は，脳血管障害によって神経細胞が死滅することによって生じる認知機能の低下である．脳血管障害が生じた部位によっては，四肢麻痺などの運動障害や嚥下障害を伴うことがある．

(3) Lewy 小体型認知症

　Lewy 小体型認知症は Parkinson 病によく似た症状をもち，嚥下障害や幻視を認め，調子の良し悪しの変動が大きいのが特徴である．

(4) 前頭側頭型認知症

　前頭側頭型認知症は若年者に多く，人格の変化や注意力散漫，食行動異常を認めることが多い．

2）認知症と歯科的問題点

　認知症では自発的な清潔行動は障害され，口腔衛生状態が悪化する．理解力が高く会話ができる程度の軽度認知障害 mild cognitive impairment（MCI）においても，自発性の低下，手指の巧緻性の低下，視空間認知障害などにより口腔のセルフケアが不十分になる．したがって義歯清掃の急な悪化や義歯管理の不徹底がみられる場合には認知症の発症を疑うべきであろう．認知症が進行すると新製した義歯や，大幅に修理され改変された義歯への順応が困難な場合が多い．そのため，より早期に適切な義歯を製作装着し，慣れておいてもらうことが重要である．

（水口俊介）

COLUMN ❸ 中心咬合位

❶ 中心咬合位とは
　機能的咬合系に調和し，生理学的に適正な上下顎の顎間関係にある咬合位であり，習慣性閉口終末位，タッピングポイント収束位および咀嚼終末位と一致する下顎位である．

1) 中心咬合位の特徴
① 健常有歯顎者の咬頭嵌合位と一致するが，歯列不正のある有歯顎者などの咬頭嵌合位とは，必ずしも一致しない．
② 無歯顎患者など，咬合支持を喪失した患者においても存在するとともに，個々の生体固有のものであり，術者が設定するものではない．

2) 咬合支持が喪失した患者における中心咬合位
　下顎安静位利用法は，「下顎安静位を利用して咬合高径を決定する咬合採得法．上下顎の皮膚上に設定した標点間の距離を計測し，下顎安静時のものから平均的な安静空隙量（2〜3mm）を減じた値となる顎位を中心咬合位とするもの」と定義づけられている（日本補綴歯科学会編：歯科補綴学専門用語集第5版）．すなわち，「無歯顎患者において咬合採得すべき顎位は中心咬合位である」と解釈される．
　いまだ証明はなされていないが，無歯顎患者や咬合支持が喪失した患者においても，「生体には中心咬合位となるべき下顎位が存在する．そして生涯不変ではなく，加齢や歯の喪失など顎口腔領域の変化とともに変化する」と考えられる．こう考えると，無歯顎患者などにおける咬合採得は「中心咬合位となるべき下顎位を見つけ出す術式」といえる．そして，無歯顎補綴治療における最重要事項の1つが，上下顎義歯による咬頭嵌合位を，この「中心咬合位となるべき下顎位」と一致させることである．

❷ 中心咬合位と咬合採得
　「咬合採得とは，中心咬合位を採得することである」と定義づけることにより，咬合採得における術式の理解が容易になる．

1) 中心咬合位における咬合高径の検出
　下顎安静位，発音位，嚥下位など，基準となる下顎位から所定の距離を減じた位置に中心咬合位が存在するとして，中心咬合位における咬合高径を検出する．

2) 水平面における中心咬合位の検出，および中心咬合位の採得
　ゴシックアーチ描記法を用いて，タッピングポイント収束位を"点"として検出し，その"点"を中心咬合位としてチェックバイトを採得する．この"中心咬合位におけるチェックバイト"を用いて，下顎作業用模型を咬合器に再装着すれば，当該無歯顎患者の中心咬合位が咬合器上に再現されたことになる．その咬合器上で人工歯による咬頭嵌合位を付与すれば，採得した中心咬合位と全部床義歯による咬頭嵌合位が一致することになる．この一連の手順が無歯顎補綴治療をはじめとする咬合治療の根幹となる．
　なお，タッピングポイント収束位が不安定な症例では，中心咬合位を"点"としてとらえることは困難であり，治療用義歯を製作するなど，顎機能異常に対する治療が必要となる．

❸ 中心位と中心咬合位
　中心位とは下顎頭位であり，歯の接触とは関係なく存在する．一方，中心咬合位とは下顎位であり，"咬合採得すべき下顎位"として定義づけられた概念的なものとなる．すなわち，下顎位が中心咬合位にあるとき，下顎頭は中心位にあるといえる．

注：「中心位」，「中心咬合位」，「咬頭嵌合位」は，混同しやすい用語なので，その使用ならびに理解に際しては注意を要する．なお，「中心位」および「咬頭嵌合位」の定義は，32，33ページを参照していただきたい．

（大川周治）

第5章 補綴装置としての全部床義歯

I 全部床義歯の構成要素

全部床義歯は人工歯と義歯床によって構成される．

1 人工歯

人工歯は天然歯に代わる人工的につくられた歯であり，機能と審美を回復する目的で使用される．素材は通常，レジンまたは陶材であるが，臼歯部には金属が用いられることもある．

1）レジン歯，硬質レジン歯

メチルメタクリレートを主成分とし，高度に架橋したアクリルレジンを用いたレジン歯（☞p.202参照）が用いられる．また，ポリカーボネート樹脂やコンポジットレジンなどを用いた耐摩耗性に優れた人工歯も用いられる．コンポジットレジンを用いた人工歯は硬質レジン歯 composite resin tooth とよばれ，一般には，エナメル質に相当する部分がフィラーを含む硬質レジンからなり，臼歯ではデンティンの部分にも硬質レジンが使用されている．ベースは義歯床と結合する部位はアクリルレジンによってつくられているものが多い（図5-1）．

2）陶歯

陶材を真空焼成して製作された人工歯である．長所として色調・透明度が天然歯と近似していること，耐摩耗性が高く，長期間使用しても摩耗・咬耗が少ないこと，色調変化がないことなどがあり，レジン歯と比較すると長期的には大きな差が生じる．短所としては，削合や調整がやや困難であること，床用材料との結合が機械的結合にかぎられること，削合量が多くなると破折しやすくなること，咀嚼時に咬合音を発する場合があることなどがあげられ

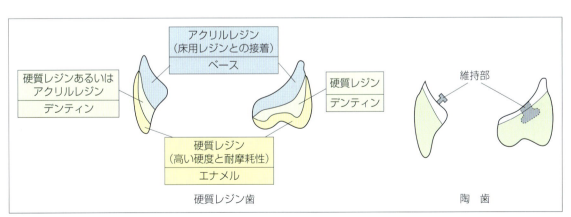

図5-1 硬質レジン歯と陶歯の構造
硬質レジン歯は床用レジンと化学的に結合し，陶歯は維持部を利用して機械的に結合する．

る．陶歯には床用レジンと機械的に結合するための維持部が付与されている．この構造は前歯においては金属製のピンであることが多く，また臼歯においては人工歯基底面にアンダーカットが付与されている（**図5-1**）．

3）金属歯

臼歯においては，咀嚼効率と耐摩耗性の向上を目的として金属歯が使用される場合がある．また，上下顎の顎堤関係などの条件あるいは対合歯が歯冠補綴装置である場合など，既製人工歯が使用しにくい場合には，鋳造した自家製の金属歯を臼歯部に使用する場合がある．

2 義歯床

義歯床は，失われた歯槽部・歯肉部分を補うとともに，人工歯と床部とを連結して機能圧を顎堤に伝達する役割を果たす．その材質としては加熱重合型，常温重合型およびマイクロ波重合型のアクリルレジンや，ポリエーテルサルホン樹脂，ポリサルフォン樹脂，ポリカーボネート樹脂，アクリルレジン，ポリエステル樹脂のような熱可塑性樹脂の他，金合金，コバルトクロム合金，チタン合金，純チタンなどの金属，ジルコニアなどのセラミックスが用いられる．

II 全部床義歯の各部の名称と役割

義歯床部分については，形態的あるいは機能的な観点から種々の部位別名称が用いられる．

1）義歯床粘膜面（図5-2 a）

義歯床のうち，顎堤や口蓋と接触する部分を義歯床粘膜面 mucosal surface（義歯床基底

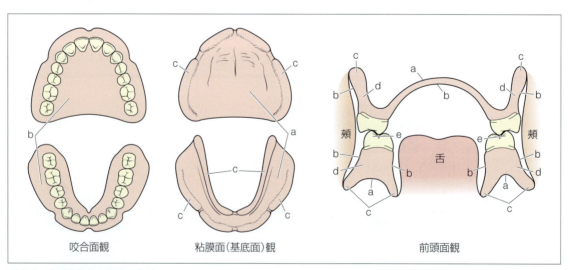

図5-2 全部床義歯の各部の名称
残存顎堤に接触する面を義歯床粘膜面（a）といい，それ以外の床部分の表面を義歯床研磨面（b）という．さらに，歯列を境として解剖学的に唇側面，頰側面，舌側面に分けられる．床縁（c）から人工歯歯頸部までの義歯床の部分を床翼（d）という．さらに，歯列を境として解剖学的に唇側床翼，頰側床翼，舌側床翼に分けられる．eは人工歯の咬合面．

面 basal seat surface）といい，維持と支持に関与する．

2）義歯床研磨面（図 5-2 b）

義歯床のうち，口唇，頰，舌に接する部分を義歯床研磨面 polished surface といい，義歯の維持，安定に関与する．

口唇，頰および舌に接している部分をそれぞれ唇側面 labial surface，頰側面 buccal surface，舌側面 lingual surface という．

3）床縁（図 5-2 c）

義歯床のうち，歯肉唇移行部，歯肉頰移行部および口腔底に接する部分，すなわち義歯の辺縁の部分を床縁 denture border といい，義歯の維持に関与する．

4）床翼（図 5-2 d）

義歯床のうち，歯頸部から床縁までの厚みの部分を床翼 denture flange という．床翼はその部位によってそれぞれ唇側床翼 labial flange，頰側床翼 buccal flange，舌側床翼 lingual flange に分けられる．なお，上顎義歯では義歯床のうち口蓋に接する部分を口蓋床部という．

5）咬合面（図 5-2 e）

人工歯の咬合面の部分を咬合面 occlusal surface という．咀嚼機能を営む他，咬合平衡を確立して義歯の安定に関与する．

III　全部床義歯の維持

義歯床下組織から義歯を脱離させようとする力に対して抵抗する力を義歯の維持力という．全部床義歯の維持力は唾液による物理的維持力，陰圧による物理的維持力，筋圧による生理的維持力，解剖学的維持力に分けられる．

1　唾液による物理的維持力

1）唾液と義歯床との分子間引力

相接する異なった物体の表面間にみられる分子間引力は，全部床義歯では唾液が義歯床と義歯床下粘膜とを同時にぬらして密着するときに働く．分子間引力による維持力の大きさは義歯床の面積に比例する．

2）唾液の凝集力

凝集力は同種分子間に発生する引力であり，義歯床と義歯床下粘膜との間に介在する唾液層に生じる．凝集力の大きさは義歯床面積の大きさに比例する．唾液は液体であるため，凝集力を有効に発揮させるためには唾液層は薄いほうがよい．すなわち，義歯床の粘膜に対する適合はできるだけ緊密なほうがよい．

3）唾液と義歯床間の界面張力

界面張力は適合の良好な 2 面間に介在する液体の薄層によって生じる張力または抗分離力

であり，義歯床と義歯床下粘膜との間に介在する唾液層に生じる．界面張力の大きさは義歯床の面積に比例し，義歯床と義歯床下粘膜との間の距離に反比例する．界面張力による維持効果を十分に発揮させるには，義歯床の適合を良好にすることが必要である．

2 陰圧による物理的維持力

全部床義歯に離脱力が働いたとき，義歯の全周にわたって完全な辺縁封鎖 border seal が存在すれば，義歯床と義歯床下粘膜との間は陰圧となり，義歯の維持力として作用する．この維持力は吸着力とよばれる．床縁の形態，設定位置が重要である．

3 筋圧による生理的維持力

上顎では，床縁の周囲に義歯の脱離に作用する筋が少なく，筋による影響を受けにくい．しかし下顎では，義歯の脱離に関して，特に顎舌骨筋，オトガイ筋と咬筋などに対する配慮が必要である．

顎舌骨筋は顎舌骨筋線に付着し，後方ではレトロモラーパッド前縁付近の舌側顎堤の上位に存在し，前方にいくにしたがって下方に位置する．また，小臼歯部では顎舌骨筋の上に舌下腺が存在し，舌運動に伴い顎舌骨筋が緊張すると，口腔底とともに舌下腺を押し上げる．顎舌骨筋の前頭断的走行は後方にいくにつれて下方への傾斜が強くなるので，義歯床の床翼は顎舌骨筋線を超えて設定できる．

オトガイ筋は前歯部唇側の顎堤に付着し，顎堤の吸収が進行すると付着部は歯槽頂付近になり，口唇の動きに伴い義歯を脱離させる傾向が大きくなる．したがって，印象採得時に決定される床縁の位置は，周囲の組織の運動を侵害しないように設定しなければならない．

また，義歯床研磨面の形態は，口唇，頰および舌などの義歯周囲組織の動きに調和させ，これらの組織によって加えられる力が義歯を維持，安定させる力として作用するように形成しなければならない（図 5-3）．

無歯顎患者の口腔内には，上方は上顎と軟口蓋に，下方は下顎と口腔底に，内側は舌に，外側は口唇および頰によって囲まれたデンチャースペース denture space とよばれる空間があり（図 5-4），この中にニュートラルゾーン neutral zone とよばれる領域が存在する．ニュートラルゾーンとは，咀嚼，嚥下および発語などの口腔の機能時に舌によって外側に向けて加えられる力が，頰および口唇によって内側に向けて加えられる力によって相殺される口腔内の領域をいう．人工歯をニュートラルゾーン内に排列し，義歯床研磨面の位置と形態をニュートラルゾーンのそれに一致させることにより，義歯の優れた維持および安定が得られる．

4 維持力に影響を及ぼす解剖学的因子

維持力は以下の口腔領域の解剖学的条件によって影響を受ける．すなわち，良好な解剖学的条件によって，より大きな維持力が得られる．

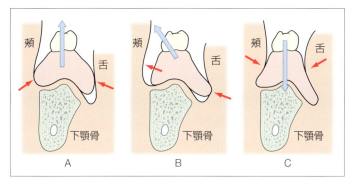
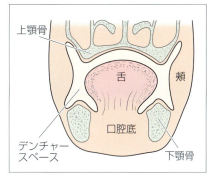

図 5-3 義歯床研磨面形態が義歯の維持・安定に及ぼす影響
A, B：不適合な形態の義歯．頰・舌の筋圧により義歯を浮上させる．
C：適切な形態の義歯．頰・舌の筋圧により義歯を維持・安定させる．

図 5-4 臼歯部前頭面におけるデンチャースペース

1）顎堤弓の大きさ
　顎堤弓が大きい場合には，義歯の床下面積は大きくなり，義歯の維持力は増加し，良好な予後を得やすい．

2）顎堤弓の形態
　顎堤弓の形態が方形の場合には，義歯の維持に対する条件が最もよいのに対して，尖形の場合は床面積および舌房が狭小となり，義歯の維持，安定および発語に対する予後は不良な場合が少なくない．

3）口蓋断面の形態
① 平坦なもの：垂直方向の維持は大きいが，側方からの力に弱く，維持力を失いやすい．
② V字型のもの：側方力に対する維持は強いが，垂直力には弱い．
③ U字型のもの：最も望ましい形態であり，吸着や維持力の点では問題が少ない．

4）骨隆起やアンダーカットの有無
　著明な下顎隆起や上顎結節がある患者では，床縁を十分延長することができず，辺縁封鎖が得られにくいことがある．また，口蓋隆起が大きい場合も，義歯動揺の支点となりやすく，維持・安定に影響を及ぼす．

5）義歯床下粘膜の硬さ，厚さ
① 正常な場合：顎堤は歯槽頂部において約2mm程度の厚さの粘膜で覆われ，色調はピンク色を呈する．
② 菲薄な粘膜で覆われ，硬く萎縮している場合：高齢患者に多く，疼痛が発現しやすい．
③ フラビーガムなど：被圧変位量に富み，顎堤が軟弱である．義歯の維持・安定は得にくい．

全部床義歯の支持

　歯科補綴学では，歯や義歯の咬合力による義歯の沈下に抵抗する作用を支持という．したがって，全部床義歯は義歯床下粘膜とその下層の骨によって支持される．義歯床下粘膜の支持力は，適度に角化した上皮と，適切な厚みのある粘膜下組織が存在し，かつ基底骨にしっかり付着していると大きいが，角化が不十分で厚さが薄い場合は小さい．
　印象採得を含む義歯の製作過程の不備が原因で，義歯床と義歯床下粘膜との接触が不十分な場合，あるいは義歯装着後に歯槽骨の吸収が進行して義歯床下に隙間ができる場合には，粘膜による咬合圧の負担能力は著明に低下する．

 全部床義歯の安定

　安静時および義歯の機能時に義歯が動揺，脱離しないことを義歯の安定という．全部床義歯の安定には咬合の要素が大きく関与する．

1 咬合平衡

　全部床義歯の臼歯部人工歯が咬頭嵌合する下顎位は，顆頭安定位 stabilized condylar position であることが望ましく，適切な咬合平面に従っていなければならない．さらに，左右の側方滑走運動時あるいは前方滑走運動時には，義歯が容易に脱離することがないように，排列された人工歯列には咬合平衡 occlusal balance が付与されていることが望ましい（☞p.233 コラム9参照）．

2 上下顎顎堤の前頭面での対向関係

　歯槽骨が吸収すると，顎堤の高さが低くなるとともに，歯槽頂の頰舌的位置が移動する．その際に上顎と下顎では吸収される方向が異なるので，結果的に上顎の顎堤弓の幅径は縮小し，下顎においては拡大する（**図5-5**）．

3 上下顎顎堤の矢状面での対向関係

　上下顎顎堤の対向関係は矢状面でみると次の3種に大別される（**図5-6**）．

1）平行型
　すべての歯を比較的短期間に喪失した場合にみられる．人工歯の排列は容易で，人工歯の咬合面は顎堤と平行になる場合が多いので，義歯の維持も良好な場合が多く，義歯装着の条件としては良好である．

2）後方離開型
　臼歯が前歯よりも早期に喪失した場合にみられる．調節彎曲の付与は容易で，義歯の推進

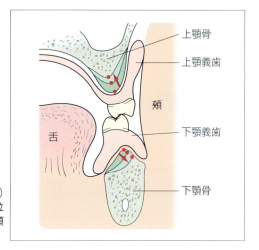

図 5-5 顎堤吸収に伴う歯槽頂の変化（前頭断面図）
上顎では顎堤吸収に伴って歯槽頂は口蓋側寄りに位置するようになる（上顎●，矢印）が，下顎では頬側寄りに位置するようになる（下顎●，矢印）．

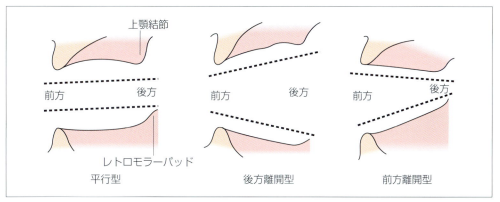

図 5-6 無歯顎の矢状面的対向関係
無歯顎者の上下顎顎堤を側方から観察すると，平行型，後方離開型，前方離開型の3種に分けられる．この関係は全部床義歯装着者の咀嚼機能に大きな影響を及ぼす．

現象も起こりにくいので，義歯装着の条件としては比較的良好といえる．

3）前方離開型

　前歯が臼歯よりも早期に喪失した場合にみられる．人工歯の排列や調節彎曲の付与が困難な場合が多く，義歯の推進現象も起こりやすいので，義歯装着の条件としては三者の中で最も不良である．

（皆木省吾，原　哲也）

第6章 全部床義歯装着者にみられる主要症候

　全部床義歯の口腔内での機能には，残存顎堤をはじめとする義歯周囲組織の形態と，下顎や咀嚼筋，舌，口腔底などの運動が密接に関連している．したがって，全部床義歯とその関連組織との関係に不具合が生じた場合には，種々の障害が発生することになる．

　全部床義歯装着者にみられる主要症候は，義歯の装着によって惹起される生体および義歯の経時的変化に起因するものである．この場合，生体の変化には，形態的な変化のみならず，加齢に伴う義歯装着者の機能的変化に由来する場合が少なくない．

　主要症候のほとんどは，義歯の機能ならびに審美的な装着効果を減少させるとともに，残存諸組織に対して為害作用を及ぼすものである．しかし，適切な処置によって改善される場合が多く，症候の十分な観察・把握が必要である．特に高齢患者においては，言語的表現能力に差異が存在することに注意を払いつつ，その訴えに意図された本質的な症候を正確に把握することが重要となる．

1 義歯床下粘膜および周囲組織の疼痛

　義歯の使用に伴って，義歯床下粘膜に疼痛が発現することがある．これは，主に義歯床下粘膜に加わる局所的な過剰な圧に起因している．この局所的な過剰な圧は，顎堤吸収に伴う義歯の不適合や，人工歯の咬耗などによる不適切な咬合状態などによる場合が多い．また，唾液分泌量の減少によって義歯の疼痛が誘発されている場合もある．義歯装着に伴う疼痛は，義歯装着者のQOLを低下させる最も重要な症候の1つであるとともに，その原因には補綴装置としての義歯の良否のみでなく，義歯使用の機能的な側面も大きく影響を与えていることが多いため，総合的な観点からの評価・診断が必要である．さらに，たとえ良好に製作された義歯であっても，患者の心理・社会的状況によっては，ストレスなどによって非意識的な嚙みしめが助長される場合もあり，それが原因となって疼痛が誘発される場合もしばしば認められる．このため，義歯床の形態や咬合関係のみにこだわることなく，総合的な評価を行うことが重要である．

　義歯床下粘膜の疼痛の原因となる食物残渣の停滞は，義歯床粘膜面の不適合あるいは義歯の動揺に由来する場合と，義歯床研磨面形態の不良に由来する場合に大別して考えることができる．前者の場合，義歯の適合性を検査することによって容易に診断できる場合が多い．また，義歯の動揺に起因する場合には，咬合関係の診察と検査をあわせて行う必要がある．後者の場合，口唇や頰の運動に頰側の義歯床研磨面形態が調和していないことが主な原因であり，十分な観察の後，対処が必要である．

2 咀嚼障害

　全部床義歯装着者の咬合力は天然歯列者のそれと比べて1/3～1/4程度であり，また咀嚼能率は天然歯の喪失によって低下することが知られている．したがって，義歯の不調によって咀嚼機能はさらに大きく障害される．また，比較的良好な義歯であっても，前歯部における咬断は制限される場合も多い．義歯による疼痛や義歯の動揺は咀嚼障害を助長し，また，患者の習慣的な下顎運動に調和しない咬合様式や，患者の嗜好食品の咀嚼に適さない人工歯や咬合様式の選択も咀嚼障害の助長につながるので注意が必要である．咀嚼機能の評価については主観的ならびに客観的な評価を併用することが重要である（☞ p. 83 参照）．

3 審美障害

　全部床義歯装着者における外観の不良としては，口唇や頰部の豊隆不足，「へ」の字に彎曲した口裂，口裂からのぞく人工歯の長さ，人工歯の大きさや形態，また人工歯の着色などがあげられる．これらに対しては，適切な咬合高径の設定と人工歯の排列位置，顔貌に調和した床翼と床縁形態の付与や人工歯の選択などによって多くの場合は対応できる．また，上顎義歯の動揺が大きい場合に，口裂からのぞく上顎前歯切縁の動揺が審美障害となる場合もある．高齢者においても審美的な問題は患者の社会的活動を円滑にするために重要であるとの認識が必要である．

4 発語障害（構音障害）

　義歯の維持・安定が不足している場合や，舌房が十分確保されていない場合には，発語障害を生じやすい．また，前歯部人工歯の排列位置が構音に影響を与える．たとえば，不適切な被蓋であったり，オーバージェットが大きすぎたりするとサ行音に障害が生じやすく，不適切な咬合高径や前歯部の義歯床形態は両唇音や歯茎音を障害することがある．さらに，口蓋部の義歯床形態が不適切な場合にも円滑な構音が障害され，義歯床口蓋部の厚さや長さによっても特徴的な構音障害が発生することがあるため，発語障害の原因を詳細に観察し，対処することが必要となる．

5 顎機能異常

　不適切な義歯や非機能的なグラインディング grinding（臼磨運動）やクレンチング clenching（嚙みしめ）によって，顎堤や咀嚼筋の疼痛，あるいは咀嚼時や開閉口運動時の顎関節部の疼痛といった顎機能異常が生じる場合がある．これらの原因としては，義歯の咬合高径や水平的な下顎位が適切に設定されていないことや，義歯装着時の不快感，義歯の維持・安定の不良などが考えられる．上記のような症状を訴える場合には，顎機能異常の発症原因を正確に診断することが必要である．また，顎堤を安静に保つために夜間の義歯撤去が推奨されているが，これによって顎関節疼痛を認める場合には，夜間の義歯装着も考慮に入れて対処する必要がある．

（皆木省吾，原　哲也）

第7章 診察，検査，診断

I 医療面接とインフォームドコンセント

　患者中心の全人的な医療 patient / problem oriented system（POS）では，患者がもつ歯科医学上の問題だけではなく，心理的背景や社会的問題を含めて包括的にアプローチする．その本質は患者と歯科医師の相互理解であり，患者と歯科医師間における情報の共有化と信頼関係の構築においては，医療面接 medical interview とインフォームドコンセント informed consent の果たす役割が大きい．

1 医療面接の基本

　医療面接とは，歯科医師が患者との対話により，患者の疾患に対する苦痛を把握し，疾患や治療に対する不安を取り除きながら，治療の方法や目標について共通理解し同意を得る，一連の医療行為である．そのため，医療面接は，患者理解のための情報収集，患者と歯科医師間の信頼関係の構築，患者教育と治療への動機づけの3つを目的として行う（**図7-1**）．

　医療面接は，問診票や紹介状をもとに，「尋ねる」「聴く」「答える」「観察する」を繰り返しながら進めていく．その際は，清潔な身だしなみ，ていねいなことばづかい，礼儀正しい態度など，患者が信頼できる態度で接する．主訴の把握や医療情報の収集においては，種々のコミュニケーションスキル（**表7-1**）を組み入れることで，患者から話を漏れなく引き出

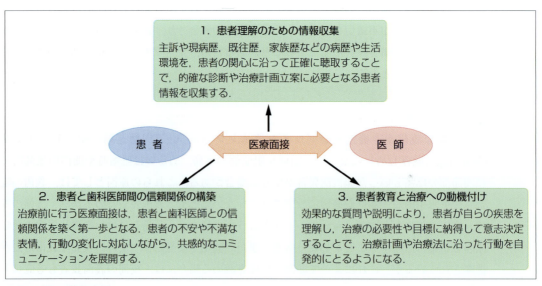

図7-1　医療面接の目的

表 7-1 コミュニケーションスキル

1．コミュニケーションの種類

1) 言語的コミュニケーション
   言葉を発することで相手に意志や感情，思考などの情報を伝える．
2) 準言語的コミュニケーション
   言葉を発する際の強弱，スピード，抑揚など，言語に付随する要素によるコミュニケーション
3) 非言語的コミュニケーション
   表情，態度，身振り，視線など，言語以外の手段によるコミュニケーション

2．質問法

1) 開放型質問 open-ended question
   「どうしました？」「どのように痛みますか？」など，患者が自由に答えることができる質問
2) 閉鎖型質問 closed question
   「食事のときに痛みますか？」など，患者が「はい」「いいえ」で答えることができる質問
3) 中立的質問 neutral question
   名前，生年月日，住所，職業など，答えが1つしかない質問
4) 多項（多選択肢）質問 multiple-choice question
   「ゆるいのは上の入れ歯ですか，下の入れ歯ですか？」など，選択肢を入れた質問
5) 焦点を当てた質問 focused question
   「○○について詳しく教えてください」など，特定の問題に焦点を当てた質問

3．傾聴

1) 沈黙
   質問に対して患者が考えをまとめている間，沈黙が続くことがある．質問者が先に話し始めてしまうと，患者の考えを遮ることになるので，患者が再び話し始めるまでは待つことが望ましい．
2) うなずき，あいづち，繰り返し
   患者が話している最中に，「そうですね」などうなずきやあいづちをしたり，患者が話した言葉を質問者が繰り返したりすることで，患者は話をよく聴いてもらえていると感じ，安心感を得てより詳しく説明するようになる．
3) 要約と確認
   話の区切りや終わりに内容を要約して患者に確認することで，患者は訴えが伝わっていると感じ，安心感を得る．
4) 言い替え，明確化
   患者が話した内容を違う言葉で言い替えたり，表現しようとしている内容を明確にした形で返す．

すとともに，患者とのより良好な関係を築くことが可能となる．すなわち，患者に尋ねるときは言語以外の要素を活用し，患者が自由に話しやすい雰囲気と質問方法を心がける．患者の話には真摯な態度で耳を傾けて積極的な傾聴に努め，共感的な態度や支持的な態度で答える．患者の表情や動作を観察することで，患者の本心を読みとることもできる．

2 無歯顎患者の医療面接

　無歯顎患者の多くは高齢者である．そのため，無歯顎補綴治療の医療面接では，高齢者の身体的，心理的，社会的背景への理解と配慮が必要となる．また，義歯に関する不満などの感情に対しては，受容的な態度で対応する．

1）個別性の尊重

　高齢者では，加齢に伴い心身の機能が低下するとともに，加齢に関連した疾患や障害を抱えていることが多い．しかし，心身の加齢変化や疾患，あるいは高齢者を取り巻く環境は多様であり，高齢者の特性は個人差が大きい．そのため，高齢者に対する固定観念や偏見に囚われた安易あるいは過剰な配慮は高齢者の自尊心を傷つけ，正確な医療情報の収集や信頼関係の構築を妨げることがある．したがって，高齢患者に対しては，患者個々の行動や表情，反応などを注意深く観察し，個別性を尊重して医療面接を行う．

2）聴覚機能への配慮

　聴力の低下は，会話を聞き取る能力に影響する．そのため，高齢者の医療面接では，声の大きさ，声のトーン，話すペース，話しかける距離などに留意する．

　高齢患者にはゆっくり，はっきりと区切るように話しかける．患者に口の形や表情が見えるようマスクは外し，目を見て話す．まずは普通の声の大きさで話しかけ，聞き取りにくそうな反応を示す場合は徐々に声を大きくしていく．高齢者の難聴は高音域に障害が現れやすいため，少し耳元に近づいて低い声で話してみるのもよい．補聴器を使用している場合，大きな声や近くで話すと聞き取りにくく不快に感じることがあるので注意する．聴力の低下が顕著な患者に対しては文字を活用する．ただし，高齢者の視覚は低下しているので，なるべく大きく見やすい文字を用いるよう配慮する．

3）言語能力への配慮

　高齢患者では，認知機能の1つである言語能力の低下により，聴覚に問題がなくても相手のことばをなかなか理解できないことがある．また，自分の思いや考えをうまくことばで表現できないこともある．

　患者に質問や説明を理解してもらうためには，わかりやすいことばを用いて簡潔に説明することが基本である．理解力が低下した患者には，箇条書きや図を用いて説明するなどし，理解を促すことも有効である．患者が質問を正しく理解できず，質問の意図とは異なる答えが返ってくることがある．この場合，面接者は途中で話を遮らず，まずは返答した内容について話を完結させてから，再度元の質問を行う．

　言語による伝達能力が低下した高齢患者では，質問に対して考えをまとめたり，自分で話すことばを探したりする間，沈黙が続くことがある．この場合，質問者が先に話し始めてしまうと，患者の考えを遮ることになる．患者が再び話し始めるまでは待つことが望ましく，高齢者のペースで傾聴するよう心がける．自分の考えをうまくことばで表現できず，訴えがはっきりしない場合は，「こういうことですね」と言い換えて確認することも有効である．

4）付添者への対応

　高齢患者の医療面接では，歯科医師に迷惑をかけたくないという心理が影響し，本心や真実を引き出すことが困難なことがある．また，聴覚機能や言語能力の低下が顕著な場合も正しい情報が得られない．このように，患者本人からの情報収集だけでは不十分な場合には，付き添いの家族や介護者などからも情報収集を行う．これにより，歯科医師は患者とだけで

はなく，家族や介護者との良好な信頼関係を築くことができる．ただし，医療面接の場に付添者が同席すると，患者は付添者に気兼ねして本心ではないことを伝えることがある．したがって，患者と一対一になる状況を必ず設けることも大切である．

5）無歯顎者の心理面への配慮

　無歯顎補綴治療を求めて来院する患者は，義歯による疼痛や咀嚼障害などに対して，不安や不満，怒り，あきらめなどの感情を抱いている．これらの感情に対しては，うなずきや繰り返しなど傾聴の技法を用いて，支持的態度（否定や批判をせずに受け入れる）や共感的態度（感情を共有していることをことばで伝える）を示しながら話を聴く．これにより，患者とよりよい信頼関係を築くことができ，その後の治療も円滑になる．

3 医療面接情報の記録

　医療面接で得られた情報は，問題志向型診療記録 problem-oriented medical record（POMR）形式で記載する．POMR は，基礎データ，問題リスト，初期計画，経過記録に区分される．問題リストでは，患者がもつ問題を医学的問題，心理的問題および社会的問題に分けて列挙する．

　経過記録では，診療ごとに主観的な症状（S：subjective），客観的な所見（O：objective），評価（A：assessment），計画（P：plan）の4項目に整理し，SOAP 形式で記載する．

4 インフォームドコンセント

　インフォームドコンセントとは，患者の自己決定権の尊重を前提とした，医師や歯科医師などの医療従事者と患者が治療方針を決めるプロセスである．それは，医療従事者の十分な説明と，患者の理解，納得，同意，選択という2つのフェーズからなる．医療従事者は患者の自己決定権を尊重するため，医療を提供するにあたっては，患者に適切な説明を行い，理解と同意を得るよう努めなければならない．

1）医療従事者の十分な説明

　医療従事者が，患者に説明する事項は，①病名と病状，②治療の目的や方法，必要性，③治療の目標と予後，④治療に付随するリスク，⑤治療期間と費用，⑥他に選択可能な治療方法，⑦治療しない場合の予後，などがあげられる．

　無歯顎補綴治療は治療の過程が多く，長い期間を要する．治療の回数や期間は患者の負担となるため，装着後の管理を含めて最初に説明して同意を得るべきである．たとえば，金属床義歯やインプラント義歯など自費診療は保険診療より高額となるため，その効果と費用について説明しなければならない．また，審美障害を訴える患者に対しては，義歯による審美回復の限界について説明し，理解を得る必要がある．

2）患者の理解と同意

　インフォームドコンセントにおいて，患者の理解と同意を得るためには，医療面接と同様に，コミュニケーションスキルや患者との信頼関係構築が求められる．患者への理解や誠意

のある態度で，ていねいにわかりやすく説明を行う．

インフォームドコンセントは，自己決定権，すなわち患者に治療方針に関する判断能力があることを前提としている．認知機能が低下した高齢患者では，自分の意思で同意や拒否することができなくなる．患者に同意能力がないと判断される場合は，家族などの代理人の意思によって方針が決まる．ただし，高齢者だからといって，患者本人よりも先に家族の同意を得てはいけない．

（飯沼利光，髙津匡樹）

II 診察，検査

無歯顎補綴治療を行う際には，まず，医療面接を通して，患者が訴える歯科的な問題について，それらの既往歴，現症を把握する必要がある．また，疾患だけをみるのではなく，来院するに至った患者の心理的，社会的な背景を把握することも重要である．さらに，患者の多くが高齢者であるため，全身の健康状態，全身疾患の有無，常用薬の服用状況などについての情報収集も必須である．また，患者本人とのコミュニケーションが十分に取れない場合は家族や介護者などからの情報収集を行う必要がある．引き続き行われる診察の後，必要に応じて各種の検査を行い，これらの情報から病態，障害度を把握し診断を確定する．

これらを総合的にしかも具体的に把握することを目的に，日本補綴歯科学会から欠損歯列患者の症型分類が提示されている．無歯顎患者も含めた欠損歯列患者の治療結果に影響を与える可能性のある因子が提示されており，これらの情報を収集して患者の状態を総合的に評価する．すなわち，4つの症型分類（口腔内の形態的分類：症型分類 I-1，全身的病態を中心にした身体社会的分類：症型分類 I-2，満足度と口腔関連 QOL を中心とした分類：症型分類 I-3，精神医学的背景を中心にした分類：症型分類 I-4）を用いて患者を類型化し，患者の病態像や治療の難易度を合理的に評価する（**図 7-2**，**表 7-2〜4**）．本項ではこれらの分類にも言及しながら，無歯顎患者の一般的な診察・検査について解説する．

1 一般的な診察

1）主訴

患者が来院した理由，すなわち主訴を確実に把握することが医療面接の第 1 段階である．一般に歯科を受診する患者の主訴 chief complaint の大半は，疼痛，口腔機能に関連した不具合，審美的不満であるが，それらに付随する個人の訴えは多様である．これらの訴えをできるだけ患者の言葉で簡潔にまとめる．

使用中の義歯の破折や破損，高齢者にしばしばみられる義歯の紛失，最後の残存歯をなんらかの原因で喪失してしまったなど，明らかに義歯の必要性に迫られて来院した場合には，主訴の把握は比較的容易である．しかし，顎堤や義歯周囲組織の痛み，口腔機能に関連した不具合，審美的不満を主訴として来院した患者の場合は，これらのいくつかが複雑に関連し，

無歯顎の評価用紙

	評価項目		内容								点
1	欠損部顎堤形態 ・顎堤高さ（垂直） ・顎堤断面形態（頰舌）	□ 上顎	25 □ 高（10mm〜） □ U型	□ 中 □ UV中間	19	□ V型	13	□ 平坦	7	□ 下顎	25 □ 高（5mm〜） □ U型	□ 中 □ UV中間	17	□ V型	9	□ 低（〜0mm） □ 平坦, 凹型	7	/25
2	粘膜性状 ・固さ ・厚み		20 □ 厚	□ 硬 □ 中	15	□ 軟 □ 薄	10	フラビー, 広範囲炎症 極薄	5		20 □ 厚	□ 硬 □ 中	14	□ 軟 □ 薄	8	□ 極軟 □ 極薄	2	/20
3	対向関係 矢状断前後関係 前頭断左右関係 前頭断顎堤，顎間左右差		level I 25 □ 良，軽度の反対・過蓋咬合 □ 偏位無，少 □ 無，軽度			level II 17 □ 中等度の反対・過蓋咬合 □ 偏位中等度 □ 中等度			level III 9 □ 重度の反対・過蓋咬合		level IV 1 □ 偏位大 □ 顕著							/25
4	習癖 ・異常習癖，舌位 etc. ・嘔吐反射		20 □ 無 □ 無			14 □ 有			8 □ 舌位異常，弄舌癖，巨舌 □ 顕著		oral dyskinesia 等		2					/20
5	その他 ・骨隆起，顎堤アンダーカット，小帯位置異常 ・唾液量，性状		10 □ 無 □ 普通			7 □ 1項目 □ 多, 粘液・漿液性			4 □ 2項目 □ 量少，極多		□ 3項目 □ 僅少	1						/10
																		/100

顎堤形態（吸収, 凹凸, 骨隆起）
19/25

粘膜性状（被圧変位, 発赤, フラビーガム）
10/20

他（小帯, 唾液）
7/10

異常習癖（舌, 嘔吐反射）
8/20

対向関係（旧義歯顎間関係）
9/25

例：計 53 点 → level III

難易度判定

難易度	点数
Level I（易）	73〜100
II	55〜72
III	35〜54
IV（難）	7〜34

対向関係

矢状断前後関係

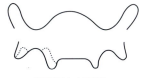

前頭断左右関係

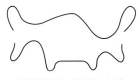

前頭断顎堤，顎間左右差

図7-2 口腔内の形態的分類（症型分類 I-1）
欠損部顎堤の垂直的高さや断面形態, 粘膜の性状, 対向関係, 舌, 小帯, 唾液などについて評価を行う. 各項目について難易度を Level I〜IV に分類する. また, 合計点数により症例の総合評価を行う（日本補綴歯科学会）.

表 7-2 身体社会的条件（症型分類 I -2）

No.	項目	解説
1	年齢	年齢は表に出にくい潜在的な危険度を評価するために用いる
2	糖尿病	血糖値が異常に上昇する疾患で，創傷治癒遅延や易感染
3	脳血管障害	脳の血管に障害が生じ，突然の意識障害を生じる疾患で，服薬により易出血 後遺症があると口腔清掃が困難
4	高血圧	血圧が異常に上昇する疾患で，治療のストレスで悪化 モニターの使用とストレス軽減が必要
5	心疾患	痛みやストレスにより発作の危険性があり，服薬により易出血 モニターの使用と疼痛・ストレス軽減が必要．場合によっては休薬も必要
6	呼吸器疾患	呼吸機能が低下しており，低酸素状態に陥りやすい SpO_2（動脈血酸素飽和度）のモニタリングが必要
7	肝炎	感染の危険性がある 易出血，易感染，薬物代謝異常に注意が必要
8	胃腸疾患	ストレスにより増悪 投薬に注意
9	腎疾患	易出血，易感染に注意
10	血液疾患	一般に血液疾患では易出血になる 出血傾向の把握が重要
11	アレルギー	薬物アレルギーでは投薬に注意 金属アレルギーでは金属の選択に注意
12	AIDS	感染の危険性がある．易出血，易感染に注意
13	認知症	治療ゴールの変更や鎮静法の応用が必要
14	オーラルディスキネジア	口腔を中心とした不随意運動 正確な治療・咬合採得・咬合調整困難
15	ステロイド服用	易感染，創傷治癒遅延に注意 ストレスによる急性副腎皮質不全（血圧低下，循環不全）の危険性あり
16	喫煙	歯周病の悪化，創傷治癒遅延，歯・補綴装置の着色に注意
17	飲酒・薬物依存	全身への影響と潜在リスクである 精神面の問題とも関与
18	その他疾患	上記リスト以外の疾患について記載し，そのリスクを評価
19	身体機能	要支援：社会的支援を要する（身の回りの世話の一部になんらかの介助が必要） 要介護：要介護1～3（身の回りの世話に介助が必要） 要全介護：要介護4～5（身の回りのことがほとんどできない）
20	通院	身体的条件，社会的条件，経済的条件，個人的条件（職業など）を総合して評価
	総合評価	

患者の全体的な条件と習慣や通院などの社会的条件をそれぞれ4段階で評価し，総合的に評価する（日本補綴歯科学会より改変）．

Level 1	Level 2（要配慮）	Level 3（要注意）	Level 4（危険）
生産年齢者（15〜64）	乳幼児以外の幼年者（7〜14） 前期高齢者（65〜74）	乳幼児（0〜6） 後期高齢者（75〜）	
なし	空腹時血糖 120 mg/dL, HbA1c 7.0 未満 低血糖発作なし	空腹時血糖 140 mg/dL, HbA1c 8.0 未満に コントロール	空腹時血糖 140 mg/dL, HbA1c 8.0 以上
なし	発症後 6 か月以上 （後遺症なし）	発症後 6 か月以上 （後遺症あり）	発症後 6 か月以内
なし	160/100 以下	160/100 以上	180/110 以上
なし	動悸あり	不整脈，弁膜疾患 心筋梗塞 6 か月以降 狭心症 3 か月以降	心筋梗塞 6 か月以内 狭心症 3 か月以内
なし	肺炎，肺結核，慢性閉塞性肺疾患，喘息， 中等度までの息切れ SpO₂ 96 以下	高度の息切れ SpO₂ 93 以下	呼吸困難 チアノーゼ SpO₂ 90 以下
なし	慢性期肝炎	肝硬変	急性期肝炎（活動期） GOT/GPT：100 以上
なし	胃炎	胃潰瘍・十二指腸潰瘍	
なし	糸球体腎炎, ネフローゼ症候群 クレアチニン 2 mg/dL 以上	腎不全 クレアチニン 5 mg/dL	透析 クレアチニン 12 mg/dL 以上
なし	軽度	貧血	白血病・血小板減少 （2 万 /μL 以下）
なし	薬物アレルギー（軽度）	薬物アレルギー（重度） 金属アレルギー	アナフィラキシーショック 既往
なし	HIV キャリア	AIDS 関連症候（ARC） CD4 500 個 /μL 以下	発症（AIDS） CD4 200 個 /μL 以下
なし	軽度（日常会話可能）	中度（日常会話困難）	重度（日常会話不可）
なし	軽度の不随意運動	重度の不随意運動 指示した運動はできる	指示した運動ができない
なし	間歇服用中	連日服用中	
なし	40 本未満	40 本以上	
ビール中ビン 3 本 清酒 3 合以下 薬物依存なし	ビール中ビン 3 本 清酒 3 合以上 薬物依存	重度アルコール依存症 重度薬物依存症	
なし	歯科治療で要配慮 （　　　　　）	歯科治療で要注意 （　　　　　）	歯科治療で危険性 （　　　　　）
正常	要支援	要介護	要全介護
問題なし	問題あり	困難	不可能
Level 1	Level 2（要配慮）	Level 3（要注意）	Level 4（危険）

第 7 章　診察，検査，診断

表7-3 口腔関連QOL（症型分類Ⅰ-3）

機能の制限（functional limitation）	心理的障害（psychological disability）
1 歯，口の中，入れ歯，かぶせ物の問題により，食べ物が噛みづらかった	33 歯，口の中，入れ歯，かぶせ物の問題により，眠りが妨げられた
2 歯，口の中，入れ歯，かぶせ物の問題により，発音しにくかった	34 歯，口の中，入れ歯，かぶせ物の問題により，気が動転した
3 歯の見た目がよくないことに気づいた	35 歯，口の中，入れ歯，かぶせ物の問題により，リラックスできなかった
4 歯，口の中，入れ歯，かぶせ物の問題により，外見が悪くなったと感じた	36 歯，口の中，入れ歯，かぶせ物の問題により，憂うつになった
5 歯，口の中，入れ歯，かぶせ物の問題により，口臭を感じた	37 歯，口の中，入れ歯，かぶせ物の問題により，物事に集中できなかった
6 歯，口の中，入れ歯，かぶせ物の問題により，味覚が鈍くなったと感じた	38 歯，口の中，入れ歯，かぶせ物の問題により，少しでも恥ずかしい思いをした
7 歯，入れ歯，かぶせ物に，食べ物がはさまったりくっついたりした	**社会的障害（social disability）**
8 歯，口の中，入れ歯，かぶせ物の問題により，消化が悪くなったと感じた	39 歯，口の中，入れ歯，かぶせ物の問題により，外出を避けた
9 入れ歯やかぶせ物が，きちんと合っていないと感じた	40 歯，口の中，入れ歯，かぶせ物の問題により，配偶者や家族に対して寛容でなかった
痛み（physical pain）	41 歯，口の中，入れ歯，かぶせ物の問題により，周囲の人とうまくやっていけなかった
10 口の中につらい痛みを感じた	42 歯，口の中，入れ歯，かぶせ物の問題により，周囲の人に対して少しでもイライラした
11 顎や，顎の関節が痛んだ	43 歯，口の中，入れ歯，かぶせ物の問題により，日常の家事や仕事に差しさわった
12 歯，口の中，入れ歯，かぶせ物の問題により，頭痛がした	**ハンディキャップ（handicap）**
13 熱いものや冷たいもので歯がしみた	44 歯，口の中，入れ歯，かぶせ物の問題により，健康状態が悪くなったと感じた
14 歯が痛んだ	45 歯，口の中，入れ歯，かぶせ物の問題により，経済的な損失が生じた
15 歯ぐきが痛んだ	46 歯，口の中，入れ歯，かぶせ物の問題により，仲間とあまり楽しく過ごせなかった
16 歯，口の中，入れ歯，かぶせ物の問題により，食べていて不快な感じがした	47 歯，口の中，入れ歯，かぶせ物の問題により，日常生活で満足していなかった
17 口の中にヒリヒリ痛むところがあった	48 歯，口の中，入れ歯，かぶせ物の問題により，まったく役目を果たせなかった
18 口の中が乾いた	49 歯，口の中，入れ歯，かぶせ物の問題により，仕事や家事で全力を尽くせなかった
心理的不快感（psychological discomfort）	**日本語版追加項目（additional Japanese items）**
19 歯科的な問題で，悩んだり不安を感じたりした	50 歯，口の中，入れ歯，かぶせ物の問題により，頬を咬んでしまった
20 歯，口の中，入れ歯，かぶせ物の問題により，人前を気にした	51 歯，口の中，入れ歯，かぶせ物の問題により，食べ物が飲み込みにくかった
21 歯科的な問題で，みじめな気持ちになった	52 顎の関節の音に悩まされた
22 歯，口の中，入れ歯，かぶせ物の見た目が気に入らないと感じた	53 入れ歯やかぶせ物が不快だった
23 歯，口の中，入れ歯，かぶせ物の問題により，気が張り詰めたり，緊張したりした	54 歯，口の中，入れ歯，かぶせ物の問題により，食べ物の食感が感じにくかった
身体的障害（physical disability）	
24 歯，口の中，入れ歯，かぶせ物の問題により，話し方が不明瞭になった	
25 歯，口の中，入れ歯，かぶせ物の問題により，話す言葉を聞き間違えられた	
26 歯，口の中，入れ歯，かぶせ物の問題により，食べ物の風味や味わいが感じにくかった	
27 歯，口の中，入れ歯，かぶせ物の問題により，きちんと歯磨きできなかった	
28 歯，口の中，入れ歯，かぶせ物の問題により，特定の食品を避けなければならなかった	
29 歯，口の中，入れ歯，かぶせ物の問題により，食事が十分にとれなかった	
30 入れ歯やかぶせ物の問題で，食べ物が食べられなかった	
31 歯，口の中，入れ歯，かぶせ物の問題により，笑うことをためらった	
32 歯，口の中，入れ歯，かぶせ物の問題により，食事を中断しなければならなかった	

日本語版 Oral Health Impact Profile（OHIP）は口腔関連QOL評価のために用いられている標準的な質問票であり，日常の困りごとについての54個の質問に対して，患者が経験している頻度を，まったくない＝0，ほとんどない＝1，ときどき＝2，しばしば＝3，いつも＝4として数値化する（Yamazaki et al：*J Oral Rehabil*，2007，日本補綴歯科学会）．

表 7-4 精神医学的条件（症型分類Ⅰ-4）

次の質問について，①から④，もしくは①から⑤の中から一番自分にあうものを1つ選んで番号に○をつけて下さい．

1. 今回，あなたが受診することになった症状は，どのくらいの期間続いていますか？

①1か月未満，②1～6か月未満，③6～12か月未満，④12か月以上

2. 今回，あなたが受診することになった症状のために，これまでに何ヵ所の医療機関（歯科医院，他の科の医院，総合病院など）を受診しましたか？

①なし（今回が始めて），②1～2か所，③3～4か所，④5か所以上

3. 頭痛，肩首のこり，めまい，耳鳴，手足のしびれ，背中や腰の痛みなどの症状のために医療機関（医院や病院など）で診察や検査を受けて，「異常がない」または「治療の必要がない」と言われたことがありますか？

①まったくない，②ほとんどない，③ときどきある，④よくある，⑤いつも

以下の質問は，過去1か月間のあなたの状態についてお答え下さい．

過去1か月，あなたは・・・・・ 一番よくあてはまるものに○印をつけて下さい	まったくない	ほとんどない	ときどきある	よくある	いつも
1日の起きている間，どのくらいお口のことが気になりましたか？					
不安を感じて緊張したことはありましたか？					
いらいらして，おこりっぽくなることはありましたか？					
心配ごとがあって，よく眠れないことはありましたか？					
ほとんど1日中，ずっと憂うつであったり，沈んだ気持ちでいましたか？					
ほとんどの事に興味がなくなったり，大抵いつもなら楽しめていたことが楽しめなくなっていましたか？					
いつもストレスを感じましたか？					

（日本補綴歯科学会）

訴えが複数であることが多い．複数の主訴をもつ患者に対しては，患者にとって最も重要なものはなにか，あるいは，最初に解決してほしいものはなにかを整理し，主訴の重要度・緊急度に序列をつける必要がある．

2）現病歴

患者の現病歴 history of present illness を聴取する目的は，主訴に関連した問題がこれまでどのような経過をたどってきたのかを把握することである．具体的には，無歯顎に至った経緯，特に残存歯の抜去時期，部位，理由などを明らかにすること，また口腔内のみならず，全身的な疾患についての経過を把握することが必要である．すでに義歯を装着し，その義歯の不調が主訴である場合には，これまでに受けた補綴歯科治療の種類，時期，治療期間，費用，治療後の経過などを聴取する．治療後の経緯については，患者による義歯の清掃や管理などについてもどのような指導を受け，実施してきたかについても確認する必要がある．

3）現症

顎口腔系の形態と機能について，またそれらに関連した日常の困りごとについての情報を

聴取する．すなわち，咀嚼・発語・嚥下機能や審美性に問題がないか，たとえば，どのような食物を食べることができないか，発音・発語に困難はないか，他人からいうことがわかりづらいといわれたことがないか，さらに自分の口もとや顔貌に不満はないか，義歯装着中に痛みはないか，その他にもなにか困りごとはないかを聴取して，現在の患者の状況を評価する．これらの医療面接を基盤とした患者評価を行った後に，実際に患者の顎口腔系を診察し，必要に応じて関連部位の検査を行い，現症 present illness の確定を行う．

4）既往歴

　無歯顎患者のほとんどは高齢者である．そのため無歯顎患者を治療するうえでは，基礎疾患 underlying disease の有無が問題となる場合が多く，既往歴 past medical history の聴取は必須である．基礎疾患の評価には，過去および最近罹患した疾患，入院記録，投薬治療の内容などが含まれる．必要に応じて患者の医科の主治医に連絡をとり，健康状態，現在の病状，内服薬などに関する情報を入手する．自立して生活を営んでいる高齢者においてよくみられる基礎疾患としては，関節炎，高血圧症，心臓血管系疾患，糖尿病などがあげられる．日本補綴歯科学会から提示されている身体社会的条件を基準にした症型分類 I-2 では，具体的に補綴歯科治療に関連性のある基礎疾患について簡潔に解説されている．また，疾患の重篤度についても具体的に 4 段階に分類され，当該疾患の補綴歯科治療への影響を把握するために有用な情報が提示されている（**表 7-2**）．

5）服用薬剤

　無歯顎患者は前述の基礎疾患に関連して治療薬，さらには予防薬として種々の薬剤を服用していることが多い．歯科医師は患者が服用中の薬剤を正確に把握し，それらについての十分な知識を有していなければならない．必要に応じて患者の医科の主治医に連絡をとり，専門家から情報提供を受けなければならない．服用中の薬剤の種類によっては，口腔乾燥，流涎，出血，高血圧，アレルギー，粘膜組織への反応，精神障害，免疫機能の低下など，歯科治療に影響を生じうる副作用をもつものがある．たとえば，抗うつ薬を服用中の患者は唾液の分泌量が低下し，口腔が乾燥しやすく，有床義歯の装着が難しいことがある．また，脳梗塞，心筋梗塞の既往または症状がみられる患者では，狭心症や心筋梗塞に用いる硝酸剤（ニトログリセリン）などの他に，血栓溶解薬（ワーファリンカリウムなど）を服用している者が多い．これらの患者では歯肉の出血，口内炎，鼻血，皮下出血など，血管からの血液漏出がみられることがあり，出血時間も延長するため，観血的処置を行う際には注意を要し，医科の主治医と密接な連携をとる必要がある．また，必要に応じて呼吸，心拍監視装置などにより治療中の患者の状態をモニターする．

　無歯顎患者でインプラント治療を行う可能性のある患者の場合，骨粗鬆症に広く用いられるビスホスホネート製剤の服薬状況には注意を要する．服用期間やその種類にもよるが，ビスホスホネート製剤によって，インプラント埋入手術に伴う外科処置による顎骨壊死だけでなく，義歯床下にも顎骨壊死が生じる可能性がある．特に癌に対する化学療法，ホルモン療法，放射線療法やステロイド薬を使用している場合には要注意である．

身体社会的条件を基準にした症型分類 I-2 において，服用薬剤関連では「アレルギー（No.11）」「ステロイド服用（No. 15）」「飲酒・薬物依存（No. 17）」があげられている（**表 7-2**）．

6）患者の気質・精神医学的状態

患者の精神医学的な状態についても考慮する必要がある．患者が受けているストレスレベルは健康状態やさまざまな疾患に影響することが示唆されている．その発症や増悪にストレスが深く関与している病態を心身症とよび，関連疾患としては神経症やうつ病などがあげられる．ストレスに対する反応は患者を支える社会的支援 social support によっても左右されるため，患者を取り巻く環境についても注意が必要である．精神医学的な状態は不眠症などの睡眠障害にも関連しており，これらを推測するうえで睡眠の質についての問診は有用である．日本人では成人の 20％に不眠が認められるとの報告もある．

日本補綴歯科学会からは，さらに詳細な精神医学的条件を基準にした症型分類 I-4 が提案されており，評価のための質問票も提示されている（**表 7-4**）．

2 局所的な診察と検査

1）口腔外の診察

頭頸部および顎顔面部について診察し，著しい顎顔面の非対称性が認められる患者では，先天的な形態異常であるのか，あるいは後天的な変化であるのかを確認し，後者の場合には感染症や腫瘍などの疾患を疑う．顎顔面形態の非対称性が認められなくても，無歯顎患者では特に顔貌の観察が重要である．顔貌は上下顎の歯あるいは義歯の人工歯を咬頭嵌合させたときの上下顎間の垂直的距離，すなわち咬合高径と密接に関連している．咬合高径を評価する 1 つの基準として下顎安静位と咬頭嵌合位とを比較する方法がある．すなわち，下顎安静位と義歯を咬頭嵌合させたときの鼻下点－オトガイ点間距離をそれぞれ測定し，その差を健常有歯顎者の安静空隙である 2〜3 mm と比較する．全部床義歯装着者の場合，安静空隙が 4 mm 以上と大きすぎる場合には，咬合高径が低く，逆に，2 mm 以下の場合には，咬合高径が高い可能性があるといわれている．しかし，下顎安静位は咬合高径の変化に伴って変化することが多く，この方法だけで咬合高径を評価することはできない．したがって，他の方法を併用したり，患者の顔貌の形態的な観察を行う必要がある．

加齢に伴い，鼻唇溝は深くなり，人中は浅くなり，オトガイ唇溝は平坦または消失し，赤唇は内方に反転して薄くなり，鼻唇角は大きくなる．これらの特徴は老人様顔貌（☞ p. 154 **表 10-3** 参照）とよばれるが，無歯顎患者の顔貌の回復を行う場合，これらの指標を総合的に参考にして顔貌の評価を行い，その結果をもとに自然で年齢相応な口もとになるよう審美性の回復をはかる．

2）口腔内の診察

（1）顎堤粘膜と頬粘膜

粘膜の角化症や口腔カンジダ症，義歯性潰瘍，フラビーガム，義歯性線維腫，扁平苔癬，

腫瘍，白斑，異常色素沈着などの有無を診察する．耳下腺開口部の乳頭については，唾液分泌量の検査とともに，義歯へのプラークの沈着，感染，口腔乾燥などとの関連を診察する．無歯顎患者では，特に歯肉唇移行部，歯肉頰移行部の位置，つまり口腔前庭の深さや，小帯付着部の位置を診察することが重要である．これらは上下顎顎堤の高さや形態とも関連しており，あわせて診察する．

(2) 軟口蓋

軟口蓋では，紫斑性出血，血腫，びまん性炎症の有無，軟・硬口蓋の境界位置を診察する．軟・硬口蓋の境界は，患者に「アー」と数秒間発音させると容易に判明する．アーラインとよばれるこの位置を検査することは全部床義歯の維持に必要な後縁封鎖のために重要である．

(3) 硬口蓋

硬口蓋の色調を診察し，義歯性口内炎の有無，喫煙に関連した白板症の有無，血腫の有無をみる．次に，解剖学的形態については，口蓋の深さ，口蓋隆起の有無，口蓋小窩の有無，アーラインの位置をみる．義歯装着者では小唾液腺の多くが開口部を閉塞されるため点状出血を示し，炎症傾向を呈する場合がある．

(4) 口腔底

口腔底については白斑，潰瘍，腫瘍の有無を診察する．両手指を用いて顎下腺領域や顎舌骨筋の触診を行う．無歯顎患者で中等度開口時の触診によって，口腔底を構成する顎舌骨筋が緊張していることが確認される症例は，下顎全部床義歯の装着にとっては不利な条件となる．また，下顎全部床義歯舌側床縁を設定する際には，舌下腺の位置や形態，顎舌骨筋線の位置を確認し，参考にする．

(5) 舌

舌については大きさと表面の状態，その機能を観察する．下顎義歯を使用していない無歯顎患者は，舌を上顎に押しつけて咀嚼を行うため，舌は大きくなっていることがある．口腔領域における反復性の不随意運動を呈するオーラルディスキネジア（表7-2 No. 14）が出現している患者では，絶え間のない舌の不随意運動によって義歯装着に困難をきたす．また，下顎にも不随意運動が認められる場合が多く，歯科治療自体が困難である場合が多い．しかし，義歯の装着によって改善がみられたとの報告もあり，義歯の装着をあきらめるべきではない．また，疾患とは直接的に関連のない異常な舌習癖の有無についても確認する必要がある．舌表面の乳頭の萎縮や炎症は貧血，ビタミン欠乏，口腔カンジダ症などにより発症するといわれている．さらに，舌後方部や辺縁部を触診し，痛みの有無を確認することも必須である．なお，舌に認められる灼熱感はしばしば口腔乾燥症に伴って出現する．

(6) 唾液

口腔の健康と快適さを維持するには，十分な量の唾液が必要である．特に全部床義歯装着者にとっては，唾液が義歯床下粘膜の保護や義歯の維持に大きく関与していることから，唾液腺の診察と検査が必須である．加齢に伴う唾液分泌量の減少については，高齢者の約40％が口腔乾燥症やこれに関連した症状を自覚しているといわれている．唾液分泌量の正常

値は安静時では0.4 mL/分以上であり，刺激時については10分ガムを噛ませるガムテストでは10 mL/10分以上，義歯装着者によく使用される乾燥したガーゼを2分間一定の速度で噛み，ガーゼに吸収される唾液の重量を測定して唾液の分泌量を測定するSaxonテストでは，ガーゼの重量増加2 g以上を目安とする．唾液分泌の機能低下あるいは口腔乾燥症は，脱水，唾液腺の異常，唾液の分泌に関与する神経伝達の障害が主な原因と考えられている．高齢者では，不十分な水分摂取，糖尿病による腎臓からの水分喪失，栄養の失調・低下に関連した脱水が頻繁に認められている．唾液分泌量の減少や食欲不振と栄養失調・低下との間には関連性が認められる．さらに降圧薬，利尿薬，向精神薬，精神病治療薬などの服用による唾液腺機能低下も認められる．通常，口腔乾燥を誘発する薬の投与を中止すれば，唾液の分泌量は正常なレベルにまで回復する．正常な咀嚼機能が営まれれば，刺激時総唾液分泌量が増加し，咀嚼機能が障害されると唾液腺の萎縮や唾液合成能・分泌能の低下などを招くとされている．

なお，口腔内の診察についても日本補綴歯科学会からは，症型分類 I-1 として無歯顎患者の形態的条件を中心とした診察・検査項目が示されており，これらの項目の評価から症型の分類が可能である（**図 7-2**）．

3）画像検査

無歯顎補綴治療で用いられる画像検査は，主にエックス線撮影によって行われ，パノラマエックス線画像，デンタルエックス線画像，顎関節エックス線画像などがある．これらは，歯槽骨の吸収の程度，残根や埋伏歯の有無，顎骨や顎関節の形態などについての有効な情報をもたらす．また，放射線の被曝を受けることなく顎口腔系の諸器官を画像化できる磁気共鳴画像 magnetic resonance imaging（MRI）や超音波診断画像が用いられることもある．

（1）パノラマエックス線画像

パノラマエックス線撮影はすべての無歯顎患者に適用されるのが好ましい．これによって，顎堤粘膜下に埋伏している未萌出歯，破折歯根，歯槽骨片などの異物，囊胞，腫瘍などの病変が検出されることがある．また，顎堤の形態や骨密度などの義歯支持組織の状態を知ることができる（**図 7-3**）．なお，パノラマエックス線画像に異常所見がみられたときには，さらにデンタルエックス線撮影などを行い精査する．パノラマエックス線画像は，顎堤吸収の程度を客観的に診断するために有効であり，歯の喪失と加齢に伴う歯槽骨の吸収の程度を，オトガイ孔を基準点として診断できる．具体的には，パノラマエックス線画像は実際よりも拡大された像であるため，オトガイ孔中点から下顎下縁までの最短距離(a)と，その延長線が歯槽骨頂に至るまでの距離(b)を比較することによって，下顎骨小臼歯部の垂直的な吸収状態を評価する（**図 7-4**）．なお，健常有歯顎者におけるbは，aの3倍であることが報告されており，この値と比較することにより無歯顎患者における顎堤吸収の程度を推測する．

（2）顎関節エックス線画像

顎関節エックス線撮影には単純撮影と断層撮影がある．単純撮影には，側斜位経頭蓋エックス線撮影法の1つであるSchüller氏変法が用いられる（**図 7-5**）．本法では，通常，フィ

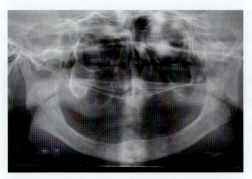

図7-3 パノラマエックス線画像

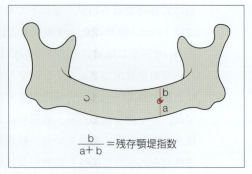

$\dfrac{b}{a+b}$ ＝残存顎堤指数

図7-4 顎堤吸収の評価
a：オトガイ孔中点から下顎下縁までの最短距離．
b：直線 a の延長が歯槽骨頂と交わる点からオトガイ孔中点までの距離．

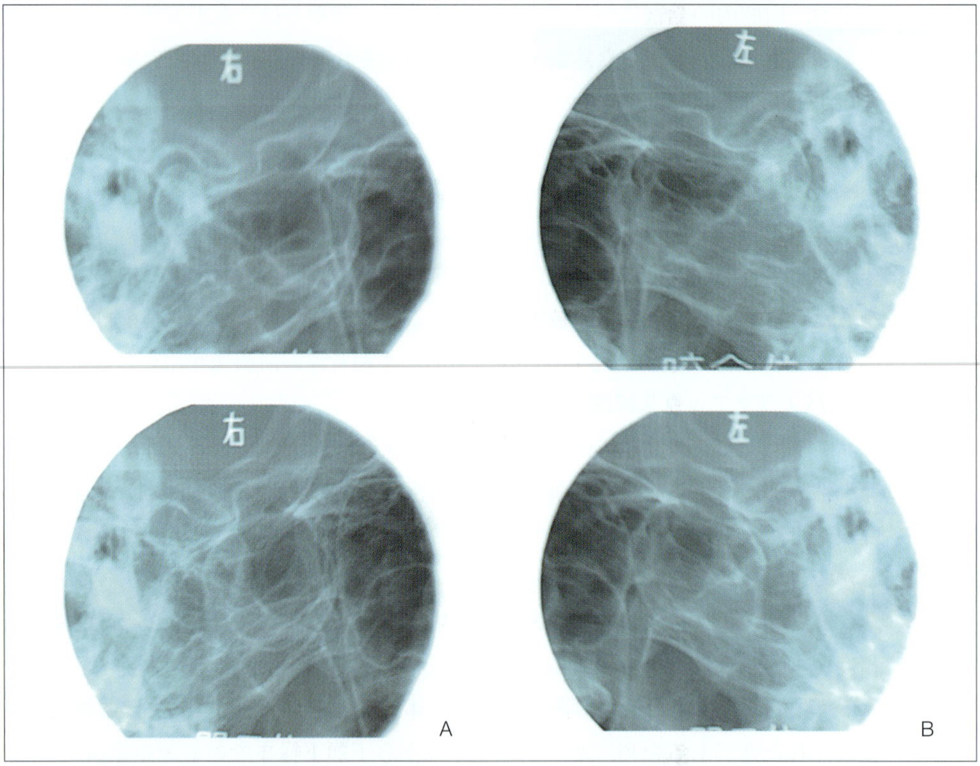

図7-5 顎関節エックス線画像（Schüller 氏変法）
A：右側顎関節．閉口位と開口位．
B：左側顎関節．閉口位と開口位．

ルムを正中矢状面と平行におき，照射角を側上方から約 25°にして下顎頭部を撮影することによって，下顎窩内での下顎頭の位置や形態，関節空隙や開口時の下顎頭移動量などを検査することができる．本法によって，義歯の咬頭嵌合位や最大開口位などの下顎位における顎

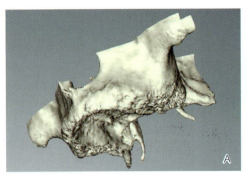

図7-6 無歯顎患者の上下顎骨の三次元再構築画像
A：上顎．B：下顎．

関節を撮影する．健常有歯顎者の場合には，咬頭嵌合位における下顎窩と下顎頭との前後的・上下的間隙がほぼ均等であり，下顎頭の外形はなめらかな半楕円形であることから，下顎頭の前方あるいは後方偏位や形態的変化の検査に有効である．断層撮影では，顎関節部の歪みのない輪郭像が得られるため，三次元的に骨の形態的変化や下顎窩内での下顎頭の位置を検査するのに有効である．関節腔造影では，単純撮影であれ断層撮影であれ，関節円板の位置，形態，穿孔の有無，復位の有無などの情報が得られる．

(3) CT画像

エックス線コンピュータ断層撮影法 computed tomography（CT）は，造影を行わなくても硬組織と軟組織をともに画像化可能であり，特に骨組織の描出に最適である．CTスキャナーによって得られるデータをソフトウェア上で再構築することにより，上・下顎骨の三次元画像をあらゆる角度から視覚的に確認することができ，臨床的に有用な情報を提供することができる（**図7-6**）．特に無歯顎患者に対してインプラント治療が計画される場合においては必須の検査であり，安全かつ合理的なインプラント埋入計画を立案するうえで重要な情報が得られる．

(4) MR画像（核磁気共鳴画像）

核磁気共鳴画像 magnetic resonance imaging（MR）は，近年，その撮影時間の短縮と空間分解能の向上がはかられ，被曝がないことから，顎関節部の形態の観察や繰り返し撮影による動態（MRI movie）の観察にも用いられる．造影を行わなくても軟組織を画像化できるため，関節円板の形態ならびに位置の観察が可能であり，関節円板の転位の診断に有効である（**図7-7**）．

(5) エックス線ビデオ透視と超音波画像

嚥下機能を評価するために，造影剤を含む液体や食物を用いるエックス線ビデオ透視検査（嚥下造影検査 videofluorography：VF）や，超音波画像診断が行われることがある．嚥下機能障害が疑われる患者については，補綴歯科治療を行う前段階として実施する必要がある．

4) 顎機能の検査

顎関節症 temporomandibular disorders（TMD）は，顎関節雑音，顎関節や咀嚼筋など

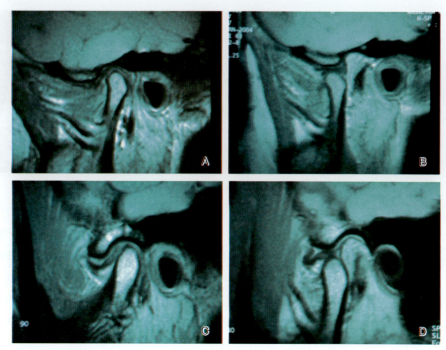

図 7-7　MR 画像
A：健常者の顎関節（閉口位）．
B：健常者の顎関節（開口位）．
C：非復位性関節円板前方転位（クローズドロック）患者の顎関節（閉口位）．
D：非復位性関節円板前方転位（クローズドロック）患者の顎関節（開口位）．

　頭頸部の筋の疼痛，下顎運動障害を主徴とする機能障害であり，随伴症状には，頭痛，首や肩の凝り，耳鳴り，難聴，目まい，舌痛，咬合の不安定感，手足のしびれ，自律神経失調症状などがある．全身的にあるいは情動的にもさまざまな障害をもたらす症候群で，顎関節症と同義であり，全部床義歯装着者に発症することも少なくない．主な発症因子としては，咬頭嵌合位の異常などの咬合異常，睡眠時ブラキシズム，覚醒時ブラキシズム，舌習癖などの異常習癖，ストレスなどの精神心理学的因子，打撲などの外傷，不良姿勢，頬杖などがあげられている．

　顎機能障害の診察および検査法としては，問診，視診，触診，聴診に加えて，下顎運動の検査として，最大開口量，前方および側方への移動量，タッピング運動の安定性，開口時の下顎偏位の有無などについての測定あるいは観察がある．さらに前述のエックス線画像，MR 画像による検査も有効である．それ以外の特殊な機器を用いた検査には，下顎運動測定装置による検査，筋電図による検査，咬合力測定装置による咬合力の検査などがある．また，顎機能障害を呈している患者は下顎運動の障害や顎顔面領域の疼痛のために咀嚼機能が著しく損なわれる．

（馬場一美）

5）口腔機能の検査
(1) 咀嚼機能検査

健康やQOLに関する国民の意識の向上に伴い，質の高い医療と同時に治療効果を評価し，患者に呈示する科学的根拠に基づく医療が求められている．歯科臨床の主な目的が咀嚼機能の回復と維持であることから，無歯顎補綴治療においても治療前，治療後の調整時や定期検査時に咀嚼機能の障害や回復の程度を評価することは，極めて重要である．さらに全部床義歯の使用による義歯性潰瘍の発現の抑制，全部床義歯の長期的な口腔への調和および長期の安定使用などの効果も期待できる．また，無歯顎補綴治療とその効果についての患者の理解を促進することができ，適切な義歯の指導・管理を行うことが可能となる．

咀嚼能力は，咀嚼機能を評価するための重要な指標にあげられており，主観的な方法として，食品摂取状況に関するアンケート表を用いて食品摂取能力を調べる試みが行われている（**図7-8**）．このアンケート表は，国によって食物の嗜好が異なるので，それぞれの国が自国の食品を使用している．またアンケート結果をスコア化する試みがなされており，その結果は，スコアが高いほど食品摂取能力が高いということを示している．他方，咀嚼能力を客観的に評価する試みも行われており，一定量の被験食品を一定回数咀嚼させた後，粉砕された被験食品を口腔内から回収し，粉砕度に応じて篩い分けをする篩分法が咀嚼能力を評価する基準の方法として用いられている（**図7-9**）．しかしながら，この方法は操作が煩雑であり時間がかかることから，最近では，寒天印象材，シリコーンゴム印象材，チューインガム，パラフィンワックス，そしてグミゼリーなどを用いた比較的簡便な方法が用いられている．これらのうち，グミゼリー咀嚼時のグルコースの溶出量の測定（**図7-10**）は，衛生管理が簡単で，物性や形状を規格化できるグミゼリーを被験食品としており，かつ測定が簡便で，短時間で行えるという利点を有している．なお，このグルコースの溶出量の測定による咀嚼能力と篩分法による咀嚼能力との間に正の相関が認められることが報告されている．

咀嚼能力が低下すると，噛めない食品が増加し，その結果，低栄養状態に陥る可能性があることから，栄養状態を把握しておくことも重要である．栄養状態の評価法として，簡易栄養状態評価表mini nutritional assessment（MNA）がある．この表は18の質問項目からなり，当てはまる項目の合計ポイントで栄養状態を評価する（24〜30：栄養状態良好，17〜23.5：低栄養のおそれあり，17未満：低栄養）．

(2) 嚥下機能検査

口腔機能を検査する方法として，咀嚼機能検査の他に構音（発語）機能検査（☞ p.85参照）や嚥下機能検査があり，嚥下機能検査には，簡便な検査法として反復唾液嚥下テストrepetitive saliva swallowing test（RSST）や改訂水飲みテストmodified water swallowing test（MWST）などがある．RSSTは，唾液嚥下を30秒間繰り返してもらい嚥下の回数を喉頭隆起に指をあてて数える．3回以上の場合は問題ないが，2回以下の場合は誤嚥を疑う．MWSTは，水3mLを嚥下後，空嚥下を2回繰り返させ，むせの有無や呼吸の変化などを評価する．評価は，1：嚥下なし，むせる and/or 呼吸切迫を伴う．2：嚥下あり，呼吸切迫

食品摂取アンケート表

下記の食品について，食べられる場合に○，困難だが食べられる場合に△，食べられない場合に×，嫌いだから食べない，食べたことがない場合に□を（　）内につけてください．

例　とうふ（○）　あわび（×）　酢だこ（△）　とり貝（□）

1. とうふ	（　）	2. 焼もち	（　）	3. （漬）だいこん	（　）
4. りんご	（　）	5. 堅いビスケット	（　）	6. 佃煮こんぶ	（　）
7. きゅうり	（　）	8. ごぼう	（　）	9. いかの刺身	（　）
10. ピーナッツ	（　）	11. （漬）なす	（　）	12. 堅いせんべい	（　）
13. 柔らかいステーキ	（　）	14. とり貝	（　）	15. うどん	（　）
16. ごはん	（　）	17. ハム	（　）	18. りんご丸かじり	（　）
19. あわび	（　）	20. こんにゃく	（　）	21. いちご	（　）
22. おこし	（　）	23. ガム	（　）	24. 古いたくあん	（　）
25. （生）にんじん	（　）	26. （煮）たまねぎ	（　）	27. レタス	（　）
28. エビ天ぷら	（　）	29. 乾燥した貝柱	（　）	30. （焼）豚肉	（　）
31. かまぼこ	（　）	32. 酢だこ	（　）	33. （煮）にんじん	（　）
34. （煮）さといも	（　）	35. ゆでたきゃべつ	（　）	36. 乾燥したイカ	（　）
37. するめ	（　）	38. （揚）鶏肉	（　）	39. （生）きゃべつ	（　）
40. たくあん	（　）	41. プリン	（　）	42. あられ	（　）
43. バナナ	（　）	44. （焼）鶏肉	（　）		

図 7-8　食品摂取アンケート表

ピーナッツ約 3g を 20 回咀嚼させる → 水を含み，口腔内のピーナッツの小片をすべて回収する → 回収したピーナッツを 10 メッシュの篩上にあける → 恒温器上で，ピーナッツを乾燥させる → ピーナッツの乾燥重量を測定する

$$咀嚼値(\%)=\frac{(標準乾燥重量－篩に残った試料の乾燥重量)}{標準乾燥重量}\times 100$$

10 メッシュ：10 個の目 /1 インチ

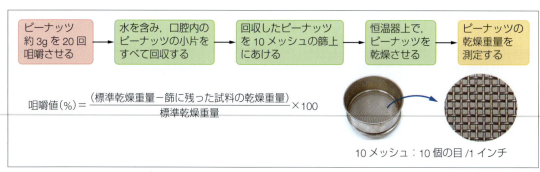

図 7-9　篩分法（簡便法）による咀嚼能力（咀嚼値）の測定

成分	含有率（%）
還元水あめ	41
還元麦芽糖	22
ソルビトール	20
ゼラチン	8
グルコース	5
その他（水）	4

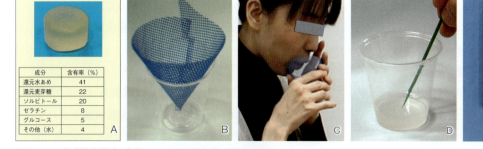

図 7-10　咀嚼能力検査（グルコースの溶出量の測定手順）
A：グミゼリー（直径 14 mm，高さ 8 mm）を用意する．
B：水 10 mL を入れたコップと篩を準備する．
C：グミゼリーを片側で 20 秒間咀嚼させる．コップの水を口に含ませ，コップの上に置いた篩にグミと一緒に吐き出させる．
D：コップのなかの被験試料を採取する．
E：被験試料を試験紙に点着すると，数秒後にグルコース濃度（グルコースの溶出量）が表示される．

を伴う（不顕性誤嚥の疑い）．3：嚥下あり，呼吸良好，むせる and/or 湿声嗄声．4：嚥下あり，呼吸良好，むせない．5：4に加え，追加嚥下運動（空嚥下）が30秒以内に2回可能．の5段階で行い，1～3の場合，誤嚥を疑う．RSSTやMWSTで誤嚥が疑われる場合は，エックス線透視下で造影剤を嚥下させる嚥下造影検査（VF）や経鼻から内視鏡を挿入し，嚥下動作を直視下で観察する嚥下内視鏡検査（VE）などを行う．

(3) 構音機能検査

構音とは，声帯から口唇までの構音器官を使って言語音を生成する過程をいう．歯の欠損や唇顎口蓋裂，腫瘍摘出などの構音器官の実質欠損，脳血管障害や神経疾患などの構音器官の運動障害により構音障害が生じる．構音器官の実質欠損に対しては，通常の義歯や顎義歯などの補綴歯科治療により改善が可能である．軟口蓋の運動障害による鼻咽腔閉鎖不全に対しては，軟口蓋挙上装置（PLP）（☞ p.301参照），舌運動障害や切除後の患者には舌接触補助床（PAP）（☞ p.302参照）などで改善が可能である．一方で，装着する義歯の義歯床や人工歯の排列位置の影響によって構音障害を起こす場合がある．

構音機能検査には，構音によって生成された音声自体を評価する方法と構音運動を評価する方法がある．

(a) 音声自体を評価する方法

日本語の100音節からランダムに単音節を発音させる単音節明瞭度検査と会話時の明瞭度を調べる発話明瞭度検査のように音声を聴覚的に検査する方法と音声分析装置（ソナグラフ）を用いて音声波形の情報（周波数や強度）を時間軸表示させて調べる音響検査法などがある．

(b) 構音運動を評価する方法

(i) 発音時の舌と口蓋との接触を評価するパラトグラム法（☞ p.233参照）

口蓋床表面に印象材粉末やクリームを塗布して発音させる方法と口蓋床に電極を設置して発音させる方法がある．

(ii) オーラルディアドコキネシス

［pa］［ta］［ka］の音節を5秒間反復発声させ，1秒あたりのそれぞれの音節の発音回数を調べることにより，舌や口唇の運動機能を評価する．

(iii) 鼻咽腔閉鎖機能検査

コップの水をストローで吹くブローイング検査によって鼻からの息漏れの有無と程度を調べる．鼻息鏡（**図7-11**）を鼻孔下にあて，ブローイング時や構音時の曇りの有無とその程度を調べる．

(4) 口腔機能低下症の検査

加齢とともに身体の機能と同様に口腔機能も低下するが，この口腔機能は前述の咀嚼機能や嚥下機能などのさまざまな機能で構成されている．口腔内の複数の機能が低下した結果として，全体の能力が低下した状態を口腔機能低下症という．口腔機能の低下を表す症状として，口腔不潔（口腔衛生状態不良），口腔乾燥，咬合力低下，舌口唇運動機能低下，低舌圧，

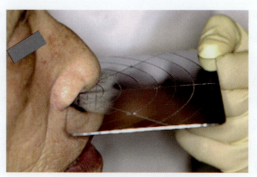

図 7-11　鼻息鏡による鼻咽腔閉鎖機能検査

咀嚼機能低下，嚥下機能低下の7つがあり，これらのうち3つ以上が該当する場合に口腔機能低下症と診断される．なお，口腔機能低下症の診断には咬合力検査，舌圧検査，咀嚼能力検査のいずれかの客観的評価結果が必要とされている．

　口腔不潔は口腔内の細菌数や舌苔の付着量の計測で検査する．口腔乾燥は口腔内の乾燥状態を口腔粘膜水分量や唾液分泌量の計測で検査する．咬合力低下は咬合力の低下した状態を残存歯数や咬合力の測定で検査する．舌口唇運動機能低下は舌や口唇の運動速度や巧緻性が低下した状態をオーラルディアドコキネシス（[pa][ta][ka]の発語速度）の計測で検査する．低舌圧は舌を動かす筋群の慢性的な機能低下により，舌と口蓋や食物との間に発生する圧力が低下した状態を，舌圧測定器を用いて最大舌圧の計測で検査する．咀嚼機能低下は食欲低下や摂食食品の多様性が低下した状態をグミゼリー咀嚼時のグルコースの溶出量の測定による咀嚼能力検査や咀嚼能力スコア法で評価する．嚥下機能低下は摂食嚥下機能障害を呈する前段階での機能不全を有する状態を嚥下スクリーニング質問紙（EAT-10）や自記式質問票（聖隷式嚥下質問紙）を用いて検査する．各検査の症状，検査項目および基準値を**表 7-5**に示す．

(5) 味覚検査

　味覚検査法には，舌や口蓋の部位別に検査する領域別検査（電気味覚検査と濾紙ディスク法）と味溶液を口腔に含ませて検査する全口腔法がある．

(a) 領域別検査

　鼓索神経領域（舌の前方部），舌咽神経領域（舌の後方部），大錐体神経領域（軟口蓋部）での検査を行うことにより，口腔内の特定部位の味覚障害を判定することができる．

(i) 電気味覚検査

　口腔内の特定部位に電気味覚計の電極を置き，直流電流で通電することにより電気的な味（酸味）を生じさせ，反応を測定し，通電量に応じて定量的な検査が可能である．検査が簡便で神経障害の判定に有用であるが，酸味以外の味覚障害を判定することはできない．

(ii) 濾紙ディスク法

　甘味（ショ糖），塩味（塩化ナトリウム），酸味（酒石酸），苦味（塩酸キニーネ）の4基

表 7-5　口腔機能低下症の症状，検査項目および基準値

症状	検査項目	基準値
口腔不潔	舌苔の付着程度	50％以上
口腔乾燥	口腔粘膜湿潤度	27.0 未満（口腔水分計）
	唾液量（Saxon テスト）	2 g/2 分以下
咬合力低下	咬合圧検査	500 N 未満（デンタルプレスケールⅡ）
	残存歯数	20 本未満
舌口唇運動機能低下	オーラルディアドコキネシス測定	[pa] [ta] [ka] のいずれかで 6 回未満/1 秒
低舌圧	舌圧検査	30 kPa 未満
咀嚼機能低下	咀嚼能力検査	100 mg/dL 未満
	咀嚼能力スコア法	スコア 2 以下
嚥下機能低下	嚥下スクリーニング検査（EAT-10）	3 点以上
	自記式質問票（聖隷式嚥下質問紙）	1 項目以上

本味について，低濃度から高濃度まで各 5 段階の溶液を用意し，直径 5 mm の濾紙ディスクに含ませ，口腔内の特定部位に置き，味を判別できる最小濃度（認知閾値）を測定する．特殊な装置は不要で，味質ごとの異常を判定することができるが，検査ごとにディスクを交換して判定するため，検査時間がかかる．

(b) 全口腔法

甘味，塩味，酸味，苦味の 4 基本味について，さまざまな濃度の溶液を口腔内に含ませ，水と異なることを判別できる最小濃度（検知閾値）と味質を判別できる最小濃度（認知閾値）を測定する．手技が簡便で味覚障害のレベルを全般的に把握できるが，口腔内の特定部位別の閾値を測定することができない．

(志賀　博)

6) 満足度，口腔関連 QOL

医療技術の進歩によって寿命が伸び，超高齢社会に突入したわが国では，延長した人生を健やかに暮らし，充実した人生を送ろうという意識が高まってきている．つまり，医療の目的が延命から生命の質の尊重へと変化し，客観的指標に基づく医療者側の評価のみならず，患者による主観的な評価の重要性が認識されるようになった．このような背景から，歯科においても客観的検査値ばかりでなく，患者による補綴歯科治療に対する満足度や患者のQOL 評価の重要性がこれまでになく強調されるようになった．

高齢者における歯の欠損や義歯の不調は食事・会話などの機能の障害や審美障害などさまざまな"困りごと"の原因となるため，患者の QOL と密接に関連している．特に口腔の健康に関連した QOL（口腔関連 QOL）は患者が抱える口腔関連の日常の困りごとについての

包括的な指標であり，歯科疾患ならびに歯科医療行為を評価する重要な指標として認知されている．こうした背景から口腔関連 QOL を指標とした欠損歯列患者の症型分類が行われており（症型分類 I-3, **表 7-3**），評価のための質問票として国際的に広く使用されている Oral Health Impact Profile（OHIP）の日本語版（OHIP-J）が用いられている．OHIP-J は英語版の 49 項目の質問事項に加えて日本独自の 5 項目を加えた合計 54 項目の質問からなる．患者はそれぞれの質問項目に対してそれを経験している頻度を回答する．質問項目は機能の制限，痛み，心理的不快感，身体的障害，心理的障害，社会的障害，ハンディキャップの 7 つの領域に分けられ，各領域あるいは全体の合計値を算出して患者の口腔関連 QOL がどの程度損なわれているかを評価する．

　術前の診察において患者の口腔関連 QOL 評価を行うことは，とりもなおさず患者のもつ困りごとの評価を行うことであり，これらを治療開始前に正確に把握することは患者の病態を把握するうえで重要である．患者を診療し，医療行為を行っている目的は，患者の生活の質を改善することにあり，前述のように無歯顎患者に対する補綴歯科治療も例外ではない．

7) 使用中の義歯の観察

　患者が使用中の義歯を観察・評価することは，義歯調整を行ううえでも，新たに義歯を製作する場合においても重要である．特に患者が特定の問題を訴えて来院した場合には，訴えの原因となっている義歯の問題点を明らかにする必要がある．

(1) 義歯床形態の観察

　全部床義歯における義歯床の役割は前述のとおりであり，義歯の維持，支持，安定に大きく関わっている．このことから，義歯床が義歯の維持，支持，安定のために必要十分な部位を被覆しているか，加えて辺縁封鎖を可能とする形態であるかを診断する．また，義歯床研磨面形態が不適切であると舌や頬から義歯が受ける圧力を義歯の安定のために使えないばかりか，食渣が頬粘膜と義歯床研磨面との間に残留する原因となる．理想的な形態については後述する（☞ p. 228 参照）．

(2) 義歯床粘膜面と顎堤粘膜の適合性の検査

　シリコーンゴムなどの流動性のよい適合試験材を義歯床粘膜面に盛り，顎堤全体に均等な圧がかかるように手指圧で義歯を定位置に押しつけ，試験材の硬化後に，その被膜厚さを観察する．リリーフ部位を除いて，一様な試験材の厚さが確保されていることが望ましい．部分的にレジン面が露出している，あるいは特に厚い部分が観察されることは，適合性に問題があることを示唆している．この検査を行う場合に注意すべきことは，適合試験材を義歯床粘膜面に盛って，口腔内で圧を負荷するときに，上下顎の人工歯咬合面を直接接触させないことである．義歯床下粘膜の不調は咬合関係の不調に起因していることが多く，そのような場合に患者に咬合させた状態で適合試験を行うと，義歯床が適合していても咬合関係に依存して義歯が不適切に変位してしまう．

(3) 人工歯咬合面の観察

　臼歯部人工歯に咬耗が認められる場合には，咬合高径の低下が予測される．下顎前歯切縁

部の咬耗は，ブラキシズムなどの異常習癖と過剰な接触圧によるフラビーガムの存在の可能性を示している．また，機能的な問題だけでなく，人工歯部の形態的な変化が義歯の審美性を損なうこともある．

(4) 臼歯部人工歯の頰舌的な排列位置の観察

臼歯部人工歯の頰舌的排列位置は舌と頰からの圧力との関連から，全部床義歯の安定にとって重要であり，解剖学的なランドマークを指標に人工歯の位置についての評価がされる必要がある．標準的な臼歯部人工歯の排列については後述する（☞ p. 209 参照）．

(5) 上下顎義歯を装着したときの顔貌の観察

上顔面と下顔面のバランスがとれているか，リップサポートは適正か，上顎前歯部人工歯切縁の位置と上唇下縁との位置関係，下顎前歯部人工歯切縁と下唇上縁との位置関係，スマイルラインと前歯部人工歯歯頸線との位置関係などについて，患者の正面と側面から観察する．

(6) 咬合平面の位置と傾きの観察

咬合平面が Camper 平面と平行か，瞳孔線と平行か，上唇下縁と上顎前歯人工歯切縁との位置関係が適正か，などを観察する．また，下顎義歯を装着して，下顎中切歯人工歯切縁と左右側レトロモラーパッド中央部で形成される平面との上下的な位置関係を観察する．なお，咬合平面の位置と傾きは義歯の機能に大きく影響する．

(7) 咬合接触状態の検査

義歯の咬頭嵌合位の検査には，患者にタッピング運動を行わせ，指先によって義歯の動揺を触診する方法，咬合紙を用いて印記状態を観察する方法，シリコーンゴムなどの流動性のよい適合試験材を用いて被膜厚さを観察する方法などがある．なお，使用中の義歯では，人工歯の咬耗や顎堤吸収によって，義歯の咬頭嵌合位における下顎頭位は顆頭安定位と一致していない場合がある．このような場合には，下顎後退位に下顎を誘導し，チェックバイトを採得して，咬合関係を検査する．偏心咬合位における咬合接触状態については，前述の方法に加えて，上顎義歯を第1指と第2指で固定して下顎の前方運動や側方運動を行わせて，上顎義歯の動きを確認することも有効である．

(8) 義歯の清掃状態の観察

義歯の汚れは義歯性口内炎ばかりではなく，誤嚥性肺炎などの全身疾患の発症の原因にもなりうる．義歯清掃は義歯洗浄剤を用いた化学的清掃と義歯用ブラシを用いた機械的清掃の併用が必要であるが，義歯の清掃状態には，患者の一般的な性格や性質が関与している．また，脳梗塞や認知症，Parkinson 病など全身の健康状態は口腔衛生管理を患者が自立して実施できるかどうかに関わる．

以上のように，患者が現在使用している義歯の観察と検査は補綴歯科治療において非常に重要である．

8）研究用模型の観察

概形印象採得から製作された研究用模型（**図 7-12**）を用いて，口腔内では十分に診察で

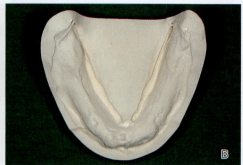

図 7-12 研究用模型（A：上顎．B：下顎）

きなかった解剖学的特徴を観察する．上顎では口蓋の深さ，顎堤の幅と高さ，顎堤の走向，上顎結節の大きさ，切歯乳頭の位置，口蓋ヒダの走向，口蓋隆起の大きさ，口蓋小窩の位置，上唇小帯と頬小帯の付着部，翼突下顎ヒダを観察し，口腔内の診察と比較する．下顎では顎堤の幅と高さ，顎堤の走向，頬棚の範囲，下顎隆起の大きさ，レトロモラーパッドの大きさ，顎舌骨筋線の走向，下唇小帯と舌小帯および頬小帯の付着部，舌側溝の幅と深さ，翼突下顎ヒダを観察し，口腔内の診察と比較する．

　研究用模型は個人トレーを製作するための模型でもあるため，歯肉唇移行部，歯肉頬移行部，舌側溝の幅と深さの概形が表現されていることを確認する．このように研究用模型は無歯顎患者の診断と治療計画の立案に欠かすことができない．

（馬場一美）

診断と治療計画の立案

1 無歯顎補綴治療における診断

　医療における診断とは，診察や検査から得られた情報を術者の医学的知識や経験に照らして行う医学的判断とそれを得るためのプロセスである．正しい診断を行うためには，必要な情報を正しい検査・評価の方法を用いて収集し，それらを統合して正しく解釈しなければならない．そして，診断の目的は，単に病名や健康状態，障害の程度の判断だけではなく，収集した情報から治療や改善策に結びつく具体的示唆を得ることである．ここでは，情報を系統的に集約し，分析して治療計画へとつなげる道筋について解説する．

　無歯顎状態は，歯列と歯槽部が失われ，咀嚼，嚥下，発語などの口腔機能が低下した状態である．補綴歯科治療の目的は，疾患を治癒させることではなく，障害の回復（リハビリテーション）であることから，無歯顎補綴治療における診断は，診察と検査の結果にもとづいて，初期治療計画を立てるプロセスとなる．

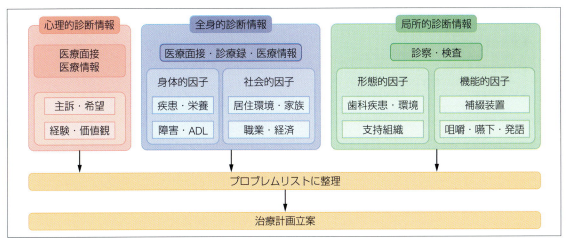

図 7-13 無歯顎補綴治療における診断から治療計画の流れ

表 7-6 患者の経験・期待・価値観に関する医療面接事項の例

- これまで義歯を何回作ったか
- これまで何回歯科医院を変わったか
- これまで定期検査や調整を受けてきたか
- 今の義歯は何年使っているか
- 今の義歯を1日のうちどれくらい使っているか
- 今の義歯で何をどのように食べているか
- 今の義歯をどのように手入れしているか
- 今の義歯にどんな不満があるか
- この先どのように通院したいか

2 心理的な診断情報

「心理的因子」には，主として患者の気持ちに関する事項，すなわち主訴や治療に関する希望，これまでの義歯治療に関する経験とそれに基づく価値観，そしてこれからの治療に対する期待などが含まれる（**図 7-13**，**表 7-6**）．それらは最初の医療面接において把握されるが，他施設から提供された医療情報に含まれていることもあるので，見落としてはならない．

3 全身的な診断情報

無歯顎補綴治療の対象となる患者（無歯顎者）のほとんどは高齢者であり，そのため多かれ少なかれ身体的，社会的な問題を背景にもっている．もし患者が施設入所者であったり，医療機関に入院中であったりした場合，自立度の低下，全身疾患，身体的障害に対する配慮なしに治療計画を立てることはできない．したがって，身体的・社会的な因子からなる全身的な診断情報を収集する必要がある（**図 7-13**）．

「身体的因子」は，患者の健康状態に関する事項であり，過去ならびに現在罹患している

表 7-7 診察・検査の対象となる口腔関連事項

- 歯科口腔疾患
  齲蝕，歯周病，粘膜疾患，顎関節症，ほか
- 口腔環境
  口腔衛生状態，乾燥状態（唾液分泌）
- 欠損部顎堤
  形態・粘膜の性状，上下顎の対向関係
- 補綴装置（患者が使用している義歯，ほか）
- 咀嚼・嚥下・発語機能
  →スクリーニング検査，精密検査

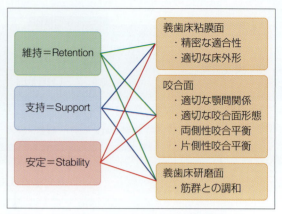

図 7-14 全部床義歯の機能的要件と形態の関係

全身疾患，栄養状態，障害の種類と程度，日常生活の自立度（ADL）などが含まれる．
「社会的因子」は，患者の居住環境，家族構成，職業の有無と種類，経済状態などを含む．
こうした情報の収集にあたっては，医療面接とともに紹介状や医科診療録，介護記録などを利用するが，確実な情報を得るためには必要に応じて他職種との連携をとる．

4 局所的な診断情報

口腔局所に関する「形態的因子」と「機能的因子」については，診察と検査によって把握される（**表 7-7**）．「形態的因子」として最も重要な義歯の支持組織である上下顎堤の形態や対向関係については，日本補綴歯科学会による評価用紙において，系統的な評価法が示されている（**図 7-2**）．「機能的因子」には，患者が使用している（あるいは不使用だが所有している）補綴装置（義歯など）の状態と，咀嚼・嚥下・発語などの口腔機能が含まれる．

使用中の義歯の状態を評価することは，治療計画を立案するうえできわめて重要である．なぜなら，患者の主訴の原因の多くは使用中の義歯の問題に起因することが多く，それらを把握することによって，使用中の義歯に対する前処置（☞ p.98 参照）を含む治療計画において解決すべき課題が明らかになるからである．全部床義歯が満たすべき機能的要件である維持，支持，安定は，それぞれの義歯の形態的要素である義歯床粘膜面，咬合面，義歯床研磨面と多角的な関係をもっている（**図 7-14**）．したがって，義歯の機能的要件に何か問題があった場合，1つの形態的要素をみるだけではなく，すべての要素におけるチェックポイントをもれなく評価しなければ原因を見落とすことになる（**図 7-15**）．

診察・検査において収集された形態的・機能的因子の情報は，いったん診療録上に問題志向型診療記録（POMR）の形式に沿って記録される．すなわち，解決すべき個々の問題別に，主観的事項・自覚的症状 subjective，客観的事項・他覚的所見 objective，考察・評価・判断 assessment，計画・方針 plan の4つの項目（SOAP）を記載する．

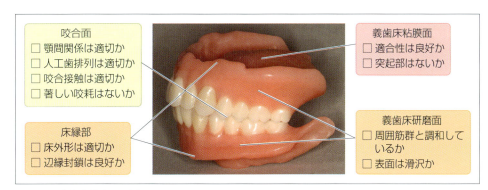

図 7-15　全部床義歯の形態におけるチェックポイント

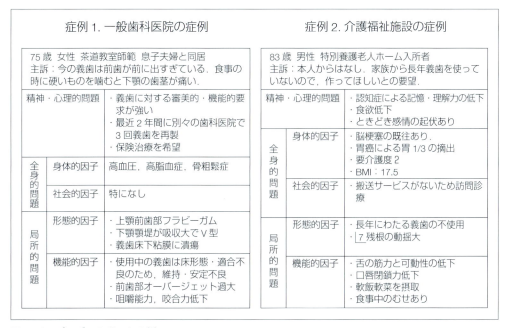

図 7-16　プロブレムリストの例

5 プロブレムリストの作成

　全身的・局所的な診断情報を集約して整理したものをプロブレムリスト problem list という．このプロブレムリストを踏まえて診断を行い，治療計画を立案する．例として，一般歯科医院に通院できる自立高齢者と介護福祉施設に入所している認知症高齢者のプロブレムリストを示す（**図 7-16**）．このような全身的背景の違いは，次に述べる治療計画の立案に大きな影響を及ぼす．

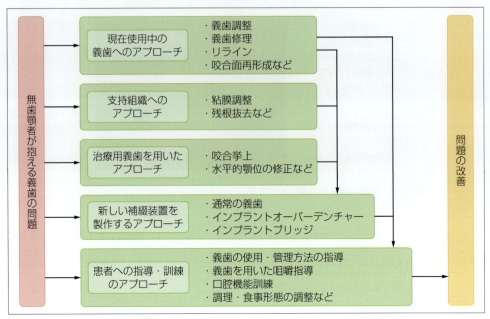

図7-17 全部床義歯の問題に対するさまざまなアプローチ

6 治療計画の立案

プロブレムリストを踏まえて実際の治療計画を立てる場合，その中心となるのは治療のアプローチである．無歯顎者が抱えている全部床義歯の問題を解決する場合，現在使用中の義歯へのアプローチ（義歯調整・修理，粘膜面のリライン，咬合面再形成など）から，支持組織へのアプローチ（粘膜調整，残根抜去など），治療用義歯を用いたアプローチ（咬合挙上，水平的顎位の修正など），新しい補綴装置を製作するアプローチ（通常の義歯，インプラントオーバーデンチャー，インプラントブリッジなど），患者指導のアプローチ（義歯の使用・管理方法の指導，義歯を用いた咀嚼指導，口腔機能訓練，調理・食事形態の調整など）までさまざまなアプローチが想定される（図7-17）．

最適な治療方法を選択する順序としては，まず患者の希望と機能評価に基づいて治療の目標設定すること，次にプロブレムリストに抽出された患者の身体的・心理的・社会的因子を考慮して，必要なアプローチを取捨選択すること，さらにアウトカムとリスクのバランスを勘案しながら患者に提示するアプローチを絞り込んでいくことになる．例えば，図7-16の症例1において，最も効果的に義歯の維持・安定をはかり咀嚼能力を向上させることだけに主眼を置けば，「新しい補綴装置を製作するアプローチ」の中のインプラント支持の固定性補綴装置やインプラントオーバーデンチャーが第一候補になる．しかし，患者の心理的特性や義歯に対する経験，また局所的因子や対費用効果を考慮した場合，まず現在使用中の義歯へのアプローチによって患者の主訴を改善し満足度を高めつつ，最終義歯の設計をイメージするような慎重な治療計画が必要になる．さらに，患者指導のアプローチはすべての症例で

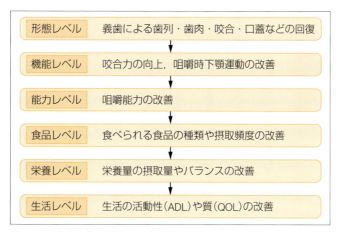

図7-18　全部床義歯装着の治療効果

不可欠であるが，特にこの症例においては，義歯の可能性と限界について十分説明し，咀嚼指導や，嚙みにくい食品に対する調理の工夫の必要性などを理解してもらうことが重要である．

7 治療効果

　補綴歯科治療の治療効果には，直接的効果と間接的効果がある．直接的効果は患者自身の主訴の改善・解消であり，間接的効果はそれに伴って栄養が改善され，健康の維持・増進，そして生活の質（QOL）や生活の活動性（ADL）の向上につながることである（図7-18）．

　直接的効果である主訴の改善・解消は，咀嚼，嚥下，発語などの機能の回復と形態的（審美的）回復に大きく分けられる．中でも，食物を味わいながら咀嚼し，嚥下しやすい食塊を形成して安全に嚥下する一連の過程 food oral processing を円滑化することは，全部床義歯の代表的な直接的効果である（図7-19）．すなわち，この過程が円滑に進むように全部床義歯を製作することが，治療効果をあげるための必須条件ということになる．咀嚼機能の評価法については，質問票を用いたアンケート形式のものから器材を用いる検査法まで，種々の方法が臨床で用いられているため，それらの中から必要かつ適切な検査法を選択し（☞ p.83参照），治療前の状態を客観的に把握すると共に目標設定を行う．

　間接的効果としてまず重要視されるのが，栄養状態の改善である．近年，超高齢社会における健康問題として，筋量の低下に伴う身体機能の低下を意味するサルコペニアや，心身の活動性が低下している状態（虚弱）を指すフレイルが注目されている．慢性的な低栄養状態はその主要原因であるが，咀嚼・嚥下機能の低下は食欲不振や種々の疾患と並んで，低栄養の背景因子である．日本人の60歳以上において健全な栄養状態にある人の割合はおよそ60％であり，過剰栄養者（その予備軍を含む）は20％であるのに対して，低栄養者は20％（低栄養予備軍10％，認知症5％，寝たきり5％）といわれている．

　無歯顎補綴治療の診断にあたっては，身体的因子である低栄養状態を示唆する他覚的所見

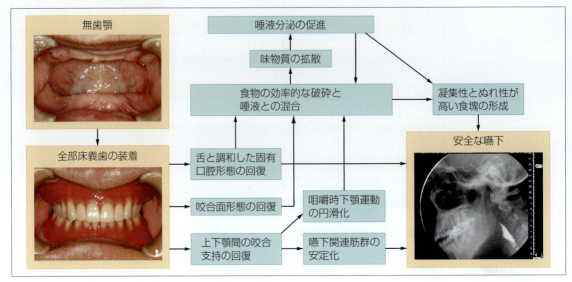

図7-19 全部床義歯がfood oral processingに及ぼす影響

を見逃さないことが重要である．高齢者の低栄養の主体は，タンパク・エネルギー栄養不足protein-energy malnutrition（PEM）であるが，咀嚼能力の低下によって，食物繊維，マグネシウム，カリウム，カロテン，リコピンなどの摂取が減少し，逆に炭水化物や糖類の摂取が増加することが報告されている．低栄養状態が疑われる高齢無歯顎者に全部床義歯治療を行う場合，補綴歯科治療を行うだけでなく，家族，介護者，管理栄養士などと連携しながら，食事・栄養指導を行って栄養状態の改善をはかる必要性が指摘されている．

補綴歯科治療による審美と機能の改善は，栄養状態を改善するだけでなく，より幅広い食の楽しみを通してQOLを高めるという間接的効果を生み出す．なお，口腔関連QOLは質問票（OHIP **表7-3** 参照，GOHAIなど）を用いて評価することができる．

8 治療計画の提示と患者指導

　無歯顎補綴治療における診断の最終段階は，術者が治療計画（いくつかの選択肢とそれぞれの利点・欠点）を患者に説明して，患者の意向を踏まえた取捨選択を行った結果を術者と患者が共有する，いわゆるインフォームドコンセントの過程である．患者に伝え，確認・了解をとるべき基本的事項には以下のようなものがある．

　① 治療の方法と手順，期間と費用
　② 最終補綴歯科治療の到達目標（審美性，機能性）と限界，問題点
　③ 短期的な予後（補綴装置装着時に起こりうる問題と調整の必要性）
　④ 中・長期的な予後（補綴装置の耐用年数，支持組織に起こりうる変化）
　⑤ セルフケア，メインテナンスとリコールの必要性

　これらの項目の説明にあたっては，当然のことながら患者の理解度を考慮し，平易な言葉

を使い，患者からの疑問に答えながら理解をうながし，最終的な合意を形成する．術者が十分説明したと思っていても患者に真意が伝わっていないことや，誤解されていることがあるため，治療を通して繰り返し説明することも必要である．また，医療面接において，これまでの歯科治療全般や義歯に対する経験（**表 7-6**）から，患者が治療に対する過度の期待や口腔健康管理について他力本願的な考え方をもっていることが疑われる場合，上記の項目を説明することは患者を指導するという意味合いをもつことにもなる．

9 診断と治療計画の意義

　本章で述べてきたように，無歯顎患者に対する補綴歯科治療における診断から治療計画立案は，全身的情報と局所的情報を収集・整理・統合し，既存の治療オプションとのマッチングを形成するプロセスということができる．これらを行うことは一見複雑にみえるが，近年診療ガイドラインが整備されつつあり，規格化されたフォーマットを用いて効率的に行うことができるようになった．系統的な診断と治療計画立案を行うだけでなく，治療の結果を評価し，フォローアップしていくことは，無歯顎補綴治療の向上にとって重要な意味をもつ．すなわち，術者や医療機関単位において個々の症例に対する意思決定が正しく行われたかを検証するだけでなく，データベースに症例を集積し解析することによって，evidence based な治療術式の選択基準を見出すことが期待される．

（小野高裕）

COLUMN 4　発音・発語・構音

　発音，発語，構音などのスピーチ speech に関する用語が本書の至るところに出てくる．歯科医学・医療の分野では従来，こういった機能に「発音」の用語を使用してきた．本書では，原則的には，音，言葉を発する行為自体について「発語」という用語を使用し，「発音」は音を用いて種々の検査するときに，「構音」は共鳴腔を変化させる口腔および諸器官の運動を指す場合に使用した（☞ p.51 参照）．

（市川哲雄）

第8章 前処置

　前処置とは，最終義歯の製作に際し，適切な診察と検査に基づく診断のもとに，患者の主訴である問題の解決をはかり，治療の妨げとなるような口腔内環境を改善することを目的に，精密印象採得の前に行われる処置である．無歯顎補綴治療においては，粘膜治療や咬合治療などの補綴前処置，顎骨や軟組織に対する外科的前処置，さらに，義歯性口内炎などに対する薬物療法，顎関節症状に対する理学療法，栄養や口腔清掃などの各種指導などのその他の処置に大別される．

I　補綴前処置

　全部床義歯に関する補綴前処置は，床縁相当部粘膜ならびに義歯床下粘膜に対する粘膜治療と，咬合平面，垂直的ならびに水平的顎間関係の修正などの咬合治療の2つに分けられ，治療用義歯を用いて行われる．治療用義歯とは，最終義歯の製作に先立ち装着される暫間的な義歯であり，患者が使用している義歯の義歯床や人工歯咬合面を常温重合レジンにて修正し，状況に応じて義歯床粘膜面にティッシュコンディショナーを貼付して治療用義歯として使用する方法と，新たに治療用義歯を製作する方法がある．後者は，患者が使用している義歯を埋没操作などの方法により複製する複製義歯であることが多い．

1　治療用義歯による粘膜治療

　粘膜治療は，床縁と義歯床下粘膜に対して行われる．床縁については，義歯の維持，支持，安定に必要な部位を被覆するとともに，十分な辺縁封鎖が得られるように，床縁が長い場合は削除し，短い場合は常温重合レジンを用いて延長する．義歯床粘膜面については，義歯床下粘膜との適合を適合試験材にて確認し，加圧部を削除して調整する．咬合の不調和や義歯床粘膜面が不適合な義歯の使用により義歯床下粘膜に歪みが生じ，圧痕，浮腫，肥厚，増殖，びらんなどの病的変化が起こり，粘膜に疼痛を惹起することがある．粘膜調整（ティッシュコンディショニング）とは，この応力の集中による歪みを解放して顎堤粘膜を健康な形態に戻すことであり，義歯床粘膜面のレジンを一層削除し，ティッシュコンディショナーを貼付することにより行われる．ティッシュコンディショナーは，粉材としてはメタクリレート系ポリマー，液材としては可塑剤とアルコールから構成され，粉材と液材の混和により粘弾性体となり，粘膜調整効果を発揮する（**図 8-1**）．応力の顎堤粘膜への適切な分散には，咬合不調和の改善が必要であり，粘膜調整は咬合調整と同時に行う．顎堤粘膜の状態が改善するまでティッシュコンディショナーを交換して粘膜調整を行うが，ティッシュコンディショナーは，粘性，多孔性であり，カンジダ菌などの口腔内微生物が付着しやすく汚染されやす

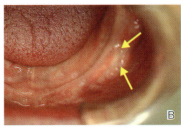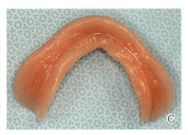

図 8-1 ティッシュコンディショナーと粘膜調整
A：ティッシュコンディショナー．B：左側顎堤粘膜にびらん（白変部；矢印）が認められる．C：義歯床粘膜面に貼付されたティッシュコンディショナー．

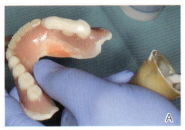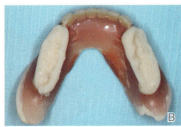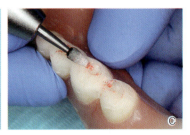

図 8-2 直接法による咬合面再形成
A：下顎義歯咬合面に常温重合レジンを添加する．B：適切な下顎位に誘導して形成された圧痕．C：常温重合レジンが硬化後に咬合調整を行う（粘膜面にはティッシュコンディショナーが貼付されている）．

いことから，口腔内ならびに義歯の清掃指導が必要である．

2 治療用義歯による咬合治療

　顎関節や咀嚼筋に疼痛などの症状がある場合，使用中の義歯の咬合平面，垂直的ならびに水平的顎間関係に問題がある場合には，咬合治療を行う．仮想咬合平面の設定（高さや傾き）に大きな問題がなく，垂直的，水平的顎間関係の修正量が少ない場合は，人工歯咬合面を再構成する直接法による咬合面再形成が行われる．垂直的顎間関係については，形態的，機能的指標や患者の感覚などに基づき修正し，水平的顎間関係については，顆頭安定位を指標に誘導する．水平的顎間関係が不安定な場合は，下顎義歯臼歯部咬合面を平坦として，咬合調整により適正な下顎位を得ることもある．具体的には，下顎義歯臼歯部咬合面に常温重合レジンを築盛し，硬化前に下顎を適正な位置に誘導し，硬化後に調整する（**図 8-2**）．咬合面再形成後の咬合調整は，タッピングポイントが安定するまで，咬合面に常温重合レジンを添加，削合することにより行う．

　咬合平面の高さや傾きの修正（**図 8-3**），垂直的ならびに水平的顎間関係の大幅な修正，人工歯列の位置を変更する場合など咬合関係を大きく変更する場合は，適切な下顎位で咬合採得を行い，咬合器に装着して咬合平面の修正を含めて咬合面を再形成する，もしくは新たに治療用義歯を製作して咬合治療を行う．

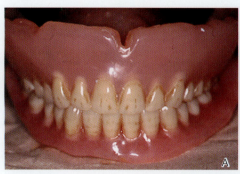
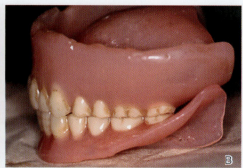

図 8-3 咬合平面の位置と傾きの大幅な修正が必要な義歯
A：正面観．B：側面観．咬合平面の位置（高さ）が著しく低い．

3 複製義歯による治療

1）複製義歯による治療の特徴

　複製義歯とは，既存の義歯を埋没操作などの方法により複製した義歯であり，治療用義歯として使用されることが多いが，即時義歯，印象用トレー，咬合採得用義歯としても用いられている．最近では，口腔インプラント治療における診断用テンプレートやサージカルガイドプレートの製作，さらに歯科訪問診療にも応用されることがある．

　複製義歯の適応としては，患者が使用中の義歯の改造や修正を望まない，あるいは躊躇している場合があげられる．使用中の義歯に大幅な修正が必要と診断される場合でも，患者が使用中の義歯を機能や審美面で頼りにし，長年の使用により親しみを感じていることもあり，十分な納得や同意が得られずに義歯の修正を行うと，患者との間で問題が生じることがある．複製義歯を用いる方法は，患者が使用中の義歯に修正を加えないことから可逆的な治療法であり，問題を起こしにくい治療方法といえる．

　また，金属床，陶歯および金属歯が人工歯として使用され，常温重合レジンの追加や調整が困難である場合，あるいは，義歯床レジンの著しい劣化や汚染が認められる場合も複製義歯による治療の適応となる．

　さらに，使用中の義歯を治療用義歯として用いる場合においても，修正された床縁，義歯床粘膜面，義歯床研磨面形態，咬合平面や人工歯排列などの咬合に関する情報を新義歯に移行することを目的に，修正が終了した治療用義歯の複製義歯を製作し，これを用いて印象採得および咬合採得を行うこともある．

　複製義歯による治療の特徴としては，使用中の義歯を治療用義歯として使用する場合に比較し，複製義歯は常温重合レジンで製作されるため大幅な修正を容易に行うことが可能であり，床縁，義歯床粘膜面，咬合面に加えて義歯床研磨面形態を患者の状態や希望に応じた義歯の形態に修正できることがあげられる．さらに十分に修正，調整された複製義歯とほぼ同様な状態の新義歯を製作することができるため，通法で製作した義歯において生じることがある新義歯の形態や咬合が使用中の義歯と大きく異なるということがなく，患者の新義歯への適応は速く，満足が得られやすいことから，高齢者に適した治療法ともいえる．また，印

象用トレーおよび咬合床として使用し，印象採得と咬合採得を同時に行うことによって治療時間や治療回数を減らすことも可能となることから歯科訪問診療にも応用されている．治療用義歯を通法により新たに製作する場合に比較して，費用や時間を要しないことも特徴としてあげられる．

2）複製義歯の製作方法

治療用義歯を目的とした複製義歯は，義歯複製用のフラスクにアルジネート印象材を用いて使用中の義歯を埋没し，歯冠色および歯肉色の常温重合レジンで製作されることが多い（**図 8-4**）．

(1) 複製義歯用フラスクへの使用中の義歯の埋没

複製義歯用フラスク（**図 8-4 A**）を用意し，使用中の義歯の床後方にユーティリティワックスにてスプルーとベントを製作する（**図 8-4 B**）．フラスク下部にアルジネート印象材を盛るとともに，義歯の咬合面および義歯床研磨面に気泡が入らないよう，手指にてアルジネート印象材を一層塗付し，フラスク内に埋没する（**図 8-4 C**）．この際に，通法におけるろう義歯の一次埋没と同様に，印象材表面をなめらかに整える．印象材が硬化した後，義歯床粘膜面にアルジネート印象材を一層塗付し，印象材を盛ったフラスク上部を圧接し，溢出孔からのアルジネート印象材の流出を確認し，ストッパーでロックする（**図 8-4 D**）．

(2) 常温重合レジンの注入，重合

印象材硬化後，フラスクの上部と下部を分割し（**図 8-4 E**），使用中の義歯を取り出す．流動性の高い状態に混和した歯冠色常温重合レジンをシリンジに入れ，人工歯相当部のみに入るよう注意深く人工歯部の印象面に歯冠色常温重合レジンを注入する（**図 8-4 F**）．次いで，歯肉色常温重合レジンを混和し，バイブレーターを使用して気泡の混入を避けるようにスプルーから歯肉色常温重合レジンを注入し（**図 8-4 G**），ベントからの溢出が確認されるまで流し込み，加圧重合器にて重合する（**図 8-4 H**）．

(3) 複製義歯の取り出し，研磨

レジン重合後，フラスクの上部と下部を分割して複製義歯を取り出し（**図 8-4 I**），研磨する（**図 8-4 J**）．使用中の義歯が金属床の場合は口蓋部が薄くなるため，歯肉色常温重合レジンを追加することもある．

3）複製義歯による治療法

(1) 診断

顎堤粘膜に変形，びらん，潰瘍などの異常が認められる場合は粘膜治療が，顎関節，筋および下顎位の異常が認められる場合は咬合治療が必要となるが，通常，粘膜治療と咬合治療は同時に行われる．前述のような理由で，患者が現在使用中の義歯を治療用義歯として使用することができない場合は，複製義歯による治療の適応と診断される（**図 8-5 A～C**）．

(2) 複製義歯の製作と装着

前項に示した方法により複製義歯を製作する．複製義歯装着時には，床縁および義歯床粘膜面の適合を確認し，調整後にティッシュコンディショナーを貼付する．義歯床形態の大幅

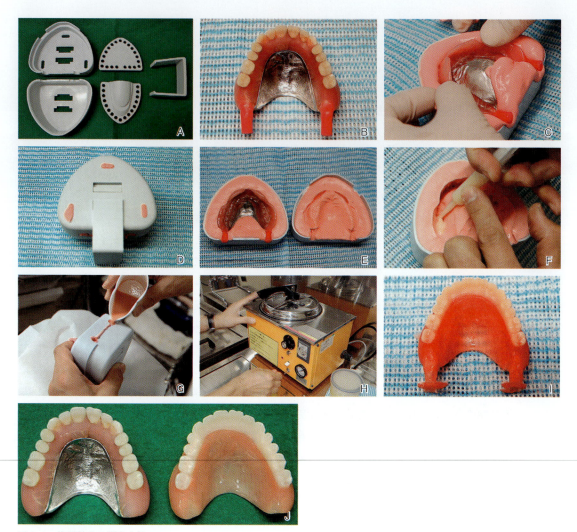

図 8-4 複製義歯の製作方法
A:複製義歯用フラスコ．B:使用中の義歯の床後方にユーティリティワックスを使用してスプルーとベントを製作する．C:アルジネート印象材をフラスコ下部に盛るとともに使用中の義歯表面に一層塗布し，フラスコに埋没する．D:フラスコに埋没後，ストッパーでロックする．E:印象材硬化後にフラスコを開く．F:人工歯部へ歯冠色常温重合レジンを注入する．G:バイブレーターを使用し，スプルーから歯肉色常温重合レジンを注入する．H:加圧重合器にて，加圧下にて重合を行う．I:フラスコを開き，義歯を取り出す．J:使用中の義歯（左）と完成した複製義歯（右）．

な修正が必要な場合は，直接リライン用の常温重合レジンを用いて修正する．咬合に関しては，フェイスボウを使用して咬合器に装着し，咬合平面や人工歯の排列位置などの大幅な修正を行うこともあるが，大幅な修正が必要ない場合は，前述した咬合面再形成により咬合を修正する．

(3) 複製義歯の調整

常温重合レジンを追加修正しながら床縁の位置と形態を調整するとともに，ティッシュコンディショナーが薄くなった部分については，他の部分に比較して削除量を多くし，新しく

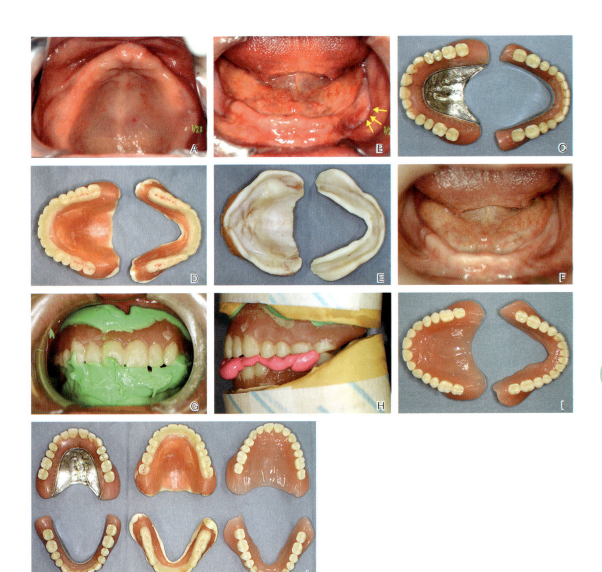

図8-5 複製義歯を応用した一例
A：上顎顎堤には異常所見を認めない．B：下顎左側臼歯部の床縁相当部粘膜にびらんを認める（白変部；矢印）．C：使用中の義歯は，20年以上使用されている．上下とも金属床義歯であり，人工歯として陶歯が使用されている．D, E：下顎義歯の床縁は短く，粘膜面は不適合であり，咬合高径の低下，水平的な下顎の偏位が認められた．図8-4Jに示す複製義歯を製作した．咬合平面には問題がないため，上顎複製義歯はあまり修正せず，下顎複製義歯粘膜面にティッシュコンディショナーを貼付し，咬合高径を挙上し，咬合面は平坦に調整し装着した．上下義歯床形態と咬合関係を修正するとともに，粘膜調整を行った．F：複製義歯を用いた治療により，左側臼歯部歯肉頬移行部粘膜のびらんは消失した．G：流動性の高い印象材を使用し，上顎から咬合圧印象を行い，次いで下顎を行った．H：複製義歯を用いて咬合器装着した．I：完成した新義歯．J：使用中の義歯（左），複製義歯（中），新義歯（右）の咬合面観．複製義歯と新義歯の形態はほぼ同じであり，使用中の義歯に比較し，上顎後縁および下顎頬棚部が拡張されている．

　ティッシュコンディショナーを貼付することにより粘膜治療を継続する．咬合については，タッピングポイントが安定するまで常温重合レジンを添加，削合することにより調整を行い，安定後に下顎義歯の平坦な咬合面を上顎と嵌合するような咬合面へと修正する．義歯床研磨

面については審美や構音をもとに修正する（**図 8-5 D～F**）．複製義歯を用いた治療の大きな利点は，義歯床研磨面を含めた義歯床の形態や咬合について，患者から得られたさまざまな情報を利用することにより義歯の修正が容易に行えることであり，調整時にはこの特徴をうまく利用しなければならない．

（4）粘膜治療，咬合治療終了後の印象採得および咬合採得

粘膜治療および咬合治療が終了し，咀嚼，嚥下や構音などの機能の回復が十分達成され，また審美的な面においても患者の十分な満足が得られた後に，新義歯の製作を開始する（**図 8-5 F**）．患者の複製義歯に対する慣れを利用するとともに，修正された状態を新義歯にできるだけ正確に移行するために，複製義歯を使用して印象採得および咬合採得を行う．多くの場合，咬合圧印象が用いられる．上顎複製義歯の義歯床粘膜面に流動性の高い印象材を可及的に薄く一層盛り，上顎顎堤に圧接後，下顎義歯を装着し軽く咬合させる．印象材が硬化した後，下顎の咬合圧印象を行うが，印象材により咬合高径が変化しないよう注意が必要である（**図 8-5 G**）．また，印象採得後，複製義歯を預かり咬合器に装着するため，患者には，使用している複製義歯から新たに複製義歯を製作し，ティッシュコンディショナーを貼付し，次回の来院時まで使用させることもある．

（5）試適と装着

咬合器に装着された複製義歯（**図 8-5 H**）の咬合平面，人工歯の排列位置，および義歯床研磨面形態をもとに人工歯排列および歯肉形成を終了し，ろう義歯を口腔内に試適する．問題があれば修正した後，通法に従い上下顎新義歯を完成させ（**図 8-5 I，J**），患者に装着する．

4 残根に対する処置

歯冠の大部分が崩壊し，残根状態となった場合においても，歯内療法を確実に行うことにより，支台歯として全部床義歯の支持，維持，安定に役立てることが可能である．残根の歯髄腔にコンポジットレジンやセメントを充塡する，あるいは，残根に根面板やアタッチメントを装着することにより支台歯として利用する（**図 8-6**）（☞ p.296 参照）．

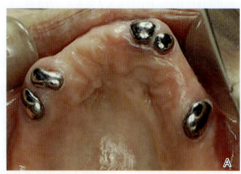
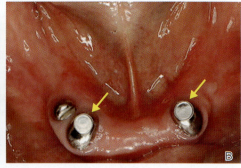

図 8-6　残根の利用例
A：残根への根面板の応用．B：残根への磁性アタッチメント（矢印）の応用．

II 外科的前処置

顎堤粘膜下の残根，口蓋隆起や下顎隆起などの骨隆起，骨の鋭縁，顎堤のアンダーカット，フラビーガム，義歯性線維腫，小帯の付着位置異常，さらには顎堤の過吸収は，顎堤粘膜に疼痛を惹起するとともに，義歯の支持，維持，安定を妨げることがある．床縁の設定，リリーフ，粘膜調整など補綴前処置により解決できない場合は，外科的前処置を行う．

1 口蓋隆起，下顎隆起に対する外科的処置

口蓋隆起や下顎隆起などの骨隆起においては，被覆粘膜が薄いため疼痛の原因となり，義歯の安定を妨げ，義歯の破折の原因となることがある．これらの骨隆起に対する処置として，小さな場合は義歯床粘膜面の一部を凹状として顎堤粘膜に加わる咬合力を緩和するリリーフを行うが，大きな場合は，骨ノミや骨バーを用いて外科的に切除し，骨やすりなどで骨面を平滑にする（図 8-7）．

2 骨鋭縁部に対する外科的処置

抜歯後に生理的な骨吸収が起こらず骨鋭縁が残ると，義歯装着後に鋭縁部を被覆する粘膜に疼痛を生じることがある．鋭縁の範囲が小さい場合はリリーフにて補綴的に対応することが可能であるが，リリーフで対応できない場合は，骨鋭縁部を骨鉗子，骨バーなどで削除し，骨やすりで平坦化し，周囲骨と移行的にする．

3 顎堤のアンダーカットに対する外科的処置

下顎前歯部唇側や上顎結節頰側の顎堤部の豊隆が強い場合には，骨組織のアンダーカットが生じることがある．小さなアンダーカットであれば，義歯の維持に有利に働くこともあり，顎堤粘膜面の調整で対応可能であるが，大きな場合は，義歯着脱の妨げとなるため床縁を最大豊隆部に設定するが，辺縁封鎖が十分に得られず，維持に支障をきたす場合は，骨バーや骨やすりなどを用いて歯槽骨整形術を行う．

4 高度な顎堤吸収に対する外科的処置

顎堤が著しく吸収し，義歯の維持や安定が困難となった場合に行われる外科処置であり，①顎堤に骨や軟骨を移植，人工骨の補塡，骨延長などによって顎堤を絶対的に高くする方法（絶対的歯槽堤形成術，図 8-8），②顎骨を分割移動して顎堤を高くする方法（相対的歯槽堤形成術），③顎堤の周囲軟組織を低下させ相対的に顎堤を高くする方法（口腔前庭形成術など）の3つに分類される．

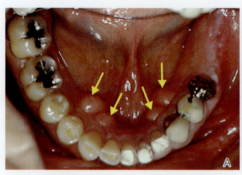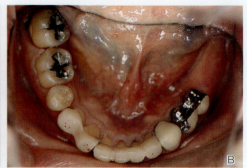

図 8-7 下顎隆起に対する外科的前処置
A：下顎舌側に球形を呈する下顎隆起（矢印）が認められる．B：下顎隆起切除後．

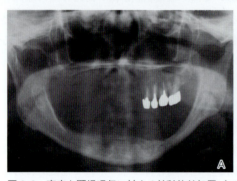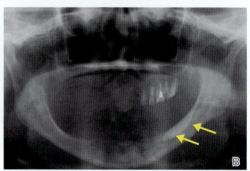

図 8-8 高度な顎堤吸収に対する外科的前処置（パノラマエックス線画像）
A：左側臼歯部が著しく吸収した下顎顎堤．
B：ハイドロキシアパタイト顆粒埋入（矢印）による絶対的歯槽堤形成術後．

5 軟組織に対する外科的処置

　フラビーガムとは，顎堤に発現する可動性の大きい粘膜組織であり，歯槽骨の吸収，粘膜の肥厚，粘膜下組織の線維性増生を伴う（☞ p.19 **図 3-8** 参照）．義歯性線維腫は，義歯床の機械的刺激による粘膜の炎症反応性の増生物であり，病理組織学的に毛細血管や細胞成分の多い肉芽型，線維化が進行し細い線維組織が密に排列した線維型，それらの中間型に分類されている．肉芽型は義歯の調整により消退する可能性があるが，線維型は消退しないため，必要に応じて外科的に切除する（**図 8-9**）．

　舌小帯，上唇小帯，頰小帯などが高位に付着し，義歯の維持や安定に支障をきたし，床縁の設定で対応が困難な場合は，外科的に小帯の切除や小帯の付着部位を修正する．

III その他の処置

　顎関節症状や筋症状が認められる場合は，疼痛に対する消炎鎮痛剤，筋緊張緩和のために筋弛緩剤などの薬物療法，さらにマッサージ，温罨法，経皮的電気刺激，筋電図バイオフィードバックなどの理学療法が行われることがある．

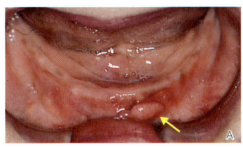
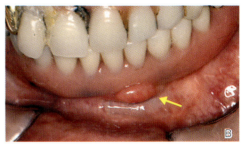
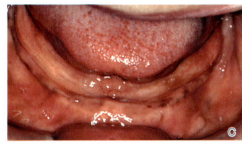

図8-9 義歯性線維腫に対する外科的処置
A：下顎左側前歯部の義歯性線維腫（矢印）．
B：下顎左側前歯部の義歯性線維腫（義歯装着時；矢印）．
C：義歯性線維腫摘出後．

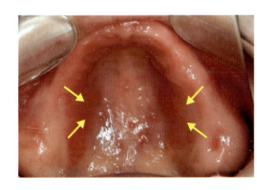

図8-10 義歯性口内炎
矢印部に発赤が認められる．

　義歯性口内炎は，*Candida albicans* の感染などで生じる非特異的炎症であり，義歯床下粘膜に紅斑を生じることが多い．*Candida albicans* は，病原性が乏しい口腔内常在菌であるが，高齢者や基礎疾患を有する患者など抵抗力が衰え，義歯清掃が不十分であるなど口腔内衛生状態が悪化した際に発症することが多い（**図8-10**）．培養検査により確定し，抗真菌薬の投与（義歯床粘膜面への塗布）を行うとともに，口腔内の保清，義歯の清掃などの口腔衛生指導を行う．

　全部床義歯の治療対象である患者は，高齢者が多いことから，さまざまな基礎疾患を有しており，それら疾患に対する治療（特に薬剤の処方）がなされていることから，必要に応じて担当医師への対診を行う．さらに，診察や検査において低栄養状態，義歯の汚染，口腔機能低下症の徴候が認められた場合にはそれらに対する指導が必要となる．全部床義歯の製作とともに栄養指導を行うと，栄養素など摂取量に有意な向上が認められたとの報告もあり，低栄養が疑われた場合は，家族などと連携して食事指導や栄養指導を行い栄養状態の改善をはかる．口腔機能低下症に対しては，患者への動機づけ，各種生活指導，栄養指導を行う（☞第16章参照）．

（横山敦郎）

第9章 印象採得

I 印象採得の目的

　無歯顎患者に対しては上下顎全部床義歯を装着することにより機能と審美の回復が得られる．全部床義歯を製作するためには患者の口腔内の状態を精密に記録し，模型に再現しなければならない．印象材を使用して，口腔内の状態を再現するために陰型を記録する操作を印象採得 impression taking という．

　無歯顎印象の特徴は，対象がすべて軟組織であること，床縁となるべき辺縁（マージン）部が可動粘膜と不動粘膜の境界にあり不明瞭なことである（図9-1, 2）．義歯の支持基盤が顎堤粘膜であるため，摂食，咀嚼，嚥下を行うとき，粘膜は圧を受けて変位する（被圧変位性）．そのため，粘膜の静的な状態を記録するか，動的な状態を記録するかによって印象採得の方法が異なってくる．歯の窩洞形成や支台歯形成では形成された辺縁が直視できるため，その辺縁を含んだ印象採得を行えばよいが，無歯顎では義歯床の辺縁を設定することは容易ではない．可動粘膜と不動粘膜との境界，すなわち顎堤と口唇，頬，舌，硬口蓋と軟口蓋の移行部を明確に示すことが難しい．このような無歯顎の特徴から，全部床義歯の印象採得は2段階に分けて行われる．すなわち，まず印象域 impression area を決定するための概形印象採得を行い，次に粘膜の状態を正確に記録するための精密印象採得を行う．

II 印象採得用材料

1 印象材の所要性質

　印象材に望まれる性質として次の項目があげられる．

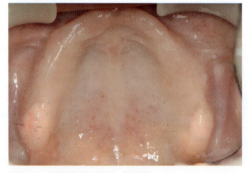

図9-1　無歯顎の口腔内（上顎）
口蓋，顎堤は口唇，頬，軟口蓋の可動粘膜に囲まれている．

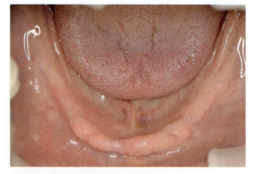

図9-2　無歯顎の口腔内（下顎）
顎堤は口唇，頬，舌，口腔底の可動粘膜に囲まれている．

① 無味無臭である．
② 毒性，刺激性がない．
③ 石膏との親和性がよい．
④ 練和時間，硬化時間，操作時間が適切である．
⑤ 細部再現性に富んでいる．
⑥ 均質である．
⑦ 永久変形が少ない．
⑧ 耐圧強度がある．
⑨ 圧縮ひずみが小さい．

また印象材は以下の性質により評価される．

① 塑性流動 plastic flow（流れ，流動性）：圧を加えたときに流動し，圧を止めたときに流動が止まる性質．
② ぬれ wet：対象とする被印象面になじみ，接触を求めていく性質．
③ 硬化 set：流動が停止して硬化する性質．

2 印象用材料

1）概形印象

無歯顎の概形印象には既製トレーとコンパウンド印象材あるいはアルジネート印象材が使用される．

（1）コンパウンド印象材 compound impression material

元来は天然樹脂からつくられていたが，現在は樹脂にさまざまな合成成分を混ぜて製作される．

① 組成：コパール，ロジン，パラフィンワックス，タルク，セラック，ステアリン酸，フィラー
② 特徴：熱可塑性の材料であり，45℃以上で流動し，40℃以下で硬化する．熱可塑性と可逆性である性質を利用して，義歯の筋圧形成を行うのに適している．非弾性であり，アンダーカットの再現性は乏しい．硬化時間は長く，流動性は小さい．ぬれは不良である．加圧印象材の典型的材料である．棒状のものと板状のものがあり，無歯顎印象の場合には板状のものは義歯床粘膜面の印象に用い，棒状のものは主に床縁の筋圧形成に用いられる（**図 9-3**）．

（2）アルジネート印象材 alginate impression material

アルギン酸ナトリウムあるいはカリウムを主成分とし，金属イオンによるゲル化反応によって硬化する．水と練和することにより可溶性アルジネートと硫酸カルシウムが反応して不溶性アルギン酸カルシウムになる．

① 組成：アルギン酸ナトリウム（カリウム）12％，硫酸カルシウム 12％，酸化亜鉛 2％，フッ化チタンカリウム 2％，珪藻土（ケイソウ土）70％，リン酸ナトリウム 2％（重量％）．
② 特徴：臨床で広く利用されている印象材で，操作性，流動性，ぬれは良好である．不可逆性のため，筋圧形成を行うための時間は十分ではない．弾性体であり，アンダーカットの

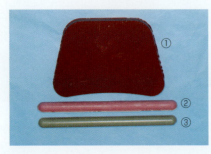

図9-3 コンパウンド印象材
①モデリングコンパウンド，②イソコンパウンド，
③ペリコンパウンド

ある顎堤に適している．空中に放置すると離液して収縮し，水中に放置すると吸水して膨潤するため，硬化後の寸法安定性が悪い．圧を強くかけなくても流動するため無圧印象材に分類される．

2）精密印象

無歯顎の精密印象には個人トレーとシリコーンゴム印象材が一般的に使用される．

(1) シリコーンゴム印象材 silicone rubber impression material

① 組成：基材ペースト（ベース）としてビニル基とSH基を有するポリジメチルシロキサン．反応材ペースト（キャタリスト）としてビニル基を有するポリジメチルシロキサン，無機フィラー．

② 特徴：流動性がよく，弾性に優れているのでアンダーカットの再現性が高い．操作性は良好で臨床で広く使用されている．無味無臭であり硬化はシャープである．

(a) 付加重合型

重合時の収縮は縮重合型より小さく，永久ひずみは縮重合型の1/5〜1/4である．寸法安定性に優れている．

(b) 縮重合型

初期に開発されたシリコーンゴム印象材で，硬化時の収縮が比較的大きいため，現在はあまり使用されていない．

(2) ポリサルファイドゴム印象材 polysulfide rubber impression material

ポリサルファイドと二酸化鉛などの酸化剤と反応し，ゴム状を呈する．

① 組成：基材ペースト（ベース）として低重合度のポリサルファイド，二酸化チタン，硫酸亜鉛．反応材ペースト（キャタリスト）として過酸化鉛，ジブチルフタレート，イオウ，ステアリン酸塩．

② 特徴：流動性に優れている．高度の弾性があり，比較的寸法変化が少ないためアンダーカットの再現性が高い．操作性が難しく，ゴム臭が強いことが欠点である．

(3) 酸化亜鉛ユージノール印象材 zinc oxide eugenol impression material

亜鉛（ペースト1）とユージノール（ペースト2）がキレート結合して硬化する．

① 組成：酸化亜鉛，ユージノール（チョウジ油），ロジン，バルサム，ラノリン，硬化促進剤，フィラーなど．

② 特徴：流動性に優れ，ぬれ性がよく，細部の再現性，寸法安定性が良好なため無歯顎印象に適している．無圧印象材の代表的材料である．初期硬化は約3〜6分で，硬化時間は室温にも影響される．不可逆性，非弾性体である．追加修正が可能である．刺激性が強いこと，手指，衣服に付着すると除去しにくいこと，著しい顎堤のアンダーカットには使用できないことなどが欠点である．

(4) 石膏印象材 impression plaster

① 組成：焼石膏（β半水石膏）．水を加えることにより硬化する．
② 特徴：微圧でよく流動し，ぬれもよく，細部の再現性も高いため無圧印象材の代表的材料である．まったく弾性がないため，硬化後は分割して取り出さなければならないことが欠点である．アルジネート印象材が出現して以来，無歯顎の単一印象にはほとんど使用されない．

(5) アクリル系印象材 acrylic impression material

粉末と液を混和する．ポリマーが膨潤し，溶解して流動性を呈し，ゲル化する．
① 組成：粉末はポリエチレンメタクリレート（PEMA）とブチルメタクリレートの共重合体など，液はエチルアルコールと可塑剤である．
② 特徴：ティッシュコンディショナーの一種で，使用中の義歯の義歯床粘膜面にリラインして義歯を使用させながら義歯床下粘膜と辺縁の動態を記録する．ポリエチレンメタクリレートに液成分の可塑剤が浸透，膨潤して粘弾性体になる．数日間の使用で印象が採得される．粘膜調整を兼ねて印象採得を行うことができる．時間の経過とともに可塑剤は溶出し，アルコールは揮発するため，次第に硬化する．印象採得は粘弾性を有する期間（数日）に行う．この印象材を用いた印象採得はダイナミック印象とよばれる．

(6) ワックス系印象材 impression wax

加熱（約60℃）することにより流動性を高めて印象採得し，冷水を含ませ硬化させてから，口腔内より撤去する．
① 組成：天然ワックス，合成ワックス，天然樹脂，添加物，着色材など．
② 特徴：全体的な再加熱やワックスの補充も可能であるが，細部再現性は十分でない．弾性に劣り，アンダーカット部分の再現は難しい．アンダーカットの少ない無歯顎の印象や間接リラインの印象に利用される．撤去後は，室温で放置すると変形しやすいため，冷水中に保管するが，できるだけ早急に石膏を注入する． （大久保力廣，細井紀雄）

COLUMN 5　筋圧形成（筋形成，辺縁形成）

筋圧形成の定義は，「床縁形態を得るためにモデリングコンパウンドなどで記録する印象操作」とされている．ここで誤解してはならないことは，コンパウンドを使うことが筋圧形成ではないということである．文字通り，口腔周囲筋の筋圧を利用して適切な印象材料を用いて動的な辺縁形態を印記し，理想的な支持域と最大限の維持力を確保するための床縁形態を決定することである．さらに，厳密に区別するならば，「辺縁形成」は床縁の形態を，「筋圧形成（筋形成）」は床縁を含んだ義歯床研磨面の形態を記録することといえる．
（編集委員）

III 印象法の種類

1 印象材の組合せ別

1) 単一印象

単一印象 single impression とは，1種類の印象材を用いて採得するための印象である．例として，①既製トレーとアルジネート印象材によるもの（**図9-4**），②既製トレーとモデリングコンパウンドによるもの，③個人トレーとシリコーンゴム印象材によるものがある（**図9-5**）．

2) 連合印象

連合印象 combination impression とは，2種以上の印象材あるいは同種の印象材の流動性の異なるタイプを組み合わせて行う印象法である．複数の印象材の有する性質を利用するために行われる．

2種以上の印象材を用いる連合印象の例として，①個人トレーを用いて，床縁部をモデリングコンパウンドにより筋圧形成を行い，その後に流動性の高い（フローの大きい）シリコーンゴム印象材でウォッシュインプレッション wash impression を行う方法，②個人トレーを用いて，フラビーガム部は印象用石膏で，その他はシリコーンゴム印象材で採得する方法（**図9-6**）がある．

同種の印象材の流動性の異なるタイプを組み合わせて行う連合印象の例として，①個人トレーを用いて，床縁部を流動性の低い（フローの小さい）シリコーンゴム印象材で筋圧形成を行い，その後に流動性の高いシリコーンゴム印象材でウォッシュインプレッションを行う方法（**図9-7**），②既製トレーを用いて，床縁部に流動性の高いアルジネート印象材をシリンジにて注入し，その後にトレーに通常の流動性のアルジネート印象材を盛りつけて印象採得する方法（**図9-8**）がある．

図9-4 アルジネート印象材による単一印象，また概形印象でもある．

図9-5 モデリングコンパウンドによる単一印象，また概形印象でもある．

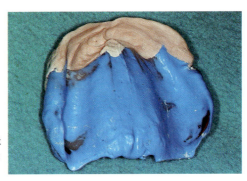

図9-6 モデリングコンパウンドによる臼歯部辺縁の印象，さらにゴム系印象材と石膏印象材を用いた3種類の印象材による連合印象である．

図9-7 流動性の異なる2種類のシリコーンゴム印象材を用いた連合印象
A：流動性の低いシリコーンゴム印象材（青色）を用いて個人トレーの周辺部の筋圧形成を行った後に，流動性の高いシリコーンゴム印象材（黄色）を盛りつけている．
B：Aを口腔内に挿入してウォッシュインプレッションを行い，完成した印象．

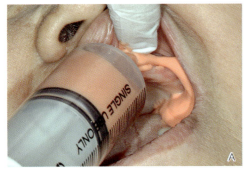
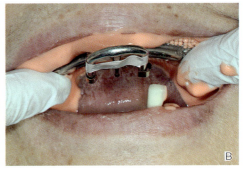

図9-8 流動性の異なるアルジネート印象材を用いた連合印象
通常より水を多くして練和した流動性の高いアルジネート印象材をシリンジに入れて周縁部に注入した後（A），通常の流動性のアルジネート印象材を既製トレーに盛りつけて，口腔内に圧接する（B）．

2 目的別

1）概形印象

　概形印象 preliminary impression は，模型検査，治療方針の決定，義歯の設計および個人トレーの製作に利用する研究用模型を得るための印象である．研究用模型上で欠損部顎堤，上唇小帯，下唇小帯，頰小帯，舌小帯，翼突下顎ヒダ，レトロモラーパッドなど義歯床粘膜

面や床縁に関連する口腔内諸組織の位置や形態を把握する（☞ p.89 参照）．概形印象の採得には，既製トレーを利用して，アルジネート印象材（**図 9-4**）やモデリングコンパウンド（**図 9-5**）を用いる．

2）精密印象

精密印象 precise impression は，補綴装置を製作する目的で採得する寸法精度や表面性状などに優れた印象のことであり，作業用模型を得るための印象である．同義語として最終印象 final impression がある．

概形印象によって顎堤の大まかな形態は採得されるが，義歯床下粘膜の微細な構造や機能時に即した形態は得られない．また，概形印象では既製トレーを用いるので，その把柄が口唇などの機能運動を妨害している可能性があり，また床縁の位置や形態なども適正であるとはいいがたい．そこで，研究用模型上で製作した個人トレーを用いて，機能時の口唇，頰，舌などの動きに調和した床縁形態を得るために筋圧形成を行い，その後に流動性の高い印象材を用いてウォッシュインプレッションを行うのが精密印象の一般的な手順である．ウォッシュインプレッションには，インジェクションタイプやウォッシュタイプなどの流動性の高いシリコーンゴム印象材を用いるが，ポリエーテルゴム印象材や酸化亜鉛ユージノール印象材などを用いる場合もある．

3 粘膜への圧力別

義歯床下粘膜は，被圧変位性という加圧により変形，移動する特性を有しており，その量は部位によって異なる．したがって，圧がかかっているときと圧がかかっていないときでは義歯床下粘膜の形態は異なる．そのため，目的に応じて印象採得時に粘膜へ加わる圧力を調整することが必要となる．

1）無圧印象

無圧印象 non-pressure impression の目的は，被印象体の安静時の状態，いいかえると静的な状態，すなわち義歯床下粘膜に圧が加わらず，変位が生じていない状態を再現することにある．義歯床下粘膜を変位させないような印象を行うには，印象圧 impression pressure を可及的に少なくした印象を行わなければならない．印象材を使用するため，完全に無圧では印象採得が行えないので，弱圧印象や無圧的印象といったほうが正確である．最小圧で印象採得を行うには，トレーと被印象体（粘膜）との距離を設ける方法と（**図 9-9**），流動性の高い印象材を使用する方法とがある．印象材としては，流動性の高いシリコーンゴム印象材，酸化亜鉛ユージノール印象材および印象用石膏が用いられる．口腔内スキャナーを用いた印象採得は，本来の意味での無圧印象である．

2）加圧印象

加圧印象 pressure impression は，義歯床下粘膜の許容する負担圧を可能な限り増すために，印象圧をかけて粘膜を加圧する印象法で，強圧印象といってもよい．無圧印象とは逆にトレーと粘膜との距離を短くすれば印象圧が高まり，加圧された粘膜の形態が印象採得され

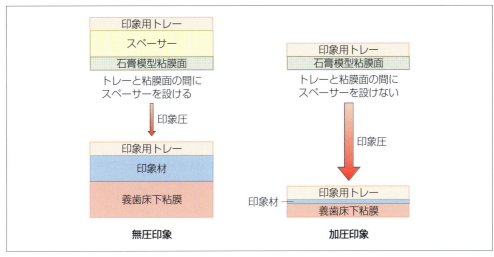

図 9-9 加圧印象の模式図（右）のように，被印象体とトレーとが近接しているほど，印象圧は高くなる．

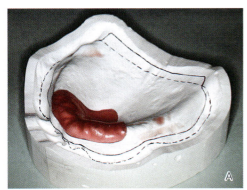 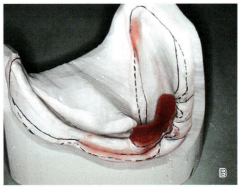

図 9-10 研究用模型とワックスのスペーサー
A：上顎．B：下顎．
この状態で個人トレーを製作すれば，スペーサーを置いた部分は印象圧が減じられる．

る（**図 9-9**）．またモデリングコンパウンドや流動性の低いシリコーンゴム印象材を用いれば，加圧が可能となる．加圧源は，手指圧，咬合圧あるいは咀嚼圧である．

3）選択的加圧印象

選択的加圧印象 selective pressure impression とは，咀嚼などの機能圧を負担可能な部位には加圧を行い，機能圧を負担させるべきではない部位の印象圧は減じるという合理的な印象法である．圧をかけない部位は，フラビーガムに代表される，加圧すると粘膜が大きく変位してしまう部分（被圧変位量が著しく大きい部位）や，切歯孔に代表される血管や神経の開口部位，骨鋭縁部，骨隆起部などの粘膜の菲薄部（被圧変位量が著しく小さい部位）などである．選択的加圧印象を行うには，個人トレーを製作する必要がある．個人トレーを製作する際に，加圧すべき部分は模型と密着させ，緩圧したい部分にはワックスなどでスペーサーを設けたり逃出孔を付与したりすることで，印象圧のコントロールを行う（**図 9-10**）．

4 粘膜の静的・動的状態別

1）解剖学的印象

解剖学的印象 anatomic impression とは，被印象体に咀嚼圧などの負荷がかかっていない状態，すなわち諸組織の動きのない静的な安静時の状態を採得する印象である．具体的には圧負担域にも床縁部にも印象圧を極力避けた印象であり，無圧印象と同義である．粘膜静止印象 mucostatic impression ともよばれる．

2）機能印象

機能印象 functional impression は，義歯の機能時の粘膜や顎堤周囲可動組織の形態を記録し，義歯に再現するために行うものである．機能印象は，床縁，義歯床粘膜面，義歯床研磨面それぞれに行うことができる．

（1）筋圧形成

筋圧形成は，床縁部を対象とする機能印象である．支持域拡大のために，周囲筋組織や小帯などの可動域を避けながら，可及的に床面積を拡大する必要がある．また，大気圧による物理的維持を得るために，辺縁封鎖を得る必要がある．これらの目的のために，筋圧形成による床縁部の機能印象を行う．モデリングコンパウンドを用いるのが一般的であるが，流動性の低いシリコーンゴム印象材で行うこともある（☞ p.113 参照）．

（2）加圧印象

前述の加圧印象は，粘膜の機能印象である．義歯の機能時に義歯床下粘膜に咬合・咀嚼圧をできるだけ均等に負担させるために，被圧変位量に応じた力で加圧を行う．

（a）手圧印象

手圧印象 hand pressure impression は，既製トレーや個人トレーを手指にて圧接して，加圧印象を行う方法である（**図9-8**）．

（b）咬合圧印象

咬合圧印象 occlusal pressure impression とは，粘膜の機能印象法の1つである．咬合床，ろう義歯または使用中の義歯をトレーとして用いて，トレーの内面に印象材を適用し，患者自身に咬合させ，その咬合力によって義歯床下粘膜を加圧した状態で採得する印象をいう（**図9-11**）．したがって，製作過程で生じる誤差を埋没・重合前の段階で修正することを目的とした咬座印象（☞ p.119 参照）とは異なる．

（3）ダイナミック印象

ダイナミック印象 dynamic impression とは，使用中の義歯をトレーとして，長時間流動性が持続するアクリル系印象材を用いて，患者に数日間使用させて，患者の日常生活における機能時（咀嚼，嚥下，発語時など）の義歯床下粘膜や義歯周囲粘膜の形態を採得する印象をいう（**図9-12**）．動的印象ともよばれる．これは前述の機能印象でもあり，加圧印象でもある．作業用模型の製作や間接リラインのために行われる（**図9-13, 14**）．

（4）フレンジテクニック

フレンジテクニックは，義歯床研磨面の機能印象法の1つである．ろう義歯の義歯床研磨

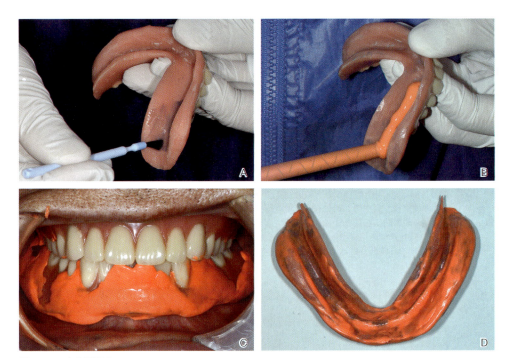

図9-11 咬合圧印象
A：使用中の義歯を用いて咬合圧印象を行うために，義歯に接着材を塗布する．
B：シリコーンゴム印象材を義歯内面に塗布する．
C：口腔内に挿入し，咬合させる．必要に応じて機能運動を行わせる．
D：完成した印象．

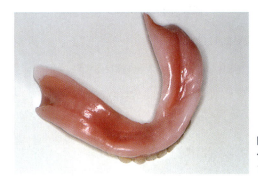

図9-12 ダイナミック印象
使用中の義歯の内面に，流動性が数日間持続するアクリル系印象材を使用している．

面に印象用ワックスをおき，機能運動を行わせて義歯研磨面形態を得るものである（☞p.175参照）．

5 その他の印象

1）間接リラインのための印象

　間接リライン（☞ p.276 参照）のための印象採得 impression for reline は，義歯床粘膜面の不適合な義歯を利用して，その内面に印象材を盛り，咬合圧下もしくは咀嚼圧下で印象採

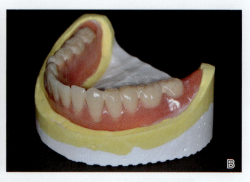

図 9-13 作業用模型製作のためのダイナミック印象
A：作業用模型製作のために使用中の義歯を用いて行ったダイナミック印象．
B：Aの印象面に石膏を注入して模型を製作した状態．
義歯を外して作業用模型として使用するが，義歯を外す前に中心咬合位でのチェックバイトを用いて咬合器に付着する場合もある．

図 9-14 間接リラインのためのダイナミック印象
A：アクリル系印象材を使用中の義歯内面に貼付し，3日間使用してもらいダイナミック印象が完了した状態．
B：Aをそのままフラスコに埋没し，埋没材が硬化した後にフラスコを開けた状態．

図 9-15 ワックスによる印象

得を行う．使用する印象材は，シリコーンゴム印象材，アクリル系印象材（ダイナミック印象材）およびワックス系印象材（**図 9-15**）がある．

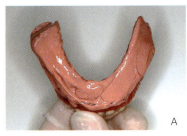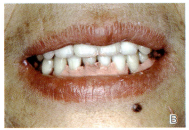

図 9-16 咬座印象
A：ろう義歯の試適終了後，床縁を 2 mm 程度除去して床縁の印象材のスペースを確保し，流動性の高いシリコーンゴム印象材を盛る．
B：口腔内に挿入し咬合させ印象採得を行う．
C：印象材の硬化後に口腔内から取り出し，床縁をワックスで移行的に修正し，埋没重合し，義歯を完成させる．

2）咬座印象

　咬座印象 bite-seating impression とは，義歯製作途中に生じる歪みを最終段階において修正することを主目的として，人工歯排列や削合の終了したろう義歯をトレーとして少量の流動性の優れた印象材を盛り，咬合させて採得する印象をいう（**図 9-16**）．印象採得，咬合採得時など，ろう義歯に至る過程で生じた操作的誤差，材料による誤差を修正してから埋没を行うシステムであり，前述した咬合圧印象とは目的が異なる．提唱者の矢崎正方は，先に下顎の咬座印象を行い，それを重合し研磨まで行うとしている．後日，研磨した下顎義歯を口腔内に挿入し，上顎ろう義歯の咬座印象を行う．これによって，下顎義歯の重合の誤差も修正できる．

（上田貴之，櫻井　薫）

COLUMN 6　開口印象と閉口印象

　印象採得時の患者の開口状態を基準とした分類として，開口印象と閉口印象がある．一般的に印象採得時には，トレーを口腔内に挿入するために患者に開口を指示し，トレー挿入後には，そのままの状態でトレーの圧接を行う．それに対して，トレーを口腔内に挿入後，トレーを噛まない程度に可能な限り閉口させて採得する印象を閉口印象とよぶ．閉口印象の対義語として，前者を開口印象とよぶことがある．開口印象と比較して，閉口印象では，義歯の機能時（咬合・咀嚼時）に近い状態で印象採得を行うことができるため，義歯装着時の周囲筋組織や軟組織に調和した形態を再現できると考えられている．

（上田貴之，櫻井　薫）

Ⅳ 概形印象採得

1 目　的

　　全部床義歯の床縁 denture border は，上顎では，歯肉唇移行部，歯肉頰移行部，上顎結節，硬口蓋と軟口蓋の境界，下顎では歯肉唇移行部，歯肉頰移行部，舌側歯槽溝（口腔底と顎堤の移行部），レトロモラーパッドに設定される．咀嚼，嚥下，発語の運動に際して，床縁が障害になってはならない．そこで通常の機能運動を行わせながら，印象域の概形を記録することが最初に行われ，これを概形印象採得という．印象辺縁は全部床義歯の床縁形態をイメージしながら術者と患者の協力でつくりあげていくが，これを筋圧形成（辺縁形成）border molding/muscle trimming という．無歯顎の印象は"採得する impression taking"というよりも"つくりあげる impression making"とよぶほうがふさわしいのはこの理由による．そのためには以下に示す無歯顎の解剖学的指標 anatomical landmark を理解する必要がある（図 9-17，18）．

① 上顎：上顎顎堤，上唇小帯，頰小帯，歯肉唇移行部（唇側前庭），歯肉頰移行部（頰側前庭），上顎結節，切歯乳頭，口蓋ヒダ，口蓋隆起，口蓋小窩，硬口蓋，軟口蓋，硬軟口蓋境界，アーライン，翼突上顎切痕（ハミュラーノッチ hamular notch），翼突下顎ヒダ，正中口蓋縫線．

② 下顎：下顎顎堤，下唇小帯，頰小帯，舌小帯，歯肉唇移行部（唇側前庭），歯肉頰移行部（頰側前庭），頰棚（バッカルシェルフ buccal shelf），舌側歯槽溝，顎舌骨筋線，下顎隆起，レトロモラーパッド，翼突下顎ヒダ，外斜線，前顎舌骨筋窩，後顎舌骨筋窩，オトガイ孔，舌下ヒダ，舌下小丘．

2 印象法

　　印象域を決定するために口腔周囲筋に機能運動を行わせて，そのときの口唇，頰，舌，軟

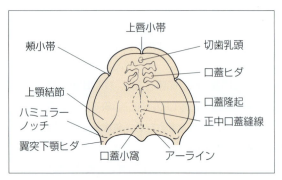

図 9-17　上顎無歯顎の解剖学的指標（ランドマーク）

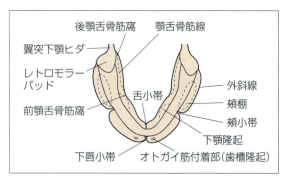

図 9-18　下顎無歯顎の解剖学的指標（ランドマーク）

図 9-19 モデリングコンパウンド
義歯床粘膜面を対象とした板状のものと，床縁を対象とした棒状のものがある．

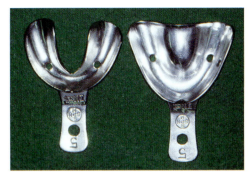
図 9-20 既製の金属トレー（IN式）
金属製で，顎堤に合わせて調整し，モデリングコンパウンドを盛って使用する．

口蓋などの動きを印象材に記録する．この操作を筋圧形成という．なお，筋圧形成に有効な口腔の機能運動と関与する筋の詳細については，精密印象採得のところで詳述する（☞ p.128 参照）．

1）モデリングコンパウンドによる概形印象採得

患者自身による口腔の機能運動と，術者による補助的な口唇や頰の運動（筋圧形成）により，印象の辺縁が形成される．上下顎ともに，印象材が硬化する時間内にこれらの運動を適切に行うことが必要である．

概形印象の代表的な印象材として，モデリングコンパウンドがある（**図 9-19**）．この材料は熱可塑性であるため，辺縁を部分的に形成しながら，最終的に全周に義歯全周の筋の動態を記録することができる．この印象材を用いた概形印象採得の方法は以下のとおりである．

(1) トレーの選択

トレーの具備すべき要件として，変形しないこと，賦形や調整が可能なこと，滅菌できること，などがあげられる．これらの要件を満たすモデリングコンパウンド用トレーは，既製の金属トレーである（**図 9-20**）．トレーの大きさは顎堤の形態に合わせて数種類がそろえられている．

(2) モデリングコンパウンドの圧接と辺縁形成

筋圧形成を行うために，患者自身による口腔の機能運動を指示する．義歯床を取り囲む表情筋，外舌筋と咀嚼筋などの機能運動によって辺縁が形成される．全部床義歯は義歯周囲の筋によって維持される（筋圧維持）とともに，脱離されることを理解しておく．

① 維持に作用する筋：口輪筋，頰筋，内舌筋，モダイオラス
② 脱離に作用する筋：咬筋，内側翼突筋，顎舌骨筋，オトガイ舌筋，オトガイ筋，下唇下制筋，口蓋舌筋

(a) 上顎

トレーを選択した後口腔内に試適して，トレーが両側の上顎結節を覆っていることを確認する．トレーが大きすぎると，口腔の機能運動が障害され筋圧形成が行えないため，トレー

図9-21 上顎トレー上のモデリングコンパウンド
既製トレーに軟化したモデリングコンパウンドを適量盛り，顎堤に合うようにへこみを付与する．

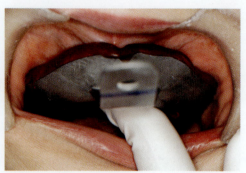

図9-22 口腔内への圧接
圧接を行うとモデリングコンパウンドが辺縁にはみ出てくる．

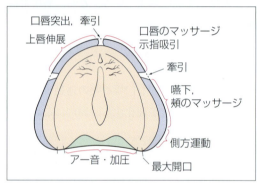

図9-23 上顎の筋圧形成に有効な口腔の機能運動
（長尾ほか，1993より一部改変）

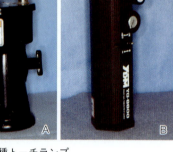

図9-24 各種トーチランプ
A：アルコールトーチ（ハナウ）．
B：ガストーチ（ワイディエム）．

は小さめのものを選択する．モデリングコンパウンドを60℃に温度調節されたワックスバスに浸漬し，全体を軟化する．これをトレーに盛り上げ，顎堤相当部はわずかにへこみをつけて，口腔内に挿入して圧接する（**図9-21**）．軟化したモデリングコンパウンドは加圧されて辺縁を押し広げながら溢れ出てくる（**図9-22**）．このとき，患者自身に口腔の機能運動（**図9-23**）を行わせる．上唇小帯，頰小帯の付着部位は，明瞭に出すために術者が上唇を伸ばし，前後に牽引する．モデリングコンパウンドは口腔内温度まで下がると硬化するため，硬化したことを確認した後，口腔外に取り出す．印象域を含み，歯肉唇移行部，歯肉頰移行部の長さ，厚みが適切に記録されていることが必要である．1回の筋圧形成では不十分なことが多いので，形成不足の部分はトーチランプ（**図9-24**）を使用して火炎を当て軟化した後，口腔内に戻して再度筋圧形成を行う．不足部分があればコンパウンドを追加して，この部分を軟化し，筋圧により辺縁形成を行う（**図9-23**）．歯肉頰移行部の形態が過不足なくコンパウンドに表現されると辺縁が封鎖される．最後に可塑性のあるスティック状のコンパウンドを硬軟口蓋境界部に盛って圧接する．後縁は封鎖されてトレー内は陰圧になり，トレー

図 9-25 完了した上顎のモデリングコンパウンド印象
粘膜面，辺縁，外表面は適度な筋圧を受けて鈍い光沢を放っている．後縁は十分に加圧されている．

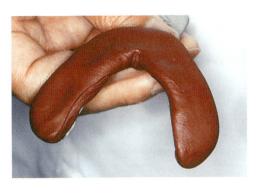

図 9-26 下顎トレー上のモデリングコンパウンド
既製トレーに軟化したモデリングコンパウンドを適量盛り，顎堤に合うようにへこみを付与する．

図 9-27 口腔内への圧接
手指圧で左右均等に圧接する．モデリングコンパウンドは頬，舌側の辺縁にはみ出てくる．

を撤去するのに，相当の抵抗感がある．口腔外に撤去された印象面を観察すると，粘膜面，辺縁，外表面は，適度な筋圧を受けて鈍い光沢を放っている（**図 9-25**）．

(b) 下顎

両側のレトロモラーパッドを 1/2 程度覆うトレーを選択する．口唇，頬，舌の運動を妨げない程度の小さめのトレーがよい．モデリングコンパウンドをワックスバスに浸漬して軟化した後に適量をトレーに盛り上げ，顎堤相当部をややへこませてから（**図 9-26**），口腔内に挿入して圧接する（**図 9-27**）．モデリングコンパウンドが顎堤全体を覆うとともに，舌側，唇側，頬側にはみ出してくるのを確認しつつ，患者自身に口腔の機能運動を行わせる．口唇，頬を術者が上方，近遠心方向に牽引して，下唇小帯，頬小帯の付着部位を明らかにする．術者による頬のマッサージも，頬側に溢れ出たモデリングコンパウンドを上方に排除するのに有効である．トレー挿入時に舌の運動を行わせると，舌根部の圧によってモデリングコンパウンドが口腔底に届かないうちに上方に排除されてしまうので，最初は舌を安静な状態にさせておき，印象材が口腔底に届いた後，舌の前方，側方運動を行わせる．下顎の場合，唇頬側と舌側の筋圧形成は 2 度に分けて行うと辺縁を適切に記録できる．

前顎舌骨筋窩から舌小帯にかけての筋圧形成は下顎義歯の維持力を高めるために重要である．トーチランプで軟化して舌の運動と嚥下運動を行わせ，舌小帯付着位置を明瞭にすると

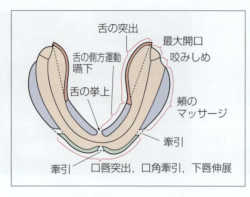

図 9-28 下顎の筋圧形成に有効な口腔の機能運動
（長尾ほか，1993 より一部改変）

図 9-29 完了した下顎のモデリングコンパウンド印象
A：後顎舌骨筋窩から舌小帯に至る辺縁は，前顎舌骨筋窩を変曲点とする緩やかな S 字状を呈する．
B：筋圧形成が完了すると，開口しても印象は外れない．

同時に，舌下ヒダと舌側床縁の関係を記録する．後顎舌骨筋窩から舌小帯に至る辺縁は前顎舌骨筋窩を変曲点とする緩やかな S 字状となる（**図 9-28, 29 A**）．唇頬側，舌側にわたる全辺縁が義歯周囲の筋により筋圧形成されると辺縁は封鎖される（**図 9-29 B**）．

2）アルジネート印象材による概形印象採得

アルジネート印象材は操作性に優れており，歯科臨床で最も広く使用される印象材である．モデリングコンパウンドが熱可塑性であるのに対して，アルジネート印象材は不可逆性で水で練和することにより硬化し，弾性を発揮する．無歯顎においてもアンダーカットを有する顎堤がある．非弾性体であるモデリングコンパウンドはアンダーカット部の印象採得が困難であるのに対して，硬化後に弾性体となるアルジネート印象材では容易である．アンダーカットは，上顎結節の外側への張り出し（外骨症），下顎顎堤の著しい唇側傾斜，下顎隆起などに認められる．

(1) トレーの選択

トレーはアルジネート印象材を保持するために，有孔または，網目の構造になっている（**図 9-30**）．プラスチックトレーもあるが，滅菌消毒ができないため金属製がよい．アルジネート印象材はモデリングコンパウンドよりも塑性流動がよいので筋圧形成を行いにくい．

図 9-30 アルジネート印象用金属トレーの一例（シュライネマーカー・トレー）

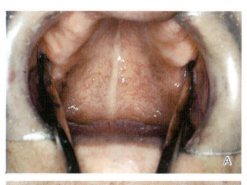

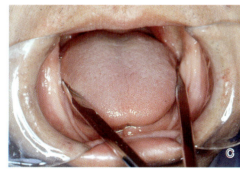

図 9-31 トレー選択の実際
A，B：上顎の場合には，キャリパスで左右の上顎結節間距離を測定する（A）．その距離に合わせてトレーを選択する（B）．
C，D：下顎の場合には，キャリパスで左右のレトロモラーパッド間距離を測定する（C）．その距離に合わせてトレーを選択する（D）．

トレーはよく適合しているものを選択する必要がある．専用のキャリパスを用いて，上顎は左右の上顎結節間の距離を，下顎は左右のレトロモラーパッド間の距離を測定して，トレーの大きさを選択する方法は有用である（**図 9-31**）．トレー選択後は必ず口腔内に試適し，口腔の機能運動が障害されないことを確認する．

（2）アルジネート印象材の圧接と筋圧形成

選択したトレーにアルジネート印象材を盛り，上顎，下顎の順に前述のモデリングコンパウンド印象と同様な方法で患者自身により口唇，頰，舌の運動を行わせる．口腔前庭部が深

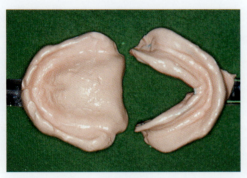

図9-32 採得された上下顎のアルジネート印象

図9-33 同一患者におけるモデリングコンパウンド印象（A）とアルジネート印象（B）の比較

い症例では，事前に適量のアルジネート印象材を注入しておくと辺縁の形態を採得しやすくなる．術者が小帯付着部を明らかにするため口唇，頬を引張り，さらに外表面の形態を整えるために，口唇，頬のマッサージを行う．室温によるが，口腔内の硬化時間は約3分であり，筋圧形成を手早く，順序よく行い，印象を採得する（図9-32）．

同一の患者で採得した下顎の印象をモデリングコンパウンド印象材とアルジネート印象材とで比較してみると，モデリングコンパウンド印象材では辺縁を順序よくかつ繰り返し形成することが可能であることから，義歯機能時に近い状態となるように適切な長さ，厚さが記録できる（図9-33 A）．これに対してアルジネート印象材では練和後の硬化時間に制約を受けるため，辺縁の形成は不十分になりがちで，歯肉唇移行部，歯肉頬移行部，舌側歯槽溝の筋圧形態が義歯機能時よりも長く，厚く採得される傾向がある（図9-33 B）．また，アルジネート印象材はモデリングコンパウンド印象材と比較して流動性が高く，圧はあまり加わらないので，粘膜は静止状態に近い状態で記録される．

（大川周治）

Ⅴ 研究用模型の製作

概形印象に石膏（普通石膏，硬質石膏）を注入して得られた模型が研究用模型 diagnostic

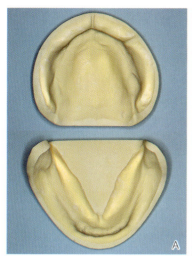
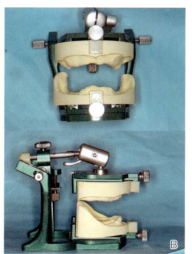
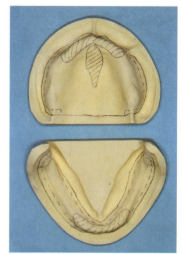

図 9-34 研究用模型
A：上下顎の研究用模型．
B：プラスターレス咬合器に装着して上下顎の顎間関係を観察する．

図 9-35 個人トレーの設計
研究用模型に個人トレーの外形線を記入する（内側の破線はトレーレジン部，外側の実線はモデリングコンパウンド部を示す）．
▨はリリーフ部位（口蓋隆起，フラビーガムなど）を示す．

cast/study cast である．

1 使用目的

① 口腔内では十分に診察できない口蓋の深さ，骨隆起の大きさ，顎堤の形態と走向などを模型上で観察し，診断，治療計画の立案，治療方針の決定などの資料として使用する（**図 9-34 A**）．

② 上下顎の対向関係をシリコーンパテによる簡易咬合採得を行い記録し，簡易咬合器（ギャレッティ咬合器，プラスターレス咬合器など）に装着して咬合を再形成するための診断に使用する（**図 9-34 B**）．

③ 精密印象を採得するための個人トレーの製作（**図 9-35**）に使用する．

2 製作法

　印象辺縁を模型に再現することが無歯顎印象の要諦であるので，辺縁を保護するためボクシングを行う（☞ p.139 **図 9-46，47** 参照）．アルジネート印象ではボクシングが困難なので，注入する石膏で辺縁が十分な厚みをもつように仕上げる．研究用模型には歯肉唇移行部，歯肉頬移行部，舌側歯槽溝の粘膜反転部が表現されている（**図 9-34 A**）．

個人トレーを製作するために，研究用模型上にトレーの外形線，ブロックアウトすべきアンダーカットの範囲，被圧変位量の大きいフラビーガムのリリーフすべき範囲，被圧変位量の小さい骨隆起などのリリーフすべき範囲を表示する（図 9-35）．

精密印象採得

患者個々の上顎，下顎の無歯顎の状態を，個人トレーを使用して精密に記録する．

1 目　的

　概形印象採得においては，将来の床縁となる辺縁部が含まれた印象域の概形が採得されている．この段階では，顎堤粘膜表面の微細な構造については精密に再現されていない．粘膜表面の解剖学的構造を印記するためには，粘膜とのぬれがよく，接触角が小さく，しかも流動性のよい材料が望ましい．印象材は硬化時に収縮して寸法変化を起こすため，トレーと顎堤粘膜間に介在する印象材は薄く均一なほうがよい．さらに筋圧形成も個人トレーを使用したほうが辺縁形態の精度を高くすることができる．

　全部床義歯は，咬合，咀嚼など義歯機能時に受ける力を義歯床を介して，すべて顎堤あるいは口蓋で負担する．すなわち支持様式から考えると完全な粘膜負担義歯である．粘膜が受圧したとき，粘膜は圧迫されて変位する．粘膜が圧を受けたときの状態が支持能力として評価されるため，機能時に近い粘膜の動態を記録すべきであるという考え方（加圧印象採得法）と，義歯は口腔内に装着されていても24時間機能しているわけではなく，粘膜に圧が加わっていない時間のほうが長いため，粘膜が静止した状態を記録すべきであるという考え方（無圧印象採得法）がある．どちらの方法にせよ，個人トレーを使用したほうが印象圧をコントロールしやすい．

2 印象法

1）個人トレーの製作

　トレーの材料には常温重合レジン（トレー用レジン）を使用する．レジンを混和してトレーモールドに圧接し，均一な厚さに調整する（図 9-36 A，B）．餅状になったレジンを，研究用模型上で設計された外形線に合わせて圧接し（図 9-36 C），硬化する前にトリミングする．このとき，上下顎とも後述するリリーフ部位を除き，模型とトレーとの間にスペーサーは設けない．外形線の翻転部にはコンパウンドを付着させる（図 9-36 D）．コンパウンドは口腔内で筋圧形成するために，あらかじめ模型上で付与しておく．個人トレーの柄は上唇伸展，口唇突出，口角牽引など，上下唇の運動の妨げにならないように上下顎ともに想定される中切歯の植立方向に合わせて取りつける．口腔内でトレーを保持し，圧接するためのフィンガーレストも必要である．下顎は咬合圧の合力の中心と考えられる第一大臼歯近心辺縁隆線相当部に設置するのがよい（図 9-37）．

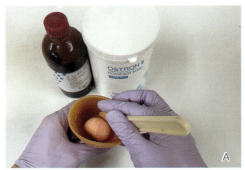

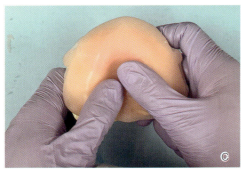

図 9-36 上顎個人トレーの製作法
A, B：トレー用レジンを混和し，均一な厚さに調整する．C：餅状のレジンを模型に圧接する（スペーサーなし）．D：トレー辺縁にコンパウンドを付着させる．この症例では後縁は口腔内で直接，コンパウンドを圧接する．

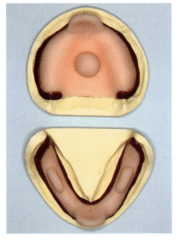

図 9-37 上下顎個人トレー
フィンガーレストは上顎個人トレーでは口蓋部の中心に，下顎では両側の第一大臼歯近心辺縁隆線相当部に設置する．トレーの柄は上下唇の運動を妨げないように上下顎ともに中切歯の植立方向に合わせて取り付ける．

(1) リリーフ

　上顎前歯部顎堤にはしばしばフラビーガムが認められる．被圧変位量が大きいフラビーガムは印象圧によって容易に変形するため，可能な限り無圧的に印象採得し，フラビーガムを変形させないよう努める．そのため，模型上でフラビーガム該当部をパラフィンワックス 1～2 枚でリリーフ relief（緩衝）し（**図 9-38 A**），さらに通路を設けた個人トレーを製作する（**図 9-38 B**）．

　また，被圧変位量が小さい口蓋隆起，下顎隆起，顎舌骨筋線部など，骨隆起が著明な部位は緩圧したほうが疼痛を生じるおそれがないため，シートワックス 1～2 枚（0.2～0.5 mm）でリリーフする．

　リリーフすべき部位は，フラビーガム，口蓋隆起，下顎隆起，顎舌骨筋線部，外骨症，骨吸収不全部，ナイフエッジ状顎堤，抜歯窩，オトガイ孔部，切歯乳頭などである．

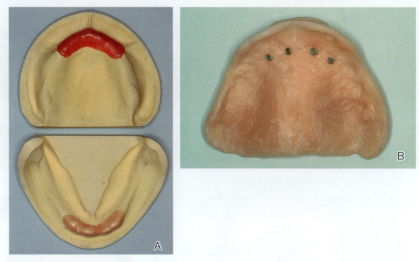

図9-38 リリーフ
A：フラビーガム部（上顎）はパラフィンワックスで，骨鋭縁部（下顎）はシートワックスでそれぞれリリーフする．
B：上顎トレーには逃路を設ける．

(2) ブロックアウト

　顎堤に著明なアンダーカットがある場合に，サベイヤーでサベイングした後，該当部をブロックアウト block out する．個人トレーの着脱に際し，疼痛が生じるのを防ぐためである．
　ブロックアウトすべき部位は，下顎隆起下方部，後顎舌骨筋窩，上顎結節側方部，顎堤のアンダーカット部などである．

(3) ポストダム

　上顎後方の義歯床後縁に相当する部位にはポストダム post dam を付与して積極的に後縁封鎖をはかる．これによって上顎全部床義歯と義歯床下粘膜との間に陰圧が生じ，義歯は強固に維持される．ポストダムは印象採得時に付与することが合理的である．すなわち，アーラインとよばれる硬口蓋と軟口蓋の境界部で，軟口蓋寄りの粘膜組織の厚い部分を個人トレーで強く圧迫して印象する．そのために研究用模型の後縁部を口蓋骨の形態に沿って正中部では薄く狭く，側方部では厚く広く削除して，この部分にコンパウンドを付与しておくこともある（図9-39）．

2）個人トレーによる筋圧形成

　患者の口腔内に個人トレーを試適した後，概形印象採得時にモデリングコンパウンドで辺縁を形成したように，筋圧による形成を順次行っていく．

(1) 上顎

　トレーレジンの周囲にあらかじめ付着してあるコンパウンドをトーチランプで加熱し，軟

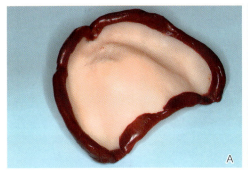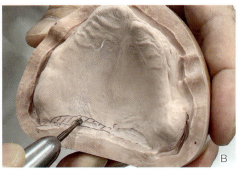

図9-39 ポストダム
A：ポストダム部にあらかじめコンパウンドを付与しておく．
B：ポストダムを付与する部分を作業用模型上で削除する．

化する．形成は前歯部，左側（右側）臼歯部，上顎結節部，後縁部の順に行う．ラバーボウルあるいはウォーターバスに約60℃の温湯を用意し，トーチランプで軟化したコンパウンドをこの温湯に浸漬し，口腔内に挿入して筋圧形成を行う．

　上顎前歯部では，上唇を反転することによって，コンパウンドが唇側前庭部を十分に満たしていることが確認できる．術者による口唇のマッサージを行った後，患者に上唇の下方への伸展（図9-40 A），口唇突出，口角牽引（図9-40 B）を行わせる．口腔外に取り出し，筋圧形成の程度を観察する．コンパウンドが上唇小帯の付着部を覆っている場合が多いので，この部分のコンパウンドをトーチランプで軟化して，術者が上唇を下方に引いたり，左右に動かして小帯付着位置をコンパウンドに明瞭に印記する．

　次に臼歯部頰側辺縁のコンパウンドを軟化して口腔内に挿入する．このとき，口角に触れないように注意する．ここでは頰筋の運動をコンパウンドに記録することになるので，口唇をすぼめて術者の指を吸うように指示する（示指吸引）（図9-40 C）．頰小帯付着部位は術者が頰部を保持して前後に動かすとコンパウンドに明瞭に印記される．

　大臼歯部後方から上顎結節側方にかけては，コンパウンドが頰側前庭に十分に達していることを確認した後，下顎側方運動を行わせる（図9-40 D）．左側側方運動時に右側の頰側隙（前庭）は狭くなり，右側側方運動時に左側頰側隙が挟まるからである（図9-40 E）．これは筋突起が前下内方に動くためであるが，通常，印象採得は開口して行われるため，同部の辺縁は厚くなりがちである．この形態のまま義歯を完成すると，この床縁の厚みのため側方運動時に筋突起があたって，疼痛を生じたり，側方運動が妨げられる可能性がある．

　左側（右側）の筋圧形成が終了したら，反対側の辺縁を同様な方法で行う．両側の唇頰側辺縁が適切に形成されていると，口腔内に個人トレーを装着したまま患者に種々の口腔機能運動を行わせてもトレーが脱落することはない．

　次にトレー後縁部の形成を行う．上顎結節後方からトレーの後縁に沿ってポストダム形成用にあらかじめ付着しておいたコンパウンドを軟化する．口腔内に装着後，患者に閉口運動に続き大きく開口（最大開口）させて（図9-40 F），翼突下顎ヒダの付着部を印記する．翼

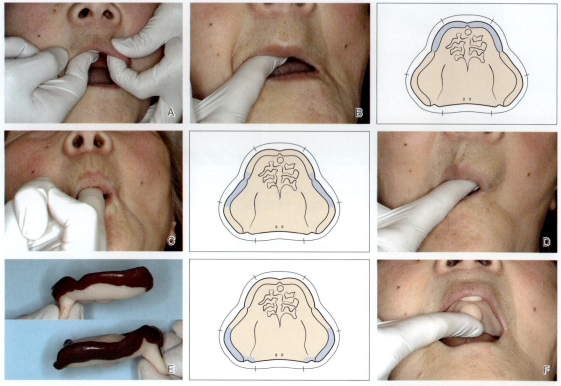

図 9-40　上顎の筋圧形成
A～C：上顎前歯部では，口唇のマッサージを行った後，上唇の下方への伸展（A），口角牽引（B），示指吸引（C）を指示する．
D～G：上顎臼歯部では，下顎の側方運動（D）を行わせることによって，頰側面が形成される．すなわち，右側側方運動によって左側の頰側面が（E・上），左側側方運動によって右側の頰側面が形成される（E・F）．翼突下顎ヒダを印記するために大きな開口を行わせる（F）．筋圧形成の終了後はトレーの十分な吸着が認められる（G）．

突下顎ヒダは開口すると収縮して緊張するので，義歯後縁がこのヒダを覆っていると，義歯が脱離するか，ヒダに潰瘍が生じる．後縁の形成では，硬軟口蓋境界部で軟口蓋寄りの部位をコンパウンドが軟らかいうちに術者が手指でトレーを強く加圧する．軟組織の被圧変位量に応じて，コンパウンドは流動し，粘膜を加圧する．これによってポストダムが形成され，後縁が確実に封鎖される（**図 9-41**）．

唇側，頰側，後縁が床縁によって完全に封鎖されるとトレー内は陰圧となり，トレーを外そうとしても相当の抵抗感がある．

(2) 下顎

研究用模型上で製作された個人トレーを用いて筋圧形成を行う．トレーを口腔内に試適して，トレーのあたりがないかを点検する．下唇小帯をはさんで唇側辺縁のコンパウンドをトーチランプで加熱し，軟化する．口腔内に挿入して唇側前庭部にコンパウンドが満たされ

 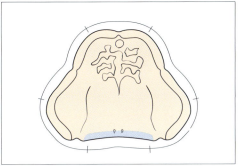

図 9-41 筋圧形成が完了した上顎個人トレー
口蓋後縁部のコンパウンドを軟化，圧接して上顎個人トレーを完成させる．

ていることを確認して下口唇を軽く引き上げ，マッサージを行う．次いで口唇突出，口角牽引を行わせる．下唇小帯は術者が強く上方および左右側に引張り，付着部位を明瞭に印記する．唇側前庭には歯槽部から下口唇に向かって表情筋であるオトガイ筋が走行している（**図 9-42 A**）．下口唇を挙上させると，オトガイ筋が収縮するので，下顎義歯を脱離，浮上させる．このためオトガイ筋の運動をコンパウンドに記録する（**図 9-42 B，C**）．吸収が進んで顎堤が低くなると，オトガイ筋の付着位置は相対的に高位になり，顎堤頂付近になる．この場合，オトガイ筋の動きを排除しようとして口唇を強く引っ張ると，前歯部の印象域はすべて可動粘膜になってしまうこともまれではない．したがって，下口唇の運動は通常の機能運動の範囲にとどめる．

　頰筋は翼突下顎縫線から起始してモダイオラスに向かって走行しているため，義歯床の維持として作用する．このため術者は頰小帯を避けるように頰を引っ張るが（**図 9-42 D**），他の部位はマッサージを行うか，嚥下運動を指示する程度でよい．

　小臼歯部から大臼歯部にかけての頰側は頰棚とよばれる咬合圧負担域である．この部は顎堤頂と外斜線とで囲まれる部分であり，できるだけ広い面積を印象に記録する．通常，無歯顎では頰粘膜が顎堤頂に覆い被さっているので，これを排除するようにしながら軟化したコンパウンドを伸ばしていく（**図 9-42 E**）．頰側の大臼歯部後方は，閉口運動を行わせる（**図 9-42 F，G**）．閉口時に咬筋が収縮して，その前面の頰筋を押して義歯床を脱離，浮上させることがある．印象採得では開口させて印象材が硬化するまで待つが，この方法では咬筋の収縮による辺縁の形態を記録できないため，印象材が流動しているときに閉口運動を行わせるとよい．

　レトロモラーパッドの後方 1/3 は臼後腺であり，被圧変位量に富んでいる．後縁を封鎖するために，この部は圧迫する．最後方の翼突下顎ヒダ付着部位は，大きく開口させて，ヒダを緊張させ付着部位を明瞭にコンパウンド上に記録する．左（右）側も同様に小臼歯部，大臼歯部，レトロモラーパッドを筋圧形成する．舌側は後方から筋圧形成を行う．コンパウンドを軟化した後，口腔内に挿入して，術者が指で後顎舌骨筋窩，顎舌骨筋線下方に十分届くように押し込む．コンパウンドを軟化してすぐに舌運動をさせると，軟化したコンパウンド

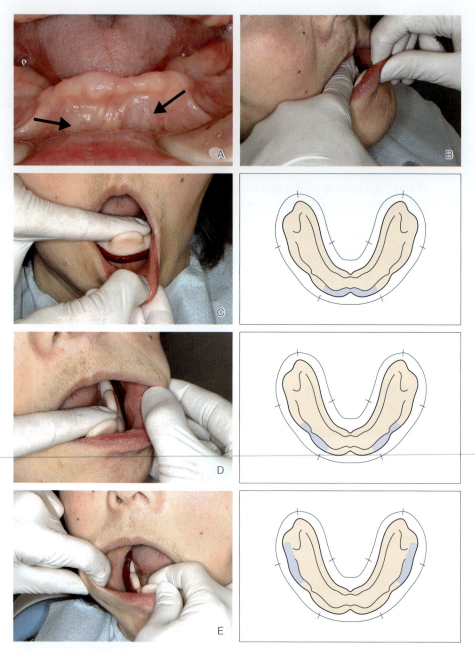

図 9-42　下顎の筋圧形成
A：下顎前歯部の歯槽部とオトガイ筋.
B，C：唇側前庭部のオトガイ筋の運動を記録する．D：術者の手指で頰小帯付着部を明示する.
E：頰棚をコンパウンドが被覆していることを確認する（つづく）.

が口腔底に届かないうちに舌によって上方に排除されてしまうためである．この後，舌の前方突出（**図 9-42 H**），舌の側方運動（**図 9-42 I**），嚥下運動を行うと，後顎舌骨筋窩と顎舌骨筋線が記録できる．

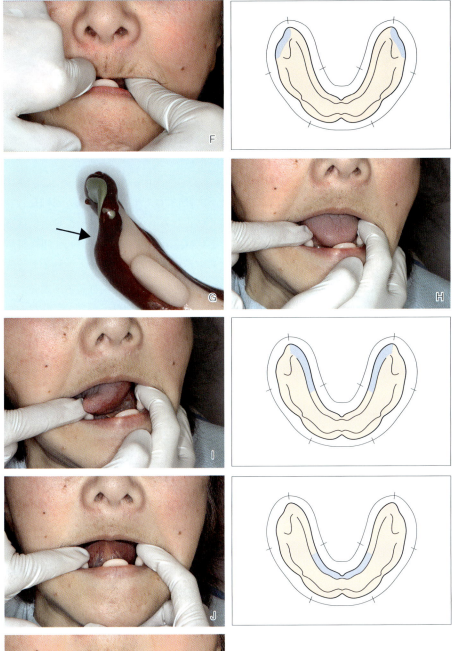

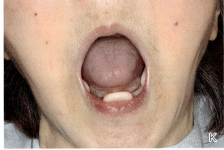

図 9-42 下顎の筋圧形成（つづき）
F, G：概形印象採得時と同様に，閉口運動を行わせて咬筋の収縮による影響を切痕として印記する．H：舌の前方突出．I：舌の側方運動を行わせて顎舌骨筋線部を印記する．J：舌を挙上させて，舌小帯部を印記する．K：下顎個人トレーの全周が辺縁封鎖されることにより開口してもトレーは浮き上がらない．

図 9-43 筋圧形成が終了した下顎個人トレー
舌側は後顎舌骨筋窩，前顎舌骨筋窩から舌小帯にかけて緩やかな S 字状を呈している．

　前顎舌骨筋窩から舌小帯にかけては，嚥下，軽い舌の挙上，舌の側方運動を行わせる．舌小帯は下唇小帯や頰小帯よりも大きく，強く動くため，舌を挙上させて付着位置を明瞭に記録する（**図 9-42 J**）．舌の安静時には舌下ヒダが義歯床の下縁に接触して辺縁封鎖が確保される．軟化したコンパウンドを水平方向にわずかに延長して舌下ヒダと接するようにすると，トレーの吸着は著しく向上する（**図 9-42 K**）．反対側の舌側も同様に嚥下運動，舌の運動により筋圧形成を行う．筋圧形成が終了した個人トレー辺縁部は，後顎舌骨筋窩から前顎舌骨筋窩そして舌小帯へと，緩やかな S 字状を呈している（**図 9-43**）．これは解剖学的構造と筋の生理的運動によって形成されたもので，下顎無歯顎患者の定型的形態といえる．

　このように，筋圧形成とは，義歯床の唇・頰・舌側の床縁形態をイメージしながらつくりあげていくことである．

3）印象採得
（1）上顎
　筋圧形成が終了した個人トレー（**図 9-44 A**）では，辺縁封鎖が確保されているため，使用する印象材は流動性が高く，粘膜に対するぬれがよく，硬化がシャープな材料がよい．上顎は被印象面が広いため（**図 9-44 B**）トレーの口蓋前方部に小孔を穿って通路を設けておくと，余剰な印象材はそこから流出するため，印象圧を高めたり，気泡が埋入したり，印象材の層が厚くなったりすることを防ぐことができる．この目的によくあっているのはシリコーンゴム印象材のインジェクションタイプ（**図 9-44 C**）である．この印象材は顎堤とトレーとのわずかな間隙を印象圧によって粘膜を押しながら，辺縁に向かって流動していく．印象材はトレーと顎堤のわずかな間隙を流れていけばよいので，トレーに多量の印象材を盛る必要はない．個人トレーにシリコーンゴム印象材用の接着材を塗布した後，練和した印象材をトレーに盛り，口腔内に挿入する．軽く圧接した状態で印象材が辺縁を越えて流れてきたら（ウォッシュインプレッション），口唇突出，口角牽引，頰のマッサージ，嚥下運動，側方運動，最大開口を手早く行わせる．シリコーンゴム印象材は硬化がシャープであり，硬化開始前にこれらの機能運動を終了することが必要である．硬化時間は室温によって異なるが 5～7 分である．硬化後撤去して印象面を観察する．印象域をすべて覆い，滑沢に光っていることから，印象圧が適度に加わり，印象材が微細な粘膜表面を記録して，硬化した状態

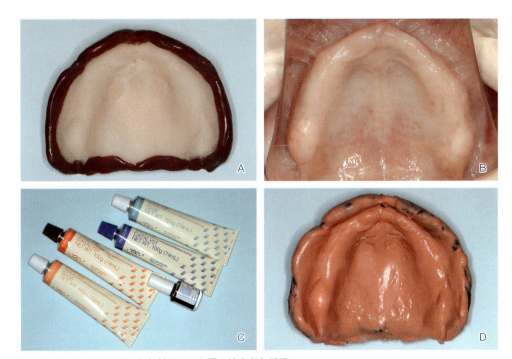

図 9-44　シリコーンゴム印象材による上顎の精密印象採得
A：筋圧形成が終了した上顎個人トレー．B：上顎の口腔内．C：シリコーンゴム印象材（インジェクションタイプとレギュラータイプ）．D：完成した上顎の精密印象．

が観察される（図 9-44 D）．

(2) 下顎

　筋圧形成が終了した個人トレー（図 9-45 A）に接着材を塗布する．下顎は上顎に比べて受圧面積が小さいうえに，骨吸収により顎堤が低くなっている場合が多い（図 9-45 B）．機能時の支持機能を高めるには，咬合圧が負荷されたときの義歯床下粘膜の状態を記録したほうが義歯の機能性が高まる．そこで印象材としては，インジェクションタイプよりも流動性がやや低いミディアムタイプを用いる（図 9-45 C）．練和したシリコーンゴム印象材をトレーに盛り，唾液を十分にぬぐった後，口腔内に挿入して，フィンガーレストに指を押し当てて圧接する．唇側，頬側，舌側に印象材が溢れ出てくると同時に，口腔の機能運動を順次行わせる．初期硬化が始まったら機能運動を止めて指を当てがい，硬化を待つ．口腔外に撤去するとき，辺縁封鎖が確立されていると強い抵抗感がある．採得された印象を観察すると，上顎と同様に滑沢な印象面が得られ，舌側は後顎舌骨筋窩から前顎舌骨筋窩，舌小帯にかけて緩やかなS字状を呈しており，頬棚，顎舌骨筋線およびレトロモラーパッドが明瞭に記録されている（図 9-45 D）．

（大久保力廣，細井紀雄）

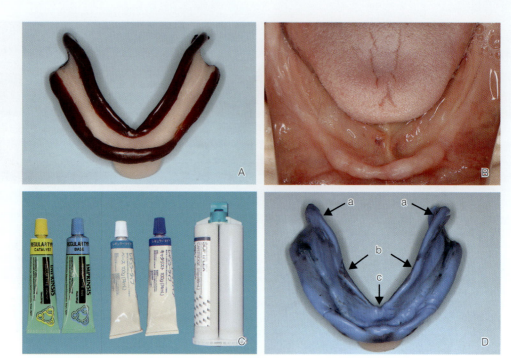

図9-45 シリコーンゴム印象材による下顎の精密印象採得
A：筋圧形成が終了した下顎個人トレー．B：下顎の口腔内．C：シリコーンゴム印象材．D：完成した下顎の精密印象．舌側は後顎舌骨筋窩（a）から前顎舌骨筋窩（b），舌小帯（c）にかけて緩やかなS字状を呈している．

Ⅶ 作業用模型の製作

1 使用目的

　間接法により補綴装置を製作する際に使用する模型を作業用模型 definitive cast という．作業用模型は，実際に全部床義歯を製作していくもととなる模型であるため，その製作には細心の注意を払わなければならない．正確な作業用模型が製作されなければ，満足のいく全部床義歯の製作は不可能である．そのためには適切な個人トレーの製作と印象採得が行われなければならない．なお，個人トレーを製作するためには的確な概形印象採得と研究用模型とが不可欠である．

2 製作法

　全部床義歯の作業用模型の製作では，床縁部の形態が重要であり，印象採得によって得られた形態を正確に模型上に再現しなければならない．印象辺縁を保護し，辺縁形態を模型に再現し，模型の厚みを一定に保つために，精密印象に石膏を注入する前にボクシング box-ing（箱枠形成）という操作を行う（**図9-46**）．

図 9-46 ボクシングの模式図
a：個人トレー．b：筋圧形成用コンパウンド．c：印象材．d：ユーティリティワックス．e：パラフィンワックス．

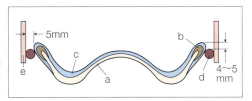

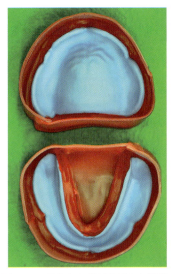

図 9-47 ボクシングが完了した状態

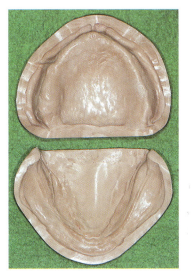

図 9-48 完成した上下顎作業用模型

　精密印象が完成したら，印象内面に付着した唾液を流水下で洗い流し，余剰な水分をエアシリンジで除去する．次に，印象辺縁から 4～5 mm 程度下方にユーティリティワックスまたはボクシング用ワックスを焼き付ける．また，模型基底面の厚さは最低でも 10 mm は必要であるため，ユーティリティワックス周囲をパラフィンワックスで覆い，箱枠を製作する（**図 9-47**）．これにより，研究用模型のときのような台付け作業を行わなくても，一度の石膏の注入操作により模型を製作することができ，かつ正確な辺縁形態が再現される．

　ボクシング操作が終了した後，注入する石膏とのなじみをよくするために，印象内面に表面活性剤を噴霧する．真空攪拌器を用いて適当量の超硬質石膏を練和し，気泡を入れないように注意しながら印象面に注入する．石膏を注入するときの注意は，研究用模型の場合と同様である．石膏硬化後に印象を撤去し，モデルトリマーを用いて形態を整える．また，作業用模型の表面を精査し，印象採得時の小さな気泡により生じた石膏の小さな突起などを除去し，作業用模型を完成する（**図 9-48**）．

3 模型の調整

　義歯を製作していくうえで，作業用模型上にいくつかの修正や処置が必要となる．

図 9-49 口蓋隆起部および切歯乳頭部のリリーフ

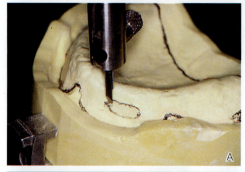

図 9-50 サベイヤーによるアンダーカットのチェック
A：上顎前歯部唇側．B：下顎臼歯部舌側．

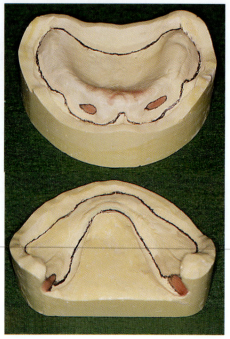

図 9-51 アンダーカット部のパラフィンワックスによるブロックアウト

1）リリーフ

　特定な部位の義歯床下粘膜に過度の圧力が加わらないように，義歯床粘膜面と顎堤粘膜との間につくられる空隙をリリーフという．すなわち，骨隆起部や粘膜菲薄部への義歯による傷害を避け，義歯の安定を保ち，義歯の破折や神経，血管の圧迫障害を防ぐために作業用模型に設けられる（☞ p. 129 参照）．

　リリーフの設定法としては，作業用模型の所要部に適当な厚さのスズ箔，鉛板，絆創膏などを貼りつけることにより行う（**図 9-49**）．

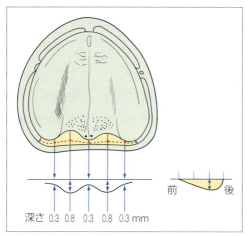
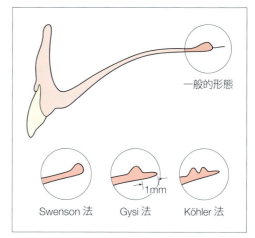

図 9-52 ポストダムの形成（林，1982）
標準的なポストダムの幅，深さを示す．実際には患者の粘膜の被圧変位量によって異なる．

図 9-53 ポストダムの形態

2）ブロックアウト

ブロックアウトとは，ワックスや石膏などを用いて模型上のアンダーカット部分をふさぐ操作のことである．著明な顎堤のアンダーカットは義歯の着脱時の妨げとなり，疼痛の原因となるので，ブロックアウトが必要となる．サベイヤーに作業用模型を装着して義歯の着脱方向を決定した後，アンダーカットをチェックする（**図 9-50**）．サベイヤーで描記したアンダーカット部をパラフィンワックスでブロックアウトする（**図 9-51**）．この操作を的確にしておかなければ，基礎床用レジンが硬化後に作業用模型から取り外せなくなるばかりでなく，模型を破損してしまう．

3）後堤法

後堤法 post damming とは，義歯床の口蓋後縁封鎖をはかるために，ポストダムを付与することであり，義歯床後縁を封鎖 posterior palatal seal して維持を増強し，外力による義歯床の歪みを防止するとともに，顎堤粘膜と義歯との接触を強固にするために行われる操作である．義歯床後縁と粘膜との境界が移行的となるために，嘔吐反射を弱めるとともに舌感がよくなる．

ポストダムは，上顎作業用模型の後縁部に掘られる溝をいい，その形態には一般的に採用されている方法の他に，Swenson 法，Gysi 法，Köhler 法などがある（**図 9-52，53**）．なお，印象採得時に後堤部を加圧して印象を行った場合にはこの操作を行わないこともある．

（鱒見進一）

第10章 顎間関係の記録

　歯の喪失によって障害された審美性や口腔諸機能を回復することを目的として全部床義歯などの補綴装置を製作する場合，あるいは咬合に関する検査および診断を行う場合には，生体における上下顎の顎間関係を記録して歯列模型や顎堤模型を咬合器に取りつける操作，すなわち口腔内の上下顎の顎間関係を口腔外に再現することが必要となる．

　このように，生体における上下顎の歯列あるいは顎堤と，顎関節ならびに頭蓋との静的および動的な位置関係を記録する臨床操作を咬合採得 maxillomandibular registration という．また，無歯顎患者においては咬頭嵌合位を喪失し，歯を指標とした三次元的な咬合の記録が不可能なことから，咬合採得のことを顎間記録あるいは顎間関係記録 maxillomandibular relationship record ともいう．これらは，上下顎模型の位置関係のみならず，歯列（顎堤）と顎関節ならびに頭蓋との静的位置関係，さらに下顎運動に伴う歯列（顎堤）と顎関節との動的位置関係を正確に記録しなければならない．

　全部床義歯の製作においては，単に上下顎無歯顎患者の顎間関係の記録としてとらえるのではなく，人工歯の排列位置の基準を記録するという面も忘れてはならない．その過程において，これから製作する上下顎の全部床義歯を想定した咬合床の製作，審美性や咬合・咀嚼機能回復の原点をなす仮想咬合平面や咬合堤の位置関係の決定，さらにこの上下顎咬合床を用いた垂直的ならびに水平的な顎間関係の記録が必要となる．本章では，これらの項目について説明する．最終的には，咬合採得によって得られた記録は，咬合器上に転写される．

I 咬合床の製作

咬合床の構成

　無歯顎患者における顎間関係の記録は，咬合床 record base with occlusion rim を用いて行われる．咬合床は基礎床 base plate/record plate と咬合堤 occlusion rim/record rim/wax rim から構成される．この装置によって一連の顎間関係の記録が行われるので，適切な咬合床の製作が求められる（図10-1，2）．

1）基礎床

　基礎床は咬合床の基底部をなし，咬合堤を支える部分である．外形は最終義歯に準じ，顎間記録やろう義歯試適，ゴシックアーチ描記，咬合圧印象などに耐えうるべき機械的性質と適合性が必要である．通常は常温重合レジンによって製作される．

2）咬合堤（ろう堤）

　通常，パラフィンワックスによって基礎床の上に歯列弓を想定して堤状に製作される．咬

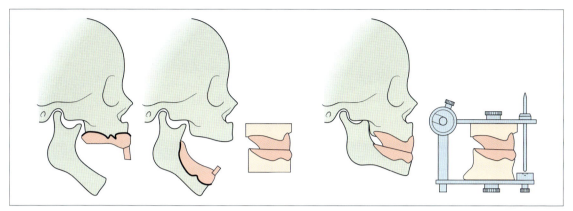

図 10-1 咬合床の意義
無歯顎患者は指標になる歯が存在しないので、印象採得後、上下対に製作された咬合床にて上下顎の三次元的空間位置関係を記録し、それを咬合器上に転写し義歯を製作する．

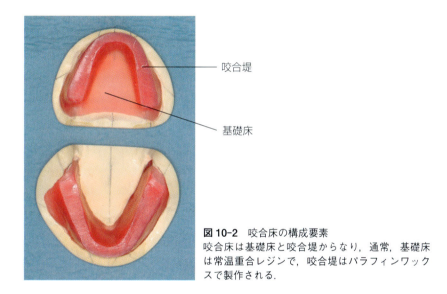

図 10-2 咬合床の構成要素
咬合床は基礎床と咬合堤からなり、通常、基礎床は常温重合レジンで、咬合堤はパラフィンワックスで製作される．

合採得時に仮想咬合平面、垂直的顎間関係（咬合高径）、水平的顎間関係を調整、記録する部分である．

2 咬合床の製作

1）作業用模型の調整

　作業用模型の製作時に、解剖学的指標（ランドマーク）を参考に模型基底面がこれから設定される仮想咬合平面とほぼ平行になるように、つまり咬合堤の上面が模型基底面とほぼ平行になるように調整する．この模型の調整によって作業効率が向上する（**図 10-3**）．

　ただし、コンビネーションシンドローム（☞ p.19 参照）や抜歯の時期の相違で、左右、あるいは前後的に、顎堤吸収に大きな差が生じることがある．それらを考慮して基底面の設

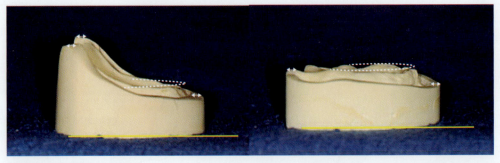

図 10-3 作業用模型の調整
作業用模型は適切な周縁（↔）の部分を確保しながら，顎堤を連ねる面（点線）とほぼ平行になるように模型の基底面（黄線）を調整する．

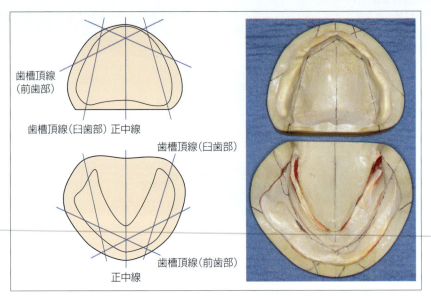

図 10-4 各種基準線の明示
歯槽頂線・正中線を記入し，これを参考に咬合堤を調整する．

定を行わなければならない．

2）基準線の記入

　義歯床の外形線を記入する．次いで，作業用模型上に歯槽頂線 alveolar ridge line を記入する（**図 10-4**）．通常，歯の喪失後に生じる歯槽突起の骨改造によって鞍状に変化した顎堤の頂上である歯槽頂 residual ridge crest は，顎堤弓 residual ridge arch/alveolar arch となって彎曲しており，必ずしも連続的な線にはならない．人工歯排列のための基準線としては，通常，前歯部と臼歯部に分けて直線で表す．また，模型の正中線を記入する場合は，上顎では上唇小帯，切歯乳頭，正中口蓋縫線，左右口蓋小窩の中点などを，下顎では下唇小帯，舌小帯，左右レトロモラーパッドの中点などをそれぞれ参考にする．ただし，これらは顔面正中を表現するものではなく，人工歯排列の参考にとどめるものである．

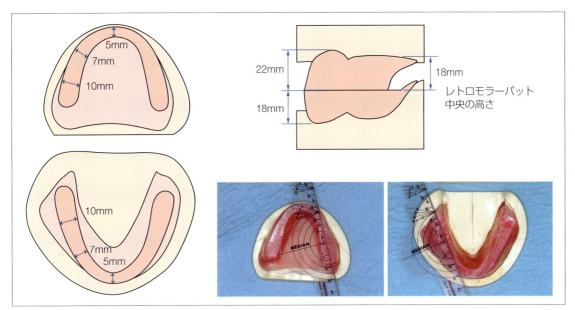

図 10-5 咬合堤の標準的な形態と寸法
ここに記載した寸法は標準的なものであり，顎堤吸収の程度によって調整する．

3） ブロックアウトおよびリリーフ

咬合床の製作時に模型が破折しないようにアンダーカット部や小帯付近などをあらかじめワックスや石膏を用いてブロックアウトするとともに，模型面の必要な箇所にリリーフを行う．過度なブロックアウトやリリーフは咬合床の安定を妨げるので必要最小限にとどめる．

4） 咬合床の高さ

咬合堤の高さは**図 10-5** に示したような基準で設定する．しかし，これは患者自身の顎堤吸収の度合いなどによって調整すべきである．**図 10-6** に示すように印象採得時に口唇あるいは口唇接合線を記録し，それを参考に咬合床の高さを調整しておくことで咬合床の修正時間を短くすることができる．

5） 咬合堤の頬舌的位置と幅

咬合堤の幅は**図 10-5** に示すように歯槽頂線を中心に前歯部で約 5 mm，小臼歯部で約 7 mm，大臼歯部で約 10 mm の幅に設定する．

最終的な臼歯部咬合堤の頬舌的な位置は，義歯の力学的な安定性だけでなく，咀嚼，嚥下，発語，感覚などの口腔の主要な機能に伴う義歯周囲組織の運動にも留意し，さらに顔貌も考慮しながら修正することとなる．後述されるフレンジテクニック，ニュートラルゾーンテクニック，ピエゾグラフィを用いてデンチャースペースを決定することもある．また対向関係も考慮して調整する．

6） 前歯部咬合堤の弓形

前歯部咬合堤の水平面上の弓形は，顎堤弓を参考にし，最終的な人工歯の歯列弓を想定して製作する．ただし，上顎は唇側から歯槽突起が吸収していくため，咬合堤は歯槽頂に設置

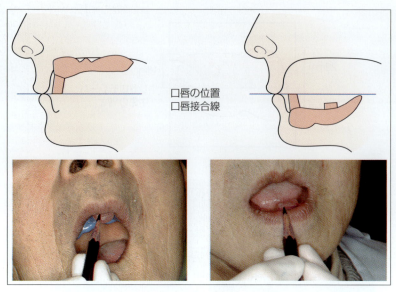

図10-6 合理的な前歯部咬合堤の高さの決定
印象採得終了後に上唇下縁・下唇上縁（口唇接合線）をトレーに印記する．これを参考に前歯部咬合堤の高さを決める．

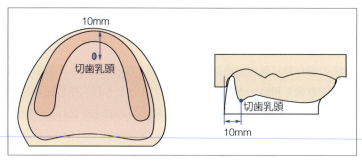

図10-7 切歯乳頭と上顎前歯部咬合堤との関係
上顎歯槽突起は外側（唇・頬側）から吸収するので，咬合堤前縁は切歯乳頭より約10mm前方に位置する．

せず，切歯乳頭から約10 mm前方に設定する（**図10-7**）．一方，下顎前歯はほぼ歯槽頂付近に設置する．

7）床翼部および口蓋部の形状

咬合床の床翼部および口蓋部の形状は，義歯床の人工歯歯頸部から床縁に至るまでの部分，および口蓋表面を覆う部分の形状を想定して製作する．ただし，印象採得時に筋圧形成された床縁付近の床翼形態を再現し，良好な辺縁封鎖を得られるように努めるべきである．

II 仮想咬合平面の決定

咬合平面は下顎左右中切歯近心隅角間の中点（切歯点）と下顎左右第二大臼歯遠心頰側咬頭頂を含む平面と定義されるが，無歯顎患者はこれを決定する歯を失っている．したがって，

この基準となる咬合平面を決定することが顎間記録の第一歩になる．最終的な咬合平面は人工歯排列時に決定されるが，顎間関係の記録時には口腔顎顔面に存在する形態的，機能的な基準から仮想咬合平面 tentative occlusal plane を決定し，咬合床に記録する．同時に咬合堤の頰舌的位置と高さも修正する．

まず上顎咬合床を口腔内に装着し，個々の症例に適合した仮想咬合平面が得られるよう咬合床の形態や寸法を修正し，次いでそれに適合するよう下顎咬合床を修正する．その臨床操作は次の手順で行われる．それに先立って咬合床を口腔内に試適し，維持・安定が得られているかを確認する．咬合床の維持・安定は後の顎間関係の記録にとっては必須である．

1 咬合床の試適

上顎咬合床を装着して，咬合堤の左右臼歯部咬合面相当部を一側ずつ押さえて咬合床の安定性を確認する．さらに，基礎床の床縁の形態や長さが適切であるかどうか，咬合床を手指で押さえたときの痛みの有無，咬合床の維持が十分得られているかどうかなどについて点検する．なお，このとき，適合試験材などを用いて咬合床の適合性を検査することもある．問題があれば，必要に応じて適切な調整を行う．

2 前歯部の修正とリップサポート

口もと，特に上唇の状態を正面と側面から観察して，咬合堤の唇側部による口唇支持（リップサポート）が適切であるかどうかを検査する．たとえば，咬合堤が前方に突出しすぎると口唇が緊張し，逆に後退してリップサポートが不足すると，口唇が陥凹して老人様顔貌となり，いずれも不自然な口もとになる．しかもリップサポートの程度を変えると，上唇下縁の位置が変化するので，この後の作業にも影響を及ぼす．このような場合には，咬合堤の唇面のワックスを削除したり，追加したりして，自然な口もとに回復するまで咬合堤の豊隆度を修正する（図 10-8）．

上顎咬合堤前歯部の唇舌的位置および咬合堤の傾斜度などの形態を決定した後，咬合堤の高さを定める．咬合堤前歯部の高さを設定する場合，臼歯部人工歯の排列方法の違いである上顎法と下顎法によって異なるので注意が必要である（図 10-9）．

1）上顎法

上顎咬合堤中切歯部の下縁をわずかな開口時で上唇下縁から 1 mm 程度露出させるよう設定する．この場合，上顎中切歯の排列時において，上顎咬合堤の前歯部下縁に上顎中切歯切縁を一致させて排列する．

2）下顎法

上顎咬合堤中切歯部の下縁をわずかな開口時で上唇下縁と同じ高さに設定する．この場合，上顎中切歯の排列時において，上顎咬合堤の前歯部下縁から 1 mm 程度下方に上顎中切歯切縁を排列する．

Ⅱ編　各論（治療編）

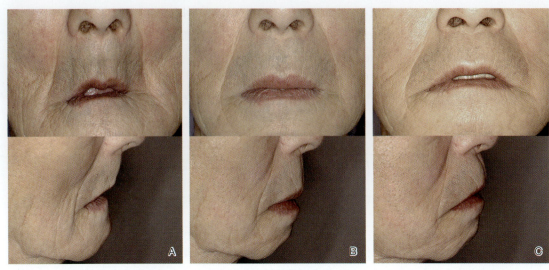

図 10-8　上顎咬合床とリップサポート
仮想咬合平面を決める前に前歯部咬合堤の豊隆を決定する．豊隆の程度によって上唇下縁の位置が変化することに注意する．
A：上下顎咬合床なし．B：上下顎咬合床装着．C：過度な豊隆．

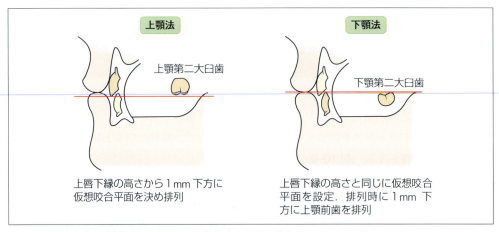

図 10-9　臼歯部人工歯排列法の違いによる仮想咬合平面の設定
上顎法と下顎法の選択によって仮想咬合平面の設定を変えて対応しなければならない．これを調整しないと排列後の咬合平面の位置が異なってしまう．

3　仮想咬合平面の設定

　上顎咬合床における前歯部の排列位置と高さを決定した後，臼歯部咬合床の高さの修正を行い，両側上顎臼歯部と中切歯部とによって得られる咬合堤の咬合面，すなわち仮想咬合平面を顔面の各種基準平面 reference plane との位置関係を参考にしながら決定する．
　実際には仮想咬合平面は，前方からみて瞳孔線 pupillary line（顔面を正面からみて遠方を直視したときの左右瞳孔の中点を結んだ直線）と平行に，かつ側方からみて Camper 平

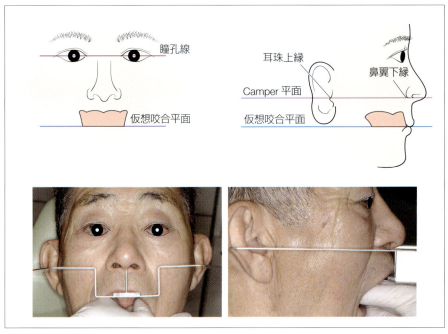

図 10-10　仮想咬合平面の設定
咬合平面設定板を用いて，前頭面では瞳孔線に平行に，矢状面ではCamper平面（鼻聴道線を含む平面）と平行に設定する．

面と平行になるように咬合平面設定板 occlusal plane guide を用いて調整することが多い（**図 10-10**）．

　Camper 平面は，一般に左右いずれかの鼻翼下縁と両側の耳珠上縁とによって形成される．なお，側貌エックス線写真などの骨組織上では，鼻棘点（前鼻棘底先端部）と外耳道の中央を通る平面をいう．また，左右側いずれかの鼻翼下縁と耳珠上縁とを結ぶ線は，鼻聴道線 ala-tragus line とよばれる．なお，有歯顎者において，歯列の咬合平面は，鼻翼下縁と耳珠下縁とを結んだ左右の直線で決定される平面と最も近い平行関係にあるという報告もみられることから，実際の臨床における後方基準点として耳珠下縁を選択する場合もある．

　その他の水平基準面には，フランクフルト平面（眼窩点 orbitale と両側の耳点 porion を結んでできる平面：咬合平面と約 10°の角をなす），HIP 平面（切歯乳頭中央点と左右ハミュラーノッチにより決定する平面，咬合平面とほぼ平行とされるが外側からは確認しにくい）などがある（☞ p.35 **図 4-14** 参照）．

4　下顎咬合床の高さの調整

　仮想咬合平面は基本的には上顎の基準から決められるが，下顎にも仮想咬合平面を判断する指標があり，これらの状況を考慮して最終的な仮想咬合平面が決定される．

　一般的には，下顎咬合堤の前方部の高さは下唇上縁部を，最後方部の高さはレトロモラーパッド中央を指標とし，臼歯部咬合堤の高さは舌背の高さを参考に調整されることが多い

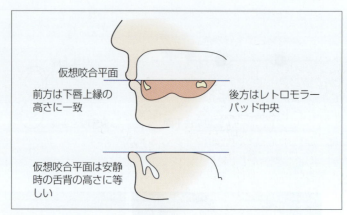

図 10-11　仮想咬合平面の設定に参考にされる下顎の要素

（**図 10-11**）．また，仮想咬合平面の高さが上顎や下顎の一側に片寄らないように，上下顎顎堤間の中間に位置するよう調整する方法も用いられている．

（黒岩昭弘）

Ⅲ　垂直的顎間関係の記録

　咬合採得は，はじめに垂直的下顎位すなわち咬合高径 occlusal vertical dimension を決定し，その後に水平的下顎位 horizontal mandibular position を決定する手順で，三次元的顎間関係を記録する．具体的には，まず上顎咬合堤の豊隆度と仮想咬合平面を決定し，種々の生体情報をもとに下顎の咬合堤を調整して適正な咬合高径を求める．次にその咬合高径で，顆頭安定位における適正な水平的顎間関係を記録する．

　全部床義歯において咬頭嵌合位を構成する下顎位は，顎関節と顎口腔系筋群，さらにこれらを統御する神経筋機構によって位置づけられる．すなわち，無歯顎患者に装着する全部床義歯の顎間関係は，患者固有の顎口腔機能に調和させることにより，生体の神経生理機構を健全に維持するものでなければならない．したがって，垂直的顎間関係を決定する際には，有歯顎時の状態を単に再現するのではなく，有歯顎時から無歯顎状態に至るまでに獲得した生体情報をできるだけ多く収集することが重要である（**表 10-1**）．さらに，情報が不足していると考えられる場合には，治療用義歯を用いて潜在している情報の顕在化に努める必要がある．

　患者の有歯顎時における過去の顔貌写真や歯列模型などの形態的情報は，患者の外観上の特徴を知るうえで有効である．しかし，生体は歯の喪失や加齢などの変化に対して，つねに適応を繰り返しているため，過去の記録をそのまま再現することが，必ずしもよい結果をもたらすものではないことを認識しておくことが大切である．

　患者の現時点における形態的ならびに機能的根拠に基づく情報は，生体個々の既往を含む

表 10-1 垂直的顎間関係の記録時に用いられる情報

	形態的根拠に基づくもの	機能的根拠に基づくもの
有歯顎時の情報	・頭部エックス線規格写真 ・顔貌写真（側貌，正貌） ・歯列模型	
無歯顎状態（現在）の情報	・上顎中切歯の口裂からの露出度 ・使用中の義歯の咬合高径 ・頭部エックス線規格写真 ・顔貌の特徴 ・顔面計測 ・顎堤の対向関係	・下顎安静位 ・最大咬合力 ・発音時の下顎位 ・嚥下位 ・下顎位置感覚 ・筋電図

表 10-2 咬合高径が適切でない場合にみられる症状と所見

	主観的	客観的
咬合高径が高すぎる場合	・口の中がいっぱいになった感じがする ・口唇が閉じにくい ・顔面筋の疲労感を覚え，義歯を外したくなる ・大きな食品が噛みにくくなる ・会話時や咀嚼時に上下顎人工歯が接触し，カチカチ音がしたり，舌がもつれる ・歯ぎしりやくいしばりを自覚する ・義歯床の刺激で嘔吐反射が起こる ・嚥下しにくい	・顔面領域の表情に緊張感がみられる ・[s] 音の発音が不明瞭になるなど構音障害を起こす ・義歯床下粘膜に発赤が認められる ・顎堤の疼痛が持続し，特に下顎で顎堤の骨吸収が促進される
咬合高径が低すぎる場合	・口の中が狭くなった感じがする ・咀嚼時や発音時に舌や頬，口唇を噛みやすい ・咬合力が低下する ・顎関節症状を訴えることがある ・聴力の減退や，耳鳴りなどを訴えることがある ・嚥下しにくい	・下顔面高の短縮 ・オトガイ部の突出 ・赤唇部が薄くなる ・口唇に力がなく，しわの多い貧弱な口もとになる ・口角が下垂する ・口角炎がみられる ・不随意運動がみられる場合がある

ものであり，臨床上にも有効性が高いと考えられる．しかし，形態的根拠に基づく情報の多くは，有歯顎者を対象とした計測結果の平均値に基づくものが多く，また顔貌の審美的回復を目的とする場合は，有歯顎時の顔貌写真から垂直的顎間関係を決定する場合もある．また，機能的根拠に基づくものは，あくまでも生理的に正常な状態にある下顎位の再現を目的としており，機能障害を伴っている患者に対しては，機能的手法で得られた垂直的顎間関係の信頼性は低いと認識しておく必要がある．

実際に垂直的顎間関係を決定する際には，収集したそれぞれの情報の有効性と問題点を理解したうえで，次項で示す形態的ならびに機能的根拠に基づく複数の方法を総合的に利用することが重要である．また，使用中の義歯の咬合高径を活用する場合，その適否は主観的および客観的な所見を診察したうえで評価を行い決定する（**表 10-2**）．

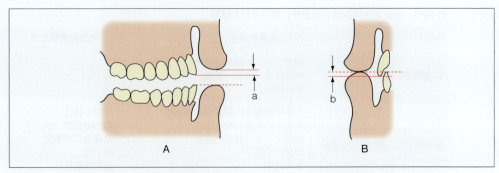

図10-12　上下顎中切歯の口裂からの露出状態
一般的に，わずかに開口した状態で，上顎中切歯は上唇下縁から1mm程度切縁が露出しており（a），下顎中切歯は切縁が下唇上縁と同じ高さにある（A）．このことから，上下顎前歯部におけるオーバーバイト分を考慮して（b），下顎咬合堤の高さを調整する必要がある（B）．

1 形態的根拠に基づく方法

1）無歯顎状態の情報を利用する方法

(1) 上下顎中切歯の口裂からの露出度

　垂直的顎間関係すなわち咬合高径を決定する際に参考とする項目の中で，上下顎前歯部の口裂から露出する度合いを利用する方法が特に有効である．なお，この方法は臼歯部人工歯排列の上顎法と下顎法では異なるため，注意が必要である．

　上顎法では，仮想咬合平面を設定する際に前方の指標となるのは，上顎中切歯の切縁と上唇下縁との垂直的な位置関係であり，わずかに開口した状態で上唇下縁から上顎中切歯の切縁が1mm程度露出するように設定する．したがって，下顎咬合堤の高さは，上下顎前歯部のオーバーバイト量を考慮して，実際の下顎中切歯の切縁より約1mm下方となる（**図10-12**）．一方，下顎法では，わずかに開口した状態で，下顎中切歯の切縁相当部が下唇上縁と一致するように咬合堤の高さを調整する．この場合，上顎咬合堤の下縁は上唇下縁と同じ高さになる．したがって，実際に上顎中切歯を排列する際には，切縁の位置よりも上顎咬合堤の下縁は約1mm上方に位置することになる．

(2) 使用中の義歯の咬合高径

　使用中の義歯を装着して咬頭嵌合位での顔貌を観察し，自覚的にも他覚的にも問題が認められない場合は，使用中の義歯装着時の咬合高径を新義歯に採用することができる．しかし，使用中の義歯の咬合高径が低すぎたり，逆に高すぎるために特徴的な顔貌がみられる場合には，これを改善する咬合高径に調整し決定する．また，顔貌のみならず，機能においても医療面接や各種検査によって咬合高径に問題がないかを診断し，顎機能障害が認められる場合は前処置として治療用義歯を用いて，その障害を改善しておく必要がある．

(3) 頭部エックス線規格写真

　有歯顎時の頭部エックス線規格写真の利用とは別に，無歯顎時の頭部エックス線規格写真上の計測値から咬合高径を推定する試みとして，無歯顎になっても変化が少ない骨格上の計

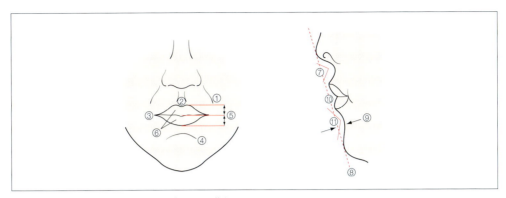

図 10-13 咬合採得時に参考となる顔面上の指標
①鼻唇溝，②人中，③口角のしわ，④オトガイ唇溝，⑤上下口唇の赤唇部の厚さ，⑥赤唇部の面積，⑦鼻唇角，⑧エステティックライン，⑨オトガイ唇溝，⑩上下口唇の接触角，⑪下唇オトガイ角.

測点間の距離や角度に関して，有歯顎者を対象とした計測が行われている．しかし，無歯顎補綴領域で頭部エックス線規格写真を応用するには，統計学的データが十分に整っているとは言えず，咬合高径の決定基準として認知されるにはさらなる研究が必要である．

（4）顔貌の特徴

口腔内に上下顎の咬合床を装着し，咬合高径が低すぎたり高すぎる場合には，それぞれ不自然で特徴的な顔貌になる．これらに対しては，顔貌を観察しながら主に下顎の咬合床の高さを調整して，咬合高径を適正に設定し直す必要がある．観察する主な箇所は，**図 10-13**に示すように，鼻唇溝 nasolabial sulcus（鼻翼の外側縁から口角の外側縁に向かって皮膚表面に走行する浅い溝），人中 philtrum（上唇中央の皮膚表面にみられる垂直に走行する比較的幅の広い溝），オトガイ唇溝 mentolabial sulcus（下唇赤唇部とオトガイ部との間を横行している浅い溝），鼻唇角 nasolabial angle（鼻柱点，鼻下点および上唇点を結んでできる角度），上下口唇の接触角，下唇オトガイ角，上下口唇の赤唇部の厚さと面積，口角のしわ，エステティックライン esthetic line（側貌の審美的基準となる鼻尖とオトガイとを結んだ線），オトガイ筋や口輪筋の緊張度などが指標となる．

これらは，いずれも口唇周囲の皮膚表面を観察するものであり，咬合高径のみならず人工歯排列や義歯床による口唇の突出度，さらに表情筋の緊張などによっても大きく変化する．また術者の主観的判断に依存する傾向があるため，客観的な判定基準や患者の個性，さらに年齢による顔貌の変化なども考慮して咬合高径を決定する．

老人様顔貌 senile appearance とは，歯の喪失に伴うリップサポートと咬合支持の喪失による顔貌の変化で，主として下顔面に特徴的に現れる．一般的な老人様顔貌の特徴を**表10-3**に示す．

（5）顔面計測（**図 10-14**）

有歯顎者における咬合高径と顔面に設定した2つの基準点間の距離との関係を利用して，無歯顎者の失われた咬合高径を決定する際の一助とする方法である．

表 10-3　無歯顎の老人様顔貌の特徴

・上下の口唇はリップサポートを失い緊張がなくなる
・上下の赤唇は内側へ落ち込み，薄く直線状になる
・人中は不明瞭になる
・オトガイ唇溝は不明瞭になる
・鼻唇溝は深く明瞭になる
・口角は下垂し，周囲に放射状のしわができる
・口裂は「へ」の字形に彎曲する
・外頬部の皮膚は緊張がなく陥凹する
・オーバークロージャー（過閉口）により鼻下点・オトガイ間距離が短縮する
・側貌は口裂が後退し，オトガイ部が突出して三日月状になる
・鼻唇角は大きくなる

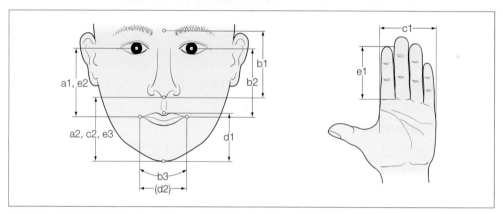

図 10-14　各種の顔面計測
Willis 法：a1 ＝ a2
McGee 法：b1 ＝ b2 ＝ b3 または b1 ＝ b2，b1 ＝ b3，b2 ＝ b3 であれば，その値を a2 とする．
Bruno 法：c1 ＝ c2
Buyanov 法：d1 ＝ d2
坪根法：e1 ＝ e2 ＝ e3

(a) Willis 法

　瞳孔から口裂までの垂直距離が，下顎安静位における鼻下点からオトガイ底までの垂直距離にほぼ等しい関係を利用して，無歯顎の咬合高径を決定する方法である．この顔面計測時の専用器具として，Willis のバイトゲージがある．

(b) McGee 法

　眉間正中点から鼻下点までの垂直距離，瞳孔間の中点から口裂までの垂直距離，口裂線の彎曲に一致した左右口角間距離のいずれも等しければ，またはいずれかの二者が等しければ，その値と下顎安静位における鼻下点からオトガイ底までの垂直距離がほぼ等しいという関係を利用して，咬合高径を決定する方法である．

(c) Bruno 法

　下顎安静位における鼻下点からオトガイ底までの垂直距離が，手掌の幅径とほぼ等しいという関係を利用して，咬合高径を決定する方法である．

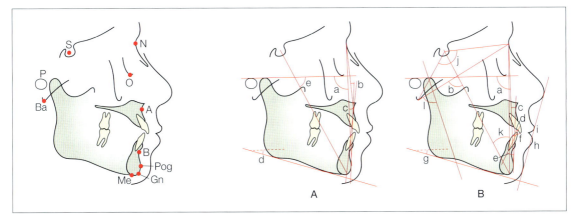

図 10-15 頭部エックス線規格写真における計測項目（松本，1971）

A：Downs 法（1948）による計測項目（Skeletal pattern）
　a：facial angle（N-Pog to Frankfort pl）
　b：angle of convexity（N-A to A-Pog）
　c：A-B plane（N-Pog to A-B）
　d：Frankfort mandibular pl angle
　e：Y axis（S-Gn to Frankfort pl）
B：Ricketts 法（1960）による計測項目
　a：facial angle
　b：XY axis（S-Gn to N-Ba）
　c：point A to facial plane（N-Pog）
　d：L1 to A-Pog
　e：L1 to A-Pog degree
　f：U1 to A-Pog
　g：FH mandibular pl angle
　h：esthetic-pl to lower lip
　i：esthetic-pl to upper lip
　j：NSBa angle
　k：SGnN angle
　l：condyle axis

（d）Buyanov 法

下顎安静位における上唇結節からオトガイ底までの垂直距離が，口唇の幅径（左右口角間距離）とほぼ等しいという関係を利用して，咬合高径を決定する方法である．

（e）坪根法

左手第2指の長さおよび瞳孔間の中点から口裂までの垂直距離が，下顎安静位における鼻下点からオトガイ底間の垂直距離とほぼ等しいという関係を利用して，咬合高径を決定する方法である．この計測時の専用器具として，坪根式バイトゲージがある．

2）有歯顎時の情報を利用する方法

（1）頭部エックス線規格写真

頭部エックス線規格写真（セファログラム cephalogram）は，矯正歯科治療において不正咬合の骨格と歯列の分析に用いられ，さまざまな計測項目が提唱されている．補綴歯科治療においても，顎顔面骨格と咬合平面との位置関係や下顎位を客観的にとらえることが可能なことから，これまで咬合平面や下顎位の指標となるさまざまな計測項目の研究が行われてきた（**図 10-15**）．この方法は，撮影基準が規格化されているため，保存した記録を重ね合わせることによって術前と術後の比較の他，有歯顎時と無歯顎状態，義歯装着前後などの比較が可能であること，また有歯顎者における下顔面高 lower facial height などの多くの統計学的データが利用できることから，無歯顎患者の咬合高径に対する参考資料になると考えられる．しかし，有歯顎時の記録を利用する場合，歯の喪失や加齢などによる顎骨や顎関節部

の形態的ならびに位置的変化を十分に考慮する必要があるため，参考資料にとどめるべきである．

(2) 側貌記録

顔を側方から記録する方法は，有歯顎時に撮影した側貌写真のデータと無歯顎となった現状の側貌写真のデータを重ね合わせ，その比率から咬合高径を決定する際の参考資料にするものである．しかし，この方法も有歯顎時の記録に対して顎骨や顎関節部の形態的ならびに位置的変化が生じていることを十分に考慮する必要があるため，参考資料にとどめるべきである．

(3) 正貌写真

顔を正面から記録した情報を利用する方法は，有歯顎時の正貌写真上における計測点間距離の比に，無歯顎状態の生体における同一の計測点間距離の比を一致させ，上下顎に咬合床を装着して，下記の式を用いて咬合高径の参考にするものである．しかし，有歯顎時と無歯顎時の両者の記録に同一の計測点を設けることができるか，さらに同一規格の写真を撮影できるか，あるいは加齢変化への対応ができるかなどについて，検討すべき課題を残しており，参考資料にとどめるべきである．

$$\frac{\text{写真上の瞳孔間距離}}{\text{写真上の眉毛頂点－オトガイ底間距離}} = \frac{\text{生体（無歯顎）の瞳孔間距離}}{\text{生体（無歯顎）の眉毛頂点－オトガイ底間距離}}$$

(4) 歯列模型

有歯顎時の安定した咬頭嵌合位を記録した上下顎の歯列模型において，歯を喪失した後も変化の少ない部位（ハミュラーノッチとレトロモラーパッドとの垂直的距離など）を利用し，この計測点間距離を咬合床を装着した無歯顎状態に再現し，咬合高径の参考にする方法である．しかし，この方法も科学的根拠に乏しく参考資料にとどめるべきである．

2 機能的根拠に基づく方法

1）下顎安静位を利用する方法

下顎安静位は，咀嚼，嚥下，発音などの口腔機能を営まず，上体を起こして生理的に安静な状態にあるときの下顎位である．この下顎位では，下顎は骨やその周囲の軟組織の重量により下降しようとするが，下顎の挙上筋群と下制筋群との間にトーヌスの均衡が成立して安静状態にある．また下顎頭は下顎窩内において安定しており，下顎が上顎に対してほぼ一定の垂直的距離で静止しているため，無歯顎患者の咬合高径を決定する指標となる重要な下顎位である．

下顎安静位での上下顎の歯列間に生じる一定の垂直的空隙を安静空隙 free-way space とよび，その値は健常者において前歯部で 2～3 mm とされている．したがって，臨床では無歯顎患者の咬合高径の決定法の1つとして，下顎安静位からその安静空隙量分を閉口した下顎位とする方法が広く採用されている（図10-16）．

下顎安静位は，生涯不変ではないが，それぞれの時点において安定した下顎位であり，ま

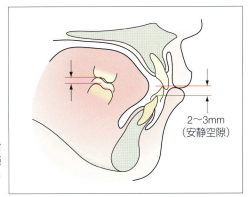

図 10-16 下顎安静位と安静空隙
下顎安静位において上下顎の歯は接触せず，上下顎歯列間に一定の空隙を保っている．この空隙の垂直的距離を安静空隙とよび，中切歯部で平均 2〜3 mm である．

た歯の存在の有無にも影響されないことから，無歯顎患者の顎間関係を決定するうえで，重要な情報である．しかし，下顎安静位は，緊張を伴わない生理的に安静な下顎の姿勢位であることから，患者自身の姿勢や，筋あるいは精神心理的な緊張状態などによる影響が考えられるため，次の点に注意が必要である．

　① 頭位や体位の傾斜，呼吸による影響が大きい．
　② 顎機能障害や神経筋機構の障害などにより，咀嚼筋や口腔周囲筋の非生理的な緊張や弛緩が認められる場合，下顎安静位への誘導は困難である．
　③ 精神的な緊張は，口腔周囲筋の緊張を誘発する．

(1) 下顎安静位への誘導法

下顎安静位を求めるには，まず上記の点を注意しながら，椅子に浅く腰かけて上体を直立させ，頭位をまっすぐにし，静かに呼吸させながら精神的緊張を取り除く．次いで，下顎安静位への誘導を行うが，以下に示す種々の方法が提唱されている．

　① 上下の口唇を接触させずに開閉口運動を数回繰り返し，次いで開口状態から閉口させて上下の口唇が均等に軽く触れた位置を下顎安静位とする．
　② 下顎の基本的動作は，閉口した静止状態から開始するという特性を逆に利用し，大きく開閉口させたり，側方運動や前方運動など，いろいろな動きをさせた後に，下顎を安静な位置に誘導する．
　③ 筋電図を利用してバイオフィードバックにより安静な下顎位をとらせる．
　④ マイオモニター myo-monitor で不随意的に筋を収縮させ，安静な下顎位へ誘導する．
　⑤ 義歯を装着した状態でタッピングやクレンチング運動を繰り返し行わせ，咀嚼筋を疲労させた後に，安静な下顎位へ誘導する．
　⑥ ［m］の発音をさせ，上下口唇が接触するときの咬合高径を下顎安静位とする．

(2) 下顎安静位から適切な咬合高径を求める手順

　① 患者の鼻下点とオトガイ点の皮膚面上に標点を印記する．次いで，前もって修正を終えた上顎咬合床のみを装着し，上記のいずれかの誘導法で下顎安静位をとらせる．そのときの標点間の距離をノギスで計測し，下顎安静位の垂直距離とする（**図 10-17**）．

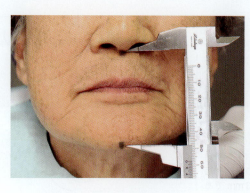

図10-17　ノギスによる下顔面高の計測
まず，鼻下点とオトガイ点に標点を印記する．次いで，下顎安静位における標点間距離を計測し，その値から安静空隙量を減じて適切な咬合高径とする．

② 得られた下顎安静位の垂直距離から，平均的な安静空隙量（2～3 mm）を減じた値を適切な咬合高径と定め，ノギスをその距離に合わせて固定する．

③ 上下顎咬合床による咬合時の標点間が，固定したノギスの値に一致するよう下顎咬合床の高さを調整する．こうして上下顎咬合床によって決定された下顎位が，製作する全部床義歯の咬頭嵌合位となる．

　しかし，実際の安静空隙量は個人差が大きく，平均値が必ずしもすべての患者に適用できるものではない．これに対して，安静空隙量は上唇赤唇部の面積と相関することを小出ら（2018）が報告している．これは，閉口時の口唇接触位により下顎安静位を求め，上唇赤唇部正面の面積に応じて患者ごとに2～4 mmの範囲で安静空隙量を決定するものである．

2）最大咬合力を利用する方法

　咀嚼筋には，収縮時に最大咬合力を発揮できる臨界点があり，臨界点を超えて筋が伸ばされても，また収縮して短くなっても，最大筋力は発揮できない．この適正な下顎位で最大咬合力が発揮されるという生理学的根拠に基づき，適正な咬合高径を求める方法である．咀嚼筋が最大咬合力 maximal occlusal force を発揮する咬合高径は，上下顎の歯列間に食物を介在している状態で，下顎安静位に近い位置と考えられることから，最大咬合力を示す咬合高径（最大筋力点）を求め，この位置から安静空隙に相当する所定の高径を減じた高さを義歯の咬合高径とするものである．

　Boos（1940）は，咬合力測定装置（BoosのBimeter）を製作して有歯顎者約300名の咬合力を測定し，個々に最大咬合力を示す咬合高径があること，また同じ咬合高径のもとでも下顎の水平的位置により咬合力が変わることを示した．この方法で計測した最大咬合力を示す下顎位は，最大筋力点 maximum power point とよばれている．

〔最大咬合力から咬合高径を求める方法〕

① 咬合高径を変更できる装置本体を下顎の基礎床に，金属板を上顎の基礎床にそれぞれ取りつける．

② はじめは咬合高径を高くして咬合力を測定し，徐々に咬合高径を減じながらその都度咬合力を測定すると咬合力は徐々に増加し，さらに低くしていくと咬合力は減少に転じる．次いで咬合高径の低いところから開始し，徐々に高くして咬合力を測定する．

③ 上記の往復する測定手順で，咬合力が最大値を示す咬合高径を求める．
④ 専用の咬合高径短縮換算表を参考に，得られた咬合高径から安静空隙量分を減じた高さに装置本体を合わせ，印象用石膏等を用いて上下顎の顎間関係を記録する．

しかし，この咬合高径短縮換算表を用いた場合，それぞれの患者においてさらに修正が必要であり，その数値の根拠と信頼性に疑問がもたれている．

3）発音を利用する方法

歯科治療の過程で発語機能を利用するのが，発音利用法 phonetic method of measuring occlusal vertical dimension である．これには，咬合採得において特定の発音をしたときの下顎位を利用して咬合高径を決定する方法と，特定の発音を行うことにより上下顎の前歯部の排列位置を決定する方法（Pound の方法），さらに発音時の舌と口蓋の接触範囲をパラトグラム法で調整しながら，口蓋側歯肉相当部および口蓋部の床の厚みや形態を決定し，義歯装着時の違和感を軽減する方法などがあげられる．

前述したように，［m］の発音をさせて上下口唇が接触する高径を下顎安静位とするのも発音利用法の1つである．また，通常の発音時には上下顎歯列の咬合面間に間隙が生じるが，［s］の発音時ではその間隙が最も狭くなるとされている．Silverman は，これを最小発音空隙と命名し，発音利用法の1つにあげている．しかし，無歯顎者の咬合高径を正確に決定するには，有歯顎時のこの間隙量を前もって記録しておく必要があり，実際の臨床応用は比較的困難とされている．

ここでは，Pound の発音を利用する方法について概説する．

〔**Pound の方法**〕

① 適正なリップサポートに形態修正を終えた上顎咬合床を，前歯部の厚さが人工歯のほぼ唇舌径になるまで薄くし，口腔内に装着する．
② 英語の［f］や［v］を発音をさせる．

［f］の発音は，上顎中切歯の切縁が下唇のドライウェットライン dry-wet line（赤唇の乾燥部と常時唾液でぬれている部位の境界線）のやや舌側寄りに軽く接触し，狭い間隙から呼気を流出させる摩擦音（唇歯音）であり，［v］の発音はその有声音である．これらの発音時の上顎中切歯切縁と下唇との位置関係を利用して，上顎咬合堤の長さと唇舌的突出度を修正する（**図 10-18 A**）．

③ 上下顎咬合堤に正中線，口角線，鼻幅線，上唇線，下唇線などの標示線を記入した後に口腔内から取り出し，選択しておいた上顎中切歯を排列する．再度，上顎咬合床を装着して［f］と［v］が正しく発語できることを確認し（**図 10-18 A**），これを指標に臼歯部咬合堤の形態を修正する．
④ 下顎咬合堤は前歯部を平均的な高さに，臼歯部は低めに製作しておく．上下顎の咬合床を口腔内に装着し，［s］を含む言葉（"Mississippi"，"sixty-six" など）が正しく発音できるように下顎咬合床の形態を修正する．

［s］発音時には，舌前方部が上顎中切歯の舌側歯頸部歯肉に近づき，その間隙からの呼気

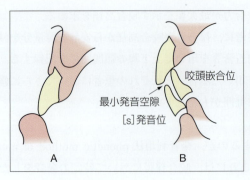

図 10-18　発音を利用する方法（Pound ら，1971 より改変）
A：[f] や [v] の発音時における上顎中切歯の切縁と下唇との接触状態．
B：[s] 発音時における下顎中切歯切縁と咬頭嵌合位との関係．

による摩擦音が発せられる．このときの下顎は咬頭嵌合位より前下方へ移動し，上顎中切歯切縁の舌側 1～2 mm に下顎中切歯切縁が位置する（**図 10-18 B**）．この [s] 発音時の下顎位は，[s] 発音位 s position とよばれ，上下顎の歯が互いに最も接近して最小発音空隙を示す．この発音位は，上下顎前歯部人工歯の排列位置の決定や排列後の位置の判定に利用される．

　⑤　正しく [s] を発音できるように下顎咬合堤の形態修正を行って，下顎の中切歯の排列も行う．再度発音を確認しながら前歯部の高さと唇舌的傾斜に修正を加えて排列位置を決定する．

　⑥　低めに製作されている下顎咬合堤の臼歯部にソフトワックスを盛り，[s] の発音や嚥下運動をさせながら，臼歯部の高さを決定するとともに下顎を後退位へと導く．最後にこの位置で再度 [s] の発音を確認する．

　この方法は，[s] 発音位が咬頭嵌合位と近接しており，[s] 発音位よりわずかに後方で閉口した位置に咬頭嵌合位があることを根拠にしている．しかし，Angle の分類で上下顎の前後的位置関係が異なると，[s] 発音位と咬頭嵌合位との顎間距離も異なるとの報告がなされており，発音のみにより咬合高径を適正に設定することは困難とされている．

　日本語では，[shi] 発音時に最も咬頭嵌合位へ近づくことが報告されており，この発音時に上下顎の人工歯が接触する場合は，咬合高径が高すぎる 1 つの判定基準となる．

　また，[n] 持続発音時の下顎位も咬頭嵌合位に近接することを大川ら（2015）が報告している．この [n] 持続発音時の下顎位を利用する方法では，複数の方法を利用して咬合高径を決めた後，上下顎咬合堤間に咬合記録材を介在させた状態で，数秒間 [んー] の持続発音を数回行わせ，そのときの咬合記録材の厚さが約 1 mm となることで，適正な咬合高径であることの判定基準となっている．

4）嚥下を利用する方法

　嚥下法 swallowing method とは，健常有歯顎者における嚥下時の下顎位が咬頭嵌合位もしくは下顎後退位にあることを利用し，無歯顎患者に空嚥下を行わせて咬頭嵌合位付近へ誘導する方法である．下顎は，嚥下時に舌骨上筋群によって後方へ引かれて，ほぼ一定の水平的な位置をとることから，垂直的のみならず水平的な下顎位を決定する際にも，嚥下直後の下顎位である嚥下位を基準とすることは有効とされている．

実際の記録法としては，まず下顎安静位利用法などにより仮に設定した咬合高径に下顎咬合床を調整する．次いで，下顎咬合堤の高さをそれよりやや低めに削り，その前歯部と左右臼歯部にソフトワックスを置いて口腔内に装着し，唾液嚥下を数回行わせる．この唾液嚥下時の下顎の挙上によって上下顎咬合床間のワックスが圧迫され，一定の高さならびに水平的位置関係が得られたとき，この上下顎咬合床を固定して咬合高径とする．

　しかし，この方法では通常，嚥下時に舌は挙上し口蓋を圧迫することから，下顎咬合床は不安定になりやすい．このような場合，咀嚼筋は十分に活動せず，下顎咬合床が浮き上がることによって実際の咬合高径よりも低くなったり，水平的位置関係も側方へ偏位することがある．このことから，下顎位の記録は十分注意しながら繰り返し行い，その位置再現性を確認することが重要である．

5）その他の方法

　上記の方法以外には，Lytle（1964）が報告した下顎位置感覚 perception of mandibular position を利用して咬合高径を決定する方法がある．野首，安井ら（1993，2000）は，この方法を応用し，1mm間隔で7種類の咬合高径をランダムに設定し，患者自身が最も快適だと感じる咬合高径に咬頭嵌合位を構成する方法を提唱しており，神経生理学的に妥当性があると考えられている．

（小出　馨）

Ⅳ　水平的顎間関係の記録

　顎間関係とは上顎に対する下顎の三次元的な位置関係であり，垂直的顎間関係と水平的顎間関係の両者がかかわって決定される．咬合高径が低すぎると下顎が前方に偏位し，適正な水平的顎間関係を記録できない．そこで，全部床義歯の製作では，垂直的な顎間関係を決定した後に，その高さでの水平的な顎間関係を記録する．

　適正に水平的顎間関係を記録するには，術者が下顎を適切な位置へ誘導することが重要である．また，患者が顎間関係の記録に伴う諸操作に慣れ，適正な下顎位を再現できるようになるまで，よく練習させ，習得させる必要がある．しかし，多くの無歯顎患者では有歯顎時の本来の咬頭嵌合位に関する筋の記憶を喪失していたり，それまでに獲得した偏心的な噛み癖などにより前方や側方に偏位した位置で咬合しようとしたりする場合が多い．それを避けようとして強い力で下顎を後方に押し込んだり，大型あるいは複雑な器具の装着下で行うことは，咬合床の偏位や機能的な下顎位から離れる危険性がある．決定された咬頭嵌合位は再現性が高く，かつ，その咬頭嵌合位からは無理のない側方運動ができることが大切である．そこで，術者による下顎位の誘導による一般的な水平的顎間関係の記録に加えて，以下のようないくつかの水平的な顎間関係記録法を組み合わせて適用する必要がある．それらの記録法には，特殊な器具を使用する方法と，特に器具を必要としない方法とがある（**表10-4**）．

表 10-4 水平的顎間関係の決定法

特に器具を必要としない方法	特殊な器具を必要とする方法
・筋疲労法 ・タッピング法 ・Walkhoff 小球利用法 ・頭部後傾法 ・嚥下法 ・側頭筋触診法 ・咬筋触診法	・ゴシックアーチ描記法 ・チューイン法

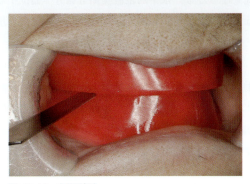

図 10-19 転覆試験

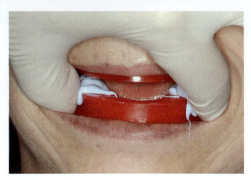

図 10-20 下顎を適切な位置に誘導する．

1 一般的な水平的顎間関係の記録法

一般的には術者が下顎を誘導して義歯の適切な咬頭嵌合位を求め，その位置で上下顎咬合床を固定する方法が行われる．

① 先に決定した咬合高径で閉口させたとき，上下顎咬合堤の平面が左右臼歯部で同時にかつ均等に接触することを確かめる．下顎を誘導したときに，水平的顎間関係がずれていれば，Christensen 現象（☞ p.220 図 12-51 参照）により，上下顎咬合堤の間に隙間が生じる．このとき，上下顎咬合堤の間にスパチュラなどの器具を押し入れて，いわゆる転覆試験 tilting test を行い，咬合床の離脱による見かけ上の咬合堤同士の接触の有無を検査する（図 10-19）．均等な接触が確保されていなければ，下顎咬合堤を軟化し，必要があればワックスを追加するなどして決定した咬合高径での均等な接触を確保する．

② 十分に術者による下顎位の誘導を試行し，練習させ，再現性を確認する．

③ 上顎咬合堤の左右側大臼歯部咬合面部にⅤ字型の溝を頰舌方向に刻む．また，このⅤ字溝に対応する下顎咬合堤の咬合面部に粗い刻みを入れる．

④ Ⅴ字溝の周囲に薄くワセリンを塗ってから，上顎咬合床を口腔内に装着する．

⑤ 下顎咬合床を口腔内に装着し，刻みを入れた付近の咬合面にシリコーンゴムなどのチェックバイト材を盛る．

⑥ 下顎を適切な位置に誘導しながら上下顎咬合堤を咬合させる（図 10-20）．

⑦ チェックバイト材が硬化するまで，下顎が動かないように保持する．

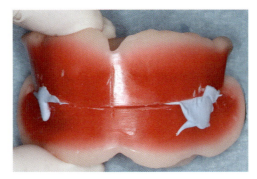

図 10-21 チェックバイト材を介して上下顎咬合床が固定される.

⑧ 硬化後,上下顎咬合床を口腔外に取り出し,チェックバイト材を介して固定されることを確認する(**図 10-21**).

2 特に器具を必要としない方法

1) 筋疲労法

筋疲労法 muscle fatigue method とは,下顎を前後左右に動かしたり,開閉口運動を何回も繰り返させることにより筋を疲労させ,咀嚼筋の過緊張や精神的過緊張による下顎の偏位を修正する方法である.

下顎に付着している咀嚼筋の過度な緊張などにより,下顎の動きが円滑でない患者や,なんらかの原因で習慣性偏心咬合を有する患者において用いられることが多い.その他,患者が心理的に緊張している場合にも,緊張をほぐす目的で行うことがある.

2) タッピング法

タッピングとは,上下顎の歯の間に食物がない状態で,上下顎の歯(人工歯)をわずかな開口量で反復的にカチカチと咬み合わせることであり,反復的な習慣性の小開閉口運動をいう.健常有歯顎者では,このタッピングによって,下顎が咬頭嵌合位付近に収束する.タッピング法 tapping method とはこの現象を利用するもので,水平的な下顎位の確認に用いられる.垂直的な顎間関係の決定後にタッピング運動を行わせ,咬合床の動揺の有無や上下顎の咬合堤の咬合面が最初に接触するときの上下顎咬合堤の位置関係を調べる.水平的な下顎位の偏位が認められる場合には,タッピング運動時に上下顎咬合堤の一部が早期に接触し,咬合床が動揺するため,その部分を修正した後に,再度タッピングを指示する.咬合堤の咬合面がこの運動時に同時に全面接触するようになるまで修正を繰り返す.しかし,タッピングの終末位は頭位により影響を受け,頭部が前傾位では前方寄りに,後傾位では後方寄りになる.したがって,タッピング法を咬合採得に適応する場合には,頭部を直立位の状態で行う.

3) Walkhoff 小球利用法

一般に無歯顎患者は顎間関係記録時に下顎を前方に突き出しやすい.Walkhoff 小球 Walk-

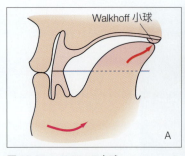  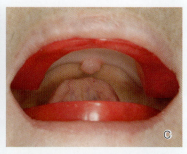

図10-22 Walkhoff 小球
上顎咬合床の口蓋後縁正中部におかれたワックスの小球（口蓋球）を舌尖で触れながら閉口させると下顎は後退位に誘導される．

hoff palatal ball 利用法とは，上顎咬合床の口蓋後縁中央部にワックスなどの大豆大の小球（口蓋球）をつけ，これを舌尖で触れながら閉口させることにより下顎を後退位に誘導する方法である（**図10-22**）．Walkhoff 小球利用法は，患者自身によって下顎を後方に誘導させる方法である．

4）頭部後傾法

下顎位は，一般に咬合していない場合，頭部の傾きによって影響を受ける．すなわち，下顎は，頭部が前傾すると少し前方に，逆に後傾すると少し後方に偏位する．無歯顎患者の咬合採得では，一般的に下顎位は前方に偏位する傾向がある．

頭部後傾法 head tilting method とは，すでに垂直的顎間関係が決定した上下顎咬合床を口腔内に装着した状態で，頭部を後方に軽く傾斜させて，下顎の前方偏位を制御しながら閉口させ，水平的顎間関係を決定する方法である．

しかし，このような現象は，姿勢反射によるものであるが，姿勢変化の程度と下顎の偏位量の関係は明らかにはされていない．したがって，この方法は閉口運動に伴う下顎の前方偏位を制御するのみであり，得られた下顎位が適正とは限らないため，補助的な方法の1つとして考える．

5）嚥下法

嚥下時の下顎位は，健常有歯顎者において咬頭嵌合位付近にあるといわれている．嚥下法とはこのことを利用して，水平的顎間関係を決定する方法である．すなわち，垂直的顎間関係を決定した後に，下顎咬合堤の高さを約1mm低くし，前歯部中央と両側臼歯部にソフトワックスを置いて静かに嚥下させる．ソフトワックスは上下顎咬合堤間に介在し，嚥下により，押し伸ばされた状態となり嚥下位を記録することができる．嚥下法は前述のように垂直的顎間関係の決定にも利用される（☞ p.160 参照）．なお，下顎の位置は嚥下運動の強弱にも影響を受けるため，軽く嚥下させる程度にとどめる．

6）側頭筋触診法（側頭筋把握法）

側頭筋は，下顎の水平的な偏位を調整する筋の1つである．下顎が前方に偏位しても両側の筋はほとんど活動せず，片側に偏位しても対側の側頭筋はほとんど活動しない．しかし，

図10-23 側頭筋触診法

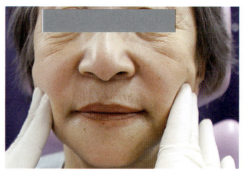
図10-24 咬筋触診法

健常有歯顎者において下顎を咬頭嵌合位付近に保った状態で，等尺性の噛みしめを行わせると，両側の側頭筋は，同じように活発に活動する．側頭筋触診法は，このような側頭筋の性質を利用した水平的な顎間関係を確認するための補助的な方法である．

実際には，第2指と第3あるいは第4指を用いて，患者の噛みしめ時の両側側頭筋前部を触診し，両側の筋の収縮程度が左右等しく，緊張が最も強く触診できた位置を水平的な下顎位とする（図10-23）．

7）咬筋触診法（咬筋把握法）

閉口筋である咬筋に対し，等尺性の間歇的な噛みしめを行わせ，顔面皮膚上から咬筋を触診すると，噛みしめに同期した筋の緊張を触診することができる．本法においては，健常有歯顎者における咬頭嵌合位では噛みしめが効果的に行われ，咬筋が最大に機能収縮すること，一方，下顎前方位では筋の緊張が弱くなることを利用している．咬筋触診法は客観性に欠ける反面，簡便であるため，他の方法で求めた下顎位の妥当性を確認するための補助的な方法として用いられる．

実際には，第2指と第3あるいは第4指を用いて，顔をはさむようにして両側同時に触診する（図10-24）．左右側を同時に触れ，咬筋前縁部の収縮程度が左右等しく，緊張が最も強く触診できた位置を水平的な下顎位とする．

3 特殊な器具を使用する方法

特殊な器具を使用する方法では，前記の「一般的な水平的顎間関係の記録法」で採得した顎間関係記録を用いて，まず，作業用模型を咬合器に装着させた後，使用する特殊な器具をあらかじめ上下顎咬合床に設置するという準備が必要となる．そのため，特殊な器具を使用して水平的顎間関係を記録する方法では，通常，患者の来院回数が1回増える．

1）ゴシックアーチ描記法

ゴシックアーチ描記法 gothic arch tracing method は，下顎運動の記録法の1つで，定められた咬合高径における下顎の左右の側方限界運動の軌跡を描記させ，その描記図（ゴシックアーチ gothic arch）をもとに水平的な顎間関係の決定や診断を行う方法である．

図 10-25 口外描記法のゴシックアーチトレーサー

図 10-26 口外描記法におけるゴシックアーチ描記装置の製作

表 10-5 口内描記法と口外描記法の比較

	口内描記法	口外描記法
利点	・装置が口外描記法より小さい ・描記時の安定性に優れる ・装置の操作性に優れる	・描記中に運動軌跡を直視できる ・描記図は拡大されるので，識別が容易 ・先端の尖った描記針が使用できるため，運動路が細く描ける
欠点	・描記中に運動軌跡を直視できない ・描記図が小さく識別しにくい ・咬合圧に耐えるために描記針が太く，描かれる軌跡の鮮明さが劣る	・装置が大きく，安定性に欠ける ・口唇が開いた状態での記録となり不自然

　描記装置の構造は，一般的には一定の咬合高径を保つための中央支桿装置（セントラルベアリングデバイス central bearing device）と，運動の軌跡を記録する描記装置 tracer（描記針と描記板）からなっている．描記方法の種類は，描記を口腔内で行う口内描記法と，口腔外で行う口外描記法がある．口外描記法は，運動軌跡を直接観察できる利点があるが，装置が大きく口腔外に突出しているため，装置を取りつけた咬合床が動揺しやすく不安定であり，描記しにくいなどの欠点がある（**図 10-25，26**）．一方，口内描記法は描記終了後でないと運動軌跡が観察できないが，安定性，操作性に優れており，口外描記法と比較して実用的である（**表 10-5**）．そのため，現在では咬合床の安定を考えて，口外描記法はほとんど用いられていない．

　一般に使用されている口内描記法の装置では，描記針 stylus と描記板 tracing table とがセントラルベアリングデバイスをも兼ねる構造となっている（**図 10-27**）．なお，描記針を上顎に，描記板を下顎に取りつける場合（**図 10-28 A**）と，描記針を下顎に，描記板を上顎に取りつける場合（**図 10-28 B**）とがある．前者の場合，装置の取り付けは比較的容易であるが，描記針による記録が下顎の動きと逆の方向に表示される．一方，後者ではそれらが同じ方向を示しており，臨床的にわかりやすいという利点を有している．また，舌の動きに対する障害は，一般に広い描記板を下顎の咬合床に取りつける前者のほうが大きいため，下顎

図 10-27 口内描記法のゴシックアーチトレーサー
①描記板，②描記針，③透明ディスク，④ブラックディスク，⑤ディスク誘導棒，⑥両面接着透明テープ，⑦トレーサー用インク．

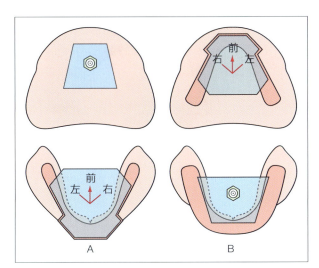

図 10-28 口内描記法における描記図の方向
A：描記針を上顎に，描記板を下顎に取りつけた場合．B：描記針を下顎に，描記板を上顎に取りつけた場合．図中の前・左・右はそれぞれ前方運動，左側側方運動，右側側方運動を示す．

咬合堤の低い患者や，舌小帯の緊張の強い患者など，舌によって下顎咬合床が挙上されるような場合では，後者が選択されることが多い．

(1) 口内描記法の概略

① 一般的な咬合床による顎間記録を用いて，上下顎模型を咬合器に装着する．次に，上下顎咬合床を外し，記録床 record base を製作する．

② 上顎または下顎のいずれかの記録床に描記針，対顎の記録床に描記板を装着する（**図10-29**）．このとき，描記針は正中線上で描記板の中央部に軽く接触させ，かつ仮想咬合平面に対して可及的に垂直となるように設置する．

③ 描記装置を取りつけた記録床を口腔内に装着する．

④ 軽く咬合させ，描記針を描記板に軽く接触させた状態で，下顎を前方や左右側方向に運動させる．このとき記録床同士の衝突や転覆の有無を確認し，もしそれらが認められた場合は記録床が安定するよう修正する．

⑤ 患者に手鏡を持たせ，下顎後退位から前方および左右側方向へと描記板上の滑走運動を反復練習させる．

⑥ 下顎の動かし方を習得した後，描記板に記録用インク（クレヨンや油性マジックでの代用も可能）を塗り，実際に描記させる．まず，軽く咬合させた状態で，下顎を前方に動かした後，最後退位に戻すように指示する．次に，左右側方限界運動についても同様に行う．

⑦ 口腔外に記録床を取り出し，描記図を確認する．描記されたゴシックアーチの頂点をアペックス apex とよぶ（**図 10-30**）．

⑧ 咬合紙を介し，軽くタッピング運動を行わせ，ゴシックアーチ描記図中にタッピングポイントを記録する．

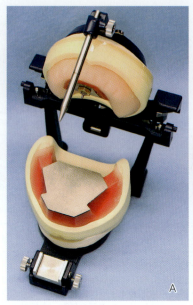
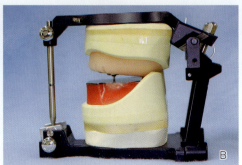

図10-29 口内描記法におけるゴシックアーチ描記装置の製作
A：描記針を上顎に，描記板を下顎に取りつけた場合．
B：描記針は正中線上で描記板の中央部に軽く接触させる．

図10-30 記録されたゴシックアーチ
記録用インクを塗った描記板上にゴシックアーチが描記される．a：アペックス

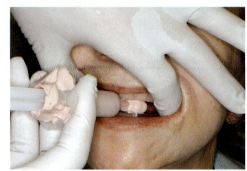

図10-31 上下顎記録床の間隙に印象用石膏または咬合採得用シリコーンゴムを注入してコアを採得する．

⑨ アペックスとタッピングポイントの位置関係などを考慮し，水平的な顎間関係の採得位置を決定する．

⑩ 描記板上の決定した位置に透明プラスチック円板の孔の位置を合わせ，スティッキーワックスなどで固定する．口腔内でプラスチック円板の孔と描記針が一致するように軽く咬合させる．この状態で，上下顎記録床の間に印象用石膏または咬合採得用シリコーンゴムなどの記録材を注入する（図10-31）．記録材硬化後，記録床を一塊のまま口腔外へ取り出す（図10-32）．

図 10-32　一塊として取り出された記録床

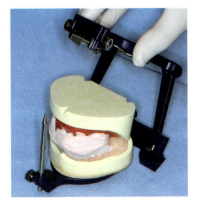

図 10-33　記録床と石膏コアにあわせて下顎模型を再装着する.

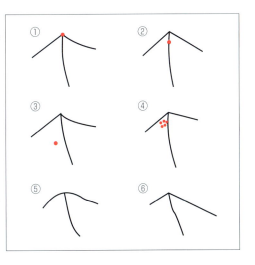

図 10-34　ゴシックアーチ描記図の判読例（福島ほか，1992 より改変）
上顎に描記針，下顎に描記板を設置して口内法で記録したゴシックアーチ.
①アペックスが明瞭に描かれ，タッピングポイントが 1 点に収束し，両者が一致している場合.
②アペックスが明瞭に描かれ，タッピングポイントが 1 点に収束し，タッピンクポイントがアペックスの前方約 0.5〜1.0 mm に位置している場合.
③アペックスが明瞭に描かれ，タッピンクポイントが 1 点に収束しているが，アペックスからはるかに離れている場合.
④アペックスが明瞭に描かれているが．タッピンクポイントがばらついている場合.
⑤アペックスが明瞭に描かれていない場合.
⑥下顎の右側方への運動が制限されている場合.

⑪　一塊となった記録床を介して下顎作業用模型を咬合器に再装着する（図 10-33）.

（2）ゴシックアーチ描記図の評価

　水平的顎間関係の決定や顎機能の診断を行うには，①アペックスの明瞭性，②ゴシックアーチの形態，③タッピングポイントの収束度，④タッピングポイントとアペックスとの位置関係を評価する.

　アペックスが明瞭に描かれ，タッピングポイントが 1 点に収束し，両者が一致している場合（図 10-34 ①）やタッピングポイントがアペックスの前方約 0.5〜1.0 mm に位置している場合（図 10-34 ②）には顎運動に大きな問題はないと考えられる．この場合はタッピングポイントを求める下顎位とする.

　しかし，以下のような場合には，顎機能に異常があるか．または記録装置に問題があるかを疑う.

（a）タッピングポイントの位置がアペックスから離れている，あるいは，ばらついている

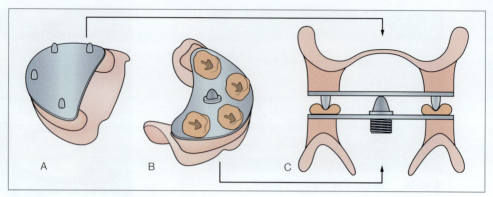

図 10-35　チューイン法の模式図
A：上顎に描記針が設置される．B：下顎におかれた常温重合レジンなどの記録媒体に下顎運動経路が刻まれる．C：上下顎の記録床の関係．

場合（図 10-34 ③，④）
　タッピングポイントが 1 点に集中していたとしても，これがアペックスから 2 mm 以上離れた位置にある場合は，習慣性の偏心咬合位を有していることや咬合が不安定であることが疑われるため，前処置として咬合治療が必要となる．これらの場合には，アペックスを義歯の咬合位として治療用義歯を製作し，これを使用させながら顎関節や筋と調和した咬合を確立させていくこととなる．なお，タッピングポイントのばらつきは，記録床の動揺が原因となっている場合もあるため注意が必要である．

(b) アペックスが明瞭に描かれていない場合（図 10-34 ⑤）
　記録床が描記時に動揺していることや，描記時に下顎が側方限界運動をしていないことが原因として考えられる．

(c) 左右側方運動経路の長さが大きく異なる場合（図 10-34 ⑥）
　記録床同士が接触し，下顎の動きが制限されていることや，顎機能の異常が原因となっていることなどが考えられる．

(3) ゴシックアーチ描記法の臨床的意義
　ゴシックアーチ描記法は再現性，操作性に優れ，義歯の咬頭嵌合位の決定に有効であるばかりでなく，描記図自体の判読により，顎関節あるいは咀嚼筋の異常などの判定にも役立つ．また，下顎前方位の顎間関係記録，すなわち前方チェックバイト protrusive check bite を採得することによって，Christensen 現象を利用して矢状顆路傾斜角を求め，半調節性咬合器を調節する場合にも利用できる．しかし，顎堤吸収が著しい症例やフラビーガムが広範囲に認められる症例などで，記録床自体の動揺が大きい場合には適切な描記が困難なため，適応が難しい．

2) チューイン法
　チューイン法 chew-in technique とは，下顎運動の口腔内記録法の 1 つで，上下顎のいずれか一方に設置したレジンなどの記録媒体を，もう一方の顎に設置した描記針などによって

彫り込んで，下顎を自由に運動させたときの三次元的な下顎運動経路を記録する方法である（**図 10-35**）．ゴシックアーチ描記法が水平面における限界運動路を記録するのに対して，チューイン法は立体的な運動経路を記録できる点が特徴である．チューイン法の原法はLuce（1911）の考案によるものであるが，やがてSwansonとWipf（1968）によるTMJ咬合器（全調節性咬合器）の開発につながった．他の全調節性咬合器の調節に使われるパントグラフ法が下顎限界運動を記録するのに対し，チューイン法は限界運動のみならず，限界内運動も同時に記録できる．しかし，チューイン法は無歯顎者においては再現性の問題などから，最近では用いられることはほとんどない．

標示線の記入

顎間関係の記録が終了した段階で，上下顎咬合堤の唇側面に，人工歯選択および排列の基準となる標示線 line of reference を記入する（**図 10-36**）．標示線には，歯列の正中線，口角線，鼻幅線（鼻翼幅線），上唇線，下唇線，微笑線がある（**図 10-37**）．

1）正中線

顔を正面からみて総合的に決定される左右的な折半線を正中線 median line といい，これに人工歯列の正中を一致させる．原則的には瞳孔線から立てた垂直二等分線が顔の正中線と

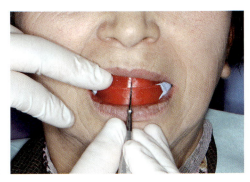

図 10-36　咬合堤の唇側面に標示線を記入する．

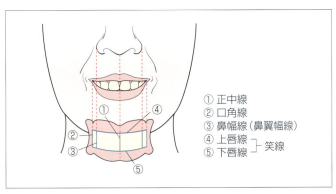

図 10-37　咬合床に記入する標示線

されている．しかし，正中付近にある顔の構成要素となる眉間，鼻尖，鼻中隔，オトガイ中央部などから顔面の長軸を慎重に観察して，外観上にも妥当な正中線でなければならない．また，上唇小帯や下唇小帯，切歯乳頭も正中の参考として考えられるが，必ずしも一致するとはいえない．その他，人中は，上唇の中央の皮膚表面にみられる垂直に走行する比較的幅の広い溝をいう．この溝は人中の下端にある上唇結節付近ではやや広くなっている．この溝の中央を顔の正中の参考とする場合がある．

2）口角線

口をわずかに開けたときの左右の口角の位置を示す線を口角線 mouth corner line といい，上顎左右犬歯遠心隣接面の位置の指標に用いられる．左右口角線間の距離を上顎6前歯の総幅径とみなし，人工歯選択の指標とする．しかし，口の開け方により口角が動きやすく，記録しにくいことから，次項の鼻幅線を用いることが多い．

3）鼻幅線（鼻翼幅線）

鼻翼の幅径を上顎前歯部人工歯の幅径を決定する際に利用する．鼻翼の外側から下ろした垂線を鼻幅線（鼻翼幅線）といい，通常は上顎犬歯尖頭を通るとされる．

4）上唇線と下唇線（笑線）

咬合状態のまま笑ったときに，上唇を最大限に挙上した位置と，下唇を最大限に下制した位置を示す線をそれぞれ上唇線 high lip line と下唇線 low lip line という．これらを笑線 smile line ともいう．上下顎前歯部人工歯歯頸線の位置や前歯部人工歯の歯冠長を決めるときの指標となる．

5）微笑線

微笑したときの下唇の彎曲線を微笑線 smiling line といい，上顎前歯部人工歯切縁の彎曲位置の指標となる（ p.204 参照）．微笑線に一致させた上顎前歯部の排列では，若々しさや女性らしさが印象づけられる．

（鈴木哲也，古屋純一）

Ⅵ　デンチャースペースの記録法

天然歯の喪失によって口腔内に生じた上下顎の顎堤間の空間をデンチャースペース denture space という．このスペースは，歯の喪失およびそれに伴う歯槽部の吸収により生じた口腔内の空隙および歯の喪失とは関係ない口蓋部および床縁部を含めた空隙と解釈できる．上部は上顎顎堤，硬口蓋，軟口蓋，下部は下顎顎堤，口腔底，内側部は舌，外側部は口唇および頰部の筋によって取り囲まれている（**図10-38**）．

デンチャースペースという名称は，1965年にBrillらによって報告されたものであるが，このスペースについては過去から多くの研究者が注目し，おのおのの解釈のもとに種々の名称がつけられている．たとえば，1937年にFishはdead space，1956年にLammieはneutral zone，1961年にMattewsらはzone of minimal conflictなどと名づけている．総合的に

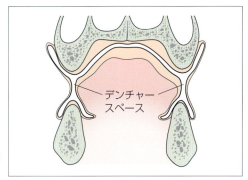

図 10-38 デンチャースペースおよびそれに接する周囲組織の前頭面図

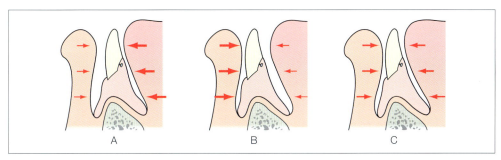

図 10-39 人工歯列と唇・舌圧との関係（前歯部）
A：前歯の人工歯が過度に舌側に排列されると，舌圧によって下顎義歯は前方（唇側）に推進される．
B：前歯の人工歯が過度に唇側に排列されると，口唇圧によって下顎義歯は後方に圧迫推進される．
C：前歯の人工歯が適正な位置に排列されると，口唇圧と舌圧で下顎義歯の維持・安定は増強される．

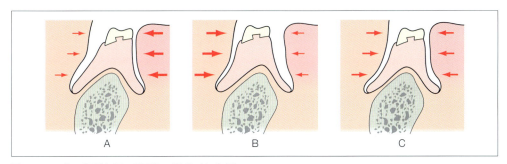

図 10-40 人工歯列と頰・舌圧との関係（臼歯部）
A：臼歯の人工歯が過度に舌側に排列されると，舌圧が強力に作用し，下顎義歯は頰側に移動，脱離する．
B：臼歯の人工歯が過度に頰側に排列されると，頰圧によって下顎義歯は舌側に移動，脱離する．
C：臼歯の人工歯が適正な位置に排列されると，頰筋と舌圧で下顎義歯は安定し，維持される．

判断すると弱圧の筋圧中立帯と解釈することができる．

　筋圧中立帯に対して，舌圧，唇・頰圧が強すぎる場合は義歯の脱離傾向は大きくなる（**図 10-39，40**）．そこで，義歯床面積が上顎に比べて小さく，可動組織が周囲を取り囲んでいる下顎全部床義歯を安定させるためには，可及的に側方圧を義歯の維持圧に利用するために，

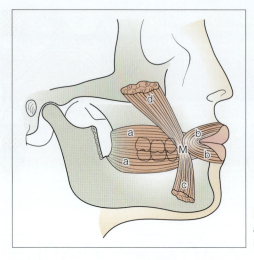

図10-41　モダイオラスを構成する筋群
a: 頰筋, b: 口輪筋, c: 口角下制筋, d: 頰骨筋,
M: モダイオラス.

デンチャースペースの動態を記録し，これに調和した義歯を製作することが有効である．

1 デンチャースペースを構成する筋群

1）義歯の維持に関与する筋

　義歯の維持に関与する筋としては，頰筋，口輪筋，舌筋，モダイオラスを構成する表情筋群などがあげられる（図10-41）．これらの筋の特徴は，大部分の筋線維の走行が顎堤とほぼ平行であること，また床縁部に作用しないことである．なお，筋活動により，デンチャースペースの位置や幅など側面全体の形態が変化する．

2）義歯の脱離に関与する筋

　義歯の脱離に関与する筋としては，咬筋，オトガイ筋，オトガイ舌筋，顎舌骨筋，内側翼突筋，口蓋舌筋，茎突舌筋，上唇を動かす筋群などがあげられる．これらの筋では，筋線維の走行が顎堤と直行または斜交しているため，筋活動によりデンチャースペースの前庭と舌側溝の位置および形態が変化する．したがって，臨床的には印象採得時の筋圧形成に活用される．

2 デンチャースペースの記録法

　デンチャースペースを記録する代表的な方法として，ニュートラルゾーンテクニック，フレンジテクニックおよびピエゾグラフィがある．

1）ニュートラルゾーンテクニック

　ニュートラルゾーンテクニック neutral zone technique は，1964年にBeresinとSchiesserが，Lammieの報告したニュートラルゾーンを記録する術式として開発したものである．ニュートラルゾーンの記録材料としてモデリングコンパウンドを，また，機能的歯肉形成の材料として酸化亜鉛ユージノール印象材を用いているが，各種軟性材料で対応することで応用可能である．以下に，この術式について述べる．

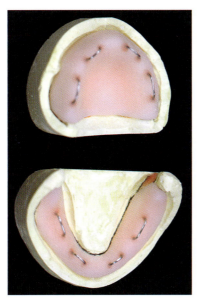
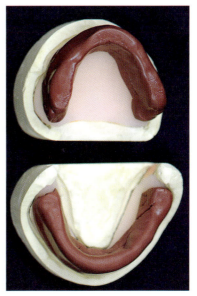

図10-42 維持用ループを付与した上下顎基礎床

図10-43 基礎床にモデリングコンパウンドを焼き付けた状態

　まずトレーレジンで製作した上下顎基礎床に，モデリングコンパウンド維持用ループを付与する（図10-42）．約60℃に設定したウォーターバス中にモデリングコンパウンドを浸漬した後，基礎床上にモデリングコンパウンドを咬合堤状に賦形して焼き付ける（図10-43）．次に，下顎咬合床をウォーターバスに浸漬し，モデリングコンパウンドを均等に軟化した後に口腔内に挿入する．開閉口，口唇突出，口角牽引，示指吸引，下顎側方運動，嚥下運動，舌運動などの一連の機能運動を指示して，ニュートラルゾーンを記録する．余剰のコンパウンドは上方にはみ出してくるので，上下口唇接合線とレトロモラーパッドの1/2～2/3の高さでカットし，仮想咬合平面を設定する．次に，上顎咬合床を同様に軟化して口腔内に挿入し，一連の機能運動を指示して，ニュートラルゾーンを記録する．余剰のコンパウンドがなくなるまでこの操作を繰り返した後，下顎咬合床を装着して，適正な咬合高径となるまで上顎咬合堤を削除する．

　ろう義歯試適時に義歯床研磨面にティッシュコンディショナーを盛り，口腔内に挿入後，同様の機能運動を行わせ，最終的な機能的歯肉形成を完了する．

2) フレンジテクニック

　フレンジテクニック flange technique は，1966年にLottとLevinがFishの原理をもとに開発したものである．わが国においては1966年に坪根が"全部床義歯の筋圧維持法"として初めて紹介した．この術式は，LottとLevinの方法を参考に一部改変したものであり，義歯床研磨面や人工歯の唇・頬・舌面を周囲組織の動態と調和した位置ならびに形態に形成するための臨床術式である．義歯に対して周囲組織から加わる側方圧をなるべく少なくし，また義歯に加わる機能圧を維持圧として利用して，義歯の維持を増強することを目的として

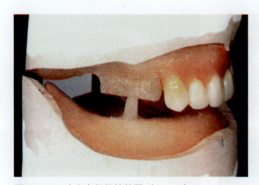
図10-44 咬合高径保持装置（キール）

図10-45 完成したデンチャースペース

いる．このようなことから，フレンジテクニックを広義に解釈すれば，義歯を構成する義歯床粘膜面，床縁の一部および義歯床研磨面（☞ p.58 図5-2参照）を機能的に形成する術式であるが，狭義には，デンチャースペースの側面形成に対して与えられた術式の名称である．デンチャースペースの記録および機能的歯肉形成に用いる材料として，LottとLevinはフレンジワックスを使用しているが，わが国では坪根が開発したソフトプレートワックスが一般的である．以下，その術式を記載する．

　デンチャースペースの記録時には，嚥下，発語などの機能運動を利用するため，このとき咬合高径を保持しておかなければ，オーバークロージャー over closure（過閉口）となり，適切な記録が不可能となる．そこで，咬合高径を保持するための装置として，上顎臼歯部にレジンブロック（キール）を，下顎臼歯部にレジンポストを製作する．上顎のレジンブロックは人工歯排列の基準となる咬合平面の位置と方向を確保するためであり，下顎のレジンポスト（キール）はデンチャースペースをなるべく侵害せずに咬合高径を保持するためである（図10-44）．

　ソフトプレートワックスは，温度差により流動性が異なるため，操作温度（47℃）には十分注意しなければならない．また適切なデンチャースペースを記録するにはワックスの均等な軟化が必須であり，そのためには，ワックスを操作温度に設定したウォーターバス中で8〜10分間浸漬する必要がある．前準備が終わったら，リップサポートとして排列した上顎6前歯の試適を行い，必要があれば修正する．次に，下顎基礎床にソフトプレートワックスを築盛し，ウォーターバス中で均等に軟化した後，下顎咬合床のみを口腔内に挿入して，唾液嚥下を中心にした機能運動を患者に指示する．口腔内から下顎咬合床を取り出し，レジンポストから上に押し出されたワックスを除去する．これにより，デンチャースペースの記録に必要なワックスの量がほぼ決定される．次に，下顎咬合床を再度ウォーターバスに浸漬して均等に軟化し，上下顎咬合床を口腔内に挿入して，嚥下，発語などを行わせる．デンチャースペースが正しく形成されていることが確認できたら，水でうがいさせ，ワックスを冷却した後，口腔外に取り出す（図10-45）．デンチャースペースが正しく形成された場合には，患者は違和感がなく，また，発語時に下顎咬合床は移動せず，大きく口を開けても浮き上が

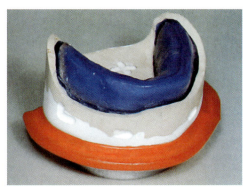

図10-46 石膏コア製作のための前準備
模型の頬側面・舌側面に石膏コア適合溝を掘り，下顎咬合床と模型とを焼き付け，石膏受け台を付与した状態．

図10-47 分割溝を付与した石膏コア

図10-48 石膏硬化後のコアの分割

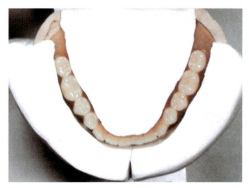

図10-49 デンチャースペース内に排列された下顎人工歯

らない．

　次に，デンチャースペースの石膏コアを適合させるための溝を模型の左右側面と舌側面に形成する．咬合床の粘膜面に石膏が入らないように，模型と咬合床の床縁部をワックスで焼付け，さらに模型基底面にユーティリティワックスを巻きつけて，石膏受け台とする（**図10-46**）．模型に石膏分離剤を塗布した後，ワックス周囲に石膏を盛る．また，石膏硬化前に唇・頬側コア正中部に分割溝を設ける（**図10-47**）．石膏硬化後，コアを分割して撤去し，ソフトプレートワックスを完全に除去する（**図10-48**）．コアを再適合することによって，デンチャースペースが確認できるので，このスペース内に人工歯を排列する．人工歯排列時に用いるワックスの量は人工歯をしっかりと基礎床に固定する程度とし，コアとの間に若干隙間があるほうがよい（**図10-49**）．

　人工歯排列が終了した後，石膏コア内面にワセリンを塗布し，軟化したソフトプレートワックスを下顎ろう義歯側面に盛り，石膏コアを模型に適合させて，余剰なワックスを押し

図10-50 機能的歯肉形成の前準備
義歯床研磨面にソフトプレートワックスを盛り，石膏コアを適合させて余剰なワックスを押し出す．

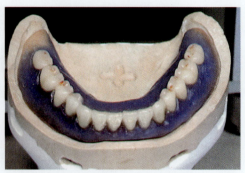

図10-51 機能的歯肉形成が完了した下顎全部床義歯

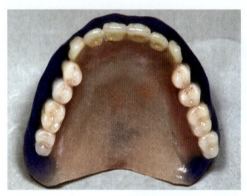

図10-52 機能的歯肉形成が完了した上顎全部床義歯

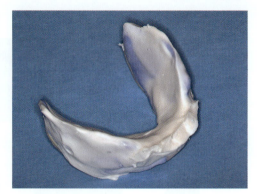

図10-53 ピエゾグラフィ

出す（**図10-50**）．余剰なワックスをトリミングし，トーチランプでワックス表面を軽く軟化した後，47℃ウォーターバスに2～3秒浸漬し，ろう義歯を口腔内に挿入する．このとき，嚥下，口唇突出，口角牽引，吸引，舌の運動などの機能運動を行わせる．ろう義歯を口腔内から取り出し，咬合面側に押し出されたワックスを歯頸部でトリミングし，機能的歯肉形成を完了する（**図10-51**）．機能的歯肉形成が完了したら，通法にしたがってレジン重合を行う．

　完成した下顎義歯を咬合器に中心咬合位でのチェックバイトを利用して再装着し，上顎ろう義歯の人工歯排列の修正および咬合調整を行う．軟化したソフトプレートワックスを上顎ろう義歯側面に盛り，トーチランプでワックス表面を軽く軟化した後，47℃ウォーターバスに2～3秒浸漬し，ろう義歯を口腔内に挿入する．このとき，下顎完成義歯を装着させ，嚥下，口唇突出，口角牽引，吸引，側方運動などの機能運動を行わせる．ろう義歯を口腔内から取り出し，咬合面側に押し出されたワックスを歯頸部でトリミングし，機能的歯肉形成を完了する（**図10-52**）．機能的歯肉形成が完了したならば，下顎の場合と同様に，通法にしたがって，レジン重合を行う．

表 10-6　ピエゾグラフィに用いる日本語発音の例

唇・頬側	前歯部	パ行，マ行などの両唇音
	臼歯部	［ム］，［ツ］など後続母音に［ウ］を含む発音
舌　側	前歯部	［テ］，［デ］など後続母音に［エ］を含む発音
	臼歯部	サ行など舌が横に広がる発音 ［ギャ］，［ギュ］，［ギョ］，［ニャ］，［ニュ］，［ニョ］など，口底を挙上する発音

3）ピエゾグラフィ

　ピエゾグラフィ piezography（**図 10-53**）は，1974 年にフランスの Klein が考案したものであり，ラテン語圏を中心に臨床応用されてきたが，わが国において野首らが日本人においても有効であることを確認した．このテクニックの特徴は，患者固有の発語時に生じる筋圧を，流動性の高い軟性材料で記録することにある．発語を機能運動として用いる利点は，患者の発語を聞き取ることによって，フレンジの各部位に対して選択的に機能圧が正確に配分できているかを確認できる点であり，熟練者でなくても容易に行える方法とされている．以下に術式を記載する．

　まず，口腔内に挿入した基礎床にシリンジを用いてティッシュコンディショナーやシリコーンゴム印象材などの軟性材料を注入し，術者の後に続いて患者に発音を指示する（**表10-6**）．軟性材料の硬化後，口腔外に取り出すと，非常に細いデンチャースペースが形成されているのが確認できる．この印象体を口腔内に戻し，同様の手技を数回繰り返すことにより，義歯製作に適切なデンチャースペースを記録していく．

　患者の発語機能を利用して義歯を製作していくというこのテクニックは，患者自身が積極的に治療に参加しているという意識が高まることから，患者 - 術者間のコミュニケーションをはかるうえでも有用な方法である．

（鱒見進一）

COLUMN 7　チェックバイト

　臨床では頻繁に，「チェックバイトを採る」ということがいわれる．チェックバイトとは上下顎の顎間関係を咬合採得材で記録することをいう．しかし，チェックバイトには以下の 2 種類があるので注意しなければならない．1 つは，中心咬合位として採得した下顎位を確認するために，あるいは採得した下顎位に誤りがあるために，再度採得した中心咬合位での咬合記録である．もう 1 つは，半調節性咬合器の顆路調節を行うために採得した，前方位あるいは側方位での咬合記録であり，それぞれを「前方チェックバイト」「側方チェックバイト」とよぶ．いずれのチェックバイトも，咬合床，ろう義歯，重合後の義歯で採得することが可能であるが，義歯の製作過程が進行するほど，換言すると，最終義歯の形態に近くなればなるほど正確な咬合位の採得が可能になる．

（編集委員）

第11章 下顎運動の記録と咬合器装着

I 下顎運動の記録

1 下顎運動測定の目的

上下顎咬合床を用いて上顎に対する下顎の垂直的，水平的顎間関係の記録を行った後，上下顎模型を咬合器に装着し，咬合堤上で人工歯の排列を行う．人工歯の排列に際し，生体の下顎運動に調和した咬合関係を付与するためには，下顎運動の測定と下顎運動を再現する解剖学的咬合器（顆路型咬合器）が必要である．

解剖学的咬合器には，平均値咬合器，半調節性咬合器，全調節性咬合器があり，全部床義歯を用いた無歯顎補綴治療には平均値咬合器あるいは半調節性咬合器が用いられる．

咬合器を調節するための下顎運動の測定には，ゴシックアーチ描記法，チェックバイト法，パントグラフ法，チューイン法などがある．パントグラフ法は，左右の下顎頭部と前方部に描記針と描記板を備えた口外描記法装置（パントグラフ）を用いて下顎運動を描記板（水平面と矢状面）に記録する方法で，記録した下顎運動を咬合器上に正確に再現することにより全調節性咬合器の調節を行うものである．チューイン法は，下顎（上顎）に固定した常温重合レジンに上顎（下顎）に固定した描記針で三次元的な下顎運動を記録する方法で，この記録をもとにTMJ咬合器（全調節性咬合器）を調節する．パントグラフ法とチューイン法は無歯顎患者に応用することもできるが，通常，有歯顎患者の咬合分析や補綴歯科治療時に用いられる．

顎機能を評価するための下顎運動の測定には，ゴシックアーチ描記法やパントグラフ法，切歯点の運動の記録法，6自由度顎運動記録装置による下顎運動の記録法があるが，無歯顎患者ではゴシックアーチ描記法が一般的である．下顎運動に問題がある場合には，新義歯製作でなく，治療用義歯により問題を改善する必要がある．

1）咬合器での下顎運動の再現
（1）平均値咬合器での下顎運動の再現

平均値咬合器は，Bonwill三角，Balkwill角，矢状顆路傾斜角，側方顆路角などの下顎運動要素を生体の下顎運動の測定結果（平均値）に基づいて咬合器に組込むことにより，患者の下顎運動を測定することなく，平均的な下顎運動を再現するものである．

ギージーシンプレックス咬合器では，Bonwill三角が一辺10 cm（約4インチ），Balkwill角が20°，矢状顆路傾斜角が30°，側方顆路角が15°，矢状切歯路傾斜角が0°～30°（10°刻み），ハンディ咬合器ではBonwill三角が底辺（顆頭間距離）10.5 cmと他の辺11.2 cm，Balkwill角が25°，矢状顆路傾斜角が25°，矢状切歯路傾斜角が10°に設定されている（図11-1，2）．

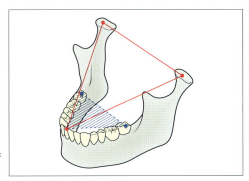

図 11-1 Bonwill 三角と咬合平面
Balkwill 角は，Bonwill 三角（赤実線）と咬合平面（青斜線）とのなす角である．

図 11-2 平均値咬合器
A：ジーシーシンプレックス咬合器 OU-H3 型．B：ハンディ咬合器ⅡA 型．

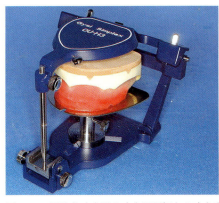

図 11-3 平均値咬合器の咬合平面板上の咬合床

　上顎咬合床の正中線を切歯指導標の先端に一致させるように咬合平面板上に設置し，上顎模型を咬合器に装着（**図 11-3**）し，顎間関係の記録を用いて下顎を咬合器に装着する．

図11-4 上顎模型をフェイスボウを用いて半調節性咬合器に装着

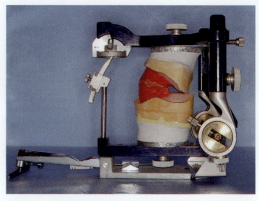
図11-5 顎間関係が記録された咬合床による下顎模型の装着

(2) 半調節性咬合器での下顎運動の再現

上顎模型をフェイスボウを用いて咬合器に装着し，顎間関係を記録した咬合床で下顎模型を装着する（**図11-4, 5**）．ゴシックアーチ描記装置を用いた場合は，ゴシックアーチの頂点，あるいはタッピングポイントで採得したチェックバイトを用いて下顎模型を装着する．また，前方チェックバイトにより咬合器の矢状顆路傾斜角を，側方チェックバイトにより非作業側の側方顆路角を調節する．側方顆路角については，無歯顎者では咬合床が不安定になりやすいこと，側方位での保持がしにくいことなどから，Hanauの公式（$L = H/8 + 12$）で矢状顆路傾斜角（H）から側方顆路角（L）を算出することが多い．

2) 下顎運動の診断（評価）

無歯顎患者ではゴシックアーチ描記法が一般的である．

ゴシックアーチ描記法における描記路のパターンは，左右の側方描記路の長さと前方描記路の状態から9つのパターン（L1～L9）と，描記路とアペックスが彎曲するもの（C），描記路が極めて不安定なもの（Z）に分類できる（**図11-6**）．

左右の側方描記路がほぼ同じ長さで，前方描記路が偏位していない定型的なパターン（L1）の場合，顎機能が正常と評価される．左右の描記路の長さが異なり，前方描記路が側方描記路の長いほうに偏位するパターン（L6とL8）では，片側の下顎頭に運動制限が疑われる．左右側方描記路の長さが異なり，前方描記路に偏位が認められない場合は，顎関節には問題がないと推測できる．側方描記路は，長いほうが習慣性咀嚼側であることが多く，片側咀嚼が強い場合にその傾向が顕著に表れる．L4では習慣性咀嚼側でない側の顎関節に問題がある場合に起こりうるパターンである．なお，前方描記路が側方描記路の短いほうに偏位する（L5とL9）ことは起こりにくく，この場合には装置の問題（床の不適合や動揺など）が考えられる．描記路が正確に描けないパターンCとZも，顎関節あるいは咀嚼筋に問題があると考えられる．パターンL4，L6，L8，C，Zの場合には，治療用義歯により改善する必要がある．

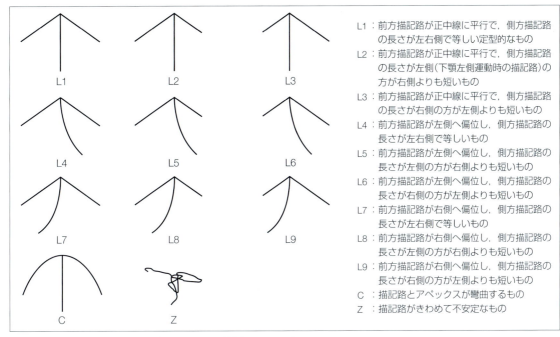

図11-6 ゴシックアーチの描記路のパターン（村上ら，1992）

　ゴシックアーチ描記路が定型的なパターン（L1）でタッピングポイントがアペックスに収束あるいはアペックスの前方約0.5～1.0 mmに収束する場合は，顎機能が正常と評価できるが，タッピングポイントがアペックスからはるかに離れる場合やばらついている場合は，顎機能の異常か装置の問題を疑う．

2 下顎運動の記録法
1）ゴシックアーチ描記法
　ゴシックアーチ描記法は，上下顎咬合堤に描記板と描記針を装着し，左右側方運動と前方運動を行わせることにより下顎運動を描記させる方法で，口内描記法と口外描記法がある（☞p.166参照）．口外描記法は，運動中の軌跡を直視でき，描記図が大きいなどの利点があるが，装置が大きく，描記時の安定性に劣るため，口内描記法が一般的に用いられている．**図11-7**に口内法によるゴシックアーチ描記法を示す．

2）チェックバイトによる測定
　チェックバイト法は，前方あるいは側方運動時に下顎頭が前下方に移動することにより生じるChristensen現象を利用して半調節性咬合器の矢状顆路傾斜角と側方顆路角の調節を行うものである．下顎の前方あるいは側方での下顎位を速硬性の石膏やワックスを用いて記録する．ゴシックアーチを用いる場合の例を**図11-8**に示す．前方位チェックバイトによる矢状顆路傾斜角の調節はp.196の**図11-21**を参照されたい．

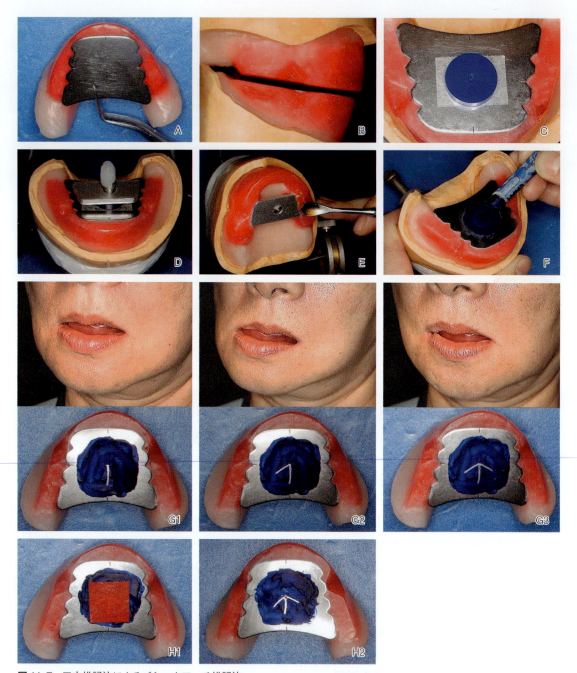

図11-7　口内描記法によるゴシックアーチ描記法
A：咬合堤よりわずかに小さいサイズの描記板を選択する．描記板を加温し，描記板の上面が咬合平面と同一となるように下顎咬合床の咬合堤に焼き付ける．
B：上顎咬合堤を咬合平面より2～3mm削除し，左右臼歯部にV字溝を形成する．
C：描記板の中央に両面接着テープを付着し，ディスクの孔を正中線と $\overline{6|6}$ 相当部を結ぶ交点に設置する．
D，E：描記針がディスクの孔に入るように設置し，上顎の咬合堤に固定する．
F：描記板にクレヨンを溶解，塗布する．
G：下顎を後退させて閉口させ，前方運動（G1），右側方運動（G2），左側方運動（G3）を行わせる．
H：アペックス部に咬合紙（赤色）を置き，タッピング運動を行わせる（H1）．この症例では，アペックスとタッピングポイントが一致している（赤色，H2）．

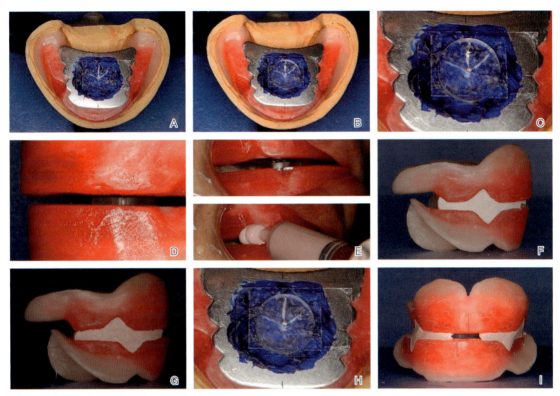

図 11-8 顆路測定のためのチェックバイト
A：描記されたゴシックアーチ上にセロテープを貼り，その上に両面テープを貼る．
B，C：透明ディスクの中心孔がアペックス，中心孔から 5 mm 離れた孔が前方描記路上に位置するようにディスクを付着する．
D：上下顎咬合堤部にワセリンを塗布後，口腔内に戻し，描記針をディスクの中心孔に挿入させる．
E：速硬性石膏を左右臼歯部に注入し，石膏コア（中心位チェックバイト）を採得する．
F：硬化後，一塊として口腔外に取り出す．
G：描記針を前方描記路上の孔に挿入させ，前方位チェックバイトを採得する．硬化後，一塊として口腔外に取り出す．
H：ディスクを除去し，中心孔から 5 mm 離れた孔が右側方描記路上に位置するようにディスクを再付着する．
I：描記針を側方描記路上の孔に挿入させ，右側方位チェックバイトを採得する．硬化後，一塊として口腔外に取り出す．

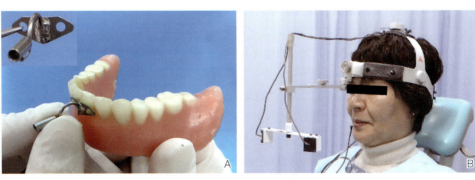

図 11-9 MVT による咀嚼運動の記録
A：シーネ（左上）にスティッキーワックスを盛り，歯列を乾燥させ，シーネを下顎切歯部に装着する．
B：頭部にヘッドマウントカメラを装着し，カメラの高さ，カメラと LED との距離（15 cm）を調節後，咀嚼運動を記録する．

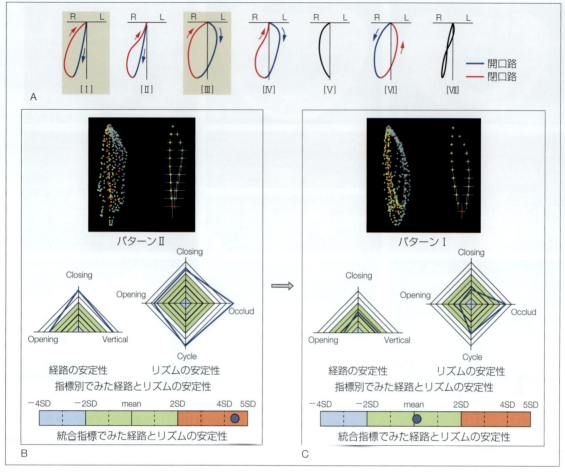

図 11-10 咀嚼運動の評価（切歯点）
A：経路のパターン．ⅠとⅢが正常．B：全部床義歯補綴歯科治療前（使用中の義歯装着時）．C：全部床義歯補綴歯科治療後（新義歯装着時）．

3）特殊な測定機器を用いる方法

　エレクトロニクスの発達とコンピュータの普及に伴い，電気的に記録する装置が種々開発・市販され，限界運動や咀嚼運動の定量的，客観的な評価が行われている．

　切歯点の運動を測定する装置として MKG（mandibular kinesiograph）や MVT（motion visi-trainer）がある．この装置は切歯点に標点（磁石や発光ダイオード）を付着し，頭部に固定されたセンサーにより標点の動きを三次元的に測定するものであり，限界運動や咀嚼運動などを観察，評価することができる（**図 11-9，10**）．

　下顎頭の運動を測定するには，6自由度顎運動記録装置が必要となる．上下顎歯列に測定用シーネを装着し，その6自由度の顎運動を分析することにより，切歯点や下顎頭などの下顎の任意点の運動を推定できるが，上下顎歯列にシーネを付着させる必要があることから，主に有歯顎患者に用いられる． （志賀　博）

II 咬合器

1 咬合器の構造と機能

　間接法で補綴装置を製作する際，上下顎模型の位置関係を生体の顎間関係と同一に再現する目的で用いる装置を咬合器という．咬合器の上弓と下弓にそれぞれ上顎と下顎の模型を適切に装着すると，咬合器を閉じたときの上下顎模型は，咬頭嵌合位における顎間関係と同じ位置関係を占める．

　上弓と下弓の連結部分に蝶番の機構を備えた蝶番咬合器（平線咬合器）は，下弓に対して上弓が蝶番軸周りに回転する構造であり，咬頭嵌合位の顎間関係のみを正しく再現する．装置によっては蝶番軸が移動し，上顎模型に対する下顎模型の位置を前方，側方に偏位できるものもあるが，これらは生体の前方，側方偏心運動を再現しない．連結部分にコイルスプリングを用いた自由運動咬合器は，咬頭嵌合位の顎間関係に加えてコイルスプリングの弾性変形の範囲で上下顎模型間の位置関係を任意に変化させることができるが，こちらも生体の偏心運動を再現するわけではない（図11-11 A，B）．

図11-11　各種の咬合器の例
A：平線咬合器（ユニティ咬合器）
B：自由運動咬合器（南加大咬合器）
C：平均値咬合器（ギージーシンプレックス咬合器 OU-Ⅱ型）
D：半調節性咬合器（デナーマークⅡ咬合器）

一方，連結部分に顎関節を模した関節部とよばれる機構を備えた咬合器を解剖学的咬合器（または顆路型咬合器）といい，自由運動咬合器や蝶番咬合器などの非解剖学的咬合器と区別する（図11-11 C，D）．解剖学的咬合器の関節部は，さまざまな方法の顆路機構により偏心運動時の顆路（下顎頭の運動経路）を再現する．また切歯指導釘と切歯指導板からなる切歯指導部を設けるなどして，咬頭嵌合位や偏心位における咬合高径を確保するとともに偏心運動時の切歯路（切歯点の運動経路）を再現する．つまり解剖学的咬合器は，生体において顎関節と歯列の咬合が下顎運動を規定するように，関節部と切歯指導部がそれぞれポステリアガイダンス（顎関節の形態に由来する下顎運動の規定要素）およびアンテリアガイダンス（歯の形態や咬合に由来する下顎運動の規定要素）の役割を担い，咬頭嵌合位を起点とする下顎の偏心運動を再現する．

　全部床義歯の安定を得るには，両側性平衡咬合など全部床義歯固有の咬合様式を付与し，咬合平衡を確立することが有用である．臼歯部で食品を臼磨するのは咀嚼閉口相の末期から咬合相にかけてであり，この範囲の運動路は咬頭嵌合位付近の側方滑走運動路と近似する．このため，側方滑走運動路を再現する解剖学的咬合器上で両側性平衡咬合を付与することは，咀嚼中の義歯の安定に役立つ．こうしたことから，全部床義歯の製作では咬頭嵌合位とその付近の偏心位をともに再現する解剖学的咬合器が一般に用いられる．

2 咬合器の種類
1）調節性による分類

　解剖学的咬合器のうち，顆路を調節する機構を組み込んだものを調節性咬合器，顆路が平均値で固定され，調節機構をもたないものを平均値咬合器（☞ p.180 参照）という．調節性咬合器はさらに，作業側および非作業側顆路，ならびに顆頭間距離が調節可能な全調節性咬合器と，作業側顆路の調節性を欠く半調節性咬合器に細分類される．半調節性咬合器の一部は，顆頭間距離の調節が可能である．

　咬合器の調節性が高いほど，理論的には，生体の下顎運動をより正確に再現できる．また，咬合器が生体の下顎運動をどの程度再現するかは，補綴装置装着時の咬合調整量や費やす時間に影響する．しかし調節箇所が増えればそれだけ咬合記録や咬合器調節の行程が複雑化し，診療室や技工室で費やす時間や費用がかさむうえ，調節完了までの行程で作業上の誤差が入り込む余地も増える．全部床義歯症例では咬合床の動揺などが咬合記録の精度や再現性を損なう要因となり，咬合器調節に費やす労力に見合った下顎運動の再現性を得ることは容易ではない．全部床義歯の製作ではこれらの条件を考慮し，平均値咬合器を用いることが多い．

2）関節部の位置による分類

　解剖学的咬合器の関節部は，一般に下顎頭を模した顆頭球と，下顎窩を模した顆路指導部から構成される．生体と同じく上弓に顆路指導部，下弓に顆頭球をもつものをアルコン型咬合器といい，生体とは逆に上弓に顆頭球，下弓に顆路指導部をもつものをコンダイラー型咬合器という．顆路調節機構の調節精度が同等であれば，両者の顎運動の再現性に違いはない．

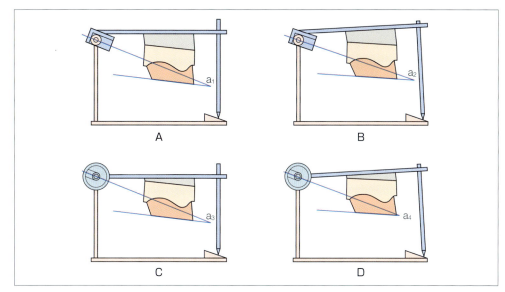

図11-12 アルコン型咬合器とコンダイラー型咬合器の運動論的相違点
アルコン型咬合器（A, B）の顆路指導部は上弓，顆頭球は下弓にあり，生体の下顎窩，下顎頭と相似の位置関係にあるが，コンダイラー型（C, D）はその逆である．アルコン型咬合器は咬合器上で咬合挙上しても（B）顆路傾斜は不変であるが（a1 = a2），コンダイラー型咬合器（D）では変化が生じる（a3 ≠ a4）．

ただし，コンダイラー型咬合器は，咬合器上で咬合高径や切歯路の傾斜を変化させると，その影響が顆路に及ぶ．一方，アルコン型咬合器にはこうした制約がない（**図11-12**）．

3）関節部の構造による分類

解剖学的咬合器は，顆路指導部の構造により，スロット型咬合器とボックス型咬合器に分類される．

（1）スロット型咬合器（**図11-13**）

スロット型咬合器は，顆路指導部が顆頭球の直径と等しい幅の直線状もしくは曲線状のスロット（溝）であるものをいう．顆頭球は，咬頭嵌合位においてスロットの一端に接し，前方，側方滑走運動時にはスロット内を他端に向かって移動する．スロット型咬合器の顆路調節機構は，咬頭嵌合位における顆頭球の中心を通る2軸周りでスロット自体を回転させるもので，これらにより前方滑走運動時の矢状前方顆路傾斜角，側方滑走運動時の矢状側方顆路傾斜角ならびに非作業側側方顆路角（Bennett角）の調節性を実現している．顆頭球は顆頭間軸方向への可動性を備え，作業側顆路（Bennett運動）を顆頭球に対する下弓の外側への移動として再現する（**図11-13**）．

（2）ボックス型咬合器（**図11-14**）

ボックス型咬合器は，顆路指導部が顆頭球の上方，後方，および内側方に位置する3枚の壁で構成されたものをいう．咬頭嵌合位では顆頭球はこれら壁面のすべてと接する．側方滑走運動時，作業側の顆頭球は上壁と後壁，非作業側の顆頭球は上壁と内壁に沿って移動する．顆路調節機構は，上壁と内壁の傾斜を変化させる機構の2つからなり，それぞれが側方滑走

図 11-13　スロット型咬合器とその関節部
A：スロット型咬合器.
B：後方から眺めた関節部.
C：咬頭嵌合位と左偏心位における顆路指導部と顆頭球. 上は咬頭嵌合位で, 両側の顆頭球はスロットの後方端に接している. 下は左偏心位で, 非作業側（右側）の顆頭球はスロット内を前方に移動している. 作業側（左側）の顆頭球のスロット内の位置は咬頭嵌合位と同じだが, 顆頭球それ自体は内側に移動し（赤丸), 下弓（下顎）が作業側方向に移動したことがわかる. 移動方向は顆頭間軸方向に固定され, 調節性はない.

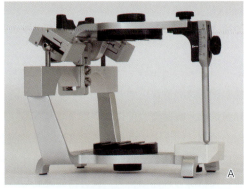
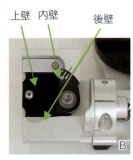
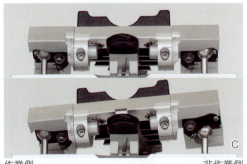

図 11-14　ボックス型咬合器とその関節部
A：ボックス型咬合器.
B：下方から眺めた関節部.
C：咬頭嵌合位と左偏心位における顆路指導部と顆頭球. 上は咬頭嵌合位で, 両側の顆頭球は上壁, 内壁, 後壁のそれぞれと接している. 下は左偏心位で, 非作業側（右側）の顆頭球は後壁を離れ, 上壁, 内壁に沿って前下内方に移動している. 作業側（左側）の顆頭球は内壁を離れ, 上壁, 後壁に沿って外方に移動している. 作業側下顎頭の移動方向は上壁, 後壁によって固定され, 調節性はない.

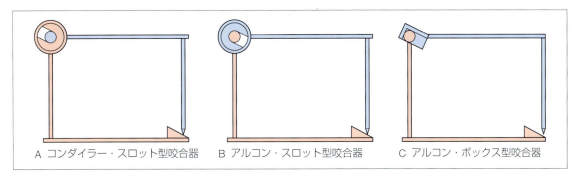

図 11-15　関節部の位置と構造による解剖学的咬合器の分類
A：コンダイラー・スロット型咬合器．B：アルコン・スロット型咬合器．C：アルコン・ボックス型咬合器．
上弓の構成要素を青色，下弓の構成要素を赤色で示す．コンダイラー・ボックス型咬合器は存在しない．

運動時の矢状側方顆路傾斜角と非作業側側方顆路角の調節性を実現している（**図 11-14**）．内壁が規定する非作業側側方顆路角を平均値で固定したまま，内壁そのものに内外側方向の可動性を与え，イミディエートサイドシフトの量を調節可能とする構造のものもある．顆頭球と顆路指導部の壁面との接触が確保されないボックス型咬合器は，スロット型咬合器と比べて，人工歯削合などの技工操作中に咬頭嵌合位や側方偏心位が不安定となりやすい．

　解剖学的咬合器は，関節部と顆路指導部の構造により，コンダイラー・スロット型，コンダイラー・ボックス型，アルコン・スロット型，およびアルコン・ボックス型の，計4種に分類される．ただし，コンダイラー・ボックス型咬合器は存在しない（**図 11-15**）．

3 模型の咬合器への装着

　全部床義歯の製作行程で，咬合器は一般に2度にわたって使用される．初回は上下顎作業用模型を咬合器に装着してから，人工歯排列，歯肉形成を経てろう義歯を完成するまでであり，2回目はレジン重合後の義歯を咬合器に再装着し，咬合調整（人工歯の削合）により適切な咬合関係を確立するまでである．ろう義歯をフラスクに埋没し，流ろう，レジン填入，重合を経て基礎床やワックスを床用レジンに置換する作業行程で，レジンの重合収縮などにより，咬合関係は不可避的に変化する．咬合器上での咬合調整にはそれを補正する意義がある．

1）模型装着の前準備

　複数回の咬合器装着で作業用模型を同一位置に装着できるよう，スプリットキャスト法とよばれる可撤性の装着法が用いられる（☞ p.234参照）．スプリットキャストとは，平坦に仕上げた模型基底面の3箇所以上に楔状の切痕（スプリット）を付与した模型をいう．この模型の基底面に石膏分離剤を塗布し，ボクシングを行い，装着用石膏を用いて咬合器に装着すると，模型基底面を分割面として咬合器から分離した模型をろう義歯とともにフラスクに埋没することや，レジン重合後に義歯を作業用模型ごと取り出し，スプリットにより咬合器に復位，再装着することが可能になる（**図 11-16**）．

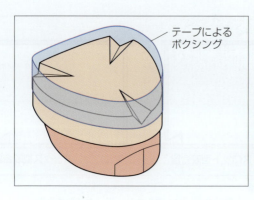

図 11-16 スプリットキャスト法
模型の基底面を平坦に整え，3か所以上に楔状の切痕（スプリット）を形成する．ワセリンなどの石膏分離剤を塗布し，テープでボクシングを行い，石膏を用いて咬合器装着を行う．咬合器から模型を分離した後，スプリットにより同じ位置に復位することができる．

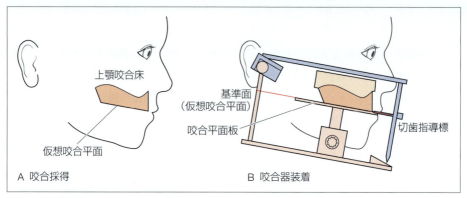

図 11-17 咬合平面板を用いた咬合器装着
A：咬合採得が終了した時点で，上顎咬合床の下面は仮想咬合平面を表している．
B：咬合平面板上に上顎咬合床を位置づけ，咬合床の正中を咬合器の正中矢状面に，咬合床の最前方端を切歯指導標先端に一致させることで，上顎咬合床を介して，上顎作業用模型と上弓が適切に位置づけられる．

　後述するように，スプリットキャスト法は半調節性咬合器の顆路調節にも有用である．

2）模型の咬合器装着

　咬合器装着は，はじめに上弓に対する適切な位置に上顎模型を位置づけ，咬合器装着に適した低膨張率の石膏を用いて上弓に装着し，次いで上顎模型に対する適切な位置に下顎模型を位置づけ，同じく石膏で下弓に装着する．

　上弓に対する上顎模型の位置づけは，顎関節を含む頭蓋に対する上顎の相対位置を，関節部を含む上弓に対する上顎模型の相対位置として再現するもので，頭蓋・顎関節と上顎の相対位置を個々の患者について記録，再現する方法と，両者の平均値的相対位置を用いる方法がある．平均値咬合器を用いる場合はそのいずれを用いてもよいが，調節性咬合器を用いる場合は患者固有の相対位置を記録，再現する必要がある．

（1）咬合平面板を用いた装着（図 11-17）

　咬合平面板を用いる装着法は，頭蓋・顎関節と上顎との平均値的な相対位置を利用する方法で，平均値咬合器の咬合器装着に用いられる．咬合平面板は咬合器の基底面と平行であり，咬合器の所定の位置に装着すると，その上面は仮想咬合平面と一致する．咬合平面板には切

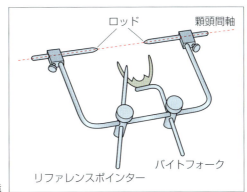

図 11-18 フェイスボウの構造

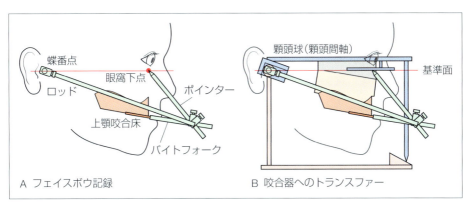

図 11-19 フェイスボウトランスファー
A：ロッドを両側蝶番点，ポインターを眼窩下点に位置づけると，これら 3 点に対する上顎咬合床の位置が記録される．
B：ロッドを両側顆頭球，ポインターを咬合器の基準面に位置づけると，咬合器の所定の位置に上顎咬合床が位置づけられる．この位置で上顎の作業用模型を上弓に装着する．

歯点や正中線が表記されており，それを参照しつつ上顎咬合床を咬合平面板の適切な位置に位置づけることで，Bonwill 三角と Balkwill 角が平均値的な値に設定され，上顎模型は上弓や関節部に対して平均的な位置に装着される．

(2) フェイスボウを用いた装着（図 11-18, 19）

フェイスボウ face bow（顔弓）は頭蓋や顎関節に対する上顎の相対位置を記録，再現する装置で，その名は顔面の前方を迂回して両側顎関節部を結ぶ弓状のフレーム形状に由来する．一般に調節性咬合器の咬合器装着に用いるが，平均値咬合器に用いてもよい．

下顎が両側顎関節下顎頭を結ぶ軸周りの回転運動を行うとき，その回転軸を蝶番軸という．蝶番軸が左右両側の顔面皮膚を貫く点（これを蝶番点という）を後方基準点，左右いずれかの眼窩下点などを前方基準点と定めることで，蝶番軸とそれを含む頭蓋はこれら 3 点を頂点とする三角形として表現される．フェイスボウのフレーム両端から伸びるロッド（桿）先端

表 11-1 平均的顆頭点

Gysi 法	耳珠上縁と外眼角を結ぶ線上で，耳珠上縁より 10 mm 前方
Lundeen 法	耳珠下縁と外眼角を結ぶ線上で，耳珠下縁より 13 mm 前方
Simpson 法	耳珠上縁と鼻翼下縁を結ぶ線上で，耳珠上縁より 10 mm 前方
保母法	外耳道上縁と外眼角を結ぶ線上で，外耳道上縁より 13 mm 前方，5 mm 下方

を後方基準点に，上顎咬合床に固定したバイトフォークをフレームにそれぞれ固定し，フレームの中央付近から伸びるレファレンスポインター先端を前方基準点に位置づければ，蝶番軸やそれを含む頭蓋に対する上顎の位置が記録される．その後，ロッド先端を両側顆頭球に，リファレンスポインター先端を咬合器ごとに定められた基準面に一致させ，バイトフォークに固定された上顎咬合床に上顎模型を位置づければ，蝶番軸を含む頭蓋に対する上顎の位置が，そのまま顆頭間軸を含む咬合器上弓に対する上顎作業用模型の位置として再現される．以上がフェイスボウトランスファーの原理である（**図 11-19**）．

後方基準点である蝶番点を記録するには，専用のフェイスボウ（ヒンジアキシスロケーターなど）を用いる方法が知られている．この装置は，バイトフォークを介してフレームを上顎と連結するフェイスボウトランスファーの場合と異なり，フレームを下顎に連結する．顎関節部の皮膚上に延びるフレーム先端の描記針で蝶番運動時の軌跡を描かせると，描記針が蝶番点の上方であれば開口時に前向きの軌跡が描かれ，蝶番点の前方，下方，後方であればそれぞれ下向き，後ろ向き，上向きの軌跡が描かれる．またこの軌跡の長さは描記針が蝶番点に近いほど短い．これら描記針と蝶番点の位置関係による描記針の軌跡の特徴に基づいて，蝶番運動時の不動点である蝶番点を試行錯誤的に探索する．

しかし，顎関節の下顎窩の後壁と骨外耳道は解剖構造を共有しており，両者の位置関係の個人間変動は小さい．そこで，耳珠や外眼角などの解剖学的ランドマークを参照しつつ，蝶番点の平均的位置を求めることも多い．これを平均的顆頭点とよび，さまざまな方法が提唱されている（**表 11-1**）．

フェイスボウトランスファーの際，ロッド先端を蝶番点や平均的顆頭点に位置づける代わりに，ロッドを外耳孔に挿入し，その位置を記録することもある．この用途のフェイスボウをイヤーピースタイプフェイスボウといい，専用のロッドをイヤーピースとよぶ．この方法では，外耳孔と前方基準点に対する蝶番軸の平均的位置が自動的に設定され，蝶番点や平均的顆頭点を記録する過程を省略できる．

3）顆路の調節

調節性咬合器の顆路調節の方法は，顆路調節機構により大きく異なる．全調節性咬合器の調節に用いるパントグラフは，両側顎関節付近と前歯部付近の計 3 か所で，互いに直交する 2 枚 1 組の描記板に下顎限界運動軌跡を記録する装置である．記録した運動経路をその彎曲を含めて全調節性咬合器で再現する顆路調節は，顆頭間距離を変えたり，適切な彎曲の顆路

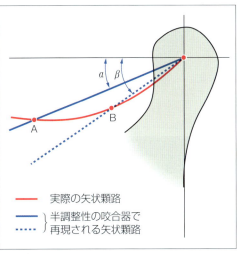

図 11-20 前方チェックバイトを記録する下顎位が咬合器に再現される矢状顆路傾斜角に及ぼす影響
矢状顆路（赤実線）は下に凸な曲線を描く．しかし，半調節性咬合器は，その顆路を咬頭嵌合位と前方咬合位における顆頭点の位置を結ぶ直線で近似する．そのため，下顎頭が点Aに位置する下顎位で前方チェックバイトを記録した場合，咬合器に再現される矢状顆路（青実線，傾斜角 α）は，後方の点Bで前方チェックバイトを記録した場合の矢状顆路（青点線，傾斜角 β）と比べて，生体の顆路との隔たりが大きく，咬頭嵌合位付近の下顎運動の再現性が低下する．

指導板を選択したり，顆路指導板に削合を加えるなど，手順が繁雑である．
　しかしすでに述べたように，全部床義歯の製作に用いる咬合器は平均値咬合器もしくは半調節性咬合器である．半調節性咬合器は一般に咬頭嵌合位とその近傍の偏心位を結ぶ顆路を直線で再現する．生体の顆路は下顎窩から関節結節にかけての彎曲を反映してなめらかな曲線を呈するが，咬頭嵌合位付近の顆路はほぼ直線状を示すから，実際にはこれで十分である．
　直線状の顆路は，直線上の2点によって表現される．咬頭嵌合位における顆頭点の他に偏心位における顆頭点を求め，両者を結ぶ直線を顆路とする方法である．その具体的な術式が，前方もしくは側方チェックバイトの記録である．顆路傾斜をこれら2つの顆頭点位置から求める場合，位置の記録精度が同等であれば，2点間の距離が小さいほど顆路傾斜の変動（誤差）は大きくなる．一方，チェックバイトを咬頭嵌合位から離れた下顎位で記録すれば，実際には曲線状の顆路が直線で近似されてしまい，やはり誤差が増す．したがってチェックバイトは，咬頭嵌合位を起点とする顆路が直線で近似して差し支えない範囲で，できるだけ咬頭嵌合位から遠ざかった下顎位で記録することが適切であり，実際には前歯部での偏位量が5 mm 程度となる下顎位で記録することが推奨されている（**図 11-20**）．
　側方チェックバイトを用いる場合は，左側方位と右側方位の2個のチェックバイトを記録し，前者で右側，後者で左側の非作業側顆路を別個に調整する．前方チェックバイトを用いる場合はまず矢状前方顆路傾斜角（H）を調節し，非作業側側方顆路角（L）は計算式（L = H/8 + 12）により求めた数値とする．矢状前方顆路傾斜角と矢状側方顆路傾斜角では後者の傾斜が強い．なお，両者の差を Fischer 角とよび，いずれのチェックバイトを用いるかにより顆路が異なることになるが，その影響は小さいと考えられている．
　半調節性咬合器は作業側顆路の調節性がないか，大きく制限されるため，チェックバイト記録時の下顎位が再現できるとは限らない．そこで，スプリットキャスト法で装着した上顎作業用模型を咬合器から取り外し，咬合堤とチェックバイトが緊密に接した状態で固定した

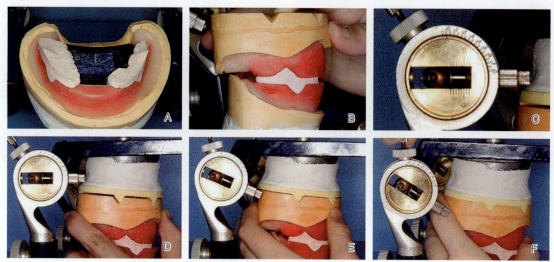

図 11-21 前方チェックバイトを用いた矢状前方顆路傾斜角の調節（志賀博先生のご厚意による）
A：前方チェックバイトを下顎咬合堤上に適合させる．
B：上顎咬合堤および上顎作業用模型をチェックバイトに適合させる．
C, D：咬合器の矢状顆路傾斜角を0度とし，上弓を閉じる．
E, F：上顎作業用模型のスプリットが完全に適合するよう矢状顆路傾斜角を調節し，そのときの角度を矢状前方顆路傾斜角とする．

うえで，スプリットキャスト接合面の適合状態を観察しながら顆路調節を行う方法が通常用いられる（図 11-21）．模型基底面やスプリットキャストの切痕部の空隙量に基づいて，近似的に最善の顆路調節を行えることが，本法の利点である．

4 バーチャル咬合器の利用

近年，印象採得に光学印象法を用い，実体のある作業用模型の代わりにデジタルデータ上で補綴装置の設計を行い，工作機械を用いた加工法により補綴装置を製作するデジタルデンティストリーの進歩が著しい（全部床義歯による補綴歯科治療のデジタル化については第24章を参照のこと）．咬頭嵌合位や偏心運動時の上下顎のデジタルデータ間の位置関係をデジタル空間内で再現し，義歯設計に応用するためのシステムをバーチャル咬合器とよぶ．平線咬合器，平均値咬合器，調節性咬合器に相当する多数のシステムがすでに市販されているが，現在のところ全部床義歯による補綴歯科治療への応用は限定的である．

バーチャル咬合器による下顎運動の再現方法は，現存する顆路型咬合器の運動を計測し，そのまま再現するもの，顆路型咬合器の運動指導要素を可変とし，下顎運動を数値計算により求めて再現するもの，生体で6自由度記録した下顎運動を再現するものなど，多様である．従来からの実在する咬合器と同様に，下顎運動の再現性や臨床現場で費やす労力などに基づいて，最適な方法が選択されていくことが期待される．

（服部佳功，田中恭恵）

第12章 人工歯の排列

　人工歯 artificial tooth とは，天然歯の代用として用いる歯である．欠損部の外観を改善し，咀嚼，発語，嚥下機能を回復するために使用される．

前歯部人工歯の選択と排列

1 前歯部人工歯の選択

1）形態
　前歯部人工歯の形態を選択する際には，顔面形態に基づき人工歯唇側面形態を選択する方法や，性別，性格，年齢によって選択する方法が一般的に用いられる．

（1）顔面形態に基づく人工歯形態の選択方法
　顔面形態に基づく方法では，Williams の 3 基本型に沿って製作された人工歯を選択する．すなわち，Williams（1914）は正面からみた顔面の輪郭を方型 square，卵円型 ovoid，尖型 tapering の 3 種類に分類し，上顎中切歯の唇側面形態が顔面輪郭を上下逆にした形態に相似することを提唱した（**図 12-1**）．そして，この考えに基づき Trubyte form 人工歯を製作した．House（1935）は Williams の 3 基本型にこれらの中間型である方円型 square-ovoid，尖方型 tapering-square，尖円型 tapering-ovoid，方尖円型 square-tapering-ovoid の 4 種類を加え，さらに側貌の豊隆程度に合わせて側方からみた人工歯の豊隆程度を相似させることを提唱し（**図 12-2**），これらの要素を加えた Bio-form 陶歯を開発した．

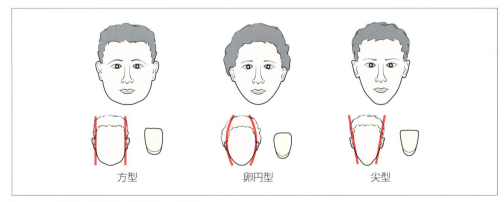

図 12-1 顔型と上顎中切歯形態との関係
Williams は正面からみた顔面の輪郭を方型，卵円型，尖型に分類し，上顎中切歯の唇側面形態が顔面輪郭を上下逆にした形態に相似することを提唱した．

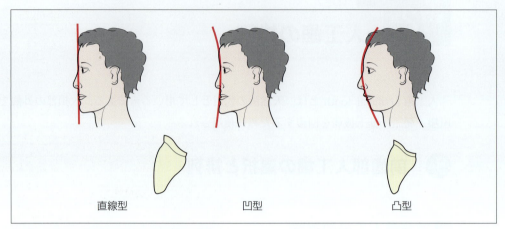

図12-2 顔面の側面観と人工歯唇側面の豊隆
側貌の豊隆程度に人工歯唇側面の豊隆程度を相似させると顔貌に調和する．

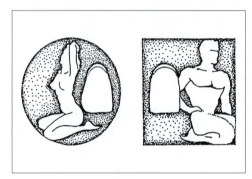

図12-3 デントジェニックスの概念
前歯が方型であると男性的に，丸みがあると女性的に見えるとした．

(2) 性別，性格，年齢に基づく人工歯形態の選択方法

　性別，性格，年齢によって選択する方法としては，デントジェニックス dentogenics（Frush & Fisher, 1956）の概念に基づき，性別 sex，性格 personality，年齢 age の3要素（SPA 要素 SPA factor）を考慮して選択する方法がある．デントジェニックスでは，前歯が方型で角張っていると男性的にみえ，丸みがあり側切歯が中切歯に対して小さいと女性的にみえるとし（**図12-3**），それぞれに対応する vigorous type, delicate type およびこれらの中間型である medium type の3種類から人工歯を選択する．SPA 要素を取り入れた人工歯としては，Swissedent Candulor CR が知られている．

(3) 人工歯形態の選択の実際

　臨床において前歯部人工歯形態を選択する場合には，それぞれの人工歯に対してメーカーが準備したモールドガイド mold guide，すなわち人工歯形態と大きさの見本を使用するのが一般的である（**図12-4**）．モールドガイドと患者の顔貌を見比べ，性別や年齢，性格などを考慮に入れて形態を選択する．その後，モールドガイドから人工歯を外して患者の顔面近くに位置づけ，顔面や口もととの調和を確認する．モールドガイドには，人工歯形態の種類

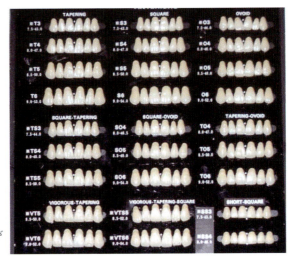

図 12-4 モールドガイドの一例（ジーシー）
Williams の 3 基本型に加え，中間型の形態が準備されている．

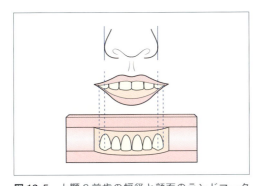

図 12-5 上顎 6 前歯の幅径と顔面のランドマークとの関係（林，1982 より改変）
上顎犬歯遠心面は口角，上顎犬歯尖頭は鼻翼外側の位置（鼻幅線間距離）にほぼ一致する．

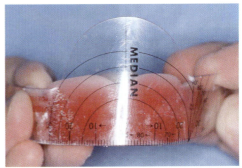

図 12-6 口角線間距離や鼻幅線間距離の測定
屈曲させやすい歯科用定規を用いて，咬合堤の彎曲に沿った距離を測定する．

とともに大きさの異なる見本が準備されていることが多いため，通常は次に述べる人工歯の大きさも同時に決定することになる．

2）大きさ
(1) 上顎 6 前歯に合わせた幅径に基づく大きさの選択方法
　前歯部人工歯の大きさを選択する際には，上顎 6 前歯を合わせた幅径に基づいて選択する方法が広く行われている．有歯顎者において，上顎犬歯の遠心面は安静時における口角の位置に相当し，上顎犬歯尖頭の近遠心的な位置は鼻翼外側に近接することが知られている（**図 12-5**）．したがって，咬合採得時，上顎咬合床唇側に口角線や鼻幅線を記録し，屈曲させやすい歯科用定規を用いて左右の口角線間距離や鼻幅線間距離を測定して，これに一致もしくは近似する幅径の人工歯を選択する（**図 12-6**）．

(2) 左右頰骨間の最大幅径に基づく大きさの選択方法
　左右頰骨間の最大幅径（a）を測定し人工歯幅径を算出する方法も行われる．すなわち上

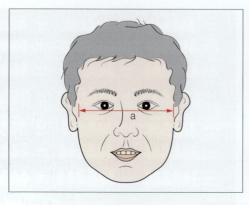

図12-7 顔面の幅径と上顎前歯との関係
左右頬骨間の最大幅径（a）に対し，上顎6前歯の幅径がa/3.3，上顎中切歯の幅径がa/16距離に近似する．

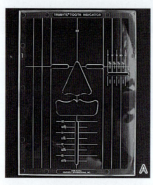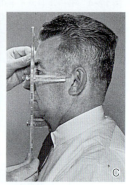

図12-8 顔面の測定による人工歯の大きさの算出
A：測定に用いる Tooth indicator（Dentsply）．B：顔面の正面観を測定．
C：顔面の側面観を測定．

顎6前歯の幅径がa/3.3の値となることや，上顎中切歯の幅径がa/16に近似することに基づいて人工歯の大きさを決定する（**図12-7**）．Tooth indicator（Dentsply）は顔面の計測から上顎中切歯人工歯の幅径と長径を算出するのに用いられる（**図12-8**）．

　藤田によると上顎前歯の幅径（近遠心径）の平均値は中切歯が8.6 mm，側切歯が6.9 mm，犬歯が7.9 mmであり，上顎6前歯を合わせると46.8 mmとなる．人工歯の幅径はこれらの大きさに近いものを含め3〜8種類程度準備されているものが多い．また人工歯の長径は幅径とのバランスや人工歯形態によって決まるが，これについても日本人の上顎中切歯長径の平均値11.7 mmに近似する値，およびその前後の値となっている．

（3）大きさの選択方法の実際

　実際の人工歯選択では，まず前項の方法に基づき人工歯の形態を決定し，次にモールドガイドに記載された人工歯の幅径，6前歯の幅径を基準に人工歯の大きさを選択する．多くの人工歯では，この時点で人工歯長径が決まることになる．上唇を最大限に挙上した位置（上唇線）や下唇を最大限に下制した位置（下唇線）に対して人工歯長径が大きい場合は削合し，小さい場合は歯肉形成時に歯頸線を歯根側に設定して調整する．

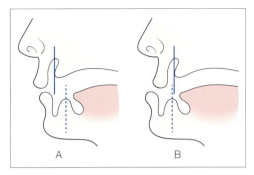

図 12-9　顎堤の対向関係と下顎前歯部人工歯選択との関係
A：上顎前突傾向の場合は，上顎前歯部人工歯との組み合わせで標準的な幅径のものより小さい幅径の下顎前歯部人工歯を選択する．
B：下顎前突傾向の場合は，上顎前歯部人工歯との組み合わせで標準的な幅径のものより大きい幅径の下顎前歯部人工歯を選択する．

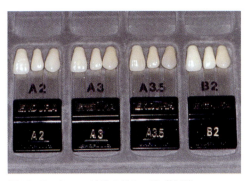

図 12-10　シェードガイドの一例（松風）

（4）下顎前歯部人工歯の大きさの選択

一方，下顎前歯部人工歯は審美性に対する影響が少ないため，形態の種類が少なく大きさのみを選択することが多い．一般的には上顎前歯部人工歯に対応する大きさの人工歯を選択する．しかし，上下顎顎堤の対向関係において上顎前突傾向が強い場合には，下顎人工歯列弓を狭くし水平的被蓋を大きく設定する必要があるため，すでに選択した上顎前歯部人工歯との組み合わせで，標準的な幅径より小さい幅径の下顎前歯部人工歯を選ぶ（**図 12-9 A**）．逆に下顎前突傾向の強い症例では下顎人工歯列弓を大きくして水平的被蓋を小さく設定する必要があるため標準的な幅径よりも大きい下顎前歯部人工歯を用いる（**図 12-9 B**）．

3）色調

（1）シェードガイドによる色調選択

前歯部人工歯の色調選択では，人工歯の種類ごとに提供されるシェードガイド shade guide すなわち色調の見本（**図 12-10**）を用いる．無歯顎患者には人工歯の色調選択で参考にできる天然歯がないため，顔面皮膚の色や，口裂から露出した場合の調和を確認して選択する．まず選択したシェードガイドを患者の鼻の横に位置づけ，皮膚の色と調和するかどうかを確認する．次に上唇下縁から切縁のみを露出させた状態，さらに人工歯部全体を露出させた状態で観察する（**図 12-11**）．

（2）色調選択時の光源

シェードガイドを用いた比色法では，光源が重要となる．なぜならば異なる色彩的特性を有するものが特定の光源下では同一に見えること（条件等色，メタメリズム metamerism）が知られているからである．色調選択を行う条件として，直射光を避けた窓光が推奨されているが，自然光は天候や季節，診療室の条件などにより異なるため，人工光が用いられることが多い．光源の設定では色温度，演色性，照度を考慮する必要がある．色温度とは，光源

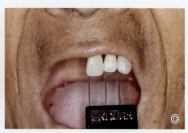

図 12-11 色調選択の実際
A：まずシェードガイドを鼻の横に位置づけ皮膚色との調和を確認する．B：次いで上唇下縁からシェードガイドの切縁を露出させて観察する．C：さらに上唇下縁からシェードガイドの人工歯部分全体を露出させて色調を確認する．

表 12-1 人工歯の材質による特性

	陶歯	レジン歯	硬質レジン歯
審美性	◎	△	○
耐摩耗性	◎	×	○
調整の容易性	×	◎	○
床用材料との結合性	△	◎	○

の色を絶対温度 K（ケルビン）で表したもので，低いほど赤が強くなり，高いほど青が強くなる．演色性とは，ある光源での色の見え方と自然光での見え方との近似性を意味し，同一の場合に演色評価数 Ra が 100 となる．照度とは，光源により照らされている明るさであり，光源からの距離や角度により変化する．色調選択時の条件としては，色温度が太陽光に近似する 5,000〜6,000 K，演色性が演色評価数 96 以上，照度が 2,000 lx（ルクス）以上であることが求められる．

4）材質

前歯部人工歯には，陶材，アクリルレジン，コンポジットレジンが用いられている．材質による特性の違いを**表 12-1** に示す．

(1) 陶歯

陶歯は耐摩耗性が高く，天然歯に類似する光沢や透明感を付与しやすいという利点がある．しかし強い衝撃に対して破折しやすく，床用材料として広範に用いられるアクリルレジンと化学的に結合しないため，人工歯舌面に付与した保持用のピンにより機械的に嵌合させる必要がある．また耐衝撃性を確保するために一定の厚径を要することから形態修正の範囲が制限され，常温重合レジンによる修復や形態修正に際しては接着のための配慮が必要となる（**図 12-12 A**）．

(2) レジン歯

レジン歯（☞ p.57 参照）はアクリルレジンと化学的に結合するため床用材料との嵌合のためのピンは不要であり，耐衝撃性に優れることから形態修正や修復は容易である．さらに

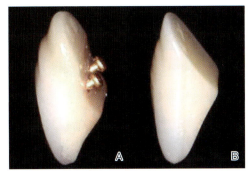

図12-12 陶歯(A)とレジン歯(B)
A：陶歯では，義歯床との連結のために保持用ピンが付与されている．
B：レジン歯は床用レジンと化学的に結合するため，保持用のピンは必要ない．

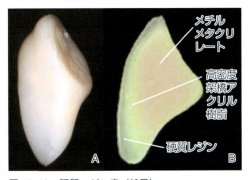

図12-13 硬質レジン歯(松風)
A：天然歯に近似する光沢や透明感がある．
B：人工歯のベースはメチルメタクリレート樹脂，デンティン部分は高密度架橋アクリル樹脂，エナメル質部は硬質レジンの3層構造になっている．

咬合音に敏感な症例にも使いやすいという利点を有する．しかし天然歯に類似する光沢や透明感を付与するのは困難であり，長期間の使用では摩耗や変色が生じやすい（**図12-12 B**）．

(3) 硬質レジン歯

硬質レジン歯は，唇側面，咬合面はコンポジットレジンにより構成され，人工歯のベース部分はアクリルレジンで製作されており，高密度架橋アクリルレジンがこれらの間に介在している（**図12-13**）．コンポジットレジン部分にはフィラーを含有していることから，レジン歯に比較すると光沢や色調，透明感が天然歯に近似し，耐摩耗性に優れている．またアクリルレジンのベース部分を有するため床用材料と化学的に結合するという利点がある．ただしコンポジットレジンの特性を維持するため，削合による調整の範囲はコンポジットレジン層に制限される．

2 前歯部人工歯の排列

前歯部人工歯の排列では，審美性を回復するとともに咀嚼，発語，嚥下などの諸機能が十分に回復するための配慮が求められる．咬合採得時に調整された咬合堤唇側面や仮想咬合平面を基準にして基本的な人工歯排列を進めるが，有歯顎時の写真などが入手できれば患者の顔貌や口もとに調和した人工歯排列のために有効な情報となる．また機能回復のためには，上下顎人工歯列間，および人工歯列と口唇や舌，人工歯列と顎堤との位置関係を適切に設定する必要がある．

1) リップサポート

リップサポートlip supportとは，歯や人工歯が口腔内で口唇を支えていることをいう．無歯顎患者は歯や歯周組織を失っているため，リップサポートが不足する．その結果，口唇が陥凹し赤唇が菲薄になるとともにしわが顕著となり，老人様顔貌を呈する（**図12-14 A**）．

咬合採得の最初の段階で，適切なリップサポートが得られるように上顎咬合床の唇頰側豊

図 12-14　リップサポート
A：無歯顎患者は口唇が陥凹し，赤唇が菲薄になり，しわが顕著となる．
B：人工歯が排列されると，適切なリップサポートが得られる．

隆を調整する．したがって上顎前歯部人工歯排列においては，人工歯唇側面を上顎咬合床唇側面に一致させた上で適切な床翼形態を付与する（**図 12-14 B**）．設定された位置よりも舌側に排列すると口もとの張りが不足して老人様顔貌（☞ p.153 参照）となり，排列が唇側すぎると下顔面部の突出感が強くなり審美性に問題を生じる．さらに口唇周囲の表情筋は発語時の口唇の動きとの関連が深いため，適切なリップサポートは円滑な発語のためにも重要である．

2）微笑線

　微笑線（スマイリングライン smiling line）とは，微笑んだときに下唇上縁が形成する彎曲線をさす．上顎前歯の切縁の位置がこれに一致していると，微笑んだときの歯列と口唇の調和が得られ美しい口もとになる（**図 12-15**）．

　微笑線は咬合採得時の仮想咬合平面に一致するとは限らない．したがって臨床術式においては，基本的な人工歯排列の段階では咬合床唇側面に人工歯唇面を，仮想咬合平面に人工歯切縁や尖頭を合致させて排列し，ろう義歯の口腔内試適時に必要に応じて微笑線に合わせて修正を行うのが一般的である．

3）笑線

　笑線（スマイルライン smile line）とは，咬合状態のまま笑ったときに上唇を最大限に挙上した位置と，下唇を最大限に下制した位置を示す線であり，上下顎前歯部人工歯の歯頸線の位置を設定する基準となる．上下顎の線をそれぞれ上唇線，下唇線という．フルスマイル時に人工歯列の歯間乳頭がみえる程度に排列すると人工歯列が口もとに調和するとされている（**図 12-16**）．

4）上顎前歯部唇側面の位置

　上顎中切歯の水平的排列位置を決定する基準として，近遠心的には近心接触点を正中線に一致させる．唇舌的には，前述のリップサポートに加え，切歯乳頭の位置が基準となる．有歯顎者では，切歯乳頭が左右側中切歯の舌側鼓形空隙の中央に位置し，中切歯唇側面がその前方約 10 mm にあるため，これを利用して上顎中切歯人工歯の唇舌的排列位置を決定する

図12-15 微笑線（スマイリングライン）
微笑したときの下唇上縁の彎曲線．上顎前歯切縁をこれに一致させると，歯列と口唇の調和が得られる．

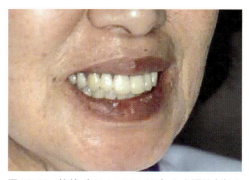
図12-16 笑線（スマイルライン）と上顎前歯部人工歯との関係
咬合状態のまま笑い，上唇を最大限に挙上したときに，歯間乳頭がみえる程度に排列する．

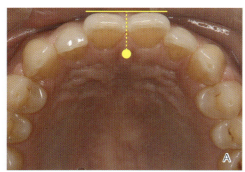
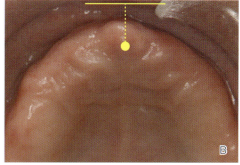
図12-17 切歯乳頭と中切歯の位置関係
A：有歯顎において，切歯乳頭（黄丸）は中切歯の舌側鼓形空隙の中央にあり，10 mm前方に中切歯唇側面（黄実線）がある．
B：無歯顎堤では切歯乳頭（黄丸）は顎堤頂のやや口蓋側にあり，その10 mm前方に中切歯唇側面（黄実線）が位置するように人工歯を排列する．

ことがある（図12-17）．ただし，無歯顎顎堤の吸収が高度に進行すると，切歯乳頭が顎堤頂付近ではなく顎堤唇側斜面に位置する場合があるため注意が必要である．

5）上顎前歯部排列時の人工歯切縁の位置

　上顎前歯切縁の基本的な上下的位置は，わずかに開口した状態で上唇下縁から切縁が約1 mm露出するようにする．ただし，人工歯排列を上顎法で行う場合と下顎法で行う場合では咬合採得時における仮想咬合平面の設定位置が異なり，上顎法では上唇下縁の1 mm下方とするのに対して，下顎法では上唇下縁に一致させる（☞ p.148 図10-9 参照）．したがって，上顎前歯部人工歯排列に際しては，上顎法では下顎咬合堤上面を基準に排列するが，下顎法では下顎前歯部咬合堤を1 mm削除し排列の基準とする（図12-18，19）．中切歯切縁と犬歯尖頭は基準面に一致させ，側切歯は約1 mm上方に位置づける．

　上下顎前歯部人工歯の標準的な歯冠軸傾斜角や捻転角を図12-20に示す．上顎中切歯の歯根は歯槽突起に向かっているため，顎堤の吸収が高度な症例を除いては歯槽突起の唇舌的

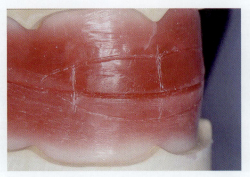

図 12-18 下顎法における咬合堤の修正
下顎前歯部咬合堤の上面を 1 mm 削除し，上顎前歯部人工歯排列の基準とする．

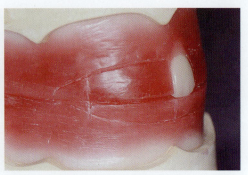

図 12-19 下顎法における上顎中切歯の排列
削除した下顎前歯部咬合堤の上面に上顎中切歯の切縁が一致するように人工歯排列する．

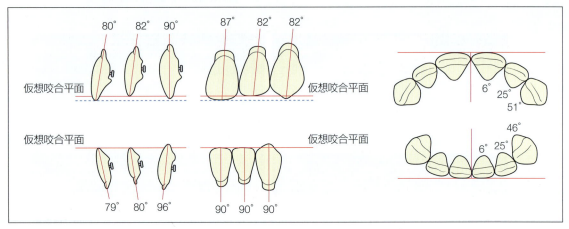

図 12-20 上下顎前歯部人工歯の標準的な歯冠軸傾斜角と捻転角（林，1982 より改変）
図中の赤実線は下顎法，青点線は上顎法における仮想咬合平面を表す．

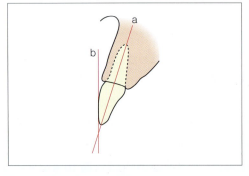

図 12-21 歯槽突起の傾斜と上顎中切歯歯軸の関係
歯槽突起の傾斜は歯軸（a）の方向とほぼ一致し，中切歯の唇側面（b）は歯軸に対して内方に傾斜している．

傾斜が上顎中切歯の歯根軸に近似する．よって歯槽突起の傾斜は，個々の症例における上顎中切歯の唇舌的傾斜角を設定する 1 つの基準となる（図 12-21）．

6）上下顎前歯部の被蓋関係

被蓋 overlap とは上顎歯列が下顎歯列を覆っている状態であり，オーバージェット（水平被蓋）とオーバーバイト（垂直被蓋）がある（図 12-22）．健常有歯顎者の理想的な咬合で

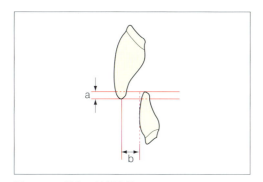

図 12-22 前歯の被蓋関係
a：オーバーバイト（垂直被蓋）．
b：オーバージェット（水平被蓋）．

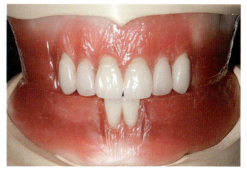

図 12-23 前歯の被蓋を考慮した下顎中切歯の排列
標準的にはオーバーバイトを約 1 mm，オーバージェットを約 4 mm とする．

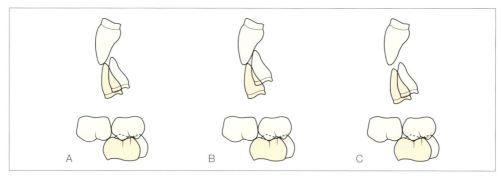

図 12-24 前歯の被蓋関係と咬合様式（林，1982 より改変）
A：人工歯列の咬頭嵌合位では前歯部に咬合接触を付与せず，偏心滑走運動時において前歯部に咬合接触を与える方法．
B：咬頭嵌合位および偏心滑走運動時に，臼歯部と同時に前歯部にも咬合接触を付与する方法．
C：前歯部に咬合接触を与えず，臼歯部のみで咬頭嵌合位の確保と滑走運動の誘導を行わせる方法．

は，咬頭嵌合位において上顎歯列が下顎歯列を水平的にも垂直的にも覆っており，被蓋の程度は偏心運動時のアンテリアガイダンスや臼歯離開咬合，臼歯部の咬頭傾斜などと密接な関係をもつ．

　全部床義歯においては，前歯部人工歯の被蓋関係は平衡咬合に関連し義歯の維持・安定とのかかわりが深い．標準的な排列では，下顎中切歯人工歯排列時に上下顎の正中線を一致させ，上顎中切歯に対して約 1 mm のオーバーバイトとなるように位置づける（**図 12-23**）．オーバージェットは臼歯部人工歯の咬頭傾斜角や矢状顆路傾斜角，仮想咬合平面の傾斜度および調節彎曲の深さとの関係で決定される．無歯顎患者の矢状顆路傾斜角が約 30° であることから，咬頭傾斜角が 20° の人工臼歯を使用すると，矢状切歯路傾斜角は 10° と設定される．したがって，このときのオーバージェットは約 4 mm となる．すなわち人工歯列の咬頭嵌合位では前歯部に咬合接触を付与せず，前方滑走運動時において前歯部に咬合接触を与える方法（**図 12-24 A**）が一般的である．ただし，義歯の咬頭嵌合位および偏心滑走運動時に，臼歯部と同時に前歯部にも咬合接触を付与する方法もある（**図 12-24 B**）．さらに上下顎顎堤

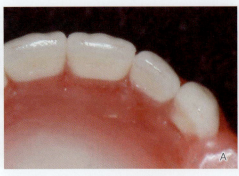 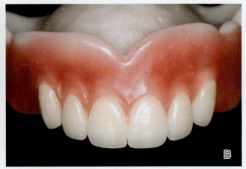

図12-25　繊細な感じを与える排列
A：中切歯の遠心側を舌側に捻転させ，側切歯の近心側を唇側に出して排列すると，唇側面の彎曲が強調される．
B：切縁を連ねる線を微笑線に合わせる．

の対向関係における上顎前突傾向が強い場合などに，臼歯部のみで咬頭嵌合位の確保と滑走運動の誘導を行わせることがある（図12-24 C）．実際の人工歯排列では，決定された垂直的，水平的な被蓋に基づき咬合器の切歯指導板 incisal guide table の角度を調節して作業を進める．

また上下顎前歯部人工歯の位置は発語機能とも関連する．特に[s]音を発音するときには，上顎中切歯切縁と下顎中切歯切縁との間に最小発音空隙として 1～2 mm のスペースが保持される．したがって，機能的な面からも被蓋関係に留意して前歯部人工歯の排列を行う必要がある．

7）個性的排列

前歯部人工歯排列では画一的な排列を避け，患者の顔貌や性別，年齢，個性を考慮して個々の患者に調和した自然な外観が得られるよう配慮する．そのためには排列時に非対称性や軽微な叢生，歯間空隙などを付与したり，人工歯切縁の形態修正を行うこともある．有歯顎時における患者の口もとや歯列がわかる写真などの情報があると，個性的排列を行う際の参考となる．

歯冠の捻転や切縁の設定によって前歯部の外観から受ける感じが変わることが知られている．

（1）繊細な感じを与える個性的排列

繊細でやさしい感じを与えるためには，中切歯の遠心側を舌側に捻転させ，側切歯の近心側を唇側に出して重ねるように排列する．これによって側切歯遠心部がみえにくくなるとともに唇側面の彎曲が強調される（図12-25 A）．また切縁を連ねる線を微笑線に合わせて下方に彎曲させる（図12-25 B）．

（2）強壮な感じを与える個性的排列

強壮な感じとするためには，中切歯，側切歯の遠心側をわずかに唇側に捻転させ，側切歯近心側が中切歯に重なるように排列することで歯冠遠心部を強調する（図12-26 A）．また，

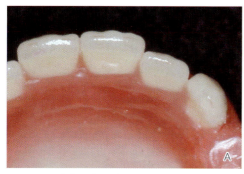 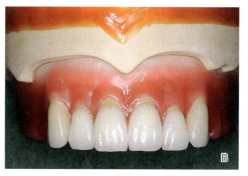

図12-26　強壮な感じを与える排列
A：中切歯，側切歯の遠心側を唇側に捻転させて排列することで歯冠遠心部を強調する．
B：上顎6前歯の切縁，尖頭が直線的になるように排列する．

上顎6前歯の切縁，尖頭が直線的になるように排列する（**図 12-26 B**）．

（3）年齢に応じた個性的排列

　人工歯の排列や形態は年齢と関連し，中切歯に対する側切歯の低位を強調すると若く，同じ高さとなるほど高齢な感じを与える．また人工歯形態修正により上部鼓形空隙を広めにすると歯列が立体的になり若い感じを与え，切縁側を削合して上部鼓形空隙を小さくすると切縁の咬耗をイメージさせて高齢な感じを与える．

8）前歯部排列後の修正

　上下顎前歯部人工歯の排列終了後に，偏心運動時に咬合干渉 occlusal interference がないことを確認する．設定した被蓋関係に人工歯が排列されていれば，咬合器上で前方運動，側方運動させたときに均等な咬合接触状態となるはずである．一部の人工歯のみに強い接触があれば，均等な接触となるように再排列する．半調節性咬合器を使用する場合は，人工歯排列に先立って付与するオーバーバイト，オーバージェットに基づき切歯指導板の角度が調節されているため，切歯指導釘を切歯指導板に添わせて偏心位を再現することで確認できる．

　最終的に，上下顎前歯部の人工歯列弓全体を正面，側面，咬合面方向から観察する．歯列弓の形態，被蓋関係，上下顎それぞれにおける6前歯としてのバランス，上顎6前歯に対する下顎6前歯の位置関係などに注意し，前歯部全体としての調和がとれていることを確認して，前歯部人工歯排列を終了する．

〈山森徹雄，松本知生〉

II　臼歯部人工歯の選択と排列

1　臼歯部人工歯の選択

　臼歯部人工歯は義歯の安定，咀嚼能率，顎堤の保護など，主として機能性を重視して設計されている．したがって，その形態，材質，大きさはさまざまである．なお，臼歯部人工歯

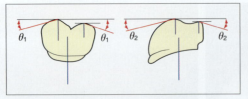

図 12-27 咬頭傾斜角（林，1982 より改変）
θ1 は近遠心的，θ2 は頰舌的傾斜角である．咬頭傾斜が 20°というのは，この θ が 20°のことである．

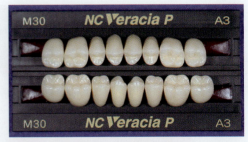

図 12-28 解剖学的人工臼歯の一例
NC ベラシアポステリア（松風）

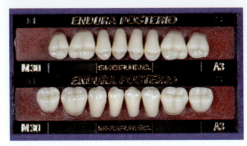

図 12-29 機能的人工臼歯の一例
エンデュラポステリオ（松風）

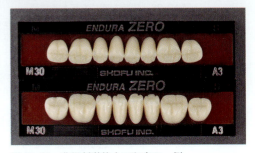

図 12-30 非解剖学的人工臼歯の一例
エンデュラゼロ臼歯（松風）

は，咬合採得終了後，模型を咬合器に装着し，前歯部人工歯を排列した後に，上下顎顎堤の対向関係などの形態学的因子，咬合などの機能的因子，義歯の目的，費用などを考慮して選択される．

臼歯部人工歯は，形態，材質，大きさ，色調によって分類される．

1）形態

臼歯部人工歯を咬合面の形態によって分類する場合，以下の 3 種類に分類される．これは，咬頭傾斜角の程度（**図 12-27**）によるもので，その咬頭傾斜角は，第一大臼歯で代表させるものとし，その主要な機能咬頭，すなわち上顎は近心口蓋側咬頭，下顎は近心頰側咬頭の前方咬合斜面が歯軸と直交する水平面に対して示す角度とする．

（1）解剖学的人工歯

天然歯のように咬頭をもち，咬頭傾斜角が 30°以上のものを解剖学的人工歯 anatomic artificial tooth という（**図 12-28**）．

（2）機能的人工歯（準解剖学的人工歯）

解剖学的人工歯に準じた形態をもち，より機能性を重視したものが機能的人工歯 functional artificial tooth で，咬頭傾斜角が 20°前後のものがよく用いられる（**図 12-29**）．

（3）非解剖学的人工歯

咬頭傾斜角が 0°で，平坦な咬合面形態をしているものを非解剖学的人工歯 non-anatomic artificial tooth（0°臼歯）という（**図 12-30**）．

それぞれの臼歯部人工歯はその形態によって長所，短所を有している（**表 12-2**）．

表 12-2 解剖学的人工歯，機能的人工歯，非解剖学的人工歯の長所，短所

材質	長所	短所
解剖学的人工歯（図 12-28）	・咀嚼能率が高い． ・義歯の咬合平衡が保たれやすい． ・咬頭によって閉口運動が誘導される． ・審美性に優れている．	・咬合関係に融通性がない． ・義歯に動揺を生じやすい． ・咬合調整が困難である．
機能的人工歯（図 12-29）	・適切な咬合関係を得られやすい． ・咬合関係，審美性両者を両立しやすい．	・解剖学的人工歯，非解剖学的人工歯のそれぞれの短所につながる．
非解剖学的人工歯（図 12-30）	・咬合関係に融通性がある． ・咬頭がないため推進現象が起こりにくい． ・義歯床下組織への為害性が少ない．	・咀嚼に大きな力を必要とする． ・審美性に欠ける． ・咬合平衡を与えにくい． ・咬頭嵌合位が定まりにくい．

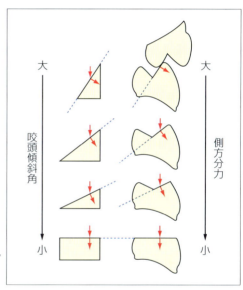

図 12-31 咬頭傾斜角と側方分力（Boucher, 1975）
顎堤条件が悪く，義歯の動揺が起こりやすいときには，咬頭傾斜角の小さい人工歯を選択して，機能時の側方分力を小さくする．

　咬合力は臼歯部人工歯を介して顎堤に伝えられるが，咬合力の方向は，人工歯の咬合面形態（咬頭傾斜角）によって大きく変化する（**図 12-31**）．したがって，その選択にあたっては，顎堤の吸収程度と対向関係，顎堤粘膜の負担能力，顎関節の状態などを十分に考慮する必要がある．現在，臨床で用いられている多くの人工歯は，機能的人工歯である．ただし，最終的には選択した人工歯を用いて，咬合調整を行い，個々の患者に適した咬合関係を機能的に構築する．

2）材質

　現在，既製の人工歯には陶歯（**図 12-32**），レジン歯（**図 12-33**），硬質レジン歯（**図 12-34**），金属歯（**図 12-35**）がある．その他にも自家製人工歯として，金属歯や CAD/CAM 技術を応用したジルコニア歯などがある（**図 12-36**）．

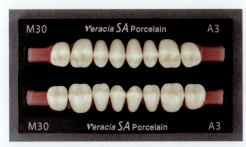
図12-32 陶歯の一例
ベラシア SA ポーセレン（臼歯）（松風）

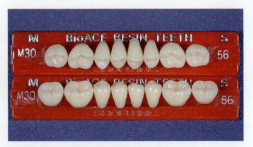
図12-33 レジン歯の一例
バイオエースレジン歯（臼歯）（松風）

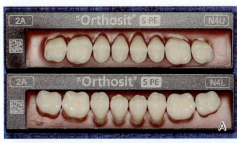
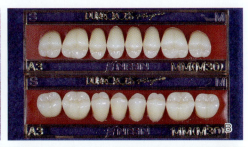
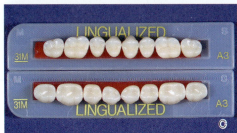
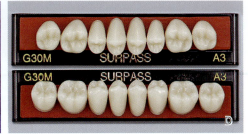

図12-34 硬質レジン歯の一例
A：SR オーソシット S（イボクラールビバデント）．B：デュラクロスフィジオ（臼歯）（ニッシン）．
C：デュラデント臼歯リンガライズド（ジーシー）．D：サーパス臼歯（ジーシー）．

図12-35 金属歯の一例
A：レービンブレードティース（東京歯材社）．B：S-A ブレード臼歯（ジーシー）．

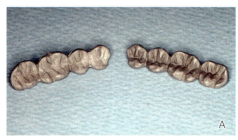
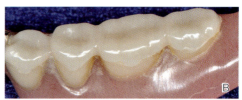

図 12-36 自家製人工歯の一例
A：自家製金属歯．B：CAD/CAM で製作したジルコニア歯．

表 12-3 材質による臼歯部人工歯の長所，短所

材質	長所	短所
陶歯 （図 12-32）	・耐摩耗性に優れる． ・審美性に優れる．	・破折やチッピング（一部が欠けること）を生じやすい． ・咬合音が大きい． ・咬合調整が困難である． ・常温重合レジンによる咬合面再形成が困難である． ・義歯床と接着しない（人工歯が脱離したり，床用レジンとの移行部が不潔になる）．
レジン歯 （図 12-33）	・破折しにくい． ・常温重合レジンと化学的に接着する． ・義歯床と化学的に接着する． ・咬合調整が容易である． ・咬合時の感覚が軟らかい．	・咬耗量が大きく，咬合高径の低下を生じやすい． ・審美性に劣る． ・変色しやすい．
硬質レジン歯 （図 12-34）	・耐摩耗性に優れる． ・色調再現性に優れる． ・義歯床と化学的に接着する． ・咬合調整が比較的容易である． ・比較的破折しにくい．	・常温重合レジンとの接着力が弱い． ・着色しやすい． ・使用方法によっては破折やチッピングを生じやすい．
金属歯 （図 12-35）	・耐摩耗性に優れる． ・咀嚼能率が高い． ・自家製であれば適切な咬合面形態を製作できる．	・技工操作が煩雑で咬合調整が困難である． ・常温重合レジンと接着しにくい．
CAD/CAM 用材料 （ジルコニアなど） （図 12-36）	・適切な材料を選択できる． ・適切な咬合面形態を製作できる．	・オーダーメイドになり、技工操作が煩雑になる． ・常温重合レジンと接着しにくい．

　人工歯は材質によってそれぞれの長所，短所をもつ（**表 12-3**）．耐摩耗性に優れ，咬合調整が比較的容易な硬質レジン歯が，現在のところ第一選択であると考えられる．ただし，どの材質を選択するかは，耐摩耗性，審美性のみならず，患者のニーズ，義歯使用の目的なども考慮に入れて，幅広い選択肢を常にもっておく必要がある．

3）大きさ

　臼歯部人工歯の大きさは，近遠心径，頰舌径，歯冠長によって選択される．

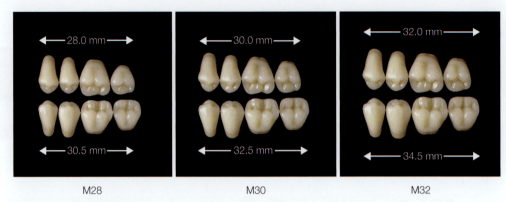

図12-37 臼歯部4歯の総和（エンデュラポステリオ，松風）
臼歯部人工歯4歯の近遠心径は，第一小臼歯近心から第二大臼歯遠心までの4歯の総和で表現される．

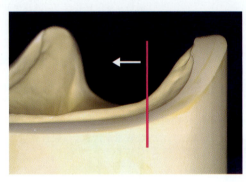

図12-38 レトロモラーパッド前縁と最後方臼歯部人工歯との位置関係
顎堤の水平な部分を下顎臼歯部人工歯の排列位置とする．

（1）近遠心径

臼歯部人工歯の近遠心径は，第一小臼歯近心から第二大臼歯遠心までの4歯の総和で表現される（**図12-37**）．その選択にあたっては，犬歯の遠心端からレトロモラーパッドの前縁までの距離を模型上で計測する．

通常，下顎最後臼歯の遠心端はレトロモラーパッドの前縁とする．レトロモラーパッドの前縁の顎堤が急斜面である場合には，義歯が推進現象（前方への移動）を起こすので，この斜面には人工歯を排列しないほうが望ましい（**図12-38**）．すなわち，斜面の角度が緩くなった部位で臼歯部人工歯の排列を終わらせるか，急斜面部には咬合接触を与えない．

臼歯部顎堤が短い場合や急斜面の場合には，臼歯部人工歯4歯のいずれかを除くことがある．この場合には，通常，第一小臼歯を除外する．

（2）頰舌径

全部床義歯で用いられる臼歯部人工歯の頰舌径は，一般的に天然歯よりやや狭くつくられている（**図12-39**）．これには，咬合面の面積を狭くすることによって，顎堤に加わる咬合圧を小さくする目的がある．また，舌房を広くできるという利点もあり，これによって，装着感は向上する．ただし，これらの目的のために，狭すぎるものを選択すると，咀嚼能率が低下し，また，審美性も低下する．

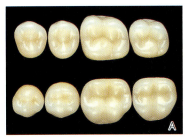

図 12-39 各種臼歯人工歯の咬合面
各種臼歯部人工歯の頰舌径は，一般的に天然歯よりもやや狭くつくられている．
A：エンデュラポステリオ M28（松風）．B：デュラデント臼歯 28 M（ジーシー）．C：天然歯．

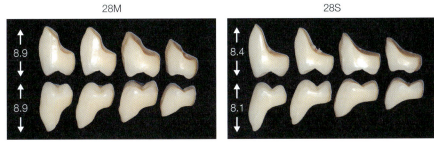

図 12-40 臼歯人工歯の近遠心面（デュラデント臼歯（ジーシー））
各種臼歯部人工歯の歯冠長は，長いものと短いものとが市販されている．歯冠長の短い S（短種）では，同じ近遠心径の M（長種）と比較した場合，0.1～0.8 mm 短くなる．

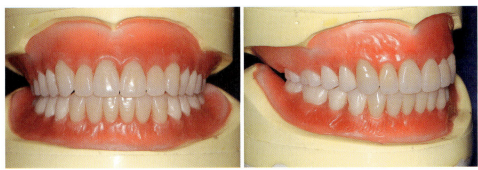

図 12-41 前歯部から小臼歯部にかけての歯肉の移行（歯冠長の移行）（エンデュラポステリオ，松風）
歯頸部の高さが犬歯から自然に移行するような長さのものを選択する．

(3) 歯冠長

　臼歯部人工歯の歯冠長は，長いものと短いものとが市販されている（**図 12-40**）．この選択にあたっては，上下顎堤間距離，すなわち，人工歯の垂直的排列スペースの大きさに適したものを選択する．しかし，歯冠長の短いものは審美的な問題を生じることがあり，特に，小臼歯部については，歯頸部の高さが犬歯から自然に移行するような長さのものを選択する（**図 12-41**）．

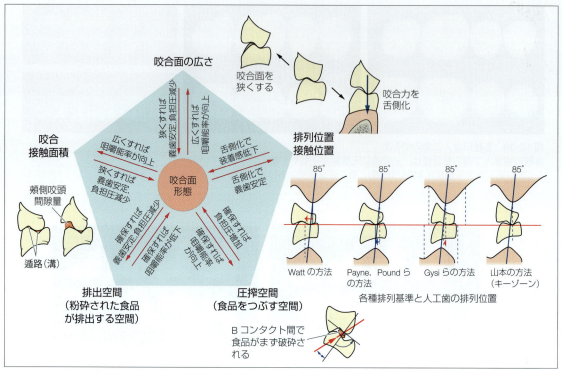

図 12-42 義歯の安定，顎堤の負担能力，食品の粉砕効率（咀嚼能率）の関係とそれらに影響を及ぼす人工歯と咬合面関係の 5 要素

4）色調

　臼歯部人工歯は機能性を重視して選択するが，審美性に対する配慮も怠ってはならない．特に小臼歯までは十分な配慮が必要であり，前歯と同様の色調を選択する．通常，前歯部人工歯でよく用いられる色調は臼歯部にも用意されている．

2 臼歯部人工歯の排列

　義歯の維持・安定のためには，義歯床粘膜面との良好な適合性と筋圧に調和した義歯床研磨面の形態が必要であるが，研磨面は人工歯の排列位置の影響を受ける．

　さらに，臼歯部人工歯に加わる咬合力は，義歯床を介して義歯床下粘膜に伝達され，咬合関係が不適切な場合には，患者の満足が得られないばかりでなく，義歯床下粘膜，舌，頰，口唇，顎関節などの義歯周囲組織にも悪影響を与え，義歯の動揺や転覆を引き起こす．したがって，義歯の製作にあたっては，臼歯部人工歯排列に十分な配慮が必要である．

　臼歯部人工歯排列の要件は，①非機能時にも義歯の維持・安定が保たれること，②頰，舌，口唇などの周囲組織と協調した咀嚼，発語，嚥下などの機能運動を行うことができること，③咀嚼時に義歯が安定すること，④咀嚼能率が高いことなどがあげられる．

　しかしすべての要件を満足させることは難しい場合が多く，いずれの要件を優先すべきかを判断しなければならない（**図 12-42**）．

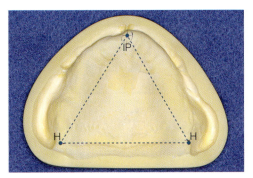

図12-43 HIP平面
切歯乳頭中央点（IP）と左右のハミュラーノッチ（H）を基準とした平面で，ほぼ咬合平面に平行であるとされている．

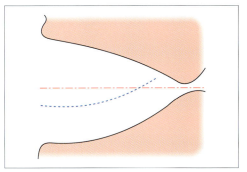

図12-44 上下顎顎堤の中央と顎堤の傾き
臼歯部人工歯は顎堤の傾きに垂直に設定することにより，咬合力は義歯床下粘膜に対して垂直に加わる．

1）排列位置

臼歯部人工歯の排列位置の基準となる事項を以下に説明する．

（1）上下的排列位置

人工歯の上下的排列位置，すなわち咬合平面の高さは，咬合採得時に仮想咬合平面としてまず決定される．前方はすでに排列されている犬歯の高さを基準とする．一方，後方の基準は，咬合採得時に記録されたCamper平面や舌背の高さに加えて，咬合器装着後にHIP平面（**図12-43**，☞ p.35 **図4-14**参照），レトロモラーパッド中央（☞ p.145 **図10-5**参照），上下顎顎堤の中央，顎堤の傾き（**図12-44**）などを考慮して最終的に決定される．

（2）頰舌的排列位置

臼歯部人工歯の頰舌的排列位置に関しては，顎堤の形態と上下顎顎堤の前頭面での対向関係から排列位置を決定し，まず義歯の維持・安定をはかる考え方（以下のa，b）と，天然歯とその周囲組織が口腔内で占めていた空間をそのままの形と大きさで回復すべきであるという考え方（以下のc，d）がある．

(a) 歯槽頂間線法則

前頭面において，相対する上下顎歯槽頂を上下方向に結んだ直線を歯槽頂間線 interalveolar ridge line という．両側性平衡咬合を採用する場合，この歯槽頂間線が下顎第一大臼歯の頰側咬頭内斜面の中央を通るように排列すれば，咬合力の合力の方向は歯槽頂上を通るようになり，片側性の咬合平衡が得られるという考え方を歯槽頂間線法則という（**図12-45**）．

ただし，この法則を無理に臼歯全体に当てはめようとすると，歯列弓が狭くなり，舌の運動を阻害し，また，審美性の問題が生じやすい．したがって，この法則は第一大臼歯の排列のみに適用し，その他の臼歯は前歯部からなめらかに移行し，歯列全体として調和がとれるよう，上下顎顎堤の幅の範囲内で片側性咬合平衡が保たれるようにする．

なお，無歯顎患者の高齢化に伴い高度に顎堤が吸収し，歯槽頂を特定することが困難な場合が多い．このような場合，本法則は適応しにくくなることを理解しておく必要がある．

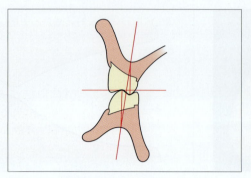
図12-45 歯槽頂間線と第一大臼歯（人工歯）の関係（林，1982）

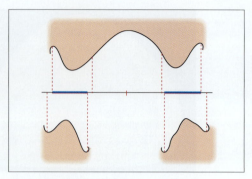
図12-46 共通帯（河邊ほか，1973）

(b) 共通帯法

　上顎臼歯部人工歯の頰側における排列位置の限界は頰側床縁であり，両側の床縁を結ぶ線分の頰側寄り1/4の各々の部分を上顎の排列許容域とし，下顎は頰側床縁から舌側床縁までを排列許容域とし，上下顎の許容域の重なるところを排列のための共通帯とする考え方である．この共通帯域に上下顎臼歯部人工歯を排列する方法である（**図12-46**）．
　この方法では歯槽頂間線法則で排列する場合より，排列位置は多少頰側に排列されることになり，発語などの機能運動にとって比較的有利になる．

(c) Pound三角とPoundライン

　Poundは，臼歯部人工歯は天然歯があった位置に排列すべきとし，そのための方法として解剖学的基準を提唱した．下顎犬歯の近心隅角とレトロモラーパッドの頰側面と舌側面とを結んだ三角をPound三角 Pound's triangle と，レトロモラーパッドの舌側面と下顎犬歯の近心隅角を結んだ線をPoundライン Pound's line とよんだ．下顎臼歯舌側面がこのラインに近接する三角内にあるべきという考えである（**図12-47**）．Pound三角を基準に臼歯部人工歯を排列すると，顎堤吸収の進んだ患者では，上顎臼歯は顎堤頂よりも頰側に位置することになる．このような場合，Poundはリンガライズドオクルージョン（舌側化咬合☞p.225参照）を採用し，咬合力を舌側化して義歯の安定をはかることを推奨した．

(d) ニュートラルゾーン（筋圧中立帯）

　義歯は唇頰側を口輪筋，頰筋によって，舌側を舌筋によって囲まれている．したがって，両側からの筋圧が均衡化された空間，つまりニュートラルゾーン neutral zone に人工歯を排列すれば，義歯は安定するという考え方である（**図12-48**）．この考え方は，フレンジテクニックやピエゾグラフィに応用され，義歯の床翼部の形態も周囲の筋圧を利用して形成し，機能的に義歯の維持・安定をはかるものである（☞p.174参照）．

2）咬合平衡

　全部床義歯では中心咬合位で均等に咬合接触するだけでなく，偏心咬合位でも義歯が動揺，離脱することなく十分な機能を発揮するような咬合関係になるように咬合平衡 occlusal bal-

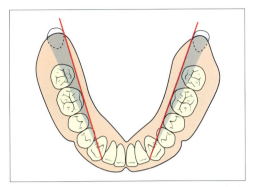

図12-47 Pound三角（青）とPoundライン（赤）

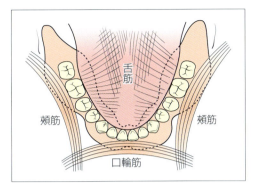

図12-48 ニュートラルゾーン（筋圧中立帯）
（Uhlig, 1970）

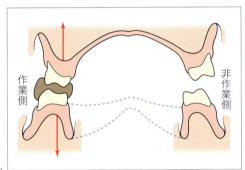

図12-49 咀嚼時の片側性咬合平衡（林, 1982）
片側で咀嚼したときに，義歯に加わる力は歯槽頂に向かい，義歯は脱落することなく安定している．

anceを確立しなければならない．

　特に，咀嚼時に作業側の上下顎臼歯部人工歯咬合面間に食塊が存在するときには，非作業側の臼歯部人工歯間の咬合接触は失われても義歯が安定し，片側での力学的平衡，すなわち片側性咬合平衡 unilateral occlusal balance が保たれなければならない（図12-49）．

　この考えを発展させて，ある一定の力を与えたときに片側性咬合平衡が保たれる位置に人工歯を排列し，また咬合接触を付与するという考え方もある．また，元々の共通帯域は上下顎顎堤の頰舌的対向関係を元にした考え方であるが，これを機能的な関係にも応用し，つまり上下顎の片側性咬合平衡が保たれる共通帯域に人工歯を排列し，また咬合接触を付与する考え方もある（図12-50）．

　咀嚼時に全部床義歯を安定させ，義歯床下粘膜の負担を少なくするために，食塊へのせん断力を増大させること，つまり人工歯咬合面を狭く，咬合接触面積を減少させ，かつ咬合面間距離を大きくすることは効果的である．しかしこれは咀嚼能率を低下させることになる．また，咬合力をより舌側にかつ顎堤に対して垂直方向に向けさせることも義歯の動揺を少なくし，安定させるために重要である．後述するリンガライズドオクルージョンはこのような考え方に基づくものである．

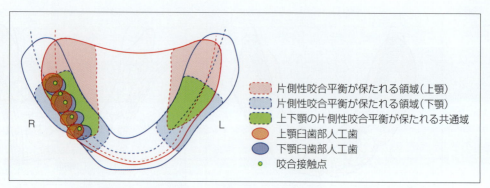

図 12-50　上下顎片側性咬合平衡に基づいた臼歯部排列と咬合接触の与え方（岡本，2013）

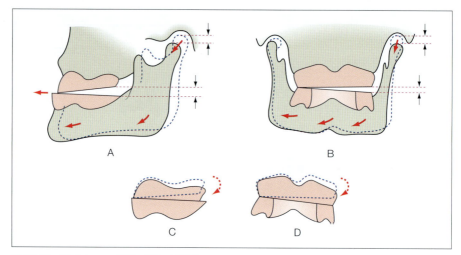

図 12-51　Christensen 現象（林，1982）
A：矢状 Christensen 現象．B：側方 Christensen 現象．
咬合床を装着したまま患者に前方咬合させると臼歯部の上下顎咬合堤の間に（A），また，側方咬合させると非作業側の咬合堤の間に（B），くさび形のすき間ができる．それぞれを矢状 Christensen 現象（A），側方 Christensen 現象（B）という．前方咬合位あるいは側方咬合位でさらに強く咬ませると咬合床が離脱して見かけ上の咬合接触（C・D）が起きるため，顎間関係の記録時には咬合力の強さや咬合床の動きなどに注意を払う必要がある．最終義歯では調節彎曲の付与などでこの現象を補償する．

3）平衡咬合

　無歯顎患者に上下顎咬合床を装着し，下顎を前方および側方に偏心滑走運動させたときには，矢状ならびに側方の Christensen 現象 Christensen's phenomenon が発現する（**図 12-51**）．Christensen 現象によって生じる間隙を前後，側方調節彎曲 compensation curve の付与ならびに臼歯部人工歯の咬頭によって代償し，下顎側方運動時に作業側，平衡側の両者において咬合接触を与え，義歯を安定させる咬合が両側性平衡咬合 bilateral balanced articulation（occlusion）である（**図 12-52**）．咀嚼中期から後期に有効とされる．Hanau は，この平衡咬合を得るために，顆路傾斜角，切歯路傾斜角，咬頭傾斜角，咬合平面の傾斜，調節

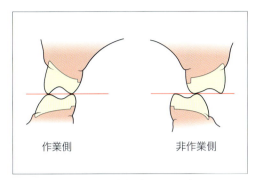

図 12-52 両側性平衡咬合（林，1982）

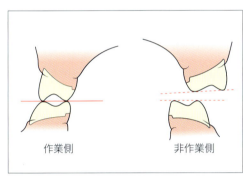

図 12-54 片側性平衡咬合（林，1982）

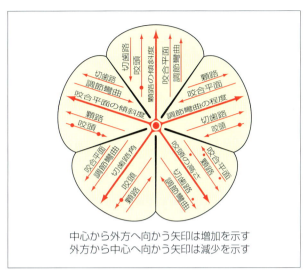

図 12-53 Hanau の咬合の 5 要素（Hanau，1926）
中心から外方へ向かう 5 本の主要素が増加した場合，咬合平衡を得るためには他の要素がどのような関係にあるかを，4 本の小さな矢で示している．内方へ向かう矢は減少を示す．

彎曲の深さの 5 要素（Hanau の咬合 5 要素 Hanau's Quit）を取り上げ，その関係を定性的に示している（**図 12-53**）．

一方，下顎が偏心運動を行ったとき，非作業側の上下顎臼歯部人工歯間に咬合接触がない状態で，作業側臼歯部人工歯の頰側咬頭および舌側咬頭同士のみの咬合接触により力学的な平衡状態を付与して，義歯の転覆を防止することを意図した咬合様式を片側性平衡咬合 unilateral balanced articulation（occlusion）という（**図 12-54**）．

4）咬合様式

咬頭嵌合位および偏心位における咬合接触の状態を咬合様式 occlusal scheme とよぶ．全部床義歯に付与する主な咬合様式には以下のものがある．

（1）両側性平衡咬合 bilateral balanced articulation（occlusion）

（a）フルバランストオクルージョン fully balanced articulation（occlusion）

Gysi の咬合小面学説に基づく咬合様式であり，義歯の咬頭嵌合時および偏心運動時の両者において，上下顎の対応する咬合小面が，作業側の人工歯だけでなく，前歯を含めた非作業側の人工歯も円滑に接触滑走し，平衡咬合が保たれる（**図 12-55**）．

フルバランストオクルージョンの実際は**図 12-56** に示すとおりである．

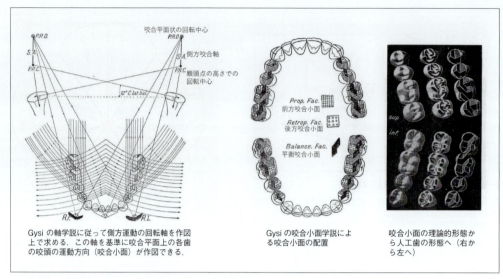

図 12-55 フルバランストオクルージョンの基礎となった Gysi の軸学説と咬合小面学説（Gysi，1929）

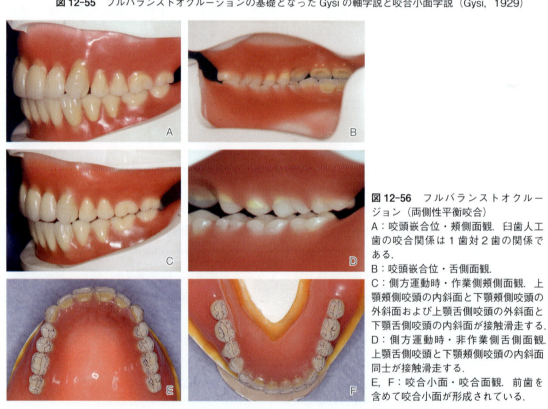

図 12-56 フルバランストオクルージョン（両側性平衡咬合）
A：咬頭嵌合位・頰側面観．臼歯人工歯の咬合関係は1歯対2歯の関係である．
B：咬頭嵌合位・舌側面観．
C：側方運動時・作業側頰側面観．上顎頰側咬頭の内斜面と下顎頰側咬頭の外斜面および上顎舌側咬頭の外斜面と下顎舌側咬頭の内斜面が接触滑走する．
D：側方運動時・非作業側舌側面観．上顎舌側咬頭と下顎頰側咬頭の内斜面同士が接触滑走する．
E，F：咬合小面・咬合面観．前歯を含めて咬合小面が形成されている．

(b) リンガライズドオクルージョン lingualized articulation（occlusion）
（Payne の modified set-up 法）

　義歯の咬頭嵌合時および偏心運動時の両者において，上顎の舌側咬頭頂のみが下顎臼歯と，作業側，非作業側で咬合接触する．これによって咬合力が舌側化し，フルバランストオク

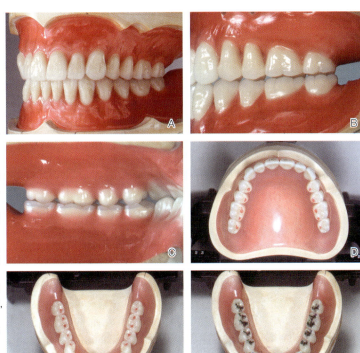

図 12-57 リンガライズドオクルージョン（両側性平衡咬合）
A：デュラデント前歯とデュラデント臼歯リンガライズド（ジーシー）を用いた排列．前歯から臼歯への移行はスムーズである．
B：咬頭嵌合位の頬側面観．頬側咬頭の咬合面間距離に注意．
C：咬頭嵌合位の舌側面観．臼歯部人工歯の咬合関係は１歯対１歯の関係である．
D：上顎咬合面観（中心咬合位での印記）．咬合接触は上顎舌側咬頭のみで，これが歯槽頂に位置する．
E：下顎咬合面観．咬合接触は下顎小窩のみで，これが歯槽頂に位置する．
F：下顎咬合面観（偏心運動も印記）．下顎運動時の咬合接触像はオクルーザルテーブル上でゴシックアーチを描く．

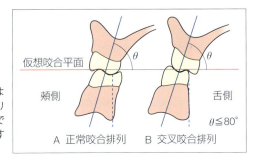

図 12-58 交叉咬合排列の適応条件
歯槽頂間線が仮想咬合平面に対して 80°以下になるような症例では，正常被蓋で排列すると下顎は舌側寄りに，上顎は頬側寄りに排列されてしまう（A）．そこで臼歯部では上下顎左右側の人工歯を入れ替えて排列する（B）．

ルージョンと比較した場合，臼歯部人工歯を頬側寄りに排列しても咬合平衡を保つことができ，舌房を大きくできる．また，咬合調整も容易である．

リンガライズドオクルージョンの実際は**図 12-57**に示すとおりである．

(c) **交叉咬合** cross bite

顎堤の吸収が著しく，上顎の顎堤弓が下顎の顎堤弓より小さく，歯槽頂間線と仮想咬合平面とのなす角が 80°以下になった場合に，採用されることがある（**図 12-58**）．本方法は咬合平衡を保とうとする１つの手段である．上顎右側には下顎左側臼歯部人工歯を，上顎左側には下顎右側臼歯部人工歯を，下顎右側には上顎左側臼歯部人工歯を，下顎左側には上顎右

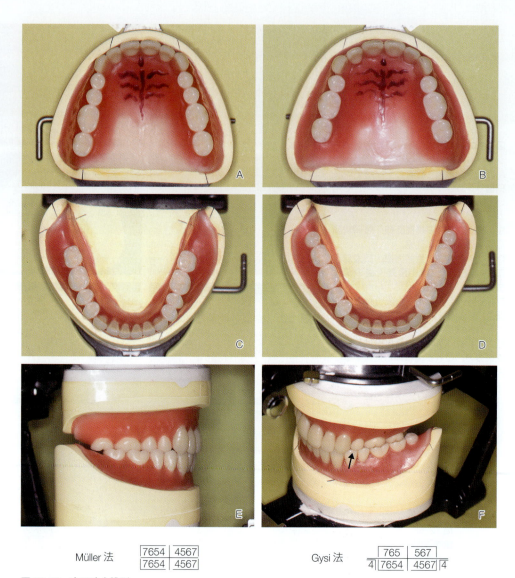

図 12-59 交叉咬合排列
A, B：上顎咬合面観. Müller 法 (A), Gysi 法 (B). C, D：下顎咬合面観. Müller 法 (C), Gysi 法 (D).
E, F：前歯は審美性を重視して正常被蓋で排列するため小臼歯部で交叉する. Müller 法 (E), Gysi 法 (F).

側臼歯部人工歯を排列する．前歯部は審美性の問題から正常咬合もしくはそれに近い位置に排列されるため，小臼歯で歯列が交叉する．Gysi 法と Müller 法がある．

交叉咬合排列の実際は**図 12-59** に示すとおりである．

(d) 無咬頭歯の両側性平衡

咬合無咬頭歯を用いての両側性平衡咬合を与える咬合様式で，2つの方法がある．1つは，調節彎曲を付与して Christensen 現象によって生じる間隙を補償するもので，顆路傾斜が小さい場合に用いられる．もう1つは，バランシングランプ法ともよばれ，無咬頭歯をほぼ平

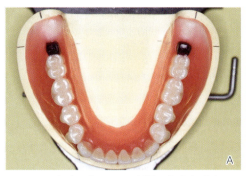
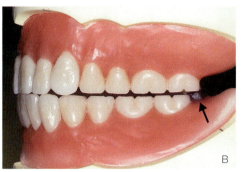

図12-60 無咬頭歯による両側性平衡咬合（バランシングランプ法）
A：下顎咬合面観．
B：前方運動時の左側頬側面観．前歯部とバランシングランプ（矢印）で平衡滑走する．

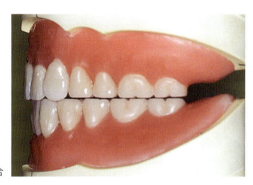

図12-61 無咬頭歯による片側性平衡咬合

面状に排列し，平衡咬合を前歯部と最後臼歯後方に設置された急斜面のランプ（バランシングランプ）によって保つ方法である（**図12-60**）．

(2) 片側性平衡咬合 unilateral balanced articulation（occlusion）

(a) リンガライズドオクルージョン（Poundによる）

　臼歯は上顎に33°，下顎に20°の咬頭歯を用い，上顎臼歯の舌側咬頭のみが下顎臼歯の中心窩に接触するようにする．この咬合様式で下顎が動いたときは，作業側で，上顎臼歯の舌側咬頭のみが下顎臼歯に咬合接触し，非作業側の咬合面は離開するが，作業側の咬合が義歯の安定を増加させ片側性平衡を保つ．

(b) モノプレーンオクルージョン

　無咬頭歯を平面に排列したものである．片側性平衡咬合を得るために，人工歯は舌側寄りに排列する必要がある．

　無咬頭歯の排列の実際は図に示すとおりである（**図12-61**）．

5）排列の実際

　臼歯部の実際の排列については，これまで述べた排列位置と咬合接触関係の基準を元に上顎臼歯部から排列し，その後下顎臼歯部を排列する方法（上顎法）と下顎臼歯部から排列し，その後上顎臼歯部を排列する方法（下顎法）とに分かれる．なお，咬合採得時の仮想咬合平

	上顎法			下顎法	

```
    ⑧ ⑥ ④ ②           ① ③ ⑤ ⑦       ⑯ ⑩ ⑫ ⑭            ⑬ ⑪ ⑨ ⑮
    7 6 5 4 3 2 1 | 1 2 3 4 5 6 7     7 6 5 4 3 2 1 | 1 2 3 4 5 6 7
    ─────────────────────────────     ─────────────────────────────
    7 6 5 4 3 2 1 | 1 2 3 4 5 6 7     7 6 5 4 3 2 1 | 1 2 3 4 5 6 7
    ⑯ ⑩ ⑫ ⑭           ⑬ ⑪ ⑨ ⑮       ⑧ ⑥ ④ ②            ① ③ ⑤ ⑦
```

図 12-62 上顎法と下顎法における臼歯人工歯の基本的な排列順序

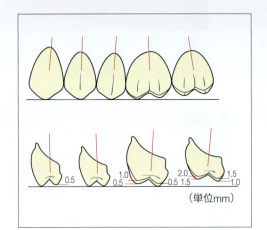

図 12-63 上顎法の調節彎曲（平沼ほか，1996）
上顎臼歯の下顎咬合堤に対する咬頭の位置と歯冠軸の傾斜．

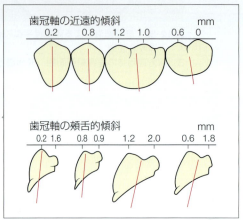

図 12-64 下顎法の調節彎曲（平沼ほか，1996）
下顎臼歯の下顎咬合堤に対する咬頭の位置と歯冠軸の傾斜．

面の設定は，上顎法と下顎法では異なる（☞ p.148 **図 10-9** 参照）．それぞれの基本的な臼歯人工歯の排列の順番を **図 12-62** に示す．

　上顎法では，上顎第一・第二大臼歯を仮想咬合平面より浮き上がらせながら調節彎曲を与える（**図 12-63**）．したがって，後方臼歯になるにしたがって咬合平面は仮想咬合平面から離れていく．あらかじめ上下人工歯の適切な対向関係と調節彎曲を得るために犬歯と上顎第一小臼歯間に Tench の間隙という 1 mm 程度のスペースを与えて排列を開始する．

　下顎法では，上顎咬合堤を基準に，各々の臼歯部人工歯を仮想咬合平面から下方に下げて調節彎曲を与える（**図 12-64**）．この方法では仮想咬合平面と義歯の咬合平面が一致する．下顎の義歯の安定を得ることが困難な場合が多いため，下顎臼歯の顎堤に対する位置を優先し，それに合わせて上顎の排列をするものである．

　下顎法，上顎法いずれの方法を選択したとしても，完成した義歯の歯列は両者で一致しなければならないし，上下顎歯列の連続性，対向関係，咬合平衡などの義歯の維持，安定，審美性などがバランスよく得られるように最終調整を行う．

（市川哲雄，永尾　寛）

COLUMN 8 「平衡咬合の理解を深めるために」

平衡咬合は咬合接触によって義歯の安定を期待する全部床義歯補綴において議論されることが多い．

すべての咬合小面が中心咬合時も偏心咬合時も接触する様式をフルバランストオクルージョン（全面均衡咬合）という．これを実現するのは大変困難である．これに対して，すべての歯や咬合小面ではないが，少なくとも偏心咬合時も左右の歯列が接触しバランスをとっている状態を両側性平衡咬合（単にバランストオクルージョンという場合もある）といい，全部床義歯に与える咬合様式として推奨されている．一方，偏心咬合時に非作業側は接触しないが，作業側の頬・舌側の咬頭同士が接触し，咬合力の方向が舌側に向かい，義歯を安定させている状態を片側性平衡咬合という．

両側性平衡咬合のように歯列を横断してバランスを取っている状態をクロスアーチバランス cross-arch balance，片側性平衡咬合のように作業側の頬・舌側で接触がある状態を，歯を横断してバランスを取っているという意味でクロストゥースバランス cross-tooth balance という．ただし，クロストゥースバランスもクロスアーチバランスも有歯顎では排除したほうがよい咬合接触とされている．

クロストゥースバランスではないが，Pound のリンガライズドオクルージョンのように，作業側の上顎口蓋側咬頭が下顎舌側咬頭の内斜面を滑走し，咬合力の方向が舌側に向かう状態も片側性平衡咬合に分類されている．したがって，片側性平衡咬合とは，作業側での上下顎の人工歯の咬合接触によって咬合力の方向が下顎義歯の舌側方向に向かい，義歯の安定に寄与している状態である．

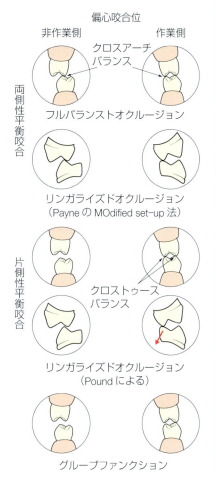

一方，作業側臼歯の頬側咬頭のみが接触するグループファンクションも，この片側性平衡咬合に分類されていることがある．グループファンクションは，有歯顎で禁忌とされる作業側臼歯の舌側咬頭同士の接触と非作業側での咬合接触を両側性平衡咬合から取り除き，頬側咬頭同士のみを接触させているので，両側性平衡咬合に比べていかにも不安定にみえる．したがって平衡咬合に分類するのは不適当とも考えられる．咬合に関する議論は全部床義歯補綴の中で議論され，そこで確立した両側性平衡咬合が有歯顎補綴に導入されたが，その後，顎関節や臼歯歯周組織の安静を考慮した犬歯誘導咬合やミューチュアリープロテクテッドオクルージョンにとって代わられた．グループファンクションも有歯顎に付与する咬合様式の1つとして議論され，側方運動時の負荷を効果的に負担させるため，さまざまなタイプのグループファンクションが提案されている．このようにグループファンクションは義歯の安定を考慮した片側性平衡咬合の仲間ではなく，有歯顎補綴において効果的な臼歯離開を図るための咬合様式の中で議論されるべきものであり，義歯の安定を考慮した片側性平衡咬合とは別であると理解すべきであろう．したがって，全部床義歯に関する平衡咬合の議論は，単に人工歯の咬合接触の状況だけでなく，排列位置の考慮など機能時に義歯を安定させるための咬合平衡（☞ p.233 参照）の議論とも合わせて議論することが必要である（☞ p.40，41，220 参照）．

（水口俊介）

第13章 歯肉形成とろう義歯試適

I 歯肉形成

　歯肉形成 festoon とは，ろう（蠟）義歯 wax denture の人工歯歯頸部から床縁に至るまでの歯肉に相当する部分，すなわち義歯床研磨面をワックスで形成し，所要の形態に仕上げる作業である．この義歯床研磨面形態は，咀嚼，発語，審美性および舌感に関係があるだけでなく，義歯の維持・安定にも影響するため，きわめて重要な技工作業の1つである．

1 審美的形態

1）歯頸部および歯根部の形成
　歯頸部の歯肉形成は天然歯を模倣し（**図13-1**），左右対称性や連続性に留意して行う．天然歯の辺縁歯肉は加齢により根尖側方向に移動するため，年齢に応じた形成付与が必要である．歯根部の形成は人工歯の植立方向を考慮し，歯槽隆起を模倣する．

2）歯間乳頭部の形成
　歯間乳頭部の歯肉が退縮した形態として歯間空隙を設けたり，歯ブラシなどを用いてスティップリングを形成したりすることもある．ただし，研磨の困難さや義歯清掃が行えない患者の場合には衛生的な問題を生じる．

2 機能的形態

1）床縁形態
　床縁部は歯肉頰移行部・歯肉唇移行部の辺縁封鎖をはかるとともに，口腔周囲筋の作用により義歯の維持・安定を確保するために，印象採得した辺縁部（コルベン状）を再現するとともに，なめらかに歯頸部方向の義歯床研磨面に移行する（**図13-2**）．

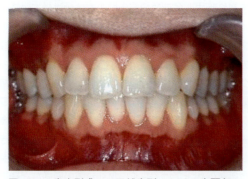

図13-1　歯肉形成では天然歯列における歯頸部および歯根部の形態を模倣する．

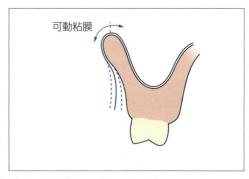

図13-2　床縁形態（コルベン状）

図 13-3　下顎舌側部の形態（凹面状形成）

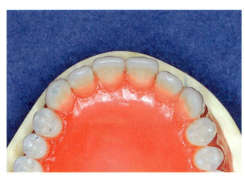
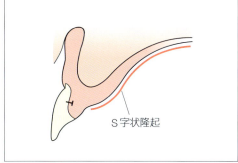

図 13-4　上顎前歯部口蓋面の S 字状隆起

2）義歯床研磨面形態

　口唇，頰，舌の筋圧によって義歯が維持されるように，唇，頰側の義歯床研磨面形態を形成する．義歯床翼部（フレンジ）の形態を周囲筋の運動により形成する方法として，フレンジテクニックがある（☞ p.175 参照）．

　下顎舌側部の形態は，舌房のスペースを確保するために，舌の形態（豊隆）に合わせて，凹面状に形成し，舌の収まる位置の確保と嚥下などの機能運動を妨げないような形態に仕上げる（図 13-3）．

3）S 字状隆起

　上顎前歯部の口蓋面の形態は，穏やかな S 字状の隆起を与える（図 13-4）．これは Snow（1899）によって提唱されたもので，[s]音，[t]音，[d]音のような歯音，歯茎音発音時に，舌が上顎前歯部口蓋部に接して，呼気流路を狭くしたり，あるいは呼気を遮断，開放することを助ける．

4）口蓋ヒダ（皺襞）および切歯乳頭

　口蓋ヒダは，舌位置の確認を容易にし，発語機能や咀嚼機能を助けるとされているため，可能な限り生体の形態を模倣する．切歯乳頭は正中で両側中切歯間に位置させ，第一横口蓋ヒダ，第二横口蓋ヒダ，第三横口蓋ヒダは，それぞれ，犬歯，第一小臼歯，第二小臼歯に向かい，後方に位置するほど高さや幅が小さくなるように形成する（図 13-5）．

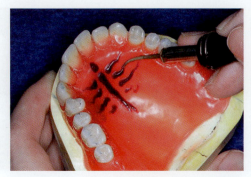
図13-5 上顎口蓋部の切歯乳頭と口蓋ヒダ（皺襞）の付与

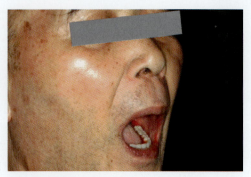
図13-6 義歯の浮きあがりがないかを確認

Ⅱ ろう義歯試適時の検査

　ろう義歯とは人工歯排列と歯肉形成が完了した重合前の義歯をいう．ろう義歯の試適 try-in 時には，以下の項目を検査し，チェアサイドで必要な修正を行う．

1 義歯床形態

　義歯床外形が適切か，小帯部の形態が適切か，あるいは床縁形態がコルベン状になっているかなどを検査する．なお，適正な印象採得とボクシングを施した作業用模型の製作によって，義歯の床縁形態とその位置については，大きな修正はないはずである．歯肉形成で整えた義歯床研磨面形態，ポストダムの位置，開口したときに上顎義歯の脱離および下顎義歯の浮き上がりがないかなどを確認する（図13-6）．

2 咬合関係

1）咬合平面

　瞳孔線との平行性やレトロモラーパッドの位置などの解剖学的指標（ランドマーク）との関係から咬合平面の適否を確認する．

2）咬合高径

　顔貌の自然感を確認するとともに，適切な安静空隙量（2～3mm）が確保されているか，嚥下や発語などの機能に問題がないかを確認する．

3）中心咬合位

　習慣性閉口路の終末として咬頭嵌合するか，咬合器上と口腔内で一致しているかなど的確に中心咬合位が採得されているかを視診，触診，咬合紙，転覆試験などで確認する（図13-7）．転覆試験とは，ピンセットやセメントスパチュラを上下の人工歯間に挿入してこじり，咬合状態の緊密性を左右的もしくは前後的に差異がないかを確認する方法である（図13-8）．咬合にずれが認められる場合はチェックバイトを採得し咬合器再装着を行う．

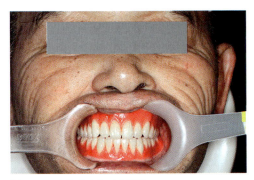

図 13-7　中心咬合位での確認

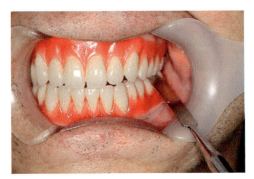

図 13-8　転覆試験
スパチュラを臼歯部へ挿入してこじる．

図 13-9　偏心位での咬合接触の観察

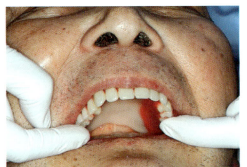

図 13-10　咬合面を指で押し，義歯の維持，安定を確認する．

4）偏心咬合位

　側方咬合位および前方咬合位における咬合接触状態を検査する（**図 13-9**）．両側性平衡咬合および切端咬合位における前歯部人工歯と臼歯部人工歯の同時接触の有無を咬合紙など用いて確認する．ただし，強く咬ませながら偏心運動させると人工歯が脱離することがあるため行ってはならない．

3　人工歯の排列位置と舌房

　ろう義歯装着時に第一大臼歯人工歯部を指で左右交互に押して，反対側の脱離がないかを確認する（**図 13-10**）．このとき，脱離してしまう場合は片側性咬合平衡（☞ p.219 参照）が獲得されていないと判断し，人工歯の排列位置を修正しなければならない．舌房の広さ，舌側縁と下顎人工歯の位置関係を確認する．

4　審美性

　人工歯の選択と排列，歯肉形成，義歯床研磨面形態，咬合高径などを審美性の面から確認し，必要に応じて調整する．特に上顎前歯部人工歯の色調，大きさおよび形態，上顎両側中

II編　各論（治療編）

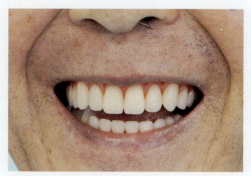

図13-11　審美性の検査

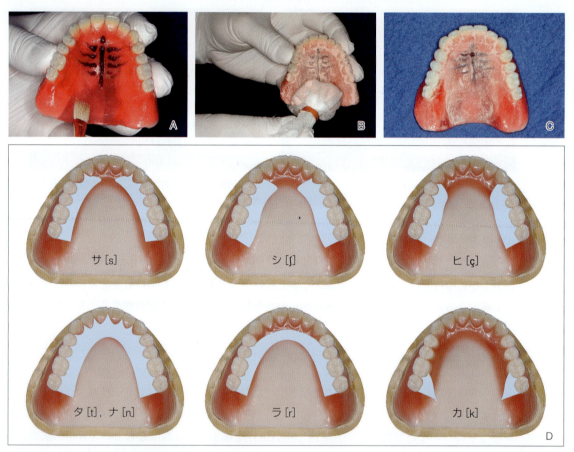

図13-12　パラトグラムの採得法と標準的パラトグラム
義歯口蓋面にワセリンを塗布し（A），アルジネート印象材の粉末を散布後（B），発語させる．発語時に舌の口蓋面が接触する部位は粉末が湿り，判別可能となる（C）．その接触形態を標準的なパラトグラム（D）と比較し，口蓋部にワックスを添加，削除して形態を整える．

切歯間のコンタクトポイントと正中の一致，上顎前歯切縁の水平的位置，談笑中の上下顎前歯部と口唇の位置，臼歯部の咬合平面の位置と傾き，歯軸傾斜度の連続性および歯列彎曲などに注意する（**図 13-11**）．

5 発語機能

発語に問題がないかを自覚的，他覚的に確認する．上顎義歯の口蓋側歯肉部の豊隆や形態の違いにより，発語の容易さ，発語明瞭度が変化する．義歯の製作過程のろう義歯試適時，あるいは義歯装着時に人工歯の排列位置や義歯床形態が患者の構音機能に調和しているか否かを発音試験 phonetic test で確認する．

1) パラトグラム

パラトグラム palatogram とは，発語時に舌が口蓋に接触する範囲を示す操作のことであり，義歯製作時の発音試験として利用される（**図 13-12**）．パラトグラムには，口蓋に墨や粉末を塗布，散布して行う静的パラトグラムと，電極を利用するダイナミックパラトグラムがあるが，実際の臨床では静的パラトグラムが用いられることが多い．

ろう義歯試適時の静的パラトグラムは，下記のような手順で行うと比較的明確に記録することができる．

① 発語する文字を紙に書き，発語を認識させる．
② 上下顎ろう義歯を装着し，発語練習をする．
③ 上下顎ろう義歯を外し，上顎ろう義歯の人工歯の内側の口蓋部分にのみ，ワセリンを塗布する．
④ ワセリンの塗布部分にアルジネート印象材の粉末を散布する．
⑤ 上顎ろう義歯を装着する前に，少量の水を嚥下し，口腔内を保湿する．
⑥ 上顎ろう義歯を装着し，紙に書いた文字をしっかりと1回，発語してもらう．
⑦ 上顎ろう義歯を外し，アルジネート粉末の湿潤および剝がれの領域を確認する．
⑧ 正常なパラトグラムと比較し，人工歯の排列位置および口蓋部歯肉形態を検討し，修正を行う．

（玉置勝司）

COLUMN ❾　咬合平衡と平衡咬合

英語でも，それぞれ"occlusal balance"，"balanced occlusion"というが，その定義に迷うところであり，かつ同義のように記載されている本もある．本書では，平衡咬合は，咬頭嵌合位および偏心咬合位で均等に全歯列が接触している関係をいい，主に側方運動時に非作業側の接触があるような咬合様式を示した．この非作業側での接触関係の有無を取り上げて，両側性平衡咬合，片側性平衡咬合という用語の使い方をした．

一方，咬合平衡は，主に義歯で使われる用語で，偏心運動時に義歯の維持と安定が咬合によって確保されているさまを意味し，特に食塊が作業側に介在する咀嚼時の場合でも，義歯が転覆せず安定している状態を片側性咬合平衡と表した．

（編集委員）

第14章 埋没，重合，研磨

　ろう義歯の試適が終了した後，ろう義歯の基礎床およびワックス部分を床用レジンに置き換えて義歯を完成させる．床用レジンには一般にメチルメタクリレート（MMA）が用いられ，重合様式には加熱重合法，常温重合法，マイクロ波重合法がある．加熱重合法の重合操作および研磨手順は，次のようになる．

① ろう義歯のフラスク埋没
② 流ろう
③ レジンの混和
④ レジン塡入
⑤ レジン重合
⑥ 義歯の取り出し
⑦ 研磨

I　ろう義歯試適から装着までの流れ

　全部床義歯のろう義歯試適から装着までの流れは，咬合器再装着の方法により異なり，咬合器再装着には，主として，スプリットキャスト法とTenchのコア法が用いられる（図14-1）．

1 スプリットキャスト法

　作業用模型製作時にくさび状の溝を基底部に形成（スプリットキャスト）しておき，重合後にフラスクから義歯と作業用模型を一塊として取り出し，基底部の溝の部分で咬合器再装着する．

2 Tenchのコア法

　ろう義歯埋没前にTenchのコア Tench's core を採得し，その後，重合する．重合後，フラスクから義歯のみを取り出し，研磨を行う．上下顎義歯を口腔内に試適し，チェックバイト記録を採得する．その後，義歯をボクシングし，義歯床の内面に石膏泥を流入して再装着用模型を製作する．Tenchのコアに上顎義歯をのせ，再装着用模型の基底部分に石膏泥を盛って咬合器に再装着する．硬化後，チェックバイト記録を介して上下顎の義歯を固定し，下顎再装着用模型に石膏泥を盛って咬合器再装着する．

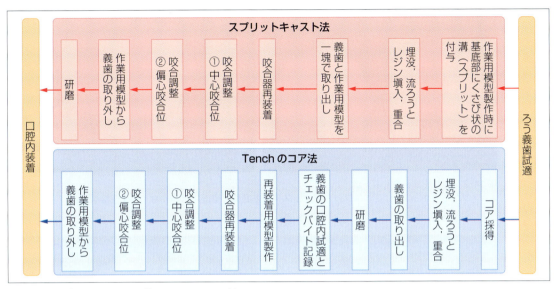

図 14-1 スプリットキャスト法と Tench のコア法
スプリットキャスト法は，重合後にフラスクから義歯と作業用模型を一塊として取り出し，咬合器再装着後に咬合調整を行い，最後に義歯を研磨する．
Tench のコア法は，重合後にフラスクから義歯のみを取り出して研磨を行い，その後，咬合器再装着し咬合調整を行う．

II 埋没

1 埋没の前準備

レジンの重合操作や重合収縮などが原因で人工歯の位置が変化して，咬合関係に誤差が生じることがある．この誤差を修正するにはレジン重合後に義歯を咬合器に再装着する必要がある．再装着の方法として，スプリットキャスト法と Tench のコア法がある（**図 14-1**）．埋没の前にこれらの再装着の準備をしておく．

1）スプリットキャスト法

作業用模型製作の過程で基底部にくさび状の溝を形成（スプリットキャスト）しておき（**図 14-2 A**），埋没の前準備として，模型を保護するために作業用模型の基底面と側面にアルミホイルを圧接するか（**図 14-2 B**），ワセリンなどの石膏分離剤を十分に塗布する．

2）Tench のコア法

下顎ろう義歯を咬合器から取り外し，咬合平面板あるいはマウンティングジグを咬合器の下弓に装着する．その上に石膏泥を一層盛り，咬合器を静かに閉じて上顎ろう義歯人工歯の切縁と咬頭頂を約 1 mm の深さで印記する（**図 14-3 A**）．得られた上顎ろう義歯歯列の記録を Tench のコア（Tench の歯型）という（**図 14-3 B**）．

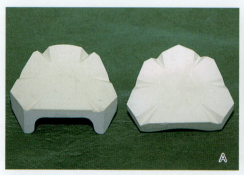

図14-2　スプリットキャスト法
A：スプリットキャスト．B：スプリットキャストの基底面と側面にアルミホイルを圧接する．

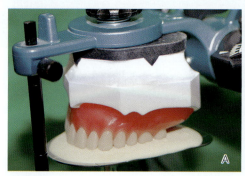
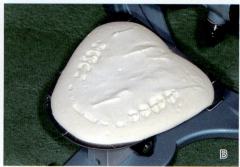

図14-3　Tench のコア法
A：上顎ろう義歯の人工歯列を印記する．B：採得された Tench のコア．

2 埋没法

　ろう義歯の基礎床およびワックス部分を床用レジンに置き換えるために，ろう義歯を作業用模型ごとフラスク内に石膏で埋没する．埋没法にはアメリカ式埋没法とフランス式埋没法がある．

1）アメリカ式埋没法

　作業用模型をフラスクの下部に埋没し，人工歯をフラスク上部に埋没する方法で（**図14-4**），全部床義歯ではレジン床義歯に用いられる．流ろう，分離剤の塗布，レジン塡入が容易で，十分な加圧が可能である．しかし，加圧が不十分な場合には人工歯と義歯床粘膜面との位置関係が変化し，咬合高径が高くなるおそれがある．

2）フランス式埋没法

　作業用模型，人工歯，口蓋床（金属床）などをすべてフラスク下部に埋没する方法で（**図14-5**），全部床義歯では金属床義歯に用いられる．重合後に咬合関係が変化しにくいという利点があるが，形態が複雑なため埋没石膏が破損したり，流ろうしにくいなど操作が煩雑である．

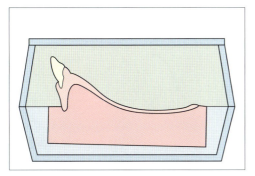

図 14-4 アメリカ式埋没法

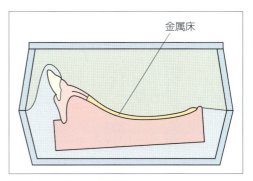

図 14-5 フランス式埋没法

図 14-6 加熱重合用フラスク

図 14-7 加熱重合用フラスククランプ

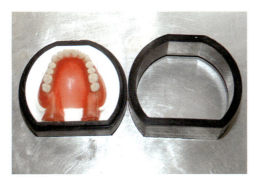

図 14-8 常温重合法の流し込み用フラスク（石膏埋没用）

図 14-9 マイクロ波重合用フラスク
繊維強化プラスティック（FRP）を使用したフラスクと専用のボルト・ナット．

3 埋没の手順（図 14-6～10）

1）フラスク

　加熱重合用には強固な金属製のフラスク（図 14-6）とフラスククランプ（図 14-7）を用い，クランプでフラスクを固定して重合する．常温重合法の流し込み用には，石膏，寒天，シリコーンゴム埋没材用に専用のフラスクがあり（図 14-8），また，フラスクを用いずに埋没する方法もある．マイクロ波重合用には，繊維強化プラスティック（FRP）を使用したフラスクを専用のボルト・ナットで固定して使用する（図 14-9）．

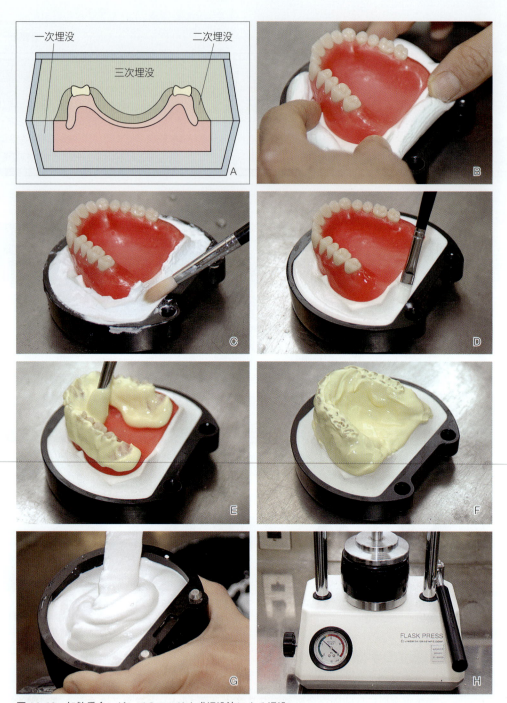

図14-10　加熱重合レジンでのアメリカ式埋没法による埋没
A：模式図．B, C：一次埋没．ろう義歯を作業用模型ごとフラスク下部の石膏中に圧入する（B）．毛筆で石膏面をなめらかな面に仕上げる（C）．D：石膏硬化後に石膏分離剤を塗布する．E, F：二次埋没．人工歯およびワックス表面に硬質石膏泥を塗布する（E）．硬化までに切縁と咬頭頂を露出させる（F）．G：三次埋没．硬化後フラスク上部へ埋没用石膏泥を注入する．H：油圧プレスで加圧する．

2）埋没手順

加熱重合レジンでのアメリカ式埋没法による埋没（**図 14-10 A**）の手順について，以下に説明する．

まず，埋没用石膏泥をフラスコ下部に流し込み，ろう義歯を作業用模型ごとゆっくりフラスコ下部の石膏中に圧入する（**図 14-10 B**）．さらに毛筆などで石膏面をなめらかな面に仕上げる（**図 14-10 C**）．石膏硬化後に石膏面に石膏分離剤を塗布する（**図 14-10 D**）．人工歯およびワックス表面に，硬質石膏泥を塗布して二次埋没し（**図 14-10 E**），硬化までに切縁と咬頭頂を露出させておく（**図 14-10 F**）．硬化後，分離剤を塗布した後にフラスコ上部に埋没用石膏泥を満たして三次埋没を行い（**図 14-10 G**），油圧プレスで加圧する（**図 14-10 H**）．その後，フラスククランプで固定し石膏を硬化させる．

III 流ろうとレジン塡入

1 流ろう

埋没用の石膏が十分硬化した後に，クランプで固定した状態でフラスコを熱湯に 3～5 分間浸漬し，フラスコ内のワックスを軟化させる．熱湯から取り出し，クランプからフラスコを取り外す．フラスコの上部と下部を分割して軟化したワックスを基礎床と一塊として取り出す．フラスコ内に残ったワックスを完全に除去するため，湯沸かし器から熱湯を注いで洗い流す（**図 14-11 A**）．乾燥させた後，レジン分離剤を石膏面に塗布する（**図 14-11 B**）．レジン分離剤はフラスコがまだ熱いうちに薄く塗布することが好ましく，人工歯には付着しないように注意する必要がある．

2 レジン塡入

床用レジンの粉末（ポリマー，PMMA：ポリメチルメタクリレート）と液（モノマー，MMA：メチルメタクリレート）が 2～2.5：1 の重量比になるように計量する．まず，レジ

図 14-11 流ろう
A：フラスコ内に残ったワックスを熱湯で洗い流す．B：レジン分離剤を塗布する．

図14-12 レジン塡入
A：レジンポリマー（粉末）をモノマー（液）に注ぐ．
B：餅状レジンをフラスコに塡入する．
C：油圧プレスで試圧する．
D：余剰レジンのバリを除去する．
E：フラスククランプで固定する．

ン混和器内に液を入れ，その後，バイブレータで振動を与えながら粉末を静かに少量ずつ散布し（**図14-12 A**），粉末を液に浸潤させて蓋をする．床用レジンは，砂状→粥状→糸引き状→餅状→ゴム状へと変化していくので，フラスコ内への塡入は餅状になったときに行う．

餅状になったレジンは，ポリエチレンフィルムを用いてレジン混和器から一塊として取り出し，フラスコ上部（人工歯が埋没されている側）に塡入する（**図14-12 B**）．ポリエチレンフィルムを介在させた状態でフラスコの上部と下部を接合させ，油圧プレスでゆっくり試圧する．余剰のレジンのバリが出たら（**図14-12 C**），圧を除いてフラスコを開きバリを取り除く（**図14-12 D**）．この操作を2〜3回繰り返し，最終的に3〜4 MPaの圧でバリが出なくなったら，ポリエチレンフィルムを介在させずにフラスコの上部と下部を適合させ，油圧プレスで最終的な加圧を行い，フラスククランプで固定する（**図14-12 E**）．

Ⅳ 重合

重合 polymerization とは，単量体（モノマー）が繰り返し連結して高分子（ポリマー）を生成する化学反応をいう．

1 レジン重合法
床用レジンの重合法には，以下のものがある．

1）加熱重合法
加熱重合法には湿熱重合と乾熱重合があり，一般に湿熱重合が用いられる．

湿熱重合はクランプで固定したフラスコを水中で重合する方法で，70℃温水中に90分間浸漬後に沸騰水中に30分間浸漬して重合する方法が一般的である．その他に，水に浸漬したフラスコを室温から徐々に加熱し，30〜40分間かけて沸騰させ，その後30分間係留する方法もある．また，重合後のレジン床の変形を小さくすることを目的として，75℃温水中に8時間係留，または70℃温水中に24時間係留する低温長時間重合法（**図14-13**）もある．

なお，加熱を急激に行ったり，レジン塡入したフラスコを沸騰水中にいきなり浸漬したりした場合には，レジン内部に気泡が発生することがある．また，この気泡発生は，レジンの塡入時期の誤りや，レジンの塡入量不足あるいは塡入時の加圧不足が原因して生じることもある．

乾熱重合は電気加熱装置（ヒートプレス）にフラスコをプレスし加熱して重合する方法であり，フラスコの片面（作業用模型側）から加熱することによって粘膜面からの重合を進め，適合性の向上を目指している．

2）常温重合法
ポリマー粉（PMMA）とモノマー液（MMA）を混和することにより常温で重合を行う常温重合法には，流し込み法と専用の器械で注入する射出成形法がある．一般に流し込み法が用いられる．

図14-13 低温長時間重合法に用いる重合槽

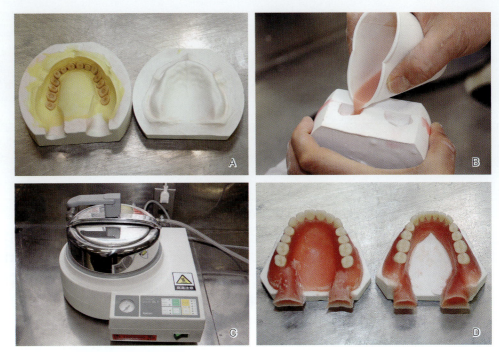

図 14-14　常温重合法（流し込み法）
A：流し込み用の石膏でろう義歯を埋没，流ろうする．B：常温重合レジンを流し込む．
C：流し込み用加圧重合器．D：流し込み法で重合した義歯．

　流し込み法は，ろう義歯の埋没を石膏，寒天，シリコーンなどで行い（**図 14-14 A**），ポリマーとモノマーを混和すると同時に注入口から流し込み（**図 14-14 B**），気泡の発生を防止する目的で加圧重合器（**図 14-14 C**）に入れ，55℃温水中に浸漬して，2気圧の条件下で，20分間重合する（**図 14-14 D**）．

3）マイクロ波重合法

　マイクロ波重合法は，専用のレジンと専用のFRPフラスクを使用し（**図 14-15 A**），電子レンジ中で（**図 14-15 B**），500 Wマイクロ波を3分間照射する．

2 各種重合法の特徴

　加熱重合法およびマイクロ波重合法で用いる床用レジンは，餅状のレジンをフラスク内に加圧填入し，加圧下で加熱重合あるいはマイクロ波重合を行うため，重合度が高く，機械的性質や耐変色性に優れる．レジンの重合過程において重合収縮と熱収縮により約0.5％の線収縮が認められるが，臨床的には問題になるほどではない．これに対して流し込み法で用いる床用レジンは，常温で重合するため，加熱重合法やマイクロ波重合法で用いる床用レジンに比べて，熱収縮が小さく約半分の線収縮で適合性は優れるが，流し込みやすくするためにモノマー量が多く粉液比が小さいため，重合度がやや低く，機械的性質や耐変色性もわずかに劣る．しかし，現在では，重合開始機構の改良などでかなりの改善がみられている（**表 14-1**）．

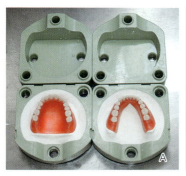
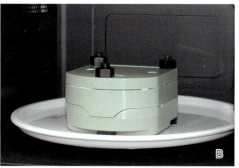

図 14-15 マイクロ波重合法
A：マイクロ波重合用 FRP フラスクに埋没したろう義歯．
B：電子レンジ中で，500 W マイクロ波を 3 分間照射する．

表 14-1 各種重合法の特徴

	加熱重合法， マイクロ波重合法	流し込み法
重合度	◎	○
機械的性質	◎	○
適合性	○	◎
耐変色性	◎	○
操作性	○	◎

V 義歯の取り出し

　重合操作が終了したら，フラスクを室温まで自然放冷する．義歯の変形の誘因として，重合過程での硬化収縮（重合収縮と熱収縮）に伴う変形と，重合後の変形がある．重合後の変形には，義歯の取り出しの時期やその後の義歯の保管状態が関与する．取り出しの時期は義歯が室温まで完全に自然冷却してからがよく，義歯の保管は水中浸漬が必須である．通常，沸騰水からフラスクを取り出し，室温まで自然放冷するのに 5〜6 時間を要するので，重合後半日以上経過後にフラスクから義歯を取り出すのが好ましい．

　重合した義歯の取り出しは，石膏鉗子を使用して，人工歯や義歯床を傷つけないように慎重に行う（**図 14-16**）．スプリットキャスト法の場合は，模型基底部を破損しないように特に注意し，義歯と作業用模型を一塊として取り出す（**図 14-17**）．

　なお，Tench のコア法の場合は，取り出し後に義歯の研磨，口腔内試適を行うので，義歯の取り出し時に作業用模型は不要である．

　これに対して，スプリットキャスト法は，義歯と作業用模型を一塊として取り出して，そ

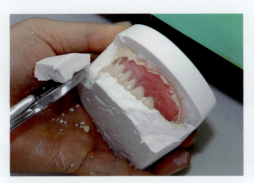
図 14-16　重合した義歯の取り出し

図 14-17　取り出した作業用模型と義歯

れを咬合器に再装着するので，作業用模型を壊すことのないように，また，作業用模型から義歯が外れると義歯の復位が困難となるので，咬合調整が終了するまでは作業用模型から義歯を取り外すことのないように，くれぐれも注意する必要がある．

研　磨

1 意　義

　重合直後の義歯は重合によって生じたバリや小突起物などがあり，また，表面が粗糙であるため，その状態で口腔内に装着することは不可能であり，研磨が必要である．研磨が不十分であれば，審美的に不良であり，機能的にも不十分である．また，食物残渣が停滞し，デンチャープラーク付着の原因となり，衛生的にも問題が生じる．研磨は重要な製作過程の1つである．

2 手　順

　義歯床研磨面は，歯肉形成によって付与した形態を損なわないように注意しながら滑沢に仕上げ，床縁は，筋圧形成により形成された形態を変えることなく研磨を行う．義歯床粘膜面は，印象採得によって顎堤の形態が再現されているので研磨は小突起物などを除去した粗糙部のみとし最小限にとどめる必要がある．
　実際の手順を以下に示す．

1）形態修正，荒研磨

　カーバイドバーでバリを除去し，形態の修正を行う（**図 14-18 A**）．ラウンドバー（#1/2，#0）やエバンス刀で人工歯歯頸部に付着したレジン小突起や石膏を除去する．その後，石膏溶解液に浸漬し石膏を溶解する．水洗後，サンドペーパーコーンの荒，中，細およびシリコーンポイント（ビッグシリコーン）で研磨する（**図 14-18 B，C**）．

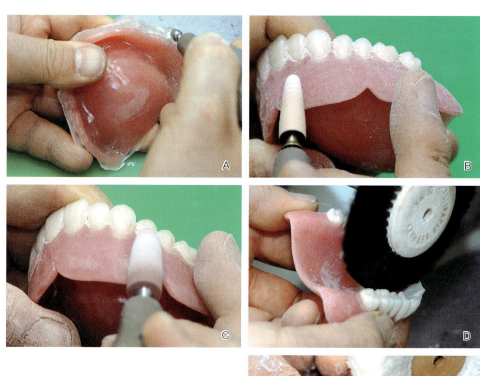

図 14-18 研磨の手順
A：カーバイドバーでバリの除去と形態修正を行う．
B，C：荒研磨．サンドペーパーコーンで研磨する（B）．シリコーンポイントで研磨する（C）．
D，E：レーズによる仕上げ研磨．硬毛ブラシと磨き砂泥で研磨する（D）．布バフと磨き砂泥で研磨する（E）．

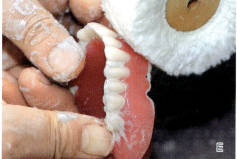

2）仕上げ研磨

　レーズを使用して低速回転で，フェルトコーンと磨き砂泥，硬毛ブラシと磨き砂泥（**図 14-18 D**），布バフと磨き砂泥（**図 14-18 E**），軟毛ブラシと酸化アルミニウムペースト，フェルトバフおよびチャモイスホイールと油脂研磨材（ルージュ）の順に仕上げ研磨する．

　なお，Tench のコア法では，義歯の研磨後に，義歯の周縁をボクシングし，義歯床粘膜面部に石膏泥を流入して再装着用模型の製作を行い，この模型の基底部分に石膏泥を盛って咬合器に再装着する．

（髙橋　裕，都築　尊）

第15章 重合義歯の咬合器再装着と咬合調整

I 重合の完了した義歯の咬合器再装着

　ろう義歯の重合後は，レジンの重合収縮や埋没操作時の人工歯の移動などによる咬合関係の修正を目的に，スプリットキャスト法やTenchのコア法ならびにフェイスボウを用いる方法によって咬合器再装着を行う．

1 スプリットキャスト法

　作業用模型の基底面に形成したくさび型の溝（スプリット）（**図15-1**）をもとに，重合が完了した義歯と作業用模型を一体として咬合器に再装着し（**図15-2**），切歯指導釘と切歯指導板との間に生じた間隙の分だけ削合を行う（**図15-3**）．スプリットは，カーバイドバーなどで形成するかわりに，既製のゴム製プレートやマグネットを利用したスプリットキャストプレートなどが使用されることもある（**図15-4**）．この方法を用いれば，口腔内に義歯を装

図15-1 作業用模型の基底面に形成したスプリット

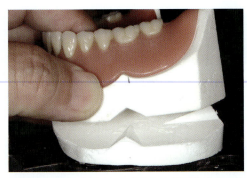

図15-2 重合が完了した義歯と作業用模型を一体として咬合器に再装着する．

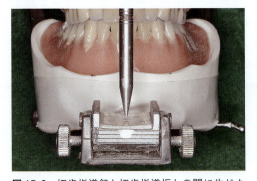

図15-3 切歯指導釘と切歯指導板との間に生じた間隙

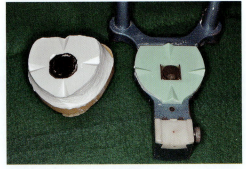

図15-4 マグネットを利用したスプリットキャストプレート（緑）

図15-5 咬合器に再装着する模型を製作するためボクシングされた上顎義歯

図15-6 Tenchのコアに適合させ咬合器に装着された重合後の上顎義歯

着する前に，削合（咬合調整）を行うことができる．削合完了後に義歯を作業用模型から外し，研磨を行い，患者の口腔内に装着する．

2 Tenchのコア法

　この方法では，埋没操作前に，石膏などを用いて上顎ろう義歯人工歯列の切縁と咬合面の陰型（Tenchのコア）を採得しておく必要がある．これを利用して，重合後の上顎義歯を咬合器に再装着するものである．重合後，作業用模型から義歯を外して研磨まで行い，口腔内で中心咬合位のチェックバイトを採得する．次に，義歯を咬合器に再装着するための模型を製作する．具体的には，まず，義歯床粘膜面にアンダーカットがあればパラフィンワックスなどでブロックアウト後にボクシングを行い，上顎義歯をTenchのコアに適合させて，咬合器の上弓との距離からボクシングワックスの高さを決定し（**図15-5**），義歯床粘膜面にワセリンなどを塗布して石膏を注入し，模型を完成させる．その後，Tenchのコアをもとに上顎の模型を硬化膨張の少ない石膏で咬合器に装着する（**図15-6**）．チェックバイトを介して同様にして製作した下顎の模型を装着する．このとき，切歯指導釘は，チェックバイトの厚さと予想削合量（平均的な咬合高径の増加量は0.5 mm程度）分だけ挙上しておく．チェックバイトを取り除き，切歯指導釘を所定の位置に戻したときに生じる間隙分を削合し，咬合調整を完了する．

3 フェイスボウを用いる方法

　スプリットキャスト法やTenchのコア法を用いない場合は，フェイスボウを使用して咬合器再装着を行う．重合後に作業用模型から義歯を外して研磨まで行い，口腔内で中心咬合位のチェックバイトを採得する．その後，フェイスボウを患者に装着し，後方基準点として左右の平均的顆頭点または外耳孔を，前方基準点として左右いずれかの眼窩下点を，そして口腔内に試適した上顎義歯の人工歯列を記録する．この位置関係を上顎義歯の咬合器再装着に使用するため，上顎義歯ごとフェイスボウを咬合器に取りつける．その後の模型の製作方

法や咬合器への装着方法などは Tench のコア法と同様である．

　Tench のコア法やフェイスウボウを用いる方法では，来院回数が 1 回増えるという欠点があるため，現在では，重合後も義歯を作業用模型から外すことなく咬合器に再装着して咬合調整まで行うスプリットキャスト法が一般的である．

人工歯の削合

　中心咬合位での均等な咬合接触と偏心位での咬合平衡を得ることを目的に，以下に述べる選択削合と自動削合により，咬合面や切縁の調整を行う．

　全部床義歯の安定を得るうえで望ましいとされる両側性平衡咬合を確立するためには，人工歯の咬合面が中心咬合位から前方，側方への偏心運動時に作業側ならびに非作業側において上下顎の人工歯が互いに接触しながら滑走するよう咬頭斜面に滑走面の形成が必要である．Gysi の咬合小面学説（☞ p.222 **図 12-55** 参照）より生まれたこの滑走面は咬合小面とよばれ，臼歯部の機能咬頭に前方咬合小面，後方咬合小面，平衡咬合小面の 3 つの小面と，非機能咬頭に前方咬合小面，後方咬合小面の 2 つの小面が形成される（**図 15-7**）．前方咬合小面（**図 15-7**：赤）は，前方運動時と側方運動時の作業側が接触滑走する面であり，上下顎前歯の切縁，下顎臼歯の前方斜面ならびに上顎臼歯の後方斜面に形成される．後方咬合小面（**図 15-7**：黄）は，後方運動時と側方運動時の作業側が接触滑走する面であり，下顎臼歯の後方斜面と上顎臼歯の前方斜面に形成される．平衡咬合小面（**図 15-7**：緑）は，側方運動時

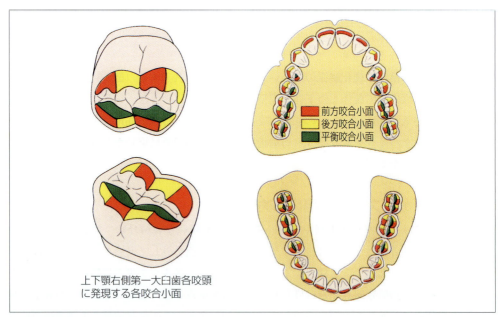

図 15-7　咬合小面
赤は前方咬合小面，黄は後方咬合小面，緑は平衡咬合小面を示す．

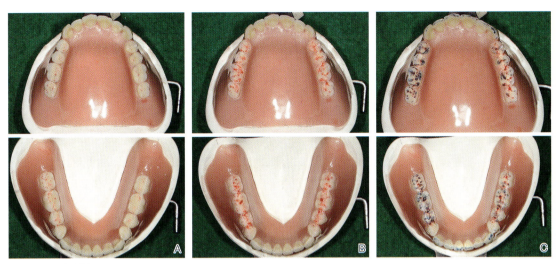

図 15-8 選択削合
A：削合前の咬合接触状態．上下顎臼歯部の咬合接触が不均等である．
B：中心咬合位での削合．咬合紙（赤）で印記された部位をカーボランダムポイントなどで削合し，臼歯部で均等な接触が得られるよう削合する．
C：偏心咬合位での削合．印記させる咬合紙の色を変え（青），中心咬合位での接触（赤）は残したまま干渉を除去する．

の非作業側が接触滑走する面であり，下顎臼歯の頰側咬頭内斜面と上顎臼歯の舌側咬頭内斜面に形成される．削合が理想的に行われると，前方運動時には，上下顎の前方咬合小面同士が，側方運動時の作業側では上下顎の前方咬合小面同士ならびに後方咬合小面同士が，側方運動時の非作業側では上下顎の平衡咬合小面同士が接触滑走することとなる．これらの咬合小面は，以下で述べる中心咬合位，側方運動時の作業側，非作業側における選択削合および自動削合により形成される．

1 選択削合

　咬合器に再装着した義歯の人工歯咬合面に咬合紙によって印記された調整部位をカーボランダムポイントなどで部分的に調整を行う．原則として，機能咬頭の接触は保護し，咬頭の斜面部，辺縁隆線部などの早期接触部位を削合し，中心咬合位と偏心咬合位において，均等な接触が得られるよう削合を行うことが重要である（**図 15-8**）．

1）中心咬合位での削合

　咬合接触点を印記して，上下いずれか，あるいは両方を削合して歯列全体で安定した接触が得られるように削合する（**図 15-8 B**）．削合の初期段階では咬頭斜面同士の早期接触が多く認められるため，原則として上顎の頰側咬頭内斜面，下顎の頰側咬頭内斜面と舌側咬頭内斜面を削合し，機能咬頭である上顎の舌側咬頭の削合は控える．

　レジンの重合に伴い人工歯が変位している場合は，正常な咬頭嵌合が得られるよう上下顎の人工歯に前述した各咬合小面を形成しながら削合するが，変位の状況により削合する部位

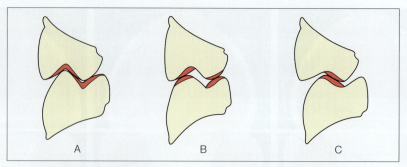

図 15-9 中心咬合位での削合
A：人工歯が垂直的に変位している場合は，上下顎人工歯の小窩を深く形成する．
B：人工歯が水平的に変位している場合は，前方咬合小面，後方咬合小面を形成する．
C：人工歯の機能咬頭内斜面同士で早期接触が生じた場合は，平衡咬合小面を形成する．

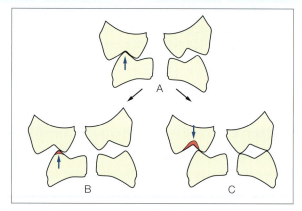

図 15-10 咬頭頂部の早期接触（A）の削合
側方運動時の作業側における咬合接触の有無により，咬頭頂の削合（B）または中心窩の削合（C）を行う．

は異なる．人工歯が垂直的に変位している場合は，小窩が深くなるよう削合する（**図 15-9 A**）．人工歯が水平的に変位している場合は，前方咬合小面と後方咬合小面を形成しながら削合する（**図 15-9 B**）．人工歯の機能咬頭内斜面同士で早期接触が生じた場合は，平衡咬合小面を形成しながら削合する（**図 15-9 C**）．

　削合が進み，咬合が緊密になってくると咬頭頂部の早期接触が現れる．この場合，側方運動時の咬合接触状態を考慮し，上下顎どちらの部位を削合するか決定する必要がある．**図 15-10 A** に下顎右側咬頭頂と上顎中心窩に早期接触（↓）が生じた場合を示す．**図 15-10 B** に示すように，側方運動時の作業側で咬頭同士の接触が生じないような場合は，非作業側となる下顎右側の咬頭が高いため下顎の咬頭を削合する（↑）．一方，**図 15-10 C** に示すように，作業側で咬頭同士の接触が保たれている場合は，非作業側の接触を失わないようにするため上顎中心窩を削合する（↓）．

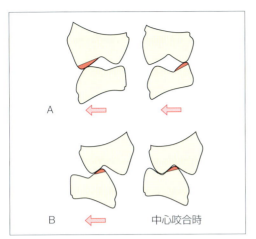
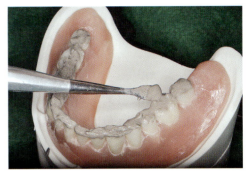

図15-12 自動削合
カーボランダムグリセリン泥などの研磨ペーストを上下人工歯列間に塗布して行う．

図15-11 （右）側方運動時の削合
A：作業側の咬頭干渉は，BULL の法則に従って削合する．
B：非作業側の削合は，下顎頰側咬頭内斜面を中心咬合に戻したときに上顎頰側咬頭の安定した咬合接触が確保できるように削合する．

2）偏心運動時の削合

　中心咬合位における接触を示した咬合紙の印記を残したまま，異なる色の咬合紙を用いて偏心運動時の接触を印記させる（**図 15-8 C**）．中心咬合位での接触は残したまま偏心運動時の干渉を除去しなければ，咬合高径が低下するため注意が必要である．

　側方運動時の作業側の咬頭干渉は BULL の法則に従って削合する．すなわち，上顎臼歯では頰側咬頭内斜面（Buccal Upper）を，下顎臼歯では舌側咬頭内斜面（Lingual Lower）を削合する（**図 15-11 A**）．非作業側の咬頭干渉は，上顎舌側咬頭内斜面と下顎頰側咬頭内斜面との間で生じるが，先に述べたように上顎の舌側咬頭の削合は控えることから下顎の頰側咬頭内斜面を削合するのが一般的である（**図 15-11 B**）．

　前方運動時の咬頭干渉は，上顎前歯舌側面，下顎前歯切縁ならびに臼歯非機能咬頭の前方咬合小面を削合する．

2 自動削合

　選択削合の終了後，咬合面形態を全体的にスムーズに仕上げるために自動削合を行う．カーボランダムグリセリン泥などの研磨ペーストを上下人工歯列間に塗布し，術者が咬合器を前方ならびに側方運動させて行うものである（**図 15-12**）．なお，自動削合を行った後，咀嚼能率の向上や粘膜の負担軽減を目的に，必要に応じて遁路（スピルウェイ）の形成を行うことが効果的である．

（西村正宏，村上　格）

第16章 義歯の装着

　一連の治療術式を経て義歯が完成する．完成義歯を装着することにより，無歯顎患者に対する補綴歯科治療は1つの区切りを迎えることになるが，決して終了ではないことを認識しなければならない．すなわち，無歯顎患者が完成義歯を生体の一部として受け入れたとき，あるいは生体の一部として使いこなしたときに初めて，その目的を達成したといえる．したがって，完成義歯の装着は無歯顎補綴治療の終了ではなくスタートと考えるべきである．

I 装着時の調整

　義歯完成までの手順が正確に行われていれば，装着時の調整は最小限となるはずである．ただし，レジン重合時の誤差，咬合器上における下顎運動の再現精度の限界など，種々の細かいエラーや下顎運動における生体と咬合器の差異などから，装着時における完成義歯の調整は不可欠なステップとなる．
　完成義歯の装着時における調整については，まず形態に関する調整を行い，その後に機能に関する調整を行うことによって，迅速かつ正確な調整が可能となる．なお，形態に関する調整については，必ず上下顎の義歯を別々に行うことが重要である．

1 形態に関する調整

1）装着の前準備
（1）義歯床粘膜面の鋭利な凹凸や小突起の除去
　完成直後の義歯床粘膜面には口腔内の小さなしわや石膏模型上の気泡などにより，鋭利な凹凸や小突起が存在していることがある．この鋭利な凹凸や小突起は確実に疼痛を惹起するため，装着する前にこれを削除し，硬毛ブラシなどにより軽く研磨する．

（2）装着を妨げるアンダーカット部の調整（図16-1）
　全部床義歯では，顎堤のアンダーカットを積極的に利用することが基本であるが，上顎結節部や顎舌骨筋線部のアンダーカットが両側性に存在する場合には，装着が困難となることも少なくない．このような場合には，アンダーカット部に該当する義歯床粘膜面の片側のみを，装着が可能となるまで削除，調整する．ただし，削除部位は床縁になるため，削除量が過多になると，維持力が急激に低下する可能性があるため，慎重に行う必要がある．

2）床縁の調整
（1）義歯床後縁の位置
　義歯床後縁部は，上顎ではアーライン，下顎ではレトロモラーパッドが基準となる．適切な位置に設定されているか，口腔粘膜に対して移行的となっているかを確認し，必要があれ

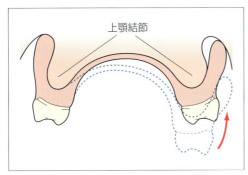

図 16-1 装着を妨げるアンダーカット部の調整
アンダーカット部に該当する義歯床粘膜面の片側のみを，装着可能となるまで削除，調整する．

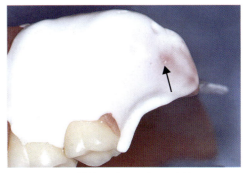

図 16-2 上顎結節部の床翼研磨面の点検
側方運動時における筋突起の運動範囲を制限しないよう注意する（矢印）．

ば調整する．

（2）床縁の長さ，および厚さと形態

印象採得が的確に行われていれば，床縁の調整は基本的には不要のはずである．しかし，印象採得時になんらかの誤りが生じている可能性は否定できない．

床縁が長すぎる，あるいは厚すぎる場合には，歯肉唇移行部あるいは歯肉頰移行部，口腔底部，小帯などの周囲軟組織を圧迫し，義歯の脱離や疼痛発現の原因となる．このことから，義歯を装着した後に口唇，頰，舌の機能運動を指示し，義歯の脱離や疼痛の有無をチェックする．義歯の脱離や疼痛が認められた場合には，後述の適合試験 fitness test を行い，原因となっている部位を検出し，削除，調整する．この際，床縁は義歯の吸着に大きく関与していることから，特に慎重に行う必要がある．

3）義歯床研磨面の形態

義歯床研磨面に関しては，口輪筋，モディオラス，頰筋，咬筋，側頭筋，舌筋などの義歯周囲筋と調和しているか，すなわちデンチャースペースと調和しているかをチェックする．

上顎結節部の研磨面に関しては，側方運動時における筋突起の運動範囲を制限しないように，特に注意する必要がある．厚みが過度の場合には，側方運動による上顎義歯の脱離や同部の疼痛発現の原因となる．筋圧形成，精密印象時にすでに十分にチェックされているはずであるが，適合試験材を用いて当該部位を特定し，不都合があれば調整する（**図 16-2**）．

4）義歯床粘膜面の適合性

義歯床粘膜面の適合性に関する検査には，適合試験材を用いた適合試験が行われる．適合試験材としては，シリコーン系（フィットチェッカー®など），ペースト系（PIP®：Pressure Indicating Paste），ワックス系（Disclosing Wax®），クリーム系（デンスポット®）などが用いられる（**図 16-3**）．これらの適合試験材を義歯床粘膜面に適量塗布した後，手指圧（**図 16-4**）やロールワッテなどを介在させた咬合圧（**図 16-5**）を負荷して，義歯床を義歯床下粘膜面に圧接し，適合性を検査する（**図 16-6，7**）．なお，この段階における適合性の検査では，人工歯同士を接触させてはいけない．

図16-3　各種適合試験材
①シリコーン系適合試験材
②クリーム系適合試験材

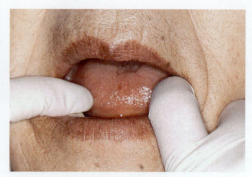

図16-4　義歯床粘膜面の適合試験（手指圧による圧接）
両側臼歯部と下顎下縁部を手指で挟み，加圧する．

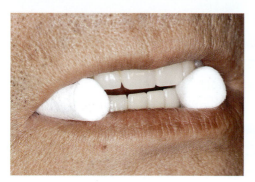

図16-5　義歯床粘膜面の適合試験（ロールワッテを介在させた咬合圧による圧接）
ロールワッテを臼歯部で咬合させる．

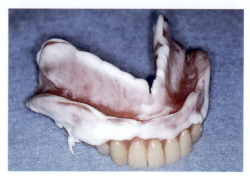

図16-6　義歯床粘膜面の適合試験（シリコーンペースト）
義歯床粘膜部に適合試験材を適量塗布した後，義歯床を床下粘膜面に手指圧で圧接して，適合性を検査する．

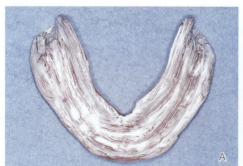

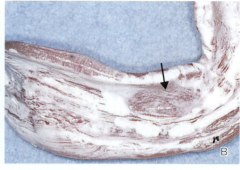

図16-7　義歯床粘膜面の適合試験
A：PIPの塗布．B：手指圧での圧接後．
義歯床内面にPIP（Pressure Indicating Paste）を塗布して刷毛目をつけ，義歯床下粘膜に手指圧で圧接して，適合性を検査する．下顎隆起部のPIPが薄くなっており，過圧部と考えられる（矢印）．

図 16-8 咬合接触検査材の1つである咬合紙

図 16-9 咬合接触状態の検査
咬合紙に加えて義歯の動揺の触診を併用する．触診には，上顎両側臼歯部ないし上顎正中部の義歯床研磨面に，第1指と第2指を接触させ，軽くタッピングさせたときの義歯の動揺を手指の感覚で検出する．

5）維持力の確認

形態に関する調整が終了した後，上顎義歯もしくは下顎義歯を装着して，義歯の維持を確認する．必要な維持が得られていることと同時に，下顎の基本運動や発語などの機能運動を行わせ，義歯が脱離しないことを確認する．

2 機能に関する調整

1）咬合接触状態の検査

全部床義歯は歯根膜の約10倍の被圧変位量を有する顎堤粘膜によって支持がなされるため，義歯の動揺は不可避である．したがって，各種機能圧負荷時における義歯の動揺を最小限度に抑制することが機能に関する調整の目標である．

咬合接触状態の検査には，咬合接触検査材の1つである咬合紙が用いられる（**図 16-8**）．上下顎義歯を口腔内に装着し，上下顎の人工歯間に咬合紙を介在させてタッピング運動を指示する．また同時に，第1指と第2指を義歯の小臼歯部頰側面に当てがい，義歯の咬頭嵌合位における動揺の程度を触診する（**図 16-9**）．咬合紙による印記状態や義歯の動揺状態から早期接触が認められる場合は，「第15章Ⅱ　人工歯の削合（☞ p.248）」に記載してあるのと同様の手順で咬合調整を行う．

完成義歯装着時における咬合調整の要点は，下記の3点である．
① 人工歯による咬頭嵌合位と中心咬合位の一致
② 咬頭嵌合位（中心咬合位と一致）における左右臼歯部人工歯の均等な咬合接触の確保
③ 側方滑走運動時および前方滑走運動時における咬合平衡の成立

咬頭嵌合位において早期接触を認めず，左右および前後的に均等かつ安定した咬合接触状態を示していること，側方咬合位における両側性咬合平衡と前方咬合位における咬合平衡が得られており，義歯の転覆・移動を認めないことを確認し，咬合調整を完了とする．

2）咬合・咀嚼圧を負荷した状態での適合試験

咬合調整が完了した時点で，上下顎の人工歯同士を接触させた咬合圧下での適合試験を行う．適合試験材を用いて，手指圧の場合と同様な手順で検査する．また，ロールワッテを人工歯間に介在させ，咀嚼時を模した適合試験を行う．

3）機能圧が負荷された後の維持の検査

咬合・咀嚼など種々の機能圧が負荷された後に，再度義歯の維持を確認する．上下顎義歯がそれぞれ単独での維持が良好であっても，機能圧が負荷されたことにより，維持力が低下する場合がある．このときには，咬合接触状態に問題があることが多いため，再度の咬合調整を行う必要がある．

3 審美に関する調整

審美に関しては，術者が日常的な対話の距離（1m程度）から，談話時，談笑時における顔全体との調和を点検する．その後，患者に手鏡を持たせ，顔全体との調和，人工歯の色調・大きさ・形態・排列状態，口唇の豊隆度などを確認させる．ただし，この段階における完成義歯の調整範囲はきわめて制約されており，前歯切縁の削合による年齢表現の修正など，微調整のみが可能である．

II 装着時の患者指導

顎口腔系の残存諸組織・器官の保全は，義歯による補綴治療の重要な目的の1つである．このため，患者に義歯の取り扱いや，清掃の方法を指導する必要がある．また，義歯に慣れるまでの食事の取り方や，装着直後に生じる不都合などについての説明が必要である．

1 義歯への慣れに関する指導

新義歯の装着によって，一次的な唾液分泌量の増加，異物感，発語障害，嘔吐反射などの不都合を生じることがあること，また義歯に慣れるには，通常1か月程度が必要であることを説明する．

2 摂食に関する指導

1）食事方法の指導

新義歯に慣れるまでは，比較的軟らかい食品を小さく切って摂取するように指導する．また，片側のみでの咀嚼を行わないように，そして時間をかけて行うように指導する．なお，前歯での咬断は義歯を不安定にし，結果的に上顎前歯部顎堤の吸収の原因となることから避けるよう指導する．

全部床義歯装着者における摂食時の舌の位置は，下顎義歯の維持・安定に大きな影響を及ぼす．すなわち，舌が後退位をとると下顎舌側床縁の辺縁封鎖が失われ，義歯が浮き上がる

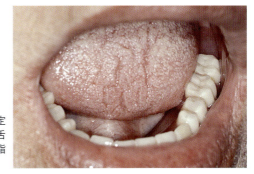

図 16-10　舌の位置
開口時に舌が後退位をとる患者では，下顎義歯を安定させるために，下顎前歯部人工歯や臼歯部人工歯の舌側面に舌の先端や側面を接触させて開口するように指導する．

現象が生じる（**図 16-10**）．義歯の維持・安定の不良は床下組織の疼痛や潰瘍，さらには顎堤吸収の一因となる．舌が後退位をとる現象は，離脱する上顎全部床義歯を舌の後縁で支えるために生じるものであり，したがって，維持・安定が不良な上顎全部床義歯を長期間にわたって使用していた場合によくみられる．これを防止するためには，まず上顎全部床義歯の維持・安定を改善することが不可欠であり，次いで舌の先端および側面を義歯の舌側面に接触させたままで開口を行うように指導することが重要である．

2）口腔機能のリハビリテーション

新義歯の装着により，形態や審美性は比較的回復・改善されやすいが，咀嚼や構音（会話）など，口腔機能の回復・改善にはある程度の慣れと訓練が必要となる．特に，超高齢社会となった現在では，すでに治療前の段階で口腔機能が低下している無歯顎者も少なくない．このような症例では，口腔周囲筋のストレッチなどの運動訓練（口腔筋機能療法 myofunctional therapy：MFT），食物を用いた咀嚼訓練，そして栄養と食事形態の指導（後述）も含めた，口腔機能のリハビリテーションを実施することが肝要となる．

また，口腔機能の低下が著しく咀嚼障害とともに，誤嚥のスクリーニングテスト（反復唾液嚥下テストなど）により嚥下障害を認めるような要介護高齢者では，摂食嚥下リハビリテーションを実施することが必要となる．

3）栄養と食事形態の指導

滑舌低下から食品多様性の低下，そして咬合力や舌圧の低下とともに低栄養を生じ，ひいてはフレイル発症につながることが知られている．したがって，栄養指導は補綴装置装着時に行う摂食指導とともに行うべき重要な患者指導の1つとなってきている．ただし，摂取食品のカロリー計算や食物の摂取量の調節など，栄養士が行うような栄養指導法ではなく，歯科医師が義歯装着時にチェアサイドで簡単に行える栄養指導の方法3つについて説明する．

（1）体重の変化

6か月で5％以上の体重減少がみられた場合は，低栄養と判断する．

（2）簡易栄養状態評価表 Mini Nutritional Assessment-Short Form（MNA-SF）*

過去3か月の食事量や体重，自力歩行の状態およびBMI（Body Mass Index）：BMI＝体

---

*簡易栄養状態評価表は以下のURLにてダウンロードできる．
https://www.mna-elderly.com/forms/MNA_japanese.pdf

図16-11 各種義歯用ブラシ

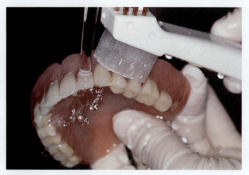

図16-12 機械的清掃法
義歯用ブラシを用いて流水下で,付着している食渣を取り除く程度に義歯を軽く清掃する.

重(kg)÷身長(m)^2 などを点数化するスクリーニングツールで,栄養状態の良否を簡単に評価できる.

(3)摂取食品多様性スコア Dietary Variety Score (DVS)

摂取食品の多様性は咀嚼機能の低下とともに低栄養のサインを見出す優れたツールでもある.肉,魚介類,卵,大豆製品,牛乳,緑黄色野菜,海藻類,いも,果実,油を使った料理,以上10の食品群について「ほぼ毎日食べる」場合は1点,それ以外は0点として合計点数を算出し,食品摂取の多様性を得点化する方法である.サルコペニア(加齢による骨格筋量の低下)を予防するための目標値は7点以上といわれている.

これらの方法をチェアサイドで応用しを把握することも歯科医師として重要な役割となってきている.

3 義歯および口腔内の清掃に関する指導

義歯の清掃不良(デンチャープラークの付着)は義歯性口内炎の直接的な原因であり,義歯性潰瘍や口腔扁平苔癬などの口腔粘膜疾患を増悪させる要因となる.さらに,不顕性誤嚥による肺炎などの重篤な全身疾患の一因になりうる.したがって,義歯および口腔内の清掃指導(デンチャープラークコントロール)は口腔のみならず全身の健康管理上からも重要である.義歯ケアの方法および口腔内の清掃方法について述べる.

1)機械的清掃

義歯用ブラシを用いて流水下で刷掃する(**図16-11,12**).ただし,付着している食渣を軽く取り除く程度とする.歯磨剤を使用してのブラッシングは,床用レジンや人工歯を摩耗させ,義歯不適合や人工歯変色の原因となるため,行わないように指導する.なお,超音波洗浄器による清掃が有効である.

2)化学的清掃

義歯性口内炎の起因菌である *Candida albicans* は機械的清掃では完全には除去されないため,義歯洗浄剤による化学的清掃の併用が不可欠である.義歯洗浄剤は有効成分により,

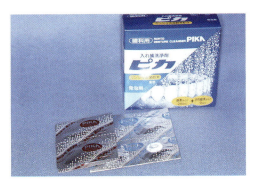

図 16-13 義歯洗浄剤の一例
義歯洗浄剤の使用により，化学的清掃法を実施する．

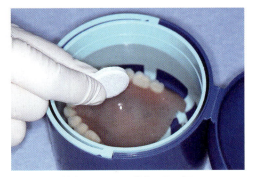

図 16-14 就寝時における義歯の取り扱い
義歯の乾燥による変形を防止する目的で，義歯洗浄剤の溶液を入れた容器に保管するよう指導する．

過酸化物系（酸性，アルカリ性），次亜塩素酸塩系，酵素系（**図 16-13**）に大別される．これらのうち，過酸化物系が最も広く使用されているが，有効性や金属の腐食性など義歯用材料への影響を考慮すると，酵素系が長期使用に適しているといえる．

3）口腔内の清掃

軟毛ブラシ，舌ブラシなどを用いて，舌や義歯周囲組織に付着している食物残渣や剝離した上皮およびプラークなどを取り除く．また，含嗽剤の併用も指導する．

4 就寝時における義歯の取り扱いに関する指導

一般的には，睡眠中は義歯を外しておくように指導する．この目的は義歯周囲組織，特に義歯床下粘膜の安静化をはかること，不潔になりやすい義歯を口腔外に撤去し，化学的清掃の時間として利用することなどである．また，義歯を外す場合には，乾燥による変形を防止するため，義歯洗浄剤を入れた水中に保管するよう指導する（**図 16-14**）．

顎関節症患者や下顎位が不安定である患者においては，義歯を装着したままでの就寝を推奨する．また，違和感や老人様顔貌への抵抗感の強い患者では，義歯を外して就寝することを希望しない場合がある．このような場合には，入浴時や夕食後などの時間帯に義歯を外し，化学的清掃を実施するよう指導する．

5 リコールとメインテナンスに関する指導

顎堤吸収や人工歯の咬耗は，義歯を使用していくうえでの不可避な経時的変化である．これらの変化に伴い，義歯に不適合が生じ，フラビーガム，義歯性線維腫，義歯性口内炎などが発症する．これらの症状は患者が自覚することなく，徐々に進行することが多いため，無症状であっても定期的なリコールと調整が必要であることを理解させることが重要である．

装着時の調整および患者への指導を終えた時点で，上下顎全部床義歯の装着が完了するとともに，メインテナンスとしての無歯顎補綴治療がスタートするといえる（**図 16-15**）．

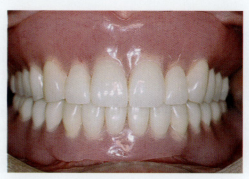

図16-15　上下顎全部床義歯の完成，装着

Ⅲ 装着直後の調整

装着された新義歯によって咀嚼などの機能が営まれると，発現する機能圧によって顎堤粘膜には変化が生じる．また，義歯周囲組織の機能時の動態が床縁をはじめとする義歯床および人工歯の咬合接触関係に影響を及ぼすことになる．したがって，装着直後の調整が不可欠である．

1 調整時期

義歯装着後の調整時期は，翌日，3日後，1週間後が基本となる．義歯床下粘膜に大きな障害が生じる前に，調整することが重要である．

2 咬合調整と義歯床の調整

装着時と同様に，形態と機能に分けて調整する．ただし，調整する量がわずかであることから，的確な診断が要求される．咬合接触検査材および適合試験材を用いて，形態と機能のいずれに起因するものかを診断，調整する（**表16-1**）．

義歯装着後，短期間で生じるトラブルの1つに咬頰（チークバイト cheek biting）がある．咬頰は，咬合高径が低すぎる場合，臼歯部人工歯の排列位置が頰側に寄りすぎの場合，上下顎人工歯のオーバージェット（水平被蓋）が不足している場合などに生じる．下顎頰側咬頭外斜面と上顎頰側咬頭内斜面の間のオーバージェットが不足しているため，頰粘膜を巻き込むことにより咬頰が生じた症例を**図16-16**に示す．

Ⅳ 治療効果の評価

全部床義歯を装着する目的は，失われた顎口腔系の形態と機能，顔貌，患者の心理的障害を改善し，患者の全身的健康を保持，増進し，さらにはQOLを向上させることである．こ

表 16-1　装着後の調整

主訴	形態に関連する内容	機能に関連する内容
咀嚼時疼痛	過長な床縁 義歯床粘膜面の不適合 リリーフ不足	咬合不調和による義歯の動揺 (咬合調整の不備)
維持・安定の不良	過長もしくは短い床縁 不良な床縁形態 リリーフ不足 不十分なポストダム	咬合不調和による義歯の動揺 (咬合調整の不備)
咬舌	舌側寄りの臼歯部人工歯排列 舌背より低い臼歯部人工歯排列 人工歯のオーバージェット不足（舌側咬頭）	低すぎる咬合高径 不十分な義歯への慣れ
咬頰	人工歯のオーバージェット不足（頰側咬頭） 頰側寄りの臼歯部人工歯排列	低すぎる咬合高径 不十分な義歯への慣れ
構音障害	人工歯排列位置の不良 口蓋形態の不良	高すぎる咬合高径 不十分な義歯への慣れ

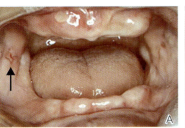 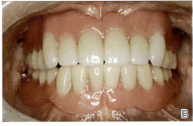 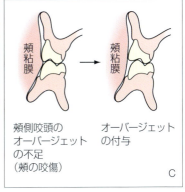

図 16-16　咬頰（矢印）
A：右側頰粘膜に咬傷が生じている．B：臼歯部頰側咬頭のオーバージェットが不足している．C：下顎頰側咬頭外斜面と上顎頰側咬頭内斜面の間のオーバージェットが不足しているため，頰粘膜を巻き込み，咬頰が生じる．

の目的がどの程度達成できたか，その治療効果を判定する方法として，種々の機能検査法（☞第7章参照）や，心理的，社会的などの因子を含めた患者の満足度を評価するための方法が報告されている．なお，患者の満足度の評価に関しては，装着された全部床義歯に対する患者の満足度や健康度をスコア化し，定量的に評価する方法がある．

（大川周治）

第17章 義歯装着後の経過観察

I 装着後の生体と義歯の変化

1 生体の変化

　抜歯後，無歯顎になった顎堤は経時的に変化する（図17-1）．一方，義歯床粘膜面や床縁は変化がないため，新義歯装着時に顎堤粘膜と適合していた義歯床粘膜面や辺縁部は，次第に不適合となり，義歯の維持，支持および安定に支障をきたし，摂食・咀嚼・嚥下機能の低下を引き起こすようになる．また，義歯床による義歯床下粘膜への過度な接触・圧迫部位にはびらんや義歯性潰瘍（図17-2）が生じるとともに，長期にわたる使用で該当部位における顎骨の吸収と粘膜の肥厚および粘膜下組織の線維性増生を起こし，フラビーガム（図17-3）を惹起することがある．顎堤の吸収に伴う床縁の不適合は，義歯の維持を低下させ，床縁部の慢性的な機械的刺激を原因とした反応物である義歯性線維腫（図17-4）を惹起す

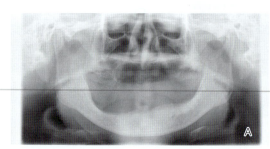 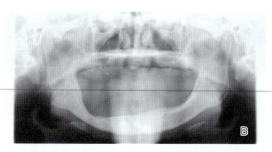

図17-1　無歯顎顎堤の経時的変化
A：無歯顎患者のパノラマエックス線画像．B：同一無歯顎患者の8年経過後のパノラマエックス線画像．下顎右側臼歯部および上顎前歯部の顎骨吸収の進行が認められる．

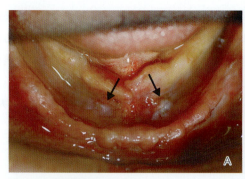 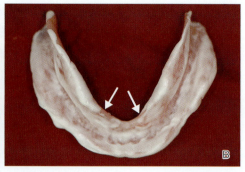

図17-2　義歯性潰瘍
A：舌小帯の左右に潰瘍形成を認める．B：適合試験の結果，全体的に骨吸収による不適合を認めるとともに，義歯床粘膜面の過圧部位と潰瘍の部位とが一致しているのがわかる（矢印）．

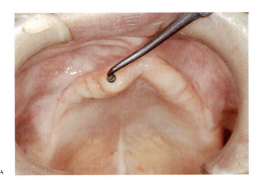

図 17-3 上顎前歯部に認められたフラビーガム

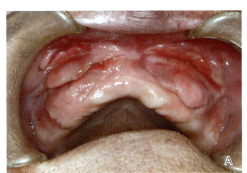
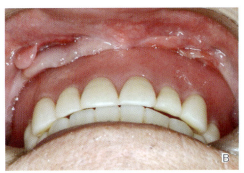

図 17-4 上顎前歯部に認められた義歯性線維腫
A：義歯非装着時． B：義歯装着時．

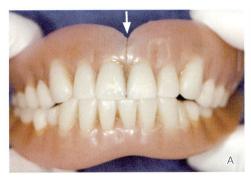
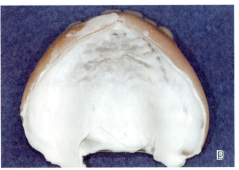

図 17-5 義歯の破折
A：上顎前歯正中部義歯床に認められた破折．B：適合検査の結果，不適合を認める．

る可能性がある．また，不適合義歯の長期間の使用は，義歯床下粘膜の咬合圧の分散が不均等となり，たわみによる義歯床の破折を起こすことがある（**図 17-5**）．

このような顎堤の変化によって生じる異常や義歯の機能低下を調べるために定期的な検査を行い，結果によっては，リラインなどの処置で義歯の不適合を改善する必要がある．

2 義歯の変化
1）人工歯の変化
（1）咬耗および破折

　人工歯には陶歯，硬質レジン歯，レジン歯，金属歯などが使用されている．人工歯がレジン歯または硬質レジン歯の場合，咬耗による経年的変化は避けられず（図17-6），咬合高径の低下に伴う下顎の前方偏位が生じるとともに，臼歯部人工歯の咬合接触が減少する．その結果，前歯部人工歯は接触が過多になり，義歯の安定を損なうばかりか，人工歯の脱落（図17-7 A）や上顎前歯部のフラビーガムを発症させる要因となる．陶歯の場合，レジン歯や硬質レジン歯と比較すると咬耗は少ないが，咬合面の破折や亀裂を生じることがある（図17-7 B）．

（2）着色，変色および歯石様沈着物の付着

　レジン歯および硬質レジン歯は，陶歯と比べると着色や変色が起こりやすい．また，唾液腺開口部付近の人工歯部には歯石様沈着物の付着も起こる場合がある（図17-8）．陶歯自体に変色を認めることはまれであるが，歯頸部など義歯床と人工歯との界面に着色を起こしやすい．これらの変色や歯石様沈着物の付着の度合は，患者の義歯取り扱い方法，唾液の性状や食習慣にも影響されると考えられるため，個々に対応した患者指導を行う．また，患者の

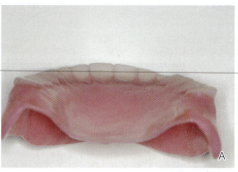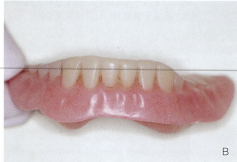

図17-6　上顎（A）および下顎（B）義歯に認められる高度な咬耗

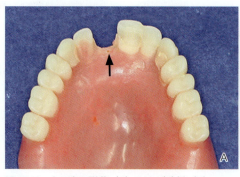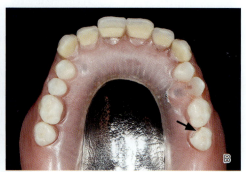

図17-7　人工歯の脱落（A）および破折（B）

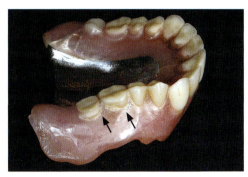

図17-8 唾液腺開口部付近の人工歯に付着した歯石様沈着物

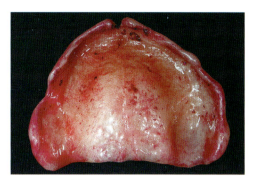

図17-9 上顎義歯の染め出しによって確認されたデンチャープラーク

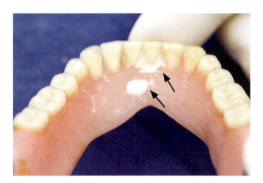

図17-10 下顎義歯床に付着した歯石様沈着物

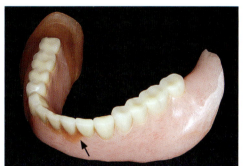

図17-11 増歯および増床を実施した箇所の常温重合レジンの変色

セルフケアでは対応できないことが多く，歯科医院でのプロフェッショナルケアが必要となることもある．

2）義歯床の変化

　義歯床には，主に加熱重合レジンもしくは常温重合レジンが用いられている．これらの床用レジンは材質的に安定しているが，義歯用ブラシなどによる長期の機械的な擦過による表面の傷，義歯洗浄剤の過度な使用による化学的変性，または誤って熱湯へ浸漬した場合などによる変色が認められることがある．いずれの場合も，義歯床表面の滑沢さが失われ，義歯床にデンチャープラーク（**図17-9**）やカンジダ菌および歯石様沈着物（**図17-10**）が付着しやすくなる．このような場合，沈着物の除去は困難となり，歯科医院でのプロフェッショナルケアが必要となる．また，修理または増歯などで常温重合レジンを使用した場合，重合促進剤である第3級アミンの影響で比較的早期に変色をきたすため，前歯部では審美的な問題を生じる（**図17-11**）．

定期検査と評価

　義歯床を介して，咀嚼圧などが顎堤に持続的に加わると，長期の経過をたどりながら，顎堤吸収が進行し，義歯床の不適合を引き起こす．また，人工歯の咬耗など材質の変化により，咬合の不調和，咬頭嵌合位の偏位が生じる．しかし，これらの症状は，患者自身に自覚症状がないことが多い．自覚症状がなくても症状が進行していることも考慮し，定期的に検診を受ける意義を患者に説明し，受診を促すことが重要である．定期検査の結果，異常を認めた場合，適切な処置を行うと同時に，患者には，口腔衛生の重要性と改善を意識するよう，定期検査のたびに指導を行うことも重要である．

1 残存組織について

1）顎堤・義歯床下粘膜の変化への対処

（1）顎堤吸収の評価と対処

　顎堤吸収は経年的に起こり，避けることはできない．その吸収量は，患者個々の全身状態や他の交絡要因（年齢，性別，抜歯時の年齢など）に影響を受けるため，個体差がある．定期検査時にホワイトシリコーンなどの適合試験材で顎堤吸収の度合を検査し（**図 17-12**），義歯の維持，支持および安定が阻害されている場合，それらを改善する目的でリラインまたはリベースなどを含めた必要な対処を行う．

（2）病的変化の評価と対処

　不適合など問題を有する義歯は，義歯床下粘膜に病的な機械的刺激を与えているにもかかわらず，患者自身に疼痛などの自覚がないため，長期にわたり処置を行わないまま，フラビーガムや義歯性線維腫などの粘膜病変を起こすことがある（**図 17-3, 4**）．また義歯の清掃不良に伴う義歯性口内炎などの症状を呈する場合もある．定期検査において，このような状況を早期に発見し，病的変化の進行を抑えることが重要である．その際，義歯の調整や清掃方法の改善をはかるなど病変の原因除去を優先した後に，ティッシュコンディショナーを用いた病的粘膜の改善や，外科処置による病変の除去などの対処を行う．

2）顎関節・筋の異常への対処

　人工歯の咬耗に伴う咬合高径の低下や下顎の偏位は，関節円板の位置の異常，関節部への負荷による関節の構造異常などの器質的変化を引き起こし，習慣性顎関節脱臼を生じる危険が高まる．また，低位咬合は，咀嚼筋の機能低下を引き起こす．定期検査時は顎機能障害の検査を行い，咬合関係および咬合高径を含めた下顎位の検査を行う．このような症例でそのまま新義歯を製作した場合，咬頭嵌合位の安定が得られないなどの問題が生じることがある（**図 17-13**）．著しい人工歯の咬耗に対しては，咬合面再形成などの対処が必要となる．

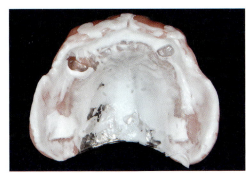

図17-12 上顎義歯の装着後約10年経過時点での定期検診時の適合検査の結果
根面板の適合は良好だが，頬側からの顎堤吸収が顕著で義歯の不適合が診断できる．

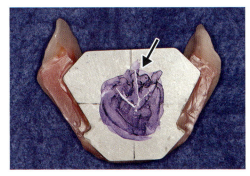

図17-13 咬頭嵌合位と前方運動時の経路に偏位を認める．

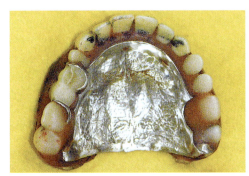
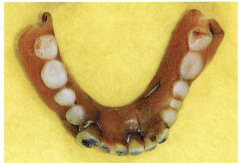

図17-14 上下顎義歯の長期使用例
人工歯の咬耗に伴い咬合高径の低下を起こし，下顎の前方偏位が惹起される．その結果，咬合接触は，前歯部の過度の接触，臼歯部の咬合接触不良へと変化する．機能咬頭の咬耗によりアンチMonsonカーブになっている．

2 咬合について

1）義歯の咬頭嵌合位の変化および対処

　上下顎全部床義歯を長期間使用した症例では，人工歯の咬耗により咬合高径の低下を起こすとともに，下顎の前方偏位が惹起される．その結果，前歯部の過度な咬合接触，臼歯部の咬合接触不良へと変化する（**図17-14**）．定期検査時に，咬合高径および咬合接触状態の適否を検査する．その結果，咬合接触不良が軽度の場合は咬合調整で対処する．一方，接触不良が重度な場合や極度の摩耗でアンチMonsonカーブ（☞ p.281参照）を呈している場合など，咬合調整では対処できないときは，適正な咬合高径で咬合採得を行い，咬合器に装着した後，咬合面再形成などの対処を行う．

3 義歯について
1）義歯床の破折・破損
　義歯床が完全に破折している場合，患者は咀嚼が困難になるため，修理を希望して来院することが多い．一方，部分的な破折や破損の場合，自覚がなく経過する場合もある．定期検査時には義歯を精査したうえで，破折箇所が確認された場合（**図17-5**）は，対処として修理を行う．

2）人工歯の破折・破損・脱落
　人工歯の脱落（**図17-7 A**）や破折（**図17-7 B**）は，咬合関係の不良により生じていることが多いことから，咬合接触状態の検査を行うことが重要である．また，新義歯装着後，短期間で人工歯が脱落した場合は，不適切な技工操作が原因となっていることもある．たとえば，硬質レジン歯基底面（レジンと化学的に結合する層）をほぼ削除した場合は機械的結合のためのアンダーカットが必要となる．

4 患者指導
　定期検査時，上下顎義歯の適合状態，咬合接触状態，口腔内の状況などについて説明を行う．そして，処置の必要性があるのか，現状で経過を観察するのか，今後起こりうる事項と，その際の対処について説明を行う．また，口臭や義歯性口内炎の原因となるデンチャープラークを染め出し（**図17-9**），義歯の汚れている箇所を明示する．そのうえで患者にホームケアとともに定期検査の重要性を理解させるべく指導を行う．

III 修　理

1 破折の原因
1）義歯床
　義歯床の破折は上下顎ともに正中からの破折頻度が高い．その原因は，新義歯の場合と，長期使用症例の場合とで異なる．

（1）新義歯の破折
　新義歯の破折の原因は，重合不良など義歯床の強度そのものが当初から不足している場合（**図17-15**）や，ブラキシズムを有する患者の夜間装着による持続的な咬合力の伝達などが考えられる．また，患者の不注意な取り扱いによる破折も考えられる．破折が起こった場合，これらの原因を確定したうえで対応をすることが重要である．すなわち，強度不足箇所の強度を補う目的で，義歯床の厚さの増強，補強線の適用（**図17-16**），金属床の適用も考慮する．就寝時は義歯を装着しない，義歯を義歯用ブラシで清掃するときは落下を想定し，タオルや水を張った洗面器の上で行うなど患者指導を行う．

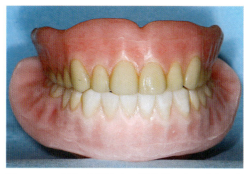

図17-15 破折の原因となる可能性のある重合不良の下顎義歯
重合不良により気泡が混入している.

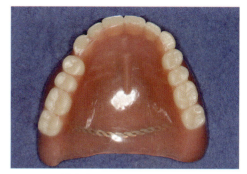

図17-16 補強線を適用した上顎義歯の一例

(2) 長期使用症例の破折

　長期使用症例における義歯床破折の原因としては，義歯床に加わる咬合力による疲労破壊，顎堤吸収のために起こる不適合，人工歯の咬耗に伴う咬合の変化などが考えられる．新義歯同様，破折の原因を確定したうえで対応することが重要である．対応が不適切な場合，再度の破折を招くので注意を要する．

2) 人工歯

　人工歯も義歯床同様，新義歯の場合と，長期にわたり使用している場合とで原因が異なる．

(1) 新義歯の人工歯破折・脱落

　原因としては，レジン塡入前の流ろう不足による人工歯基底面や陶歯保持孔のワックスの残留，流ろう後に塗布するレジン分離剤の人工歯への付着，レジン塡入時の圧力不足やレジン塡入量の不足による人工歯接合面との接着不良などがあげられる．

(2) 長期使用症例の人工歯破折・脱落

　原因としては，咬耗などによる咬合関係の変化が考えられる．たとえば臼歯部人工歯の咬耗による前歯部人工歯の早期接触，臼歯部への過重負担による破折（**図 17-7 B**）などである．

2 修理法

　修理を行う前に，義歯床の破折や人工歯の脱落などに至った原因を見極め，それを取り除くことが，再度の破折や脱落を防ぐために重要である．

1) 義歯床の破折（図 17-17）

　破折箇所が復元できる場合は，破折片をシアノアクリレート系接着剤で仮固定を行う（**図 17-18 A**）．破折箇所が復元できない場合は，口腔内に装着した状態で仮固定を行う．義歯床粘膜面のアンダーカットをブロックアウトして（**図 17-18 B**），石膏を注入し模型を製作する．石膏が硬化したら，義歯を外し，破折箇所をすべてカーバイドバーで削除し，レジンの新鮮面を出す．このとき破折箇所を残すと，再破折を起こす原因になる．また，修理に用いる常温重合レジンの強度を確保するために最低3mmの幅を有するように削除する（**図**

図 17-17 義歯床破折の対処

破断面の復元 → 復元を確認し、簡易接着 → 石膏コア模型の製作 → 義歯内面に石膏泥注入 → 破損面の処理・レジンの添加 → 破折部位レジン除去（最低3mmの幅で削除）→ 常温重合レジンの筆積み → 強度のある厚さの確保 → 加圧重合器で重合 → レジン添加部の仕上げ → 余剰レジンの削除 → 研磨 → 調整 → 口腔内試適・適合および咬合検査 → 必要に応じた対処

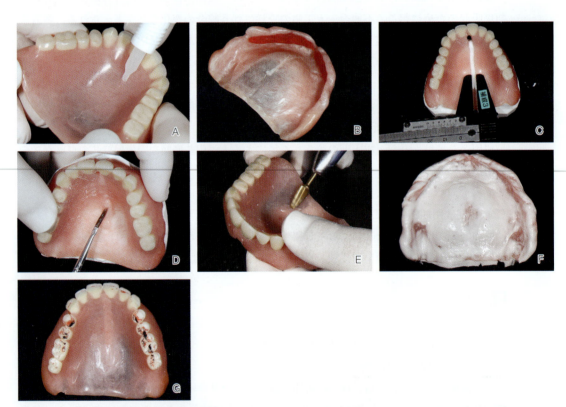

図 17-18 上顎義歯の破折（正中部）の修理
A：破折箇所の仮固定を行う．B：義歯床粘膜面部のアンダーカットをワックスでブロックアウトする．C：模型上で破折箇所を残さず，最低3mmの幅を有するように削除する．D：常温重合レジンにて破折箇所を修理，十分な厚みを有するよう積層する．E：常温重合レジンの硬化を確認し，形態修正，研磨を行う．F, G：義歯床粘膜面の不適合や咬合の不調和が破折の原因として考えられるので，修理後は必ず義歯床粘膜面の適合試験（F）および咬合検査を行う（G）．この義歯の破折は義歯床粘膜面の不適合と，左右の咬合接触の不均等が考えられるため，修理後に，咬合調整およびリラインを要する．

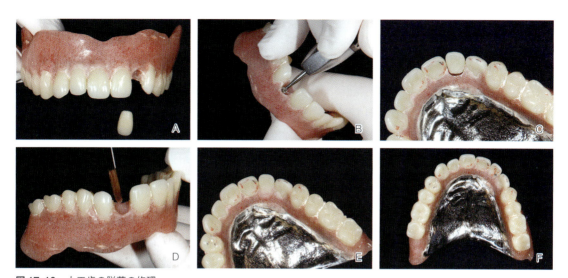

図 17-19 人工歯の脱落の修理
A：脱落した人工歯が残存し，再度の使用が可能である．B：人工歯の基底部および義歯床の接合部をバーを用いて新鮮面を露出させる．C：添加するレジンの層を確保する目的で舌側に一定のスペースを確保しておく．D, E：舌側から筆積み法で添加し (D), 人工歯を戻して義歯床と接合させる (E). F：修理後は必ず咬合接触状態の検査を行う．

17-18 C). 破折箇所を削除したら模型に戻し，常温重合レジンを筆積み法で，十分な厚みを有するよう積層する（**図 17-18 D**）．この後，加圧重合器に浸漬し硬化させると，気泡の混入が防止でき，修理後の強度が増す．レジンが硬化したら，形態修正と研磨を行う（**図 17-18 E**）．義歯床粘膜面の不適合および咬合関係の不調和が破折の原因として考えられるため，修理後は必ず義歯床粘膜面の適合（**図 17-18 F**）と咬合接触状態（**図 17-18 G**）を確認し，必要に応じてリラインや咬合の修正を行う．

2）人工歯の破折・脱落

レジン歯または硬質レジン歯が脱落した場合，脱落した人工歯が残存し，再使用可能な場合はそのまま使用し（**図 17-19 A**），損傷が大きいなど再使用できない場合は，残存している人工歯を参考に新たな人工歯を選択する．人工歯の基底部および義歯床の接合部を，バーを用いて新鮮面を露出させる（**図 17-19 B**）．この際，人工歯の唇面および義歯床の歯頸部は可及的に保存し，修理後に歯頸部の審美性が損なわれないようにする．舌側は，添加するレジンの層を確保する目的で，義歯床部との間に一定のスペースを確保しておく（**図 17-19 C**）．常温重合レジンを舌側から筆積みで添加し（**図 17-19 D**），人工歯を所定の位置に戻して義歯床と接合させる（**図 17-19 E**）．修理後は必ず咬合接触状態の検査を行い，必要に応じて咬合調整を行う（**図 17-19 F**）．

陶歯が脱落した場合は，陶歯の保持孔またはピンが損傷していないかを確認し，損傷している場合は新たな人工歯を準備する．陶歯を用いて修理する場合，保持孔またはピンにレジンが機械的に結合するようにする．筆積み法で添加すること以外はレジン歯に準じて行う．

（河相安彦）

Ⅳ　リライン

　リラインとは，義歯床粘膜面の一層だけを新しい床用材料に置き換え，義歯床下粘膜との適合を図ることをいう（図17-20）.

　本法には，チェアサイドにて直接口腔内で圧接や筋圧形成を行いながら処置をする直接法と，ダイナミック印象などが行われた義歯を預かり，技工室で処置をする間接法がある.

　リライン材は，硬質リライン材と軟質リライン材に分類できる（図17-21）. 本材は一般の加熱重合型床用レジンに比べ耐久性が低いため，リライン後は通常の全部床義歯よりも定期検診の間隔を短くする必要がある.

　義歯を長期間使用すると，生理的な骨吸収により義歯の適合性は低下する．また全身疾患の中には糖尿病など顎堤吸収を助長する疾患もある．適合性が低下した義歯を使用し続けると，さらなる顎堤吸収，義歯性潰瘍などを引き起こし，義歯の維持・支持・安定が低下する.

　硬質リライン材は，顎堤や義歯床下粘膜に異常がなく，単に義歯床粘膜面と義歯床下粘膜との適合性を向上させる目的で使用される．材質は常温重合型のアクリルレジンで，化学重合型と光重合型の材料がある．また，それぞれ粉液タイプとペーストタイプがある（図17-22 A）. 一般の加熱重合型床用レジンも間接法によりリラインに用いられている．なお，通

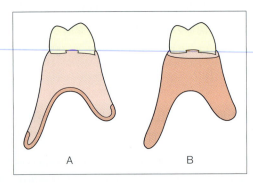

図17-20　リライン（A）とリベース（B）
A：リラインでは義歯床粘膜面の一層だけを新しい床用材料に置き換える.
B：リベースでは人工歯部以外の義歯床を新しい床用材料に置き換える.

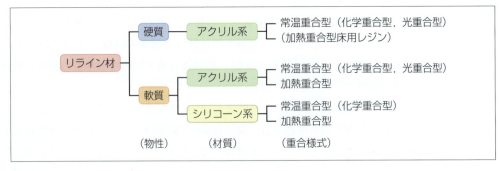

図17-21　リライン材の分類

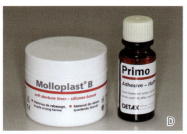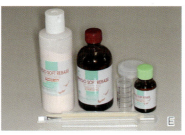

図17-22 各種リライン材
材質および操作方法が多様である．A：常温重合型硬質リライン材．B：常温重合型シリコーン系軟質リライン材．C：ディスペンサー（常温重合型シリコーン系軟質リライン材用）．カートリッジ中の材料を押し出し，練和する．D：加熱重合型シリコーン系軟質リライン材．E：加熱重合型アクリル系軟質リライン材．

常のレジンは金属との接着性がないため，金属床義歯のリラインを行う際は，4-META（4-メタクリロキシエチルトリメリット酸無水物）を含有した接着性床用レジンや，金属接着性プライマーが応用されている．

軟質リライン材は，クッション効果を有しており，顎堤の吸収が著しく，粘膜が菲薄化し，また鋭利な骨縁が存在しているため，常に咀嚼時疼痛を訴えるいわゆる"難症例"に適応される．たとえば人工歯の咬合関係，床縁の設定位置および義歯床粘膜面と義歯床下粘膜との適合性が良好なレジン床義歯を装着しても，咀嚼時に疼痛を引き起こし，義歯の調整を行っても解決できない症例などである．現在，臨床ではアクリル系およびシリコーン系の材料が主として使用されている（**図17-22 B～E**）．アクリル系には常温重合型（化学重合型，光重合型）と加熱重合型が，シリコーン系には常温重合型（化学重合型）と加熱重合型がそれぞれある．

アクリル系軟質リライン材は粘弾性的な性質を有し，シリコーン系は弾性的な性質を示す．一般的にアクリル系は含有されている可塑剤などの溶出と吸水のため，経時的に初期の粘弾性的性質が失われる傾向にある．一方，シリコーン系は成分の溶出量と吸水量が低いため，経時的な物性の変化は小さく，高い耐久性を示す．特に軟質リライン材の臨床応用に際しては，各材料の特徴を理解し，各症例に適した材料を的確に選択することが重要である．

硬質リライン材および軟質リライン材の所要性質を以下に示す．

① 機械的性質の低下，変形，表面あれ，変色を起こさず，高い耐久性を有する．
② 適切な柔軟性を有し，咀嚼力に対しクッション効果が高い（軟質リライン材）．
③ 重合時に寸法変化や歪みが少ない．

④ 安全な材料である．
⑤ 床用レジンとの接着力が高く，長期的に剝離しない．
⑥ 床用レジンを劣化あるいは変形させない．
⑦ 硬化時間が適切である（常温重合型リライン材）．
⑧ 食物残渣や微生物などの付着が少ない．
⑨ 無味，無臭，無刺激である．
⑩ 操作性がよい．
⑪ 吸水量および成分の溶出量が少ない．
⑫ 義歯洗浄剤により物性が影響を受けない．
⑬ 切削，研磨が容易で，床用レジンとの境界部をスムーズに仕上げることができる．

しかしながら，現在のところ上記のすべての要件を満たすリライン材は存在しない．

1 直接法によるリライン

1）特徴

常温重合型（化学重合型，光重合型）のリライン材が使用される．本法の特徴を以下に示す．

［長所］
① チェアサイドでリラインが完了するため，義歯を預かる必要がない．
② 技工室での煩雑な操作がない．

［短所］
① モノマーや重合反応熱により顎堤粘膜を刺激することがある（アクリル系リライン材）．
② 咬合高径が変化することがある．リラインを行う前に義歯床粘膜面をリライン材の厚さ分だけ削除する必要がある．
③ 適切なリライン材の厚さを確保することが難しい．
④ 顎堤に大きなアンダーカットがある症例では，操作を誤ると口腔内から義歯を取り出せないことがある（化学重合型硬質リライン材）．完全に重合が終了するまでの間，口腔内から数回撤去し調整する必要がある．
⑤ 残留モノマー，リライン材表面の未重合層が存在することがある（アクリル系リライン材）．
⑥ 常温重合型リライン材は加熱重合型リライン材および加熱重合型床用レジンに比べ，一般的に耐久性に劣る．

2）検査と前処置

リラインを行う前に以下の検査と前処置を行う必要がある．

（1）義歯床粘膜面と義歯床下粘膜との適合試験

義歯の維持・支持・安定を検査し，シリコーンなどの適合試験材により適合状態を検査する．

(2) 咬合関係の検査

咬合高径や下顎位などの咬合関係を検査する．咬合調整，症例によっては咬合面再形成を行う．咬合関係が適正である症例がリラインの適応となる．

(3) 床縁の検査

床縁が不足している場合，リラインによりいくぶん延長することはできるが，義歯床延長用レジンや常温重合レジンの使用が望ましい．床縁の設定が適切である症例がリラインの適応となる．

(4) 義歯床下粘膜の検査

不適合義歯や咬合の不調和などによって，義歯床下粘膜に歪み，変形，圧痕，義歯性潰瘍などが認められる場合には，ティッシュコンディショナーを用いて粘膜を正常な状態に回復する．

その他，リラインを必要とする義歯は長期間使用していることが多く，そのためデンチャープラーク，歯石様沈着物，着色などが存在する．このような義歯に対しては，義歯洗浄剤などにより清掃しておく必要がある．

3) 手順

(1) 硬質リライン材を用いる場合

臨床で汎用される粉液型の材料について示す．検査および前処置を行った後，化学重合型，光重合型ともに以下の操作を行う．まず義歯床粘膜面をカーバイドバーなどで一層削除し，新鮮面を露出する（**図17-23 A，B**）．次いで専用の接着材（プライマー）を義歯床粘膜面に薄く均一に塗布し，エアで乾燥する（**図17-23 C**）．粉と液を混和カップに入れ，気泡を生じないように混和する．ある程度流動性が低下した時点で，義歯床粘膜面に均等に盛り（**図17-23 D**），義歯を口腔内に挿入する．このときリライン材が患者の咽頭に流れ込まないように注意しなければならない．咬合関係に異常が認められない場合には，咬頭嵌合位で咬合させ，筋圧形成を行う（**図17-23 E**）．

化学重合型では，材料が流動体から弾性回復を示す状態になった時点で一度口腔外に取り出し，余剰のリライン材を除去する．特に顎堤に強いアンダーカットがある症例では，完全に硬化した後では口腔内から撤去できないなどのトラブルを生じる可能性があるので注意を要する．再度，口腔内に挿入し，硬化を待つ．硬化促進剤を含む温水中でリライン材を硬化する方法もある．光重合型でも同様に，材料が弾性体になった時点で口腔から取り出し，余剰部分をハサミやエバンスなどで除去する．次いで義歯を洗浄し，エアバリア材を塗布する．光重合型レジンの表層のモノマーは空気中の酸素により重合が阻害されるため，本材を塗布し空気を遮断する．光照射器により重合を行い，エアバリア材を流水で洗い流す．光重合型は光照射前では弾性体であるので，顎堤にアンダーカットがある症例でも義歯を顎堤から取り出すことができないというトラブルはほとんど生じない．硬化後，カーバイドバーなどで形態修正を行い，シリコーンポイント，バフなどで研磨を完了する（**図17-23 F，G**）．リリーフ，咬合調整を行い，口腔内に装着する．

Ⅱ編　各論（治療編）

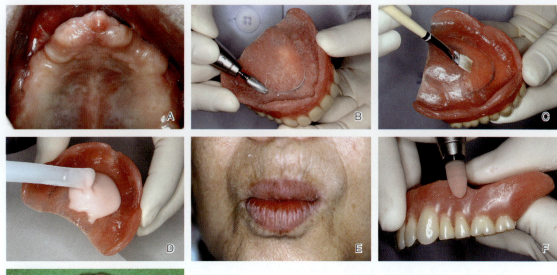

図17-23 常温重合型硬質リライン材を用いた直接法によるリライン
患者は上顎全部床義歯の咀嚼時疼痛と脱落を主訴に来院した．
A：顎堤粘膜の一部が発赤している．B：カーバイドバーなどで義歯床粘膜面を一層削除し，新鮮面を出す．C：専用の接着材（プライマー）を薄く均一に塗布し，乾燥する．D：粉と液を混和し，義歯床粘膜面に盛る．E：義歯を口腔内に挿入し，筋圧形成を行い，その後口腔内に保持する．F：硬化後，義歯を口腔内より撤去し，カーバイドバーなどで形態修正を行い，シリコーンポイント，バフなどで研磨を行う．G：常温重合型硬質リライン材でリラインした義歯．

（2）軟質リライン材を用いる場合

　　適合性などの検査，咬合調整などの前処置，義歯床粘膜面の処置（図17-24 A，B）およびリラインした義歯の装着時の調整は硬質リライン材の場合とほぼ同様である．アクリル系の材料では粉と液を混和し，シリコーン系ではディスペンサーにより2つのペーストを練和し，義歯床に盛る（図17-24 C）．次いで口腔内への挿入，筋圧形成，形態修正，研磨などを行う（図17-24 D）．軟質リライン材のクッション効果を有効に発揮させるためには，約1〜2 mmの厚さの確保が必要である（図17-24 E，F）．そのため，リライン材を盛った義歯を口腔内で硬化させる際，強く咬合させないことが重要である．また，リライン材の厚さを確保するために義歯床粘膜面を削除しなければならないが，レジン床が薄くなることにより義歯の強度が低下しないよう，過度な削除は避けなければならない．

2 間接法によるリライン

1）フラスク埋没による方法（軟質リライン材，床用レジン）

　　加熱重合型と常温重合型（化学重合型）の軟質リライン材および加熱重合型床用レジンが使用される．本法の特徴を以下に示す．
　　［長所］
　　① 直接法に比べ，リライン材の厚さを適切に確保することができる．

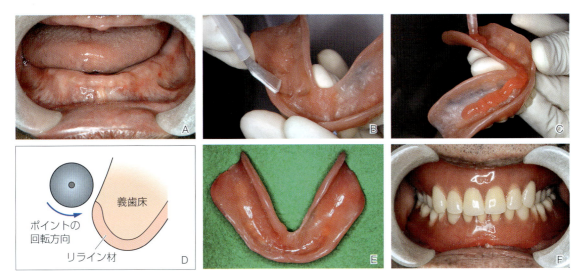

図 17-24 常温重合型シリコーン系軟質リライン材を用いた直接法によるリライン
患者は下顎全部床義歯の咀嚼時疼痛を主訴に来院した．
A：下顎顎堤はあまり吸収していないが，疼痛閾値が低いこと，および骨の鋭縁が存在することにより疼痛を生じるものと診断した．リリーフなどの処置を行ったが，症状が改善しないため，軟質リライン材を使用することとした．B：カーバイドバーなどで義歯床粘膜面をリライン材の厚さ分ほど削除し，専用の接着材（プライマー）を薄く均一に塗布し，乾燥する．C：ディスペンサーにカートリッジとミキシングチップをつけ，気泡が混入しないようペーストを義歯床粘膜面に盛る．義歯を口腔内に挿入し，筋圧形成を行い，口腔内に保持する．D：硬化後，義歯を口腔内より撤去し，専用の研磨用器材で研磨を行う．その際，ポイントとホイールはリライン材の剥離を防ぐため，リライン材から境界部に向かって回転させる．
E：常温重合型シリコーン系軟質リライン材でリラインした義歯．F：口腔内への装着．

② リライン前後で義歯の咬合高径がほとんど変化しない．
③ 義歯床との接着力が高く，境界部も滑沢に仕上げることができる．
④ 重合中，直接顎堤粘膜に接しないため，さらに加熱重合型の材料では重合度が高く残留モノマーも少ないため，顎堤粘膜への刺激が少ない．
⑤ 加熱重合型リライン材および床用レジンは常温重合型リライン材に比べ，一般的に耐久性がある．

［短所］
① 技工室で作業を行うため，義歯を預かる必要がある．
② フラスク埋没，重合，義歯の取り出しなど，技工操作が煩雑である．

［手順］
　間接法によるリラインでは，義歯床下粘膜との適合試験や咬合調整などの前処置を行った後，現在使用中の義歯にティッシュコンディショナー（ダイナミック印象材）やシリコーンゴム印象材などを適用し，顎堤の印象を採得する（**図 17-25 A**）．次いで義歯をフラスクに埋没する．なお印象面には超硬質石膏を注ぐ．フラスク上部と下部を分割し（**図 17-25 B**），印象材を除去する．さらに義歯床粘膜面をカーバイドバーなどで削除し，リライン材の厚さが約 1〜2 mm 確保できるようにする（**図 17-25 C**）．石膏の印象面には分離剤を，また義歯床粘膜面には専用の接着材を薄く均一に塗布しておく．

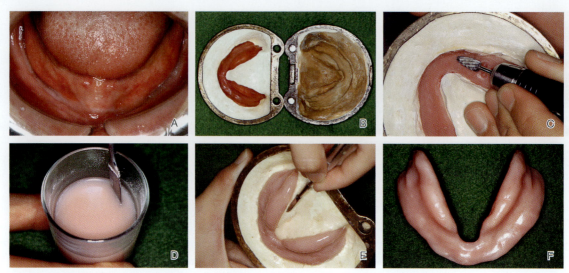

図 17-25 加熱重合型アクリル系軟質リライン材を用いた間接法（フラスク埋没）によるリライン
患者は下顎全部床義歯の咀嚼時疼痛と維持・安定の不良を主訴に来院した．
A：下顎顎堤は著しく吸収し，可動粘膜が歯槽頂付近まで達している．B：ティッシュコンディショナーにより粘膜調整とダイナミック印象を行った後，義歯をフラスクに埋没する．埋没材硬化後，フラスク上部と下部を分割する．C：カーバイドバーなどで義歯床粘膜面をリライン材の厚さ分ほど削除する．D：メーカー指示の粉液比で粉末と液を練和する．E：餅状になったリライン材を填入し，フラスクの圧接，バリの除去，加熱重合を行う．F：加熱重合型アクリル系軟質リライン材でリラインした義歯．

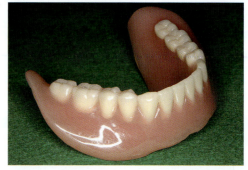

図 17-26 加熱重合型シリコーン系軟質リライン材でリラインした義歯

　加熱重合型のアクリル系材料では粉と液を混和し（**図 17-25 D**），餅状になった時点で填入する．また加熱重合型のシリコーン系材料（**図 17-26**）は単一ペーストとして供給されているため，そのまま填入する．ポリエチレンシートを介在させ数回試圧し，余剰のバリを除去する（**図 17-25 E**）．その後ポリエチレンシートを除去し，メーカー指示の温度と時間に従い，加熱重合する．十分に自然冷却させた後，フラスクより義歯を取り出す．なお，常温重合型（化学重合型）のリライン材を使用する場合は，硬化前に填入やフラスクの圧接などの操作を完了させておく必要がある．通法に従い形態修正および研磨を行い，咬合調整後，口腔内に装着する（**図 17-25 F**）．

図17-27 常温重合型シリコーン系軟質リライン材を用いた間接法（リライニングジグ）によるリライン
患者は下顎全部床義歯の咀嚼時疼痛と維持・安定の不良を主訴に来院した.
A：リライニングジグ．B：ダイナミック印象を行った義歯のリライニングジグへの装着，義歯床粘膜面の削除および接着材（プライマー）塗布後，軟質リライン材を義歯床粘膜面および模型の粘膜面に盛る．C：次いでジグの印象面を義歯床に圧接し，ジグの上部と下部を固定する．硬化後，義歯をジグおよび模型から取り出し，形態修正，研磨を行う．

2）リライニングジグによる方法（硬質リライン材，軟質リライン材）

常温重合型（化学重合型，光重合型）のリライン材が使用される．本法の特徴を以下に示す．

［長所］
① 直接法に比べ，リライン材の厚さを適切に確保することができる．
② リライン前後で義歯の咬合高径がほとんど変化しない．
③ 重合中，直接顎堤粘膜に接しないため，刺激が少ない．
④ フラスク埋没を行う必要がなく，技工操作を簡略化できるため，義歯を預かる時間を短縮できる．

［短所］
① 常温重合型リライン材は加熱重合型リライン材および加熱重合型床用レジンに比べ，一般的に耐久性に劣る．

［手順］
フラスク埋没によるリラインと同様に前処置および印象採得を行った後，義歯をボクシングし，超硬質石膏を注ぎ模型を製作する．リライニングジグ（**図17-27 A**）の下部に比較的硬めに練和した石膏を注ぎ，義歯の咬合面を圧接し咬合面コアを製作する．次いで石膏で模型をジグの上部に付着する．なお，ジグによっては模型をジグに付着した後，咬合面コアを製作するよう指示しているものもある．硬化後ジグの上部と下部を分離し，印象材を除去する．さらにリライン材の厚み（約1〜2mm）を確保するため，義歯床粘膜面をカーバイドバーなどで削除する．模型に分離剤を，また義歯床粘膜面に接着材を塗布する．常温重合型アクリル系あるいはシリコーン系のリライン材を義歯床粘膜面および模型の粘膜面に盛り（**図17-27 B**），ジグの上部と下部を固定する（**図17-27 C**）．硬化後，義歯をジグおよび模型から取り出し，形態修正，研磨を行う．このうち光重合型では，光照射器により重合する．咬合調整後，口腔内に装着する．

軟質リラインでは，リライン層の適切な厚さの確保と耐久性の観点より，直接法やリライニングジグによる間接法よりも，フラスク埋没による間接法が有効である．

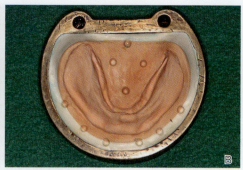

図 17-28 リベース
義歯を埋没し，フラスクの上部と下部を分割する．次いで義歯床のすべてを削除し，人工歯のみを残す．通法に従い床用レジンの塡入，重合，研磨を行う．
A：人工歯のみを残したフラスク上部．B：フラスク下部の義歯床粘膜面の模型．

V リベース

　リベースとは，人工歯部以外の義歯床を新しい床用材料に置き換え，義歯床下粘膜との適合を図ることをいう（**図 17-20，28**）．
　適応症として，
① 長期間の使用や破折により床用レジンの劣化や変色を生じている場合
② 義歯床の強度が不足している場合
③ 修理やリラインにより口蓋部など義歯床が厚くなっている場合
④ 患者が人工歯の形態，色調，排列や義歯の形態に愛着をもっている場合
⑤ 床翼の豊隆を改善する場合

などがあげられる．ただし，リベースを行う際，咬合高径などの咬合関係が適切で，人工歯に破損がなくこれらが適切に排列されていることが前提である．
　術式としては，義歯床下粘膜との適合試験や咬合調整などの前処置を行った後，リラインと同様，現在使用中の義歯により顎堤粘膜の印象を採得する．印象採得された印象面に超硬質石膏を注ぎ模型を製作する．症例によっては床翼の豊隆を修正することもある．模型をフラスクに埋没し，硬化後フラスク上部と下部に分割する．人工歯が外れないように注意して，義歯床を削除する．通法にしたがって床用レジンの塡入，重合，研磨を行う（**図 17-28**）．またフラスクを用いず，シリコーンコアと流し込みレジンによる術式も応用されている．

VI 咬合面再形成

　咬合面再形成とは，義歯の人工歯咬合面を再構成することによって，顎口腔系の形態，機能，審美性の回復をはかることをいう（**図 17-29**）．

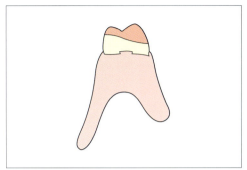

図17-29 咬合面再形成

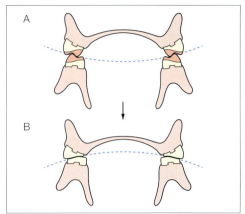

図17-30 Monsonカーブ（A）とアンチMonsonカーブ（B）
義歯の長期使用により，臼歯部では主として機能咬頭である上顎舌側咬頭と下顎頰側咬頭が咬耗し，Monsonカーブ（A）からアンチMonsonカーブ（B）になり，前歯部ではオーバーバイトが深くなる．

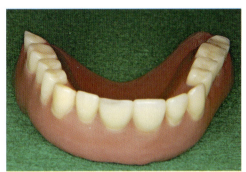 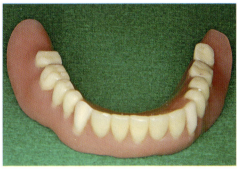

図17-31 咬耗によりアンチMonsonカーブとなった咬合彎曲
本患者は右側に比べ左側の咬耗が強いため，咀嚼側は左側と推察される．

　義歯を長期にわたり使用すると，人工歯の咬耗，咬合高径の低下，咀嚼能率の低下などが生じる．咬耗する部位は主として機能咬頭である上顎舌側咬頭と下顎頰側咬頭である．そのため顕著な症例では，上顎舌側咬頭が頰側咬頭よりも低くなり，下顎頰側咬頭が舌側咬頭よりも低くなるアンチMonsonカーブ anti-Monson curve（調節彎曲がMonsonカーブと逆）となる（図17-30，31）．臼歯部人工歯の咬耗が顕著な症例では，下顎前歯部が上顎を突き上げ，義歯の維持・支持・安定を低下させ，フラビーガムの原因となる．材質的には陶歯や硬質レジン歯に比べ，レジン歯は咬耗しやすく，非咀嚼側に比べ咀嚼側で咬耗の程度が大きい．

　臨床術式としては，常温重合レジンあるいはペーストタイプの光重合型硬質レジンを，直接法により咬合面に盛り上げて行うことが多い．まず人工歯の咬合面を一層削除し，対合歯

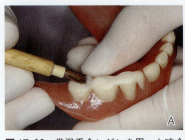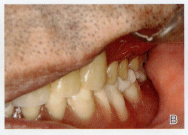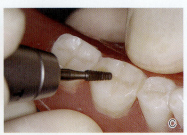

図 17-32　常温重合レジンを用いた咬合面再形成
A：人工歯咬合面をカーボランダムポイントなどで一層削除し，常温重合レジンを盛り上げる．
B：義歯を口腔内に挿入し，適切な咬合位に誘導する．
C：レジン硬化後，カーバイドバー，スチールバー，カーボランダムポイントなどで形態修正，咬合調整を行う．

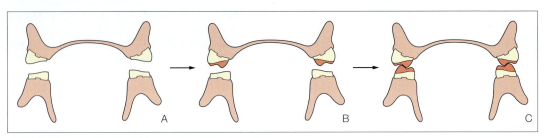

図 17-33　アンチ Monson カーブとなった調節彎曲の修復
A：アンチ Monson カーブとなった全部床義歯．上顎舌側咬頭が頬側咬頭よりも低くなり，下顎頬側咬頭が舌側咬頭よりも低くなっている．
B：まず上顎臼歯部舌側咬頭の形態回復を行う．
C：次いで下顎の臼歯部頬側咬頭の形態回復を行い，Monson カーブ様の調節彎曲を付与する．

に分離剤を塗布する．次いで常温重合レジンを筆積み法にて人工歯咬合面に盛り（図 17-32 A），適切な咬合位に誘導し，硬化を待つ（図 17-32 B）．なお，あらかじめパラフィンワックスやシリコーンなどの咬合採得材で咬合位を記録して行う術式もある．この方法は咬合位を採得後，片側のみの咬合採得材を除去し，同部に常温重合レジンを盛り，対側の咬合採得材が咬合するよう閉口させる．レジン硬化後，咬合採得材を除去し，反対側も同様に常温重合レジンを盛り，同様の操作を行う．レジン硬化後は，カーバイドバー，スチールバー，カーボランダムポイントなどで両側性平衡咬合が得られるように形態修正，咬合調整を行う（図 17-32 C）．

　高度に咬耗し，側方調節彎曲がアンチ Monson カーブを呈している症例では，上顎臼歯部舌側咬頭を中心にレジンを盛り上げ形態を回復し，まずアンチ Monson カーブとなった調節彎曲を修正する．次いで同様に下顎の臼歯部頬側咬頭を中心に常温重合レジンを盛り，咬合面再形成を行う（図 17-33）．咬合面の再形成量が少ない場合は常温重合レジンで処置することができるが，多い症例では硬質レジンなどで人工歯咬合面をあらかじめ製作しておき，使用中の義歯に接着する方法が応用される．

（村田比呂司）

第18章 金属床義歯による治療

　金属床 metal base とは，義歯床の一部，あるいは全部を形づくる義歯床の金属部分のことであり，上下顎の全部床義歯に適用される．なお，上顎の場合には，一般に口蓋部の床面積が広いため，金属床としての長所が強調される．一方，下顎の場合には，床面積も狭く，装着後にしばしば義歯床粘膜面の調整が必要となることが多いため，金属床としての長所は少ない．したがって，下顎においては，金属床は義歯破折や変形を予防するための機械的強度の補強を主目的として適用されることが多い．

　金属床義歯 metal base denture は装着感が良好で，患者の QOL の向上に有効であるが，技工操作が繁雑で高価である．金属床義歯を勧められるのは，①インフォームドコンセントが十分にとれている，②金属床義歯をすでに装着している，③顎堤条件が良好である，④金属アレルギーがない，⑤経済力がある，などの条件にあてはまる患者である．

1 金属床義歯の利点と欠点

　金属床義歯を製作する場合に患者への説明を行う事項は以下の通りである．なお，金属床義歯は永久的に使用できるわけではなく，レジン床義歯と同様に人工歯の破折や脱落などが起こりうること，顎堤形態が変化して不適合となりうることなどの説明が必要である．

1）利点
① 強度が高く，義歯床を薄くしても破折しにくく，たわみが少ない．
② 吸水性がなく，プラークの付着が少ない．
③ 熱伝導性がよく，粘膜に温度感覚が伝わりやすい．
④ 適合性に優れ，装着感がよい．
⑤ 口腔が広くなり，発語機能が良好である．
⑥ チタン床は生体親和性が高い．

2）欠点
① 義歯床の調整が困難である．
② リラインは可能であるが，金属接着性プライマーや金属接着性レジンを用いて金属床部分をリラインすることは，金属床義歯の利点を失うことになる．
③ 使用金属によっては金属アレルギーを起こす場合がある．
④ 技工操作が繁雑である．
⑤ 治療費が高い．
⑥ 金属部で破折した場合には修理が困難である．

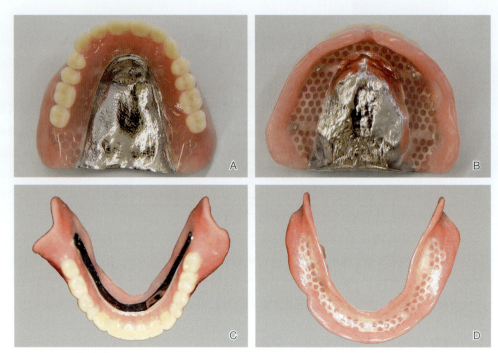

図 18-1　上下顎金属床義歯
A: 上顎義歯咬合面観．B: 上顎義歯粘膜面観．C：下顎義歯咬合面観．D：下顎義歯粘膜面観．

2　金属床義歯の構造

　金属床義歯全体の外形や形態はレジン床義歯と同様であるが，上顎では口蓋，下顎では舌側の一部あるいは全部を金属（フレームワーク framework）とし，それ以外の部分をレジンとする設計が多い．フレームワークとレジン部の接合はフレームワークの一部としてつくられた維持格子をレジン部内に埋め込むことで行われる（図 18-1）．

　フレームワークに使用される金属としては，貴金属合金と非貴金属合金に大別され，貴金属合金はタイプⅣ金合金，非貴金属合金はコバルトクロム合金，チタン合金，純チタンがある．上顎金属床義歯の口蓋部のフレームワークでは十分な強度があるため，レジン床義歯口蓋部の1/4〜1/5の厚さにすることができる．一般にコバルトクロム合金がよく用いられている．コバルトクロム合金はタイプⅣ金合金の1/2の比重，2倍の弾性率である．金属床義歯をさらに軽くしたい場合は，比重がコバルトクロム合金の約1/2であり，金合金の約1/4である純チタンあるいはチタン合金が選択される．

3　金属床義歯の製作手順

　基本的に金属床義歯がレジン床義歯と異なるのは義歯床の一部が金属であることだけで，他は異なるところはない．したがって，金属床義歯の製作過程はレジン床義歯の製作過程にフレームワークの製作が追加されるだけである．このことから，ここでは，金属床義歯の製作過程で追加される項目のみを解説する．

図18-2 ろう義歯の唇・頬側面や人工歯の咬合面をパテタイプのシリコーン印象材を用いて記録する．

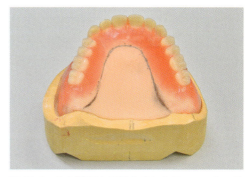

図18-3 ろう義歯上に記入されたフィニッシュライン

1）ろう義歯の試適とコア採得

　ろう（蠟）義歯の試適，すなわち，審美的，機能的に人工歯が排列されているか，発語機能を考慮した適切な義歯床形態となっているかなどをチェックした後，ろう義歯を作業用模型上に復位させる．その後，ろう義歯の唇・頬側面，人工歯の咬合面ならびに作業用模型側面を含んだ三次元形態コアをパテタイプのシリコーンゴム印象材などを用いて採得する（**図18-2**）．これはフレームワーク製作後に人工歯の再排列や義歯床研磨面形態を再現するために用いられる．

2）フレームワークのフィニッシュラインの設定とデザイン

　フレームワークとレジン部との境界はフィニッシュライン finish line とよばれ，物理的強度の確保や円滑な移行面形成のために設定する．そのラインを義歯のどの部位に設定するかはフレームワークをデザインするうえで重要なポイントとなる．

　ろう義歯に描くフィニッシュラインは，上顎ではろう義歯の口蓋部から人工歯口蓋側の歯肉部へと移行する位置に設定する（**図18-3**）．そのため，人工歯排列の位置によって，フィニッシュラインの位置は規制される．また下顎ではフィニッシュラインは下顎義歯床研磨面形態に一致させるように設定する．

　次いで，ろう義歯に描記されたフィニッシュラインに沿って小さなラウンドバーで孔を開ける（**図18-4**）．孔に鉛筆の芯を通して模型上にマークした後，マークされた点を連ねてフィニッシュラインを模型上に描記する（**図18-5**）．フィッシャーバーにて基礎床の口蓋部を切断する場合もある．

　フィニッシュラインを決定した後はフレームワークの維持格子のデザインを行う（**図18-6**）．維持格子は顎堤頂を越えるようにデザインし，レジンとの結合のためにループ状，網目状などの形にする．さらに，維持格子は排列した人工歯の位置や義歯床の形態などを考慮し，レジン部が薄くならないようにデザインする．維持格子の外周には，一辺2〜3mmの大きさのティッシュストップを数か所設ける．これは製作したフレームワークを模型に復位させることを容易にし，レジン填入時にフレームワークの移動を防止して，フレームワークを模型粘膜面に正確に適合させるためのものである（**図18-7〜9**）．

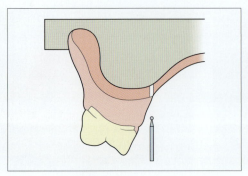

図 18-4 ろう義歯のフィニッシュライン上にラウンドバーにて孔を開ける．

図 18-5 鉛筆にて作業用模型にフィニッシュラインを記入する．

図 18-6 作業用模型にフレームワークのデザインを記入する．

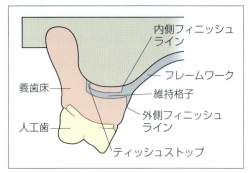

図 18-7 上顎金属床義歯のフレームワーク（フィニッシュラインと維持格子）

図 18-8 上顎義歯後縁は，金属を後縁とするデザイン（上）と，維持格子を付与し，レジンを後縁とするデザイン（下）がある．

図 18-9 レジンを後縁とした場合は，金属床義歯後縁の調整が可能であり，義歯の後縁封鎖に優れるが，後縁の厚さが増し，構造的にも複雑となる．

3）作業用模型上でのリリーフと耐火模型の製作

　金属床の製作は，鋳造による方法 cast plate と CAD/CAM による方法（**図 18-18**）がある．鋳造法のメリットは適合性に優れ，設計の自由度が高い点にある．

　鋳造法では，まず，作業用模型に記入したフィニッシュラインと維持格子の形態を考慮し

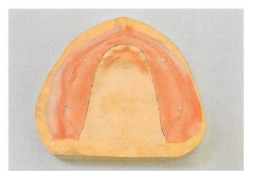

図 18-10 上下顎の作業用模型に維持格子の形態を考慮してシートワックスを用いてリリーフを行う．ティッシュストップ部には穴をあける．

図 18-11 作業用模型を複印象し，耐火模型を製作する．

図 18-12 耐火模型上でフレームワークのワックスアップを行う．

図 18-13 ワックスパターンの埋没操作を行う．

て，レジンのスペースを確保するためにシートワックスを用いてリリーフを行う（**図 18-10**）．また，必要があればフレームワーク内の口蓋隆起部への過圧を避けるためのリリーフやフレームワーク後縁封鎖のための模型法による後堤（ポストダム）法を行う．

その後，作業用模型を複印象し，耐火模型を製作する（**図 18-11**）．このときに用いる印象材はシリコーンゴム印象材，寒天印象材などである．耐火模型製作に使用する埋没材は，フレームワークに金合金を使用する場合には石膏系埋没材を，コバルトクロム合金あるいは純チタンならびにチタン合金を使用する場合には高温鋳造用埋没材を使用する．

4）フレームワークのワックスアップ

耐火模型上でフレームワークのワックスアップを行う（**図 18-12**）．口蓋部にはパラフィンワックスよりも薄いシートワックスを使用する．これには既製のワックスパターンがあるので，それを利用すると便利である．

ワックスアップ完了後の鋳造操作のために，ワックスパターンの数か所にスプルーを設ける．スプルーは鋳造時に金属がスムーズに流れるような形態とする．その後，ワックスパターンとスプルーが付与された耐火模型を高温鋳造用埋没材で型ごと埋没する（**図 18-13**）．

図18-14 鋳造体を埋没材から取り出す．

図18-15 完成した上顎のフレームワーク

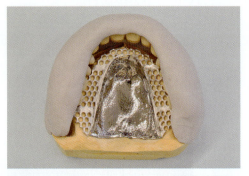

図18-16 採得したシリコーンコアを作業用模型に適合させ，人工歯と金属床との位置関係を確認する．

図18-17 口腔内に装着した上顎金属床義歯

5）フレームワークの鋳造・研磨

基本的には，クラウンやブリッジに用いる方法と同じくワックス焼却後に加圧鋳造を行う．鋳造後は十分冷却した後，フレームワークを埋没材から割り出し（**図18-14**），スプルーを切断し，研磨する．

6）ろう義歯の製作

作業用模型にフレームワークを戻し（**図18-15**），その後，先に採得したコアを利用して人工歯を復位させる（**図18-16**）．フィニッシュライン部でフレームワークとレジン部との移行がなめらかになるようにワックスアップを行った後，咬合器に再装着して，咬合関係の確認，修正を行い，ろう義歯を完成させる．

7）金属床義歯の完成

完成したろう義歯を通法によりフラスクに埋没し，レジンの重合を行う．レジン塡入時にはフレームワークがずれるおそれがあるため，フレームワークは確実に模型と固着させておく必要がある．重合後は重合時のバリの除去や研磨を行い，金属床義歯を完成させ，口腔内に装着する（**図18-17**）．

8）金属床義歯におけるCAD/CAMシステムの適用

最近，CAD/CAMシステムによるフレームワークの製作が行われてきている．これは印

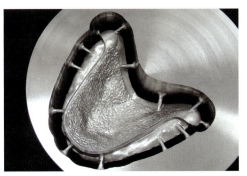

図18-18 CAD/CAMシステムによるフレームワーク（和田精密歯研提供）

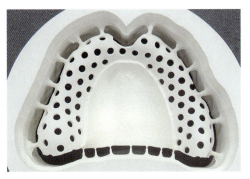

図18-19 ジルコニアによるフレームワーク（YAMAKIN提供，薬事未承認）

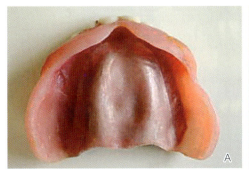
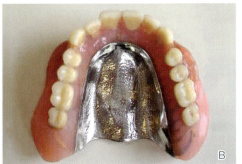

図18-20 金属床義歯にリラインを行った症例
A：義歯床粘膜面観．B：咬合面観．

象採得後の作業用模型をスキャンしたり，口腔内を直接スキャンすることで得られたデータをもとにCAD上でフレームワークを設計し，金属ブロックから切削加工する（**図18-18**），あるいは3Dプリンタにて積層造形することによってフレームワークを完成させる方法である．

9）金属床義歯におけるジルコニアフレームの適用

きわめて強度が高い性質を利用して，ジルコニアによるフレームワークの開発が行われてきている（**図18-19**）．金属アレルギーに対しても有効であり，従来の金属に比較しても生体親和性が強く，汚れがつきにくい利点がある．

10）金属床義歯のリライン

金属床義歯を数年間使用していると，レジン床義歯と同様に咬合の不調和や顎堤の吸収に起因する適合不良が起こる場合もある．もちろん適合不良が人工歯の咬合調整や義歯床粘膜面の調整のみで改善される場合は，それ以上の操作は必要ない．しかし，それだけでは改善されない場合は，金属床義歯の義歯床粘膜面のリラインが必要となる．

金属床義歯のリラインを行う場合，その範囲を義歯床のレジン部粘膜面に限局するか，あるいは義歯床粘膜面全面にわたって行うかを見極める必要がある．実際，フレームワークは

口蓋や顎堤の舌側部など吸収が起こりにくい部にデザインされているが，義歯床粘膜面全面にリラインを行わなければならないケースも存在する．

　金属床義歯の義歯床粘膜面を全面にわたりリラインする場合は，リライン材は金属のフレームワークとは化学的に接着しないため，まず，フレームワーク粘膜面のサンドブラスト処理を行い，プライマーを塗布後，常温重合レジンをフレームワーク粘膜面に一層塗布し，その後，リライン材によるリラインを行う（**図18-20**）．

　ただし，金属床義歯の義歯床粘膜面全面をリラインした場合には，金属床義歯のメリットが失われることを，患者には事前によく説明しておく必要がある．

（岡崎定司，髙橋一也，小正　裕）

COLUMN ⑩　義歯安定剤と口腔保湿（湿潤）剤

　義歯安定剤と口腔保湿（湿潤）剤は義歯内面に患者自身が使用する市販の製品である．義歯安定剤は義歯の維持や安定不足を補うもので，粉末，クリーム，シールの義歯粘着剤の他に，酢酸ビニル樹脂が主体のホームリライナーがある．ホームリライナーは患者自身による義歯への貼布が難しいこと，不正な咬合関係を誘発し，長期の使用で顎堤の異常吸収を誘発したと報告されている．

　口腔保湿（湿潤）剤は人工唾液とジェルに分けることができ，双方ともに水が主成分であり，前者はナトリウムなどが添加され，後者は増粘成分が含まれる．

　いずれも使用が可能な期間は短期間であることと，誤用を防ぐ目的で歯科医師の管理下での使用が望ましい．

（河相安彦）

第19章 即時全部床義歯による治療

　即時義歯 immediate denture とは，抜歯前にその予定部位を調整した模型上で義歯を製作し，抜歯後ただちに装着する義歯をいう．なかでも残存歯の抜去により無歯顎となった患者に，抜歯直後に装着する即時義歯を即時全部床義歯 immediate complete denture という．

　全部床義歯の場合，前歯部に残存していた数本の歯が保存不可能となった場合が多い．即時全部床義歯の適応になるのは，即時義歯を装着することにより，抜歯により失われる種々の機能と外観が保持されることから，患者からは強い要望があり，また患者のQOLのためには重要な治療法である．

　しかし，最近では歯周治療などが徹底され，歯を保存する方針で処置が行われるため，歯科治療をほとんど受けずに多数歯の抜去が必要となり，即時全部床義歯が適応されることは減りつつある．たとえば骨粗鬆症治療薬を投与されている場合は，抜歯の予後が不良となることもあり，治療前に観血処置を終了していることが望ましいとされている．一方で，血液抗凝固剤を服用している患者では，抜歯ごとに同薬剤の服用を中止する必要があるなど，保存不可能と診断した歯を計画的に抜去して即時義歯を適応すべき症例が増えつつあるのも事実である．また前歯部のブリッジなど比較的多数歯を抜去する場合には，患者の精神的な苦痛に対する配慮と予後についての十分な説明が重要である．患者の高齢化とともに，全身状態などの複雑な要素が増加してきたこともあり，即時義歯を適用する場合は慎重な対応が必要となってくる．

1 即時全部床義歯の利点と欠点

　即時全部床義歯の利点と欠点は，以下のとおりである．

1）利点
① 患者の精神的苦痛を軽減でき，また社会生活への支障も少ない．
② 咀嚼機能がある程度維持され，その回復も早い．
③ 発語機能を損ないにくい．
④ 顎関節や神経・筋機構に与える悪影響を防ぐことができる．
⑤ 抜歯創に加わる機械的，化学的および細菌的な刺激を回避できる．
⑥ 抜歯創の血餅が保護されるので治癒が促進される．
⑦ 前歯の欠損による審美障害を防ぐことができる．
⑧ 残存歯を基準として人工歯を選択・排列することができるので，抜歯前の顔貌を復元しやすい．
⑨ 残存歯の咬合が適正である場合，咬合採得が容易であり，患者固有の咬合関係の維持が容易である．

2) 欠点
① ろう義歯の試適が困難であり，咬合関係，発語機能，審美性などの確認が行えない．
② 抜歯創の治癒にしたがって顎堤が変化するので，早期にリラインや調整を頻回に行う必要がある．

2 診療手順と製作法
① 研究用模型を製作し，義歯の仮設計を行う．エックス線検査や歯周基本検査などを行い，抜去が必要な歯を決定する（**図 19-1〜3**）．
② 通法に従い筋圧形成を行い，精密印象を行う．
③ 作業用模型と咬合床を製作し，咬合採得を行う．
④ 咬合器に作業用模型を装着し，最終的な義歯の設計を行う（**図 19-4**）．
⑤ 残存歯を参考に人工歯を選択する．
⑥ 作業用模型で，抜去予定歯を削除して，対側同名歯や研究用模型を参考に人工歯を排列する．特に抜去とする歯は歯周病の影響で偏位していることが多いため，できるだ

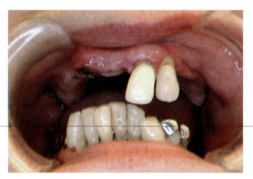

図 19-1 上顎即時全部床義歯の適応と診断された患者の口腔内

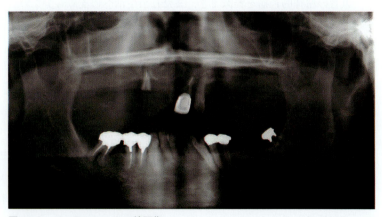

図 19-2 パノラマエックス線画像

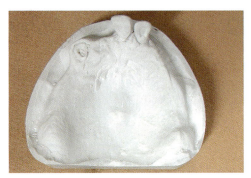

図19-3 上顎の研究用模型

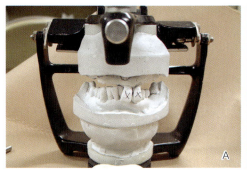

図19-4 作業用模型の咬合器装着
A：咬合器に作業用模型を装着する．
B：抜歯部位の欠損部形成．歯頸部で切断し形態を整える．本症例では口蓋隆起部をリリーフしている．

け患者の個性を損なわないように人工歯を適切な位置に排列し，顔貌との調和をはかる．

⑦ 多数歯の抜去や歯槽骨整形を行う場合に，義歯とは別にサージカルテンプレートを製作することがある．歯槽骨整形時のガイドとするため透明レジンで製作する．

⑧ 人工歯排列の後，通法に従い歯肉形成を行い，全部床義歯を完成させる（**図19-5，6**）．

⑨ 抜歯を行い，必要に応じて製作したサージカルテンプレートなどを用いて歯槽骨整形を行う．止血を確認して，消毒した即時義歯を口腔内に装着する（**図19-7，8**）．

⑩ 咬合調整を行う．

⑪ その日の夜は即時義歯を外さないことを患者に指示する．口腔内を清潔に保つこと，定期的に検査を受け，必要に応じて処置を受けることを十分に指導する．なお，各種のティッシュコンディショナーや軟質リライン材を応用し，抜歯直後に生じた不適合をリラインによりただちに修正することがある．その場合，抜歯窩に各種材料が陥入することがあるので，義歯床粘膜面の修正を行う必要がある．

⑫ 抜歯創の治癒にしたがって，義歯床粘膜面に不適合が生じるため，早期にリラインを

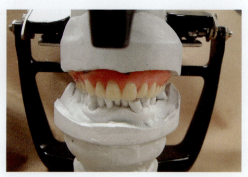

図 19-5　ろう義歯完成

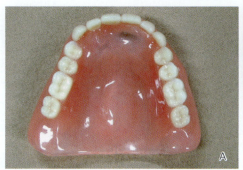
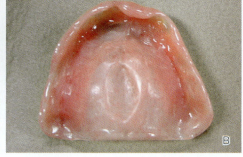

図 19-6　上顎即時全部床義歯
A：咬合面観．B：粘膜面観．

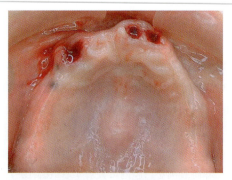
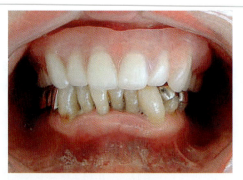

図 19-7　抜歯後止血した上顎顎堤　　　図 19-8　上顎即時全部床義歯装着

　　　行い，不適合を改善する．
⑬　抜歯創が治癒して，顎堤の形がほぼ安定する2〜3か月後に，即時義歯の適合性と咬合関係を確認し，使用中の即時義歯が引き続き使用可能であるかどうかを診断する．顎堤形態の変化により，新義歯の製作が必要となる場合もある．

3 即時全部床義歯の装着に関する注意事項

即時全部床義歯の装着後は，抜歯部の顎堤形態の急激な変化に対して以下のような注意が必要である．

① 顎堤の形が落ちつくまで，適宜来院する必要があることを患者に十分に理解させる．
② 顎堤形態の変化を再診時に観察し，必要に応じてリラインを行い，顎口腔の機能維持に留意する．
③ 即時全部床義歯の治療対象となる患者にとって，歯をすべて失うという精神的苦痛は大きい．しかし，即時全部床義歯を装着することで，審美的，機能的な支障を大きく軽減できることを理解させ，精神的なサポートを行うことが重要である．

4 暫間義歯（即時義歯，移行義歯，治療用義歯，診断用義歯）

暫間義歯は最終義歯を装着するまでの間に，機能や審美性などを保つために，一定期間使用する義歯であり，使用目的により分類されている．暫間義歯には，即時義歯のほか，移行義歯，治療用義歯，診断用義歯があり，使用中の義歯を修理したり，増歯したりして使用することもある．

1）即時義歯

抜歯前に予定部位を調整した作業用模型上で製作し，抜歯直後に装着する暫間義歯のことである．

2）移行義歯

比較的早期に抜歯とそれに伴う義歯の修理や新製が予測される場合，その期間の機能や審美性を保つために，暫間的に使用する義歯のことである．使用中の義歯に増歯などを行い使用することもある．

3）治療用義歯

最終義歯の製作に先立ち，義歯床下粘膜の粘膜治療や咬合治療を目的として暫間的に使用する義歯のことである．使用中の義歯の義歯床や人工歯の形態を常温重合レジンで修正して用いる場合や，複製義歯を製作する場合がある．

4）診断用義歯

診断や治療計画の立案のために，暫間的に使用する義歯のことである．

（横矢隆二，藤原　周）

第20章 オーバーデンチャーによる治療

　オーバーデンチャー overdenture とは，歯根を被覆する形態の有床義歯で，支台歯からは支持，把持，維持などが期待できる．オーバーデンチャーの臨床応用の報告がみられるようになったのは1850年代以降であるが，歯が感染源となり，他の臓器や組織に感染するという歯性病巣感染説により残根は抜歯されるようになり，一時期用いられなくなった．その後，歯内療法が進歩して，無髄歯の状態でも長期に利用できるようになってからは，残根状態であってもさまざまな形で支台歯として利用されている（**図 20-1**）．

1 オーバーデンチャーの利点と欠点

　オーバーデンチャーでは支台歯を残根状態で利用できることで得られる利点もあるが，支台歯を義歯床で被覆することによって生じる欠点もある．利点と欠点を以下に示す．

1）利点
① 支台歯の歯冠歯根比を改善する．
② 義歯の支持・把持・維持・安定の増強を得やすい．
③ 支台歯を保存することで顎堤の吸収を抑制できる（**図 20-2**）．
④ 歯根膜感覚を保存できる．
⑤ 残存歯の歯列不正やメタルクラスプの金属色による審美不良を改善できる．
⑥ 支台歯（残根）抜去後の修理が容易である．

2）欠点
① 義歯床により常に被覆されるため，唾液による自浄作用が働きにくく，支台歯に二次齲蝕や歯周病が生じやすい（**図 20-3**）．
② 支台歯付近での義歯床の破折を生じやすい．
③ 支台歯周囲歯槽部のアンダーカットがあると，辺縁封鎖が困難となり，維持力が不十分

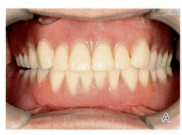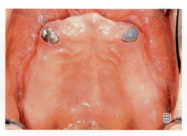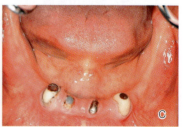

図 20-1　オーバーデンチャー
A：上下顎のオーバーデンチャー装着時の正面観．外観は通常の全部床義歯と同様である．
B：上顎咬合面観．右側犬歯部に根面板，左側犬歯部にグラスアイオノマー充填した支台歯がある．
C：下顎咬合面観．両側犬歯部にコンポジットレジンによる磁性アタッチメントのキーパーを装着した支台歯，中切歯部にグラスアイオノマーセメントを充填した支台歯および根面板を装着した支台歯がみられる．

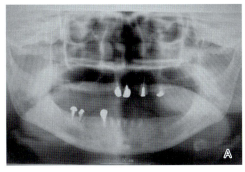
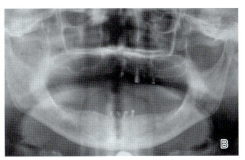

図 20-2 オーバーデンチャーによる顎堤吸収の抑制
A：上下顎の残存歯を根面板およびノンコーピング法で支台として利用したオーバーデンチャー装着時のパノラマエックス線画像.
B：15 年後のパノラマエックス線画像. 二次齲蝕ならびに歯周病により抜歯したため支台歯数は減ったものの顎堤は良好に維持されており，この間も義歯の維持・安定も良好に保たれている.

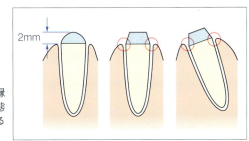

図 20-3 支台歯の清掃状態を良好に保つには，歯肉縁上少なくとも 2 mm の高さが必要であり，支台の形態によっては赤丸の領域にプラークが残留しやすくなることに注意が必要である.

になりやすい.
④ 対合歯とのスペースが少ない場合には人工歯排列が困難な場合がある.

2 オーバーデンチャーの適応症

オーバーデンチャーは，少数歯残存症例が主な適応となるが，特に，以下の症例で有効である.

① 支台歯の歯冠歯根比が不良で動揺が大きく，そのままでは部分床義歯の支台歯としてクラスプの設定が不利と考えられる場合
② すれ違い咬合などで，残存歯の挺出，傾斜が著しく，咬合平面の設定が困難な場合
③ 下顎前歯部が残存するコンビネーションシンドローム（☞ p.19 参照）を呈する場合

3 支台歯の処置方法の選択

オーバーデンチャーの支台歯の利用方法には，支持，把持，維持のいずれの役割を求めるかにより，以下の方法を選択する.

1) コーピング法とノンコーピング法

支台歯に支持と把持を求める場合に選択する. コーピング法では，支台歯の根面に根面板（金属で製作したキャップ状の装置）をセメントで合着する，あるいはコンポジットレジン

で接着することで，根面を保護し，形態を整える．ノンコーピング法は，形成した支台歯の根面の歯髄腔部分をコンポジットレジンやグラスアイオノマーセメントなどで封鎖し，周囲の歯質はそのまま形成し，研磨して利用する（**図20-4**）．

2）コーピングの形状

コーピングは，高さによる分類ではロングコーピングとショートコーピングがあり，形態による分類では，ドーム状とクラウンの支台歯の形状がある．コーピングには支持と把持の効果はあるが，維持は期待できないので，義歯床の辺縁封鎖や他の支台歯で維持を確保する必要がある．

支台歯の骨植を考慮して，コーピングの高さや形状を決める．骨植が良好であれば高くし（ロングコーピング），不良であれば低く（ショートコーピング）して作用する側方力を軽減する．また，支台歯が義歯の回転軸を構成する場合には回転を許容するドーム状にするとともに，リリーフ（緩衝腔）の付与が必要になる（**図20-5**）．歯ブラシによる清掃性を考慮した場合には，辺縁歯肉から2mmの高さを確保する（**図20-3**）．

3）アタッチメント

支台歯に維持を求める場合には以下のようなアタッチメントを利用する．

（1）根面アタッチメント

ボールアタッチメントが代表的で，支台歯側にパトリックス（メール）が，義歯床内に金属製あるいは樹脂製のマトリックス（フィメール）が装着されて機械的維持を発揮する．支台歯側にマトリックスが，義歯床側にパトリックスが装着されて，これらが嵌合することで維持を発揮するものもある．

磁性アタッチメントは，磁石構造体（マグネットをステンレス製のケースに封入したもの：ヨーク）を義歯床に埋め込み，支台歯側には磁石構造体と吸着するキーパーを装着する．キーパーは金属製の根面板に鋳接するか，直接コンポジットレジンで固定することもできる．また，キーパーを組み込むキーパーハウジングを鋳造で製作し，接着性レジンセメントでキーパーを接着するキーパーボンディング法も選択できる．

（2）バーアタッチメント

バー上のクリップあるいはスリーブとの間に機械的な維持力が発揮されるが，断面が円形あるいは卵円形の回転許容タイプ（ジョイントタイプ）と側面が平行な回転非許容タイプ

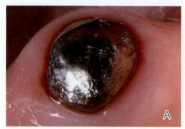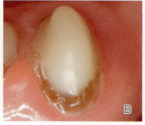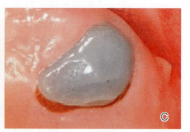

図20-4 コーピングの材料
A：金属．B：コンポジットレジン．C：グラスアイオノマーセメント．

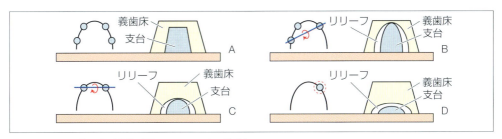

図20-5 コーピングの形状（前田，1993より改変）
各図の左は歯列弓内での支台の位置と数，回転軸を示す．右はそれぞれの支台の位置と数での支台と義歯床とのリリーフとの関係を示す．
A：根面板による支持が4か所あり，支点が多角形に配置され，義歯は安定する．また，回転を許容する必要はなく，リリーフの必要がない．
B：根面板による支持が3か所あり，遊離端部に近い2本の根面板を結ぶ線が回転軸となる．遠心の遊離端部が回転し，粘膜側に沈下する．義歯の回転を許容するため，根面板の近遠心側にリリーフが必要となる．
C：根面板による支持が2か所あり，支点を結ぶ線が回転軸となる．遠心の遊離端部が回転し，粘膜側に沈下する．義歯の回転を許容するため，根面板の近遠心側にリリーフが必要となる．
D：根面板による支持が1か所で，支点が1点となるため，すべての方向の移動と粘膜への沈下が予想され，根面板の全周のリリーフが必要となる．

（ユニットタイプ）があり，後者は可撤性ブリッジに使用する．

4 装着後の経過観察

オーバーデンチャーにおけるメインテナンスとしては，以下のものがある．

1）患者自身によるホームケア
① 支台歯のブラッシング（齲蝕，歯周病の予防）
② 義歯床粘膜面の清掃（義歯用ブラシと義歯洗浄剤の適切な使用方法を指導）

2）定期検査時に術者が行うプロフェッショナルケア

（1）支台歯の状態の確認
歯周組織の状態は良好だが二次齲蝕がある場合は，軟化象牙質を除去した後，当該部にグラスアイオノマーセメントやコンポジットレジンを充填して対処する．清掃状態が不良で，二次齲蝕が歯肉縁下深くまで進行し，動揺度も増加している場合には抜歯も考慮する．

（2）義歯床の破折への対応
破折部位を広めに削除して常温重合レジンで修理する．補強されていない場合には同時に接着性レジンをコーティングした補強線を埋入する．

（3）義歯床粘膜面の適合状態の確認
義歯床下粘膜との間に食片が残留しやすいなどの適合不良があれば，まず義歯床粘膜面をティッシュコンディショナーで粘膜調整を行った後，リラインを行う．

（4）咬合状態（人工歯の破折，咬耗）の確認
部分的な破折，咬耗であれば人工歯の表面処理を行った後にコンポジットレジンを築盛して修理する．広範囲に及ぶ場合には新しい人工歯と交換する．

（池邉一典，権田知也）

第21章 各種機能障害に対する治療

　口腔内に装着される補綴装置には，咬合，咀嚼，発語，嚥下機能および審美性の回復が期待される．特に，高齢者にとってその役割は大きく，自分の意思に基づき，自分の口から食べ物を摂取することは，身体的のみならず精神的健康の維持，増進において重要な意味をもつ．また，コミュニケーションツールとして用いる言語には，人間が社会とのコンタクトを維持するために重要な役割がある．さらに現在，日本は超高齢社会を迎え，要介護高齢者の増加に伴い摂食嚥下障害への対応が大きな問題となっている．これら構音障害や摂食嚥下障害の大きな原因としては，頭頸部における悪性腫瘍への外科手術や，脳血管障害による後遺症などが考えられるが，これらはいずれも日本における死亡原因の常に上位を占める．このような各種機能障害の改善を目的として，特殊な全部床義歯が口腔内に装着されている．本章では，スピーチエイド，舌接触補助床，軟口蓋挙上装置など，各種機能障害に応用される特殊な全部床義歯について解説する．

1 スピーチエイド

　先天的な軟口蓋欠損や，中咽頭切除などの外科手術に伴い後天的に軟口蓋に欠損を生じ，鼻咽腔閉鎖機能が不十分となった場合には，咽頭弁移植術や口蓋伸展術などの外科的治療に加えて，患者の口腔内に口蓋床や部分床義歯，あるいは全部床義歯などの補綴装置を装着し，構音機能の改善をはかる治療が行われる．この際に用いられる補綴装置をスピーチエイド speech aid という．

　スピーチエイドはその構造から，硬口蓋部，軟口蓋部および鼻咽腔部で構成される（**図21-1**）．硬口蓋部には装置を口腔内に維持する働きが必要となるため，一般的に残存歯にクラスプなどにより維持力を求める．しかし，歯に維持力を求めることができない無歯顎患者では，装着する全部床義歯による維持が必要となる．軟口蓋部は鼻咽腔部を連結する部分で，

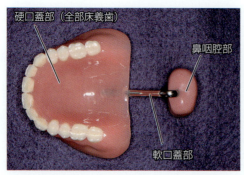

図21-1　スピーチエイドの構造
硬口蓋部，軟口蓋部および鼻咽腔部で構成されている．

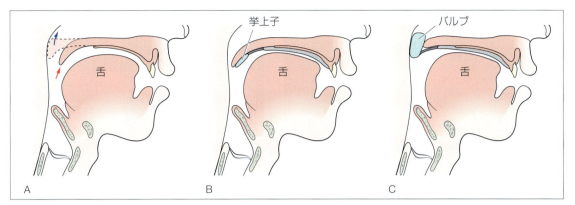

図 21-2 軟口蓋の動きと鼻咽腔閉鎖不全時に用いる補綴装置
A：健常では発語および摂食嚥下時には，咽頭側壁および後壁を閉鎖し（青矢印），発音時の息漏れや食物の流入を防いでいる（---）．しかし，機能障害が生じると，軟口蓋は十分に挙上されない（赤矢印）．
B：軟口蓋挙上装置装着時．口蓋床や有床義歯の後方に挙上子を連結し，軟口蓋の挙上や感覚・運動の賦活化を行う．
C：バルブ付き軟口蓋挙上装置装着時．鼻咽腔に実質欠損によるスペースが生じ，閉鎖が不十分となる場合には，塞栓子（バルブ）を鼻咽腔部に挿入し，開存部を補塡する．

安静時の軟口蓋の形態に合わせる．鼻咽腔部は軟口蓋，左右の咽頭側壁および咽頭後壁を封鎖し，鼻咽腔を閉鎖させるための重要な役割を担う部分である．

2 鼻咽腔の障害への対応

軟口蓋，左右の咽頭側壁および咽頭後壁により構成される鼻咽腔部に，軟組織欠損あるいは機能障害が生じ，鼻咽腔閉鎖機能不全が認められた際に装着される．この際，口腔内が無歯顎状態であれば，全部床義歯に軟口蓋を栓塞する部分や挙上する部分を結合し用いる．ただし，スピーチエイドの項で説明したように，口腔内に装着される全部床義歯に十分な維持力が必要となる．そのため，十分な維持が得られない場合にはインプラントなどの活用により，義歯の維持力の向上が必要となる．

3 軟口蓋の障害への対応

脳梗塞などの脳血管疾患による軟口蓋の運動障害や，口蓋裂への外科手術あるいは先天性鼻咽腔閉鎖不全による，構音障害患者に対し用いられる口腔内装置が軟口蓋挙上装置 palatal lift prosthesis（PLP）である．ヒトは発語時，軟口蓋を挙上し，口と鼻を分離することにより呼気の鼻腔への流入を防いでいる（図 21-2 A）．しかし，この働きが障害されると，口腔内圧を高めることができずにことばが不明瞭となり，開鼻声を生じる．加えて，食物が鼻へ流入したり飲み込みにくいなど，摂食嚥下障害も同時に惹起する．この際，上顎全部床義歯や部分床義歯に，欠損歯がない場合には口蓋床に，機能不全を起こした軟口蓋をもちあげるための挙上子を連結した補綴装置が軟口蓋挙上装置である（図 21-2 B，3）．一般的に，この挙上子は口蓋床や義歯床にワイヤーやレジンにより取りつけられるため，咽頭収縮を妨

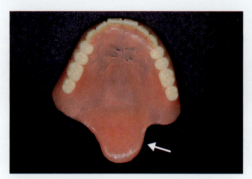 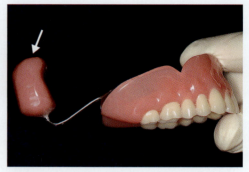

図 21-3 全部床義歯を用いた軟口蓋挙上装置
上顎全部床義歯後縁の口蓋床を軟口蓋の形態に合わせ延長（矢印の部分）し，軟口蓋を挙上する．

図 21-4 バルブ付き軟口蓋挙上装置（Bulb-PLP）
全部床義歯を応用したバルブ付き軟口蓋挙上装置．義歯の後端から，軟口蓋の形態に合わせたバーを用いて，栓塞子（矢印）を軟口蓋挙上装置の後端に結合した．

げたり絞扼反射を惹起することがある．そのため，このような症例には，挙上子にシリコーンや弾性ワイヤーを応用したモバイル型軟口蓋挙上装置が用いられる．

　また，軟口蓋の実質欠損が大きい症例には，通常，移植手術などが行われるが，移植組織では正常な軟口蓋のように機能させることは困難となるのに加え，実質欠損が大きいと，機能時の鼻咽腔の開存部を十分に閉鎖することができない．このような症例においては，軟口蓋挙上装置の後端に栓塞子を連結し，この機能を補う補綴装置を製作することがある．これが，バルブ付き軟口蓋挙上装置（Bulb-PLP）である（**図 21-2 C，4**）．

　ただし，無歯顎患者に軟口蓋挙上装置を用いる場合は，口腔内に装着される全部床義歯に十分な維持力が必要となる．

4 舌の障害への対応

　舌は，口腔内において食べる，話す，味わうなどすべての機能活動において重要な役割を担っている．ところが，舌に生じた悪性腫瘍への外科的処置や脳血管疾患などの後遺症による運動障害，さらに神経疾患による運動麻痺や筋の萎縮により，舌と口蓋の接触が不良となると構音機能や摂食嚥下機能に障害を生じる．このような患者の機能障害の改善を目的に，口腔内に装着される補綴装置が舌接触補助床 palatal augmentation prosthesis（PAP）である．口腔内に欠損歯のない患者には口蓋床を，欠損歯を有する場合は部分床義歯，あるいは全部床義歯などの補綴装置を用い，舌の機能運動時に口蓋に生じる空隙を，口蓋床や上顎義歯口蓋部に厚みを付与することにより接触関係の改善を行う（**図 21-5，6**）．この際の注意点として，欠損した舌の大きさや舌の可動域に加え，構音時における舌の接触状態を種々の検査方法（パラトグラムや舌圧測定など）で確認し，形態を変化させる必要がある．さらに，装着後の構音障害への治療効果については，発語明瞭度および会話明瞭度検査などにより改善を確認する必要がある．

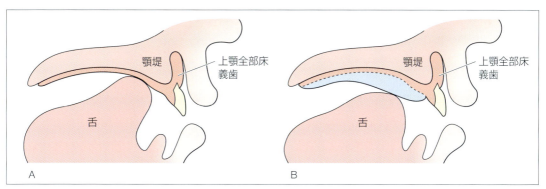

図21-5 ［ラ］発音時の全部床義歯口蓋部への舌の接触
A：正常時．B：舌接触補助床装着時．
舌に実質欠損あるいは運動障害が生じた際には，口蓋部レジンの厚さを確保する（青部分）ことにより，構音機能や摂食嚥下機能の改善をはかる．

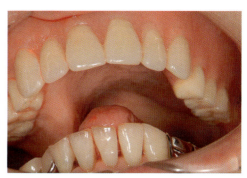

図21-6 口腔内に装着された舌接触補助床（大山哲生先生のご厚意による）
舌癌にて半側舌切除により，舌に運動障害が生じた患者に用いた舌接触補助床．上顎全部床義歯の右側口蓋部義歯床を舌の動きに応じて厚くし，機能改善を行っている．

　舌接触補助床による舌と口蓋の関連性の改善は，摂食嚥下の5期（先行期，準備期，口腔期，咽頭期，および食道期）では，口腔期における食塊形成能向上をもたらすと同時に，舌の口蓋への接触圧（舌圧）向上が期待される．この接触圧の向上は，舌根の咽頭方向への運動機能改善を促し，患者によっては咽頭期における咽頭通過時間短縮などによる嚥下機能改善への働きが期待されている．

　このように舌接触補助床は，舌の組織欠損や運動障害による摂食嚥下・構音障害の機能改善に有効であるが，十分な治療効果の獲得および維持には，装着後において言語療法士など多職種との連携によるリハビリテーションが必要である．さらに，定期的なリコールにより，舌機能の回復などの変化に応じた舌接触補助床の形態修正も重要となる．

（飯沼利光）

第22章 顎義歯による治療

1 顎義歯を適用した顎補綴治療の臨床的意義

　顎顔面補綴 maxillofacial prosthetics は，顎骨・口腔軟組織の欠損と顔表面を含む実質欠損に対して，それぞれ形態的・機能的・審美的に回復・改善をはかる顎補綴（口腔内装置として適用される場合は顎補綴装置）と，顔面補綴（口腔外補綴装置として適用される場合は顔面補綴装置：顔面エピテーゼ）に大別される（**図22-1**）．なかでも顎補綴は，口腔腫瘍の手術後や，外傷，炎症，口蓋裂に代表される先天性の形成不全などが原因で生じた顎骨とその周囲組織の欠損部に対して，非観血的に，あるいは再建やインプラント手術との併用により補綴装置で補塡・修復し，顎口腔の損なわれた形態と機能の回復・改善をはかることをいう．特に顎欠損を伴う無歯顎の疾患において，義歯床粘膜面部に栓塞部を設置した顎義歯が適用される場合には，人工歯排列による審美性や咬合・歯列の回復，欠損した顎骨または口腔軟組織への補塡・閉塞により形態的・機能的な回復・改善がはかられる（**表22-1**）．

　顎口腔領域の疾患に伴い生じた欠損に対する治療では，歯科医師，歯科衛生士，歯科技工士，医師，看護師，言語聴覚士，管理栄養士，臨床心理士など，多職種との連携（リエゾン）や迅速な医療情報交換が必然的に関与することから，医療チームによるアプローチは不

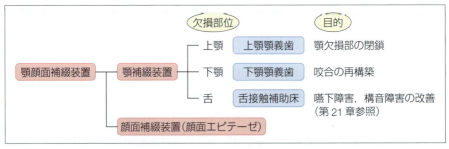

図22-1　顎顔面補綴装置の種類と目的

表22-1　顎義歯による治療の特徴と目的

特徴	目的
①顎欠損状態が多様であり，かつ複雑な状態である ②顎義歯の維持・支持・安定が得られにくい ③手術後の早期の機能回復が必要である ④患者とその家族に対する心理的側面に配慮した対応が必須である	顎口腔領域に生じた欠損を対象として， ①咬合・摂食嚥下・構音などの機能回復・改善 ②残存組織の保護，審美性（外観）の回復・改善 ③精神的・心理的苦痛に対する緩和・回復

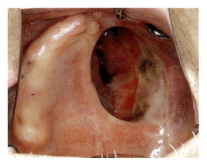
図22-2 左側上顎骨部分切除に伴う上顎部分欠損症例（顎欠損症例の一例）

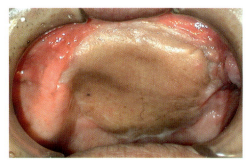
図22-3 口蓋部分切除に伴う皮弁による再建症例（腹直筋皮弁再建症例の一例）

可欠である．腫瘍切除後は，口腔機能障害が生じることから，患者への心理面に対する支援は重要である．さらに，全身の健康状態の延伸に寄与すべく，術後の低栄養を防ぐための食生活に関する支援・指導も必要となる．患者の家族においては，チームの一員として多職種との連携をはかりながら，患者の社会生活への復帰に向けた生活環境や食事形態，心理的側面に対して支援し続けることが大切である．

2 顎補綴患者の病態と補綴的対応

1）上顎の顎欠損症例と上顎顎義歯

(1) 上顎の顎欠損の病態

上顎腫瘍の切除により，歯槽骨，硬・軟口蓋に欠損が生じると，口腔と鼻腔・副鼻腔は交通し（**図 22-2**），飲食物の鼻腔・副鼻腔への侵入（漏洩），鼻汁の口腔への侵入，会話時の呼気が鼻腔へ漏れ出すことによる開鼻声，口腔内乾燥などが生じる．一方，口腔と鼻腔・副鼻腔との交通を遮断することを目的として，顎欠損部を移植皮弁にて再建を行うことがある（**図 22-3**）．

手術侵襲により口唇や口腔周囲筋の知覚・運動麻痺が生じたり，腫瘍切除部位が顎関節や筋突起に及ぶ場合には，開口制限や術後瘢痕収縮による口唇閉鎖不全を生じることがある．上顎腫瘍切除後には，摂食嚥下・構音機能，顔表面部の陥凹による審美性に影響を与え，頭頸部・口腔領域に対して形態・機能・審美的障害をきたすことになる（**図 22-4 A**）．

(2) 上顎顎義歯の製作

顎欠損部が鼻腔・副鼻腔に開孔していない場合には，基本的には全部床義歯製作の通法に準じて行われる．

顎欠損による開孔部が存在する場合，手術直後あるいは手術後早期に顎補綴装置を装着することによって，摂食嚥下・構音・審美障害の改善，創傷部の保護，患者の心理的負担の軽減などの効果が期待できる．このように開孔部の閉鎖を目的として製作される顎補綴装置を栓塞子*obturator prosthesis（オブチュレータ）という（**図 22-4 D，E**）．一般に，手術後

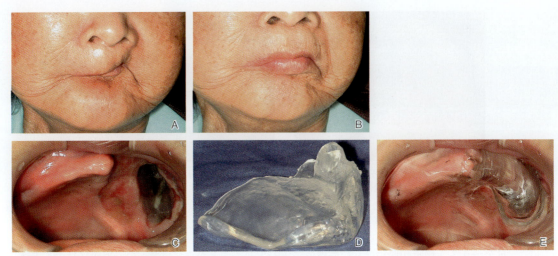

図22-4 左側上顎骨部分切除に伴う上顎部分欠損症例（栓塞子の一例）
A：左側上顎欠損により，審美障害が生じている．B：塞栓子装着後．左側顔面の陥凹部が回復している．
C：左側上顎の顎欠損．D：顎欠損による開孔部の閉鎖を目的とした栓塞子．E：顎欠損部への栓塞子装着．

　早期に開孔部を含む上顎領域の印象採得を行い，作業用模型上で製作した栓塞子を装着する．
　一方，手術直後に装着される栓塞子を特に即時栓塞子 immediate surgical obturator（ISO）という．ISOの製作・装着に際しては，手術前に手術担当医（口腔外科医あるいは頭頸部外科・耳鼻咽喉科医）と補綴担当医，歯科技工士が連携をとり，周術期の補綴歯科治療計画を立案する必要がある．すなわち，作業用模型上であらかじめ切除範囲を想定して栓塞子を製作しておき，手術直後に装着する（**図22-5**）．
　栓塞子は，顎欠損により生じた開孔部に対する閉鎖床としての目的であるため，通常，人工歯は排列しない．しかし，審美的な配慮が必要である場合には，咬合圧負担に影響しない前歯部領域において人工歯排列を行うこともある．
　栓塞子装着後，手術部位が上皮化され，顎欠損部の形態変化が安定した後に最終補綴装置である顎義歯を製作・装着する（**図22-6**）．上顎顎義歯の欠損腔に相当する部位の義歯床粘膜面部に連結設置される栓塞部＊は，維持領域となる欠損腔周囲のアンダーカットを積極的に用いる．開孔部の大きさにもよるが，栓塞部設計では欠損腔のアンダーカット（**図22-7**）と残存する健側の顎堤を積極的に維持領域として求めることが重要である．顎義歯に連結設置される栓塞部の形態は症例により異なる（**図22-8**）．
　一方，欠損腔の状態により，顎補綴装置自体が大きく，一塊として口腔内に挿入できない場合や，手術後に開口制限をきたすことがある．このような場合には，分割した個人トレー

＊栓塞子と栓塞部：栓塞子とは人工歯が排列されていない上下顎の穿孔部あるいは欠損腔を栓塞する顎補綴装置を指し，栓塞部とは人工歯が排列された，いわゆる顎義歯に連結設置された場合を指す．

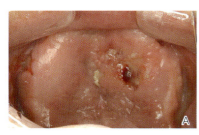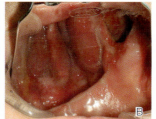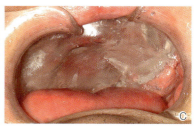

図 22-5 上顎腫瘍に対する上顎骨全部切除に伴う上顎全部欠損症例（即時栓塞子の一例）
A：初診時の上顎腫瘍．
B：上顎腫瘍切除後の上顎欠損．
C：顎欠損部への即時栓塞子装着．
D，E：手術前に製作し，手術直後に装着される即時栓塞子（D：研磨面，E：粘膜面）．

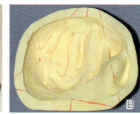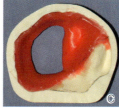
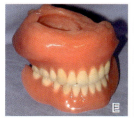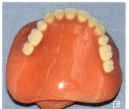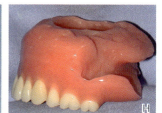
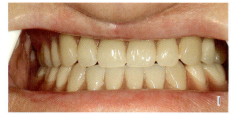

図 22-6 上顎全部欠損症例に対する顎義歯の製作（上顎顎義歯製作の一例）
A：印象採得．B：作業用模型．C：顎欠損部を閉塞するための栓塞部製作過程．D：流ろう後の作業用模型．顎欠損部には栓塞部内面の形態が形成された石膏部分が残っている．この後に，通法に従って床用レジンの塡入・加熱重合・顎義歯完成となる．
E：完成した上顎顎義歯と下顎全部床義歯．F：上顎顎義歯研磨面．G：上顎顎義歯栓塞部（天蓋開放型栓塞部）．
H：上顎顎義歯側面．栓塞部は残存する軟口蓋前縁から鼻咽腔側面に向かって延長させることで，顎欠損部のアンダーカットを利用した維持に有効である．
I：口腔内に装着した上顎顎義歯と下顎全部床義歯．

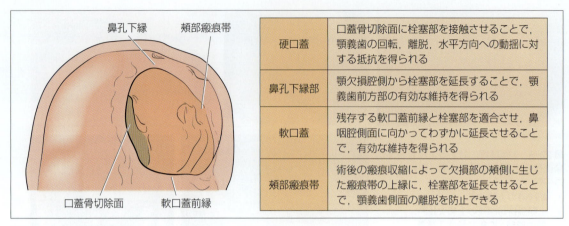

図 22-7　上顎顎義歯の維持に関与する部位

硬口蓋	口蓋骨切除面に栓塞部を接触させることで，顎義歯の回転，離脱，水平方向への動揺に対する抵抗を得られる
鼻孔下縁部	顎欠損腔側から栓塞部を延長することで，顎義歯前方部の有効な維持を得られる
軟口蓋	残存する軟口蓋前縁と栓塞部を適合させ，鼻咽腔側面に向かってわずかに延長させることで，有効な維持を得られる
頰部瘢痕帯	術後の瘢痕収縮によって欠損部の頰側に生じた瘢痕帯の上縁に，栓塞部を延長させることで，顎義歯側面の離脱を防止できる

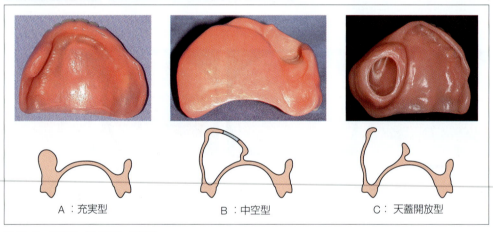

図 22-8　栓塞部（栓塞子）の形態
A：比較的小さな欠損腔に適用される．床用レジンでそのまま成形した形態となる．
B：栓塞部を中空状にして軽量化した形態となる．
C：中空型栓塞部の天蓋部分を開放した形態となる．中空型とは異なり，栓塞部内部の清掃性が容易である．
これらの栓塞部は，欠損腔の開孔部周囲の組織の状態により，補助的維持として栓塞部周囲に軟質リライン材を用いて欠損腔のアンダーカットを積極的に利用する場合がある．

を用いて印象採得を行い，分割構造とした分割義歯を製作・装着することで，患者自身による着脱を容易にすることが可能となる（図 22-9）．顎義歯は，顎欠損側にも人工歯を排列するが，支持組織が欠損しており咬合力の支持能力が劣るため，審美性を考慮した頰部や口唇部豊隆と構音機能の回復・改善，固有口腔の形態を再構築することに主眼を置いた人工歯排列となる．これらのことから，習慣性咀嚼側は健側とし，顎欠損側での咀嚼は困難であることを手術前の補綴的診察・検査時に患者に説明・指導することが大切である．

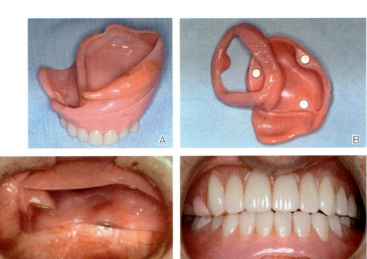

図 22-9 開口制限を伴う上顎半側欠損症例（顎義歯を分割義歯とした一例）
A：分割義歯とした天蓋開放型栓塞部の顎義歯．
B：栓塞部と義歯部（両者は磁性アタッチメントで連結する分割構造）．
C：顎義歯を顎欠損部へ装着する際には，はじめに栓塞部を装着する．
D：Cで装着された栓塞部に義歯部を適合させることで，磁性アタッチメントの吸引により口腔内で両者が連結され，顎義歯として機能する．

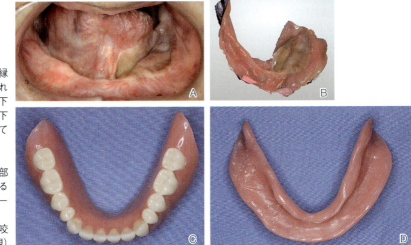

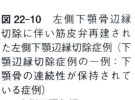

図 22-10 左側下顎骨辺縁切除に伴い筋皮弁再建された左側下顎辺縁切除症例（下顎辺縁切除症例の一例：下顎骨の連続性が保持されている症例）
A：左側下顎欠損．
B：左側下顎欠損部の口底部領域における筋皮弁による再建状態（口腔内スキャナーにて撮影）．
C, D：下顎顎義歯（C：咬合面観，D：義歯床粘膜面観）．

2）下顎の顎欠損症例と下顎顎義歯

　下顎領域は，下顎管，舌骨上筋群・下筋群，舌筋群の走行，唾液腺など，摂食嚥下・構音機能をつかさどる器官が多く関係する．腫瘍切除により，顎堤粘膜部，顎骨，舌と口底部の組織，中咽頭などが影響を受ける．したがって，顎欠損範囲，口腔粘膜と移植皮弁との縫着による可動域制限や被圧縮性，舌可動領域の制限による巧緻性の低下，下唇内翻による口唇閉鎖不全，口腔周囲組織の知覚・運動麻痺などが生じる．

　図 22-10 A の下顎骨の辺縁切除症例のように，部分的に顎欠損が認められ，下顎骨の左右の連続性が保持されている場合には，デンチャースペースの喪失，舌運動範囲の制限など，

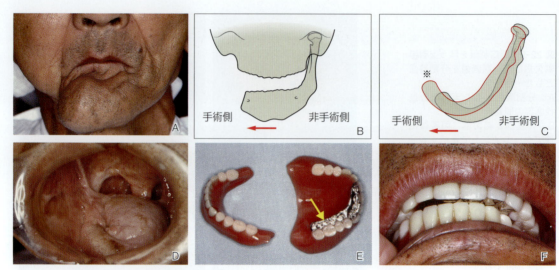

図 22-11 下顎骨切除に伴い下顎骨の連続性が失われた下顎半側切除症例（オクルーザルランプの一例）
A：手術側である右側への下顎骨偏位が認められる．
B，C：B 前頭面，C は水平面からみたところ．残存下顎骨（セグメント）が手術側へ偏位する（矢印）．
D：右側の舌根部と口底部が頰部と縫着して移行している．
E：上顎義歯と下顎顎義歯．残存下顎骨が手術側へ偏位した状態の顎位で下顎顎義歯人工歯が排列される．その排列に対応する上顎義歯人工歯排列部位の口蓋側にオクルーザルランプ（矢印）が付与される．
F：上下顎義歯の人工歯が咬頭嵌合位にて咬合接触する際には，下顎臼歯部人工歯は上顎に設置されたオクルーザルランプと接触する．

補綴歯科治療上の問題点は存在するが，基本的な顎義歯製作の治療術式は全部床義歯に準じる（**図 22-10**）．

一方，下顎骨の区域切除あるいは半側切除による下顎骨の連続離断手術を受けた非再建症例では，下顎骨は左右の連続性が失われることから，残存した下顎骨（残存セグメント）は，術後の瘢痕収縮や筋の影響により手術側（患側）に水平偏位する．手術側への回転偏位により，顔貌も大きく影響する（**図 22-11 A～C**）．このように手術後に下顎偏位が生じて対合歯列との適切な顎間関係が維持できない場合には，偏位した位置で下顎位を決定することになる．そこで，力学的に不安定である下顎顎義歯の人工歯排列の位置を優先し，咬合時に下顎顎義歯の人工歯を咬頭嵌合位に導いて下顎位を保持するために，上顎義歯の歯列の口蓋側に，咬合面の機能を担うテーブル様のオクルーザルランプ（下顎歯列の圧痕が付与された面）を設置する．オクルーザルランプの付与は，下顎位の手術側への偏位防止の役割も果たすことから，咬合支持の回復にも役立つ（**図 22-11 D～F**）．

下顎顎義歯では，疾患により様相は異なるが，患側となる手術部位における顎骨切除・移植皮弁・縫着により，下顎顎義歯の維持・支持・安定をはかることは困難である．そのため，デンチャースペースの確認や，舌運動の可動範囲に合わせた床縁・義歯床研磨面形態を設計することが重要である．さらに，顎欠損側に人工歯排列を行う場合には義歯の安定をはかるために必要な排列であり咀嚼機能は期待できないこと，習慣性咀嚼側は健側であることを補綴的診察・検査時に患者に説明・指導することが大切である． （武部　純）

第23章 インプラント義歯による治療

　インプラント implant とは，生体内に埋め込まれる人工物（生体材料 biomaterial）を意味する．歯科領域では，歯（歯根）の代用物として口腔内に埋め込まれる人工歯根を口腔インプラント oral implant あるいは歯科インプラント dental implant という．狭義には，生体に埋め込まれている部分をさしてインプラントまたはインプラント体 implant body という．一方，広義には人工歯根を用いる治療全体をさしてインプラントとよぶこともある．

　現在，歯の欠損に対して最も多く用いられているのは，チタン製の骨内インプラント（骨結合型インプラント osseointegrated implant）で，チタンが骨組織と結合する性質を利用している．インプラント体はアバットメント abutment（支台）を介して，補綴装置（インプラント義歯 implant prosthesis，上部構造 superstructure）を顎骨に固定するために用いられている．本章におけるインプラントは，上述した骨結合型の口腔インプラントを指し，図 23-1 に示す名称に沿って解説する．インプラント義歯とは，インプラントによって支持される補綴装置を意味し，固定性のものと可撤性のものがあり，患者の口腔内や全身状態，さらには患者自身の希望も含めた診察・検査・診断のうえ，適切なものが選択される．

　現在，最も普及しているインプラントは，スウェーデンの医師，解剖学教授であったBrånemark によって考案され，1965 年に無歯顎患者を対象に臨床応用が開始されたものが原型である．その後の臨床研究の成果により，部分歯列欠損にも適用され，現在は単独歯欠損から無歯顎まで，すべての欠損形態に適用可能な治療法として確立されている．

1 無歯顎におけるインプラント治療の利点と欠点

　インプラントは，クラウンブリッジ，部分床義歯，全部床義歯と同様，歯の欠損を原因とする咀嚼困難や審美不良に対して，有効な治療法になっている．特に無歯顎患者の場合には，

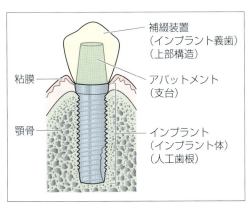

図 23-1　インプラントの構成要素

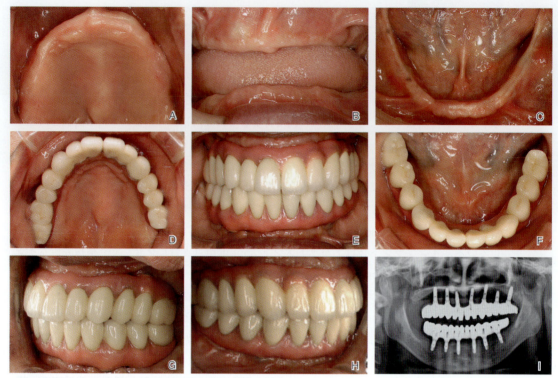

図 23-2 「義歯を使いたくない」と訴えて来院した患者に対して，固定性のインプラント上部構造を適用した例
A～C：術前．上顎咬合面観（A），正面観（B），下顎咬合面観（C）．
D～I：術後．上顎咬合面観（D），正面観（E），下顎咬合面観（F），左側方面観（G），右側方面観（H），パノラマエックス線画像（I）．

　全部床義歯による補綴治療では十分な機能回復が困難な症例であっても，インプラントの適用によって満足すべき機能回復が可能となることは少なくない．骨量が十分にある症例においては，数本のインプラントを支台として，全顎の固定性補綴装置（ボーンアンカードブリッジ）による機能回復も可能である（**図 23-2**）．

　これまで，天然歯列での欠損補綴治療の流れは，欠損歯数が増えるにつれて，ブリッジから部分床義歯へ，そして全部床義歯へと移行し，全部床義歯が終末治療的な位置にあった．しかし，インプラントを適用すれば，無歯顎になっても，全部床義歯装着後に，あるいは全部床義歯を装着せずに，固定性補綴装置（インプラント支台のブリッジ）を装着することも可能となった．また，インプラントの長期安定性は，クラウンなどの治療を行った歯を上回るという報告もある．上記のように，インプラントの治療システム自体が信頼できるものになり，歯を喪失した患者の QOL の回復と維持に大きく貢献していることを踏まえ，以下にインプラント治療の利点と欠点を整理する．

1）利点
① 無歯顎であっても，固定性補綴装置の適用が可能である．
② 骨に結合したインプラントによって，補綴装置の維持・支持・把持が大きく改善される

ため，補綴装置の動揺がほぼ完全に抑制される．その結果，患者は天然歯列のときとほぼ同様の咬合力，咀嚼機能を発揮できるようになる．
③ メタルクラスプが不要のため，審美的な機能回復が可能である．
④ インプラント自体の10年の残存率に関しては，95％以上という報告も少なくなく，他の治療法と比較しても，予知性の高い治療法であることが認められている．
⑤ 治療後の患者満足度が高い．

2) 欠点
① インプラントの埋入に外科手術が必要なため，その侵襲による術後疼痛や腫脹など，ある程度の肉体的負担と精神的苦痛は避けられない．
② 全身状態に著しい問題がある場合には，手術自体が困難となる．
③ 顎堤の著しい吸収のため，義歯の維持・安定が得られない症例が適応症であるが，インプラントが埋入可能な骨量が維持されていることが必要である．骨量が不十分な場合は，骨移植手術などの追加手術が必要になることもある．
④ インプラントが骨と結合するまでに，数か月を要するため，治療期間が長くなる．
⑤ 固定性インプラント支持補綴装置の場合，軟組織の欠損は回復できない．一方，可撤性補綴装置のインプラントオーバーデンチャーならば軟組織欠損も回復可能であるが，可撤性義歯に不満をもつ患者の主訴に応えられるかが問題となる．
⑥ 周囲組織に波及する問題が生じた場合には，上顎洞炎，オトガイ神経麻痺など重篤な問題を伴うことがある．
⑦ 多くの症例では健康保険での診療が認められていないので治療費が高額となる．

2 インプラント材料に対する生体反応

顎骨内に埋入されるインプラント体の材料組成は，純チタンあるいはチタン合金であることが多い．一部には，チタンの表面にハイドロキシアパタイトをコーティングしているものもある．チタンは，非常に生体親和性の高い材料で，その表面性状の特徴からアレルギー反応を起こしにくい性質をもつ．また，チタンが骨と結合するという性質が発見されて以来，オッセオインテグレーションの概念が提唱され，現在の日常臨床に用いられているタイプの歯科インプラントが開発され，臨床応用されている．

3 インプラント治療の基本術式

1) 従来法
インプラント治療は，通法に従えば，以下のような手順で行われる．
① 医療面接と診察（主訴，既往歴，現病歴などの把握）
② 検査（診断用ワックスアップ，診断用テンプレートを装着してのCT検査など）
③ 診断とインフォームドコンセントの確立
④ インプラント埋入手術

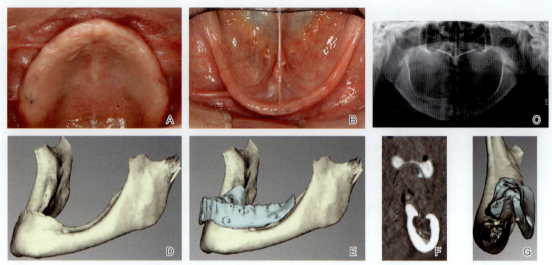

図 23-3 インプラントによる無歯顎補綴の検査と診断
A〜C：術前．上顎咬合面観（A），下顎咬合面観（B），パノラマエックス線画像（C）．
D，E：CTデータから構築した三次元立体画像．下顎骨（D），下顎骨と全部床義歯（E）．
F：オトガイ孔相当部のCT画像．G：FのCTデータから構築した三次元立体画像．義歯辺縁がオトガイ孔を圧迫していることがわかる．

⑤　二次手術（1回法の場合は行わない）
⑥　暫間補綴装置 provisional restoration の装着
⑦　最終補綴装置の装着
⑧　評価とメインテナンス

　残存歯列で咬合支持のない部分欠損症例や無歯顎症例では，使用中の義歯を複製，または新義歯を製作する．これらに造影材を貼付した後，診断用テンプレートとして用いて，CTによる撮像を行う．この画像を用いてインプラントの埋入位置，本数，角度などの確定診断を行う．このような術式を補綴主導型インプラント治療という（**図 23-3**）．

2）即時荷重（即時修復）

　インプラント埋入直後あるいは24時間以内に補綴装置を装着する術式のことをいう．無歯顎患者においては，通法では，埋入手術後少なくとも創部が治癒するまでの2週間程度は義歯の装着が困難となるが，この方法では未装着期間の問題を解決できる．本方法は，十分な骨量のある症例に限定し，適切な診断と設計が必要であるが，無歯顎補綴の特徴を考慮すれば適応可能な方法である．

4 固定性上部構造

　インプラントの固定性上部構造の固定方法は多様であるが，大別するとスクリュー固定式とセメント固定式の2種類がある（**図 23-4**）．それぞれの長所と短所を**表 23-1**に示す．

1）スクリュー固定式

　アバットメントをインプラント体にアバットメントスクリューを用いて固定し，上部構造

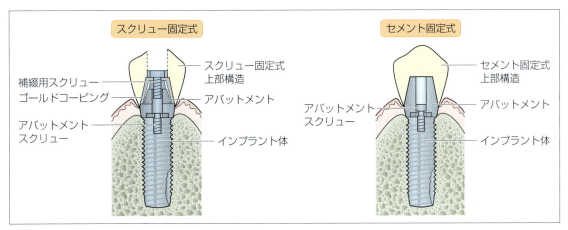

図 23-4　スクリュー固定式とセメント固定式

表 23-1　上部構造の固定様式の違いによる特徴（利点と欠点）

	スクリュー固定	セメント固定
可撤性	容易	困難（仮着であれば容易）
咬合接触	アクセスホールの位置によっては理想的な咬合接触状態の付与ができない	理想的な咬合接触状態の付与が可能
審美性	アクセスホールが審美性を損なうことがある	審美性に優れる
修理	容易	困難（仮着であれば容易）
技工操作	煩雑で精度の高い技術が必要	技工操作は天然歯とほぼ同様で術式が単純
その他	アクセスホールの位置によっては，強度や審美性が低下する	歯肉縁下にセメントの残留する可能性がある

（ブリッジまたはクラウン）をそのアバットメントにスクリューで固定する方法である．中間構造 mesostructure であるアバットメントを介して支台装置の平行性を確保し，上部構造をスクリューを用いて装着する．また，インプラント体に直接上部構造をスクリューで固定する方法もあり，主に暫間補綴装置で用いられる．

　この術式においてセメントは使用しない．無歯顎の場合，前歯部と臼歯部を一塊とした上部構造（フルブリッジ）を設計する場合と，3～4個のセグメントに分割して設計する場合がある．近年，前歯部と臼歯部を分割して上部構造を設計する頻度が高くなってきている．

2）セメント固定式

　アバットメントをインプラント体にアバットメントスクリューで固定し，上部構造（ブリッジまたはクラウン）をセメントで固定する方法である．単独歯欠損や部分欠損歯列では頻繁に用いられるが，無歯顎の場合，補綴装置の撤去が容易ではなく，修理などへの対応が困難となる場合があるため，適用頻度は必ずしも高くない．

（近藤尚知）

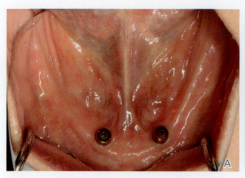 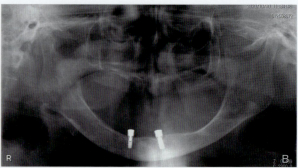

図23-5 下顎に2本のインプラントを植立して支台としたインプラントオーバーデンチャーの症例
A：口腔内写真．B：パノラマエックス線画像．

5 可撤性上部構造（インプラントオーバーデンチャー）

　無歯顎患者に対する可撤性のインプラント補綴装置には，インプラントを支台とした可撤性ブリッジとインプラントオーバーデンチャーがある．可撤性ブリッジは支台となるインプラントにすべての支持，把持，維持を求めるのに対して，インプラントオーバーデンチャーでは義歯床による粘膜負担も期待している点で大きく異なっている．

　インプラントオーバーデンチャーは古くから臨床応用されているが，2002年のMcGillコンセンサスミーティングで「インプラントオーバーデンチャーは下顎無歯顎患者に対する標準的治療である」と提言されて以降，これまで以上に注目されるようになっている（**図23-5**）．

1）インプラントオーバーデンチャーの利点と欠点

（1）利点

① 固定性インプラント補綴装置と比較して少数のインプラントで対応できるため，外科的な侵襲が少なく，また経済的である．
② 義歯の動きを少なくし，咀嚼しやすくなる．
③ 審美的ならびに機能的に優れた位置に人工歯を排列できる．
④ 顎堤の吸収を抑制できる．
⑤ 可撤性であり，インプラント周囲の清掃が容易である．
⑥ 修理や改変が容易であり，長期的な変化に対応しやすい．

　特に①，⑤，⑥の要素から，高齢患者に対するインプラント治療の選択肢になる．また過去に固定性インプラント補綴装置を装着している場合でも，全身状態の変化に合わせて可撤性に改変することもできる．

（2）欠点

① 可撤性義歯床による異物感がある．また可撤性の有床義歯であるという心理的な難点がある．
② 粘膜負担を担う顎堤は経時的に吸収することから，定期的なリラインが必要である．
③ インプラント支台と義歯を連結する部分の調整や交換が必要である．

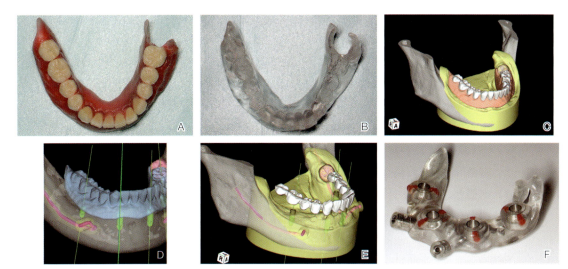

図 23-6 インプラントオーバーデンチャーの治療手順
A：製作されたろう義歯.
B：ろう義歯をもとにした複製義歯を診断用テンプレートに利用する.
C：現在では，CADソフトを利用した義歯のデザインも可能である.
D：診断シミュレーションの実際．義歯外形を考慮し，埋入部位，方向，サイズを決定する.
E：シミュレーションソフトによって，アタッチメントも含めて設計することも可能である.
F：診断シミュレーションを元に製作されたサージカルガイド.

④ インプラントを支点として，人工歯や義歯床の破折が生じやすい.
　治療の選択肢として提案する際には，これらについて説明する必要がある.

2）インプラントオーバーデンチャーの適応症

　インプラントオーバーデンチャーの適応は，全身状態ならびに局所状態の診察・検査に基づいて考慮すべきである．インプラントオーバーデンチャーを適応する患者は高齢であることが多く，外科処置のリスクとなりうる全身疾患の評価は非常に重要である．その他，喫煙などインプラント治療の予後に影響を与えるリスク因子についても慎重に把握し，適応の可否を判断する．局所状態についてはインプラントの埋入を予定する部位に十分な骨量が存在すること，顎関節など口腔諸組織に異常がないこと，義歯製作ならびに使用に影響を及ぼす口腔機能異常がないことを確認する．また口腔清掃状態が良好に維持されていることも重要である．

3）インプラントオーバーデンチャーの治療手順（図 23-6）

　インプラントが義歯を効果的に支持するためには，義歯床内部に適切に収まる位置（深さ，方向）を事前に決定することが重要となる．そのため最終的な義歯形態を把握する必要がある．したがって，まずは通法に従い，義歯の製作をする．以下，一般的な治療手順を示す．
① ろう義歯あるいは完成義歯の複製義歯を製作し，診断用テンプレートとして用いてCT撮影を行う．

② CTデータを元に，インプラントの埋入部位，方向，インプラントの大きさを決定する．
③ インプラント埋入手術を行い，オッセオインテグレーションの獲得を待つ．
④ 実際に設置されたインプラントの位置から，義歯構成要素（人工歯，補強構造，義歯床）ならびに支台装置（アタッチメント）のスペースを確認し，義歯を設計する．
⑤ 最終義歯を製作する．
⑥ 支台装置に対応した維持パーツを取りつける．なお取りつけ時期は義歯床の粘膜の沈下（セトリング）が終了してからが望ましい．
⑦ 義歯の調整ならびに経過を観察する．

4）必要となるインプラントの数とその配置
（1）上顎
　支台となるインプラントは4本以上が望ましく，またそれぞれのインプラント同士は，連結すると生存率が高いとの報告がある．これは下顎骨とは異なり，上顎骨が脆弱かつ複数の骨から形成され，機能時に骨体がたわむためとされている．そのため小臼歯から大臼歯にかけて左右に2本以上のインプラントを配置する，あるいは小臼歯間に4本埋入しそれぞれを連結する．一方で，近年，連結しない場合においても生存率が高いことが示されているが，連結する場合同様，複数のインプラントを広く配置させることが望ましい．

（2）下顎
　両側の小臼歯部から側切歯部間に合計2本を配置することが基本となる．なお，上顎と異なり，正中部に1本のみ配置し義歯を維持する設計も可能である．一方で，臼歯部にも配置できる場合には多角形を構成できるため，さらに支持，安定が得やすくなる．

5）アタッチメントの選択基準
　アタッチメントは次のような基準で選択する．

（1）大きさ（高さ，幅）
　インプラント体に連結するアタッチメントは，義歯の構成要素（人工歯，義歯床，補強構造）に影響を与えない高さと幅のものを選択する必要がある．

（2）インプラントの位置，数，傾斜
　顎堤弓内に複数本のインプラントが広く配置されると義歯は安定する．一方，複数本であっても直線的な配置である場合では，義歯床の回転が生じる可能性がある．なお，インプラント体は咬合平面に対して可能な限り垂直に埋入することが望ましいが，インプラント体が傾斜している場合は互いを連結する，あるいは着脱方法を同一にするようアバットメントを設定する必要がある．

（3）動きの許容性（義歯の回転，沈下，側方への移動）
　前述したインプラントの位置と数により，義歯の動きは異なる．したがって，インプラント体への側方力を軽減するために，義歯の動きを予測し，その動きを許容するアタッチメントを選択する．

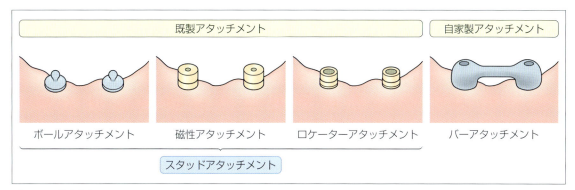

図 23-7　代表的なアタッチメント

（4）維持特性

パトリックス（メール）のアンダーカット部分に金属あるいは樹脂などの弾性を有したマトリックス（フィメール）が機械的に入り込むアタッチメントでは，長期的には摩耗や劣化を生じることで維持力が低下する傾向にある．一方で磁性アタッチメントでは，キーパーや磁石構造体の損傷や粘膜部の沈下に伴う密着性の低下がない限り，維持力の変化は生じない．

（5）維持パーツの交換の容易さ

アタッチメントによっては定期的に消耗部の交換が必要になるため，その選択には後述するメインテナンス計画を考慮する．

（6）清掃の容易さ

アタッチメントの陥凹部やバーアタッチメントの下部などでは，プラークが付着しやすく不衛生になりやすい．したがって患者自身の清掃能力を考慮する．

6）アタッチメントの種類

インプラントオーバーデンチャーに適応されるアタッチメントは，既製アタッチメントとしてスタッドアタッチメント（ボールアタッチメント，磁性アタッチメント，ロケーターアタッチメント）などが，自家製アタッチメントとして，バーアタッチメントなどがある（**図23-7**）．各種アタッチメントは，さまざまな特徴があり，前述した基準を考慮し選択する．

（1）スタッドアタッチメント

（a）ボールアタッチメント

アタッチメント上端のボール部（パトリックス部）が，金属性あるいは樹脂製のマトリックスと一体化することにより大きな維持力を発揮する．一方で，アタッチメント自体の高径があるため設置に要するスペースが必要である．また複数個用いる際には，互いの平行性が求められる．

（b）磁性アタッチメント

他のアタッチメントと比較し，維持力は大きくないが，アタッチメント（キーパー）と磁石構造体が密着した状態を維持できれば，長期間維持力は低下しにくい．また側方力に対する抵抗力はないため，手指の巧緻性が低下した高齢患者にとっても装着しやすい．

(c) ロケーターアタッチメント

アタッチメントの高径は低く義歯床内に設置しやすい．アタッチメント上部が樹脂製のキャップ（パトリックス部）と一体化することにより大きな維持力を発揮する．

(2) バーアタッチメント

インプラント同士をバー構造にて連結し，同部に樹脂製あるいは金属製の維持部（クリップ形状，スリーブなど）が適合することによって大きな維持力を発揮する．バーの断面形状により，義歯の回転を許容するものと許容しないものがある．なおバーアタッチメントは，その構造から大きなスペースを必要とする．

7) メインテナンスと経過観察

(1) 患者自身によるセルフケア

義歯用ブラシや義歯洗浄剤を用いた義歯の清掃に加え，ワンタフトブラシなどを用いたアタッチメント周囲の清掃が必要である．なお義歯洗浄剤のうち次亜塩素酸系や酸性のものでは，アタッチメントを腐食させるリスクがあることから使用を控える．インプラントオーバーデンチャーを適応する患者は高齢であることが多く，将来，義歯粘膜面やアタッチメント周囲の清掃が十分でなくなることがあるため，可能な限り患者本人のみならず，家族や介護者にも清掃方法を指導する．

(2) 術者が行うプロフェッショナルケア

第17章に記載した義歯の定期検査および評価に準じて行うとともに，インプラント周囲の炎症の有無，エックス線写真によるインプラント周囲骨の評価を定期的に行う．またアタッチメントの摩滅や破損がないかについても確認し，必要に応じて交換する．

(3) 経過観察

インプラント周囲の硬・軟組織は，健康状態が維持されていれば長期にわたり変化を生じにくい．一方，その他の部位では通常の全部床義歯同様，顎堤吸収など経時的に変化する．そのため粘膜面の適合試験を行い，不適合が認められればリラインを行う．また人工歯の咬耗・破折や義歯床の劣化など義歯自体の変化に対しても，全部床義歯に準じて対応する．インプラントオーバーデンチャーの装着により，咬合力の増加など口腔機能が向上することから，通常の全部床義歯よりも義歯の変化のスピードは一般的に速い．

（池邉一典，和田誠大）

6 インプラント治療の有効性とその将来

インプラント義歯は，上部構造が固定性補綴装置または可撤性補綴装置のいずれであっても，インプラント支持によってその動揺を抑えることで，咀嚼機能を大きく改善できる．無歯顎患者に対しては非常に有効な治療方法である．また，長期安定性という観点からも他の治療法よりも優れているとされ，患者の身体的問題と社会的背景が許容するのであれば，無歯顎補綴の第一選択肢として検討すべきものとなりつつある．しかしながら，手術による侵襲と治療期間が長いという点は，いまだに解決しがたい課題である．治療費が高額である点

も，今後さらに高齢化が進むわが国においては問題となる可能性がある．将来展望として，インプラント治療は，低侵襲かつ治療期間の短縮を可能とする治療法の開発によって，患者の QOL の向上によりいっそう貢献できることが予想される．

また一方で，さらなる超高齢化が進むと，これまで問題とならなかった事象も課題となる可能性がある．平均寿命の延伸に伴い，インプラントが機能し続けるべき残存期間はより長期化し，細菌感染によってインプラント周囲炎に罹患するリスクだけでなく，生体材料の経年的な劣化が問題となる可能性も診断時に考慮すべきものとなることが予想される．さらに，過大な咬合力が繰り返し発揮されれば，補綴装置の破損だけでなく，インプラント体の破折のリスクも高まるものと考えられる．現在までのところ，深刻な状態にはなっていないものの，上記の課題を解決するために，今後も新規材料の開発や新しい技術の考案を継続し，インプラント治療をよりよいものとしていく必要がある．

さらに，超高齢社会において問題となっている要介護状態になった場合の口腔のケアについても，インプラントを包括したケアの方法を各方面で教育していく必要がある．現状，介護に関わるスタッフのインプラントに関する知識が不十分であるため，その清掃法が周知されていない現実がある．インプラントの上部構造は滑沢で，天然歯よりもプラークは付着しにくく，歯石の沈着も臼歯部ではまれである．また，なんらかの理由で，不要となった場合にはアバットメントスクリューを緩めて上部構造を撤去し，無歯顎同様の状態にも移行できる．

上記のように，今後は時代のニーズに沿った正しい知識と技術を修得することが肝要である．

（近藤尚知）

第24章 全部床義歯製作のデジタル化

　IT技術の飛躍的な進歩の恩恵を受け，固定性補綴装置では口腔内での光学スキャンやCAD/CAM（computer aided design/ computer aided manufacturing，コンピュータ支援設計／コンピュータ支援製造）技術による補綴装置の設計と製作が実用化され，歯冠修復や固定性欠損補綴，インプラント補綴などの大部分がデジタルで行えるようになった．近年，可撤性義歯の領域でも製作過程にデジタル技術が導入されるようになり，すでに海外では先行して商業ベースでのデジタルデンチャーシステムが利用されてきたが，日本でも利用可能となり始めている．デジタルデンチャーシステムについては，材料や製作工程について研究が進み，精度についてもかなり良好であることが明らかにされている．現在，全部床義歯に関しては，チェアサイド，ラボサイドのほぼ全工程にデジタルの応用が可能となっているが，製作工程や材料の物性においていまだ改善の余地も残しており，用語についても変更される可能性がある．本章では，現時点でのデジタル技術による全部床義歯製作について説明する．

I 全部床義歯製作工程のデジタル化

　従来法による全部床義歯製作工程とデジタル技術を用いる全部床義歯製作工程（以下，デジタル法）について，図24-1に示す．従来法は，治療回数の多さや複雑な治療・技工工程から，完成義歯の質は歯科医師と歯科技工士の熟練度に依存しやすいことが問題点の1つとしてあげられてきた．それに対して，デジタル法はこれまで大部分が手作業で行われてきた工程にCAD/CAM技術を応用することにより，これまでの義歯製作工程を簡略化，数値化することを可能にした．

1 デンチャースペースの採得とデータ化（図24-2, 3）

　従来法による全部床義歯製作では，概形印象から個人トレーを製作し，精密印象，作業用模型製作，咬合床製作，咬合採得，咬合器装着を経て，義歯製作に必要なデンチャースペースの情報が確定する．デジタル法では，採得したデンチャースペース情報の三次元データ化が必要となる．これに関してはさまざまなデータ取得法が提案されている．たとえば，使用中の義歯や複製義歯を用いた治療において，十分に修正され調整された段階の義歯を光学スキャナーやコーンビームCTなどにより三次元形状を取得し，そのデータに合わせてCADにて人工歯排列などの義歯設計を行う方法がある．また，概形印象から製作した咬合床を個人トレーとして精密印象採得と咬合採得を同時に行い，粘膜面の印象と顎間関係が記録された咬合床（印象−咬合体）をスキャナーで読み込む方法も提案されている．顎位が不安定なケースなどで，ゴシックアーチ描記を行いたい場合は，顎間関係記録の際，ゴシックアーチ

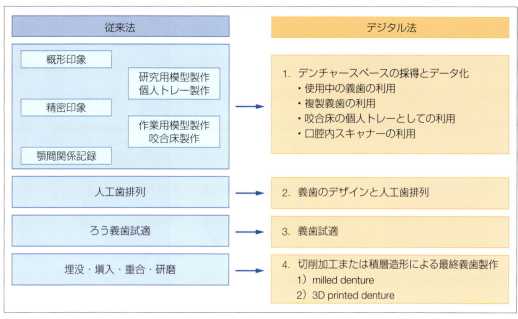

図 24-1　従来法とデジタル法における義歯完成までの製作過程

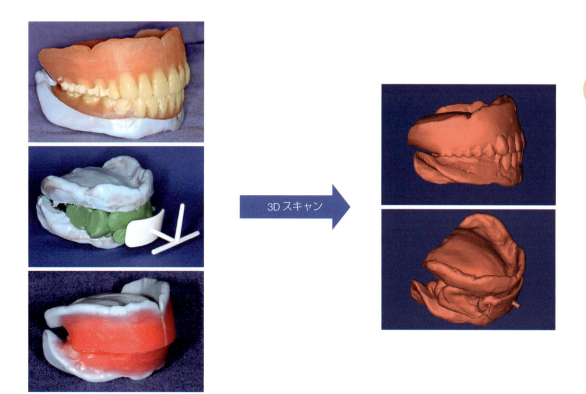

図 24-2　使用中の義歯，個人トレー，咬合床などを利用したデンチャースペースの取得とデータ化

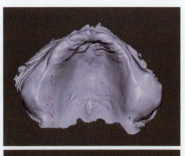

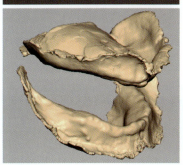

CADソフト上で再現された上下顎の顎間関係

図24-3 口腔内スキャナーを利用したデンチャースペースの採得

装置を付与した個人トレーの使用も可能である．以前の口腔内スキャナーには，歯のスキャンに適切なアルゴリズムが組まれており，顎堤粘膜をスキャンすることが難しかったが，近年，口腔内スキャナーの改良が進み，無歯顎顎堤の光学印象の精度が向上しているため，口腔内スキャナーを用いて直接粘膜面の印象やデータ化も可能になった．

このような方法で得られたデンチャースペースのstereolithography（STL）データをCADソフトウエア上にインポートすることにより，上下顎の顎間関係をCADソフト上に再現する．対向関係が記録された顎堤データ上にて，CADソフトを用いて義歯の設計や人工歯排列の操作が可能となる．

2 義歯のデザインと人工歯排列（図24-4）

CADソフトを用いて義歯を設計する際，まずデンチャースペースが記録された印象‐咬合体から人工歯部を削り取り，義歯床のみを残す．そしてスキャンしておいた既製人工歯データを利用したり，人工歯ライブラリーから人工歯データを選択し，CADソフト上で人

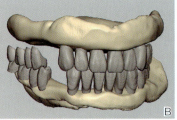

図 24-4 CAD ソフト（Freeform, Geomagic）を使用しての人工歯排列と歯肉形成
A：人工歯部分の削除．このソフトは本当に触っているような触感が伝わる特殊なデバイスで，実際に削り取るように人工歯部の削除が行える．
B：CAD 上での人工歯排列．使用頻度の高い人工歯はあらかじめ臼歯と前歯に分けて，理想的な咬合関係にある状態でのセットを組んでおくことにより，CAD ソフト上での排列時間は大幅に短縮される．
C：CAD 上での歯肉形成．ワイヤーフレームを張り，フレームを引っ張るようにして研磨面形態を付与する．

工歯を排列し，歯肉形成を行う．CAD ソフト上での人工歯排列や義歯の設計は，操作が繁雑で時間がかかる，利用できる人工歯データが限られている，などの問題もあるが，今後，顎堤・顔貌・排列位置や人工歯ライブラリーなどのデータベースの充実により，これまでの臨床経験の蓄積を数値化して活用することができ，より適切な義歯の設計や人工歯排列が可能となり，さらに要する時間も改善されると考えられる．

3 義歯の試適（図 24-5, 6）

　従来の方法では，義歯の完成前にろう義歯試適を行い，これまでの治療ステップで得られた義歯床形態，咬合関係，人工歯の排列位置などの各事項をチェックし，義歯の最終形態を決定する．これに対してデジタル法では，3Dプリンタを用いて試適用義歯を製作し，従来法同様に必要な項目についてチェックを行い，場合によっては最終義歯製作前にデザインの修正を行うことが可能である．

　今後は「顔貌シミュレーション」という操作を通じてコンピュータ上でバーチャル義歯の試適を行うことも提案されており，顔面の光学スキャナーやソフトウエアの進歩，すなわち形状データと色やテクスチャーデータを統合できるようなシステムが一般化すれば，現在のろう義歯試適とその必要な技工操作は省略できる可能性もある．

　しかし，デンチャースペース取得の最初のステップに口腔内スキャナーを用いた場合，口腔内スキャナーでは機能運動時の粘膜の動きを印記することができないため，すべての無歯顎ケースにおいてこれを精密印象として義歯の辺縁を決定することはいまだ難しい．また，顎間関係も正確に採得することはできない．そこで，顎堤の光学印象データから3Dプリンタを用いて製作した試適用義歯を用いて，義歯の精密印象，咬合採得を行うことが可能である．精密印象方法については，従来法と同様にまず筋圧形成用の印象材を用いて筋圧形成後，シリコーンゴム印象材にてウォッシュインプレッションを行う．咬合採得の方法については，さまざまな方法が考えられるが，下顎臼歯部のみ咬合堤とした試適用義歯を用いれば，咬合採得と同時に前歯部の試適が可能である．ゴシックアーチ描記を行いたい症例では，3Dプ

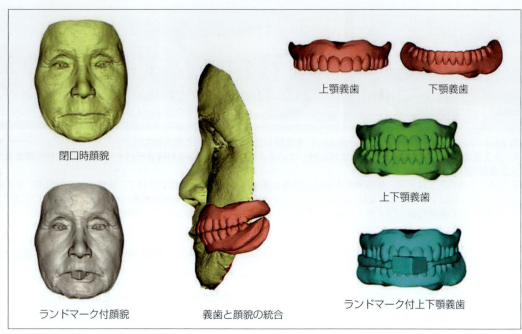

図 24-5 顔貌シミュレーションに必要なデジタルデータの取得（Katase ほか，2013 より改変）
上下顎義歯装着時の閉口状態の顔貌とランドマーク装置介在状態の顔貌を顔面用光学スキャナーにより撮像する．また義歯は，上顎義歯，下顎義歯，上下顎義歯とランドマーク装置を介在させた上下顎義歯を歯科用コーンビーム CT により撮像する．その後ランドマーク装置を介して上下それぞれの義歯と顔貌をソフトウェア上で統合し，シミュレーションを行う．

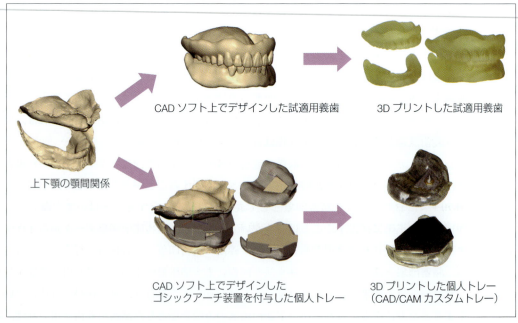

図 24-6 3D プリンタを用いた個人トレーの製作

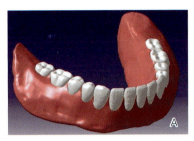
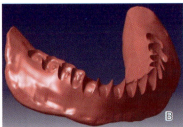

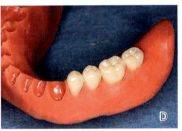

図 24-7 切削加工による義歯（milled denture）（水口・金澤，2014 より改変）
義歯データ（A）から人工歯の部分を外し（B），義歯床部分を切削加工し（C），
人工歯を接着する（D）．

リンタにてゴシックアーチ装置を付与した上下顎個人トレー（CAD/CAM カスタムトレー）を製作し，精密印象，正確な顎間関係記録を行った後に，最終義歯の製作を行うことも可能である．

以上により，試適用義歯の試適と同時に最終義歯デザインのために必要な粘膜面の印象，顎間関係，研磨面形態および排列位置の情報が記録された精密印象体を得ることができる．

4 切削加工または積層造形による最終義歯製作

デザインが終了した全部床義歯に対して，デジタル技術を用いて製作するデジタルデンチャーには，大きく分けて 2 種類ある．1 つはミリングマシンを用いて切削加工する milled denture であり，もう 1 つは 3D プリンタを用いた積層造形による義歯（3D printed denture）である．

1）切削加工による義歯（milled denture）（図 24-7，8）

ミリングマシンを用いる方法は，すでに重合が完了しているレジンディスクから義歯を削り出すことにより，従来法と比較してレジンの重合収縮の影響を受けることがなく，義歯床の適合精度が高く機械的物性も優れている．これまでの milled denture は，義歯床のみを床用レジンディスクから切削加工し，既製人工歯を後から接着する方法が主流であったが，接着操作における人工歯の位置ずれや接着界面の脆弱性が指摘されてきた．近年このような問題を解決すべく，義歯床と人工歯が一塊となったレジンディスクから義歯を切削加工する方法が開発されている．床用レジンと歯冠色レジンが一体となったレジンディスクから義歯を一塊にミリングする方法や，患者ごとに人工歯が埋入されたカスタムディスクを製作し，義歯をミリングする方法などがある．

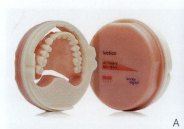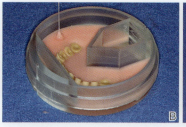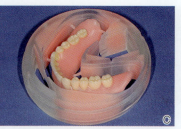

図 24-8 義歯床と人工歯が一塊となったレジンディスク（A は Ivoclar Vivadent 提供，B，C は副田・金澤，2020）
A：床用レジンと歯冠色レジンが一体となった商用レジンディスク（Ivotion, Ivoclar Vivadent）．
B：患者ごとに人工歯排列がカスタマイズされた外枠内に，流し込みの床用レジンを注入し重合させて，カスタムディスクを製作する方法も開発されている．
C：カスタムディスクから下顎の義歯を人工歯と義歯床を一塊にミリングした直後の状態．ディスクとサポートでつながっている．

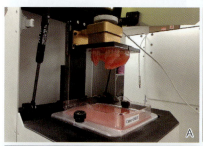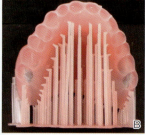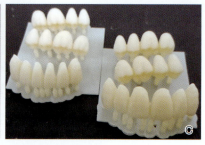
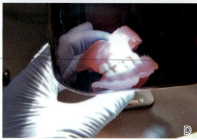

図 24-9 積層造形による義歯（3 D printed denture）
A：3D プリンタにより光硬化樹脂から義歯床をプリントする．
B：3D プリント直後の義歯床．光硬化樹脂重合時の変形を防ぐため，多くのサポートが付与されている．
C：人工歯は義歯床と別に，歯冠色の光硬化樹脂によりプリントする．前歯部と臼歯部に分けてプリントされている．
D：人工歯を同じ光硬化樹脂で義歯床に接着し，紫外線を照射して重合させる．

2）積層造形による義歯（3 D printed denture）（図 24-9）

　3D プリンタを用いる方法では，作成した義歯データから 3D プリンタを用いて義歯床と人工歯を別々にプリントし，人工歯を同じ光硬化樹脂で床に接着し，仮重合して固定した後，重合機に入れて後重合（ポストキュア）し，研磨を行う．3D プリンタを用いる方法では，一度に複数の義歯床を造形することが可能であり，製作効率はよいが，義歯床，人工歯ともに光硬化樹脂を用いるため，義歯床の重合収縮や，人工歯の機械的物性や耐摩耗性の点で milled denture よりも精度や長期的安定性に劣る可能性がある．しかし，近年の研究成果によると，精度や機械的物性が大きく劣らないことも示されてきており，今後は 3 D printed denture の需要は増加すると考えられる．

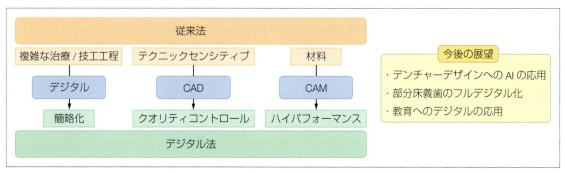

図 24-10　デジタル法のメリットと今後の展望

Ⅱ 無歯顎補綴治療におけるデジタル化の意義（図 24-10）

　無歯顎補綴治療におけるデジタル化の意義としては，診療回数の減少，臨床および技工サイドの省力化による義歯の質の均質化，一定の安定した補綴歯科治療の供給，中間材料を必要としないことによる歯科材料や歯科医療廃棄物の削減，これまでの重合方法に依存しない新しい材料の適用などが考えられる．最も大きいメリットは，データの保管や再利用がしやすいことであり，いったん義歯形状のデータ化を完了することによって，いつでも義歯が提供できるということである．たとえば，遠隔歯科診療や大災害時において，患者に直接接することなく義歯を製作することができる，あるいは患者のそばにいる主治医に適切な指示を送ることができるなど，多くのメリットが期待できる．また，デジタルデンチャーを費用対効果の点からみると，milled denture は従来法と同等のコストとクオリティの義歯であり，3D printed denture は低コストで早く簡便に製作できることから，即時義歯などにも適している．このように，従来法の義歯に加え，デジタルデンチャーのオプションが加わることで，患者のニーズや症例に応じた選択の幅が広がると考えられる．

　さらに，今後はデンチャーデザインに AI の応用を行うことや，これまでの方法を材料的にも形態的にもより複雑である部分床義歯にも応用し，部分床義歯のデジタル化を行うことも可能になると考えられる．また，義歯形状の数値化により適切な義歯形状の習得などにデータの利用は有効であると考えられ，教育にも応用可能である．

（水口俊介，金澤　学，岩城麻衣子）

第25章 無歯顎患者に対する歯科訪問診療

I 歯科訪問診療の目的と意義

1 歯科訪問診療の目的

　人口の高齢化が進展するにつれて，なんらかの支援や介護を必要としている高齢者が増加しており，その数は2022年1月末で689.7万人となっている（**図25-1**）．要介護高齢者は齲蝕，歯周病，歯の欠損や義歯の不調がある場合が多い．また，身体の状況により，自分が望むときに自由に歯科医院を受診できないこともある．このような場合に歯科医師や歯科衛生士が居宅まで赴き，口腔内清掃，歯の治療，義歯の調整などを実施することを歯科訪問診療という．

　これまで歯科医療は外来を中心に行われており，その歯科受療率は，65～74歳をピークとして，その後は低下している．高齢者は根面齲蝕の発生リスクが高く，放置されると歯の喪失を引き起こし，咀嚼機能をはじめとする口腔機能の低下を招き，食べるという楽しみばかりではなく，生活の質の低下や生きるための意欲に悪影響を与える．また，多くの高齢者は義歯の修理や新製による咀嚼機能の回復，口腔のケアなどを必要としている．一方，これまでの歯科訪問診療の実施率をみると，在宅歯科診療実施診療所の1か月あたりの平均実施件数は12.6件である．この実施件数は，全要介護高齢者に月1回の在宅歯科医療サービスを想定した場合の3.6％の充足率であり，まだまだ不十分であると考えられる．

2 要介護高齢者の口腔状況と歯科訪問診療の意義

　令和4（2022）年歯科疾患実態調査によると，8020達成者（80歳以上で20本以上歯が残っている人）は51.6％にのぼる（☞ p.13 **図3-2**参照）．したがって，75才以上の歯科受療率を考慮すると，部分歯列欠損が要介護高齢者にも多くみられることになる．このような口腔では，清掃が不十分となりがちであり，齲蝕や歯周病，口腔粘膜疾患が多く発生し，歯科治療は困難なものとなる．要介護高齢者の口腔機能を保ち，栄養摂取を助け，生活の質を高め，快適な日々を過ごしてもらうことが歯科訪問診療の意義である．

　平成17（2005）年歯科疾患実態調査によると，80歳以上の無歯顎者の割合は37.0％であったが，6年後の平成23（2011）年の同調査では25.3％，11年後の平成28（2016）年の同調査では20.2％と減少している（**図25-2**）．

　今後，残存歯の増加により無歯顎患者の割合は減少するが，高齢者自体が増加するため，実数は急激には減少しないと考えられる．さらに患者の高齢化や要介護度の問題により，根管治療やクラウン・ブリッジなど治療時間がかかり，患者への負担にもなる複雑な治療を選

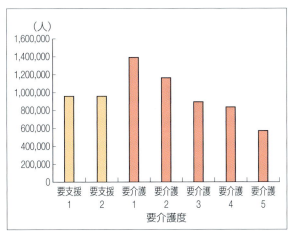

図 25-1 2021年1月末現在の全国における要介護認定者数
介護を必要とする程度を要介護度といい，要支援1，2，要介護1～5の7段階に分類される．要支援・要介護認定されると，介護保険制度による介護サービスを受けることができる．

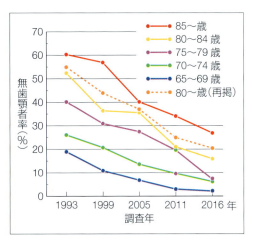

図 25-2 無歯顎者率の推移（歯科疾患実態調査）

択することができず，やむなく残根上義歯などを選択しなければならない状況が多く発生する．今後，オーバーデンチャーによる治療が歯科訪問診療の中で重要になっていくと考えられる．したがって無歯顎補綴治療の理論と手技を十分に理解したうえで，要介護高齢患者についての留意事項を常に意識し歯科訪問診療に臨む必要がある．

II 診察・検査・診断

1 歯科訪問診療と安全管理

　歯科訪問診療の対象である患者は，何らかの全身疾患を有していることが多い．明確な疾患は有していなくとも，身体各部，臓器の機能は低下している可能性がある．そのため，歯科訪問診療は一般の歯科医院での治療よりハイリスクであることを認識しなければならない．
　患者の身体に関する情報は患者本人からは聴取できない場合が多い．そのため歯科訪問診療を開始する前に，家族や介護支援専門員から情報を得た後に，訪問する時間帯や1回あたりの治療時間，治療内容を計画し，診療に臨むことが望ましい．また全身疾患の状態は主治医から正確な情報を得ておく．観血処置のない無歯顎補綴治療でも，要介護者にとっては負担が大きいことを念頭におくべきである．また要介護者ではやむなく残根上義歯とする場合が多いが，義歯床下の残根に炎症が発生し抜歯になる場合があり，骨粗鬆症治療薬の服用履歴や循環器系の疾患，心内膜炎のリスク，抗血小板薬や抗凝固薬の確認，浸潤麻酔に関する事項，術後の投薬に関する事項は把握しておく．事前の状況把握だけでなく，実際の診療日の本人の体調をよく確認しておく．医療面接や診察，さらにはバイタルサインのチェックによって全身状態の把握と危険性の有無を診断することが必要となる．

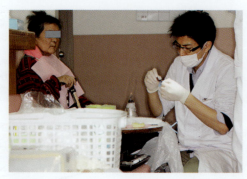

図25-3 患者とコミュニケーションを十分取りながら診療を進めていく．

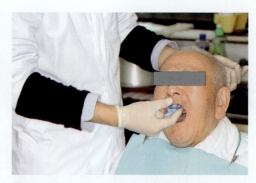

図25-4 ヘッドレストのない椅子やソファーで診療を行わなくてはならないときもある．

図25-5 術者の腹部で患者の頭部を安定させている．アシスタントは懐中電灯とスパチュラを持つ．

図25-6 ヘッドレスト付き車椅子（リクライニング車椅子）（株式会社いうら）

2 患者とのコミュニケーションと診療時の体位

　無理なく診療を進めるためには患者や家族との信頼関係を築くことが重要である（図25-3）．患者はすばやく的確に会話することができないため，落ち着いた雰囲気でゆっくりと話しかけ，しっかりと訴えを聞きとることを心がける．また，折々に付き添っている家族や介護者に確認しながら医療面接を進めていく．やさしさと思いやりのある態度や話し方は相手に安心感を与えるものである．また歯科訪問診療では居宅を訪れ生活の場に入っていくことになるので，歯科医院での診療よりもコミュニケーションを密に取れる可能性もある．

　歯科訪問診療では患者が椅子や車椅子に座った座位での診療が多い（図25-4）．要介護高齢者では頭位の固定が難しく，一定の頭位保持を長時間続けることが困難な場合がある（図25-5）．通常の車椅子や椅子ではヘッドレストが付いていないため，車椅子用安頭台の活用やアシスタントや家族に頭部を保持してもらうことも必要である．リクライニング車椅子（図25-6）がある場合は，安頭台もあり，歯科用ユニットのように背を倒して治療できる．

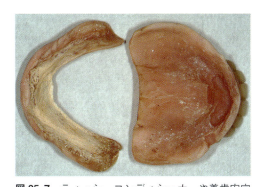

図25-7 ティッシュコンディショナーや義歯安定剤が付着し劣化した義歯
このような義歯は微生物が多く付着しており，誤嚥性肺炎を引き起こす原因となる．

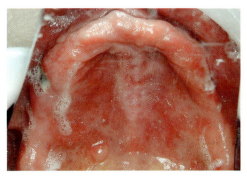

図25-8 義歯床下粘膜にみられた口腔カンジダ症
口蓋中央部，小臼歯部顎堤粘膜，口腔前庭部の粘膜に白い斑点がみられる．

さまざまな工夫により術者にも患者にも楽な診療体位を取ることが，医療安全につながる．

無歯顎補綴治療では水平位で診療することは少ないが，患者の状態によってはベッドに寝たままで診療しなければならない場合もある．片麻痺の患者では健側を下方に傾けておくと誤嚥の危険性が軽減できる．また拘縮のある患者の体位変換では痛みなどに気をつけて行う．

3 診察・検査・診断の要点

無歯顎患者の歯科訪問診療における口腔内の診察・検査・診断は，基本的には健常者と同様である．しかし，要介護者には，全身的な疾患など特有の問題があるため，手早くかつ的確に行うことが重要である．

1）口腔内の診察

歯科訪問診療の対象者である要介護高齢者は，不適合義歯を長期間我慢して使用していることが多い．古くなって劣化したティッシュコンディショナー，軟質リライン材，義歯安定剤などをそのままにした義歯を使っている場合もある（**図25-7**）．そのような口腔内には義歯性口内炎や義歯性潰瘍，義歯性線維腫，フラビーガムの発症が多くみられる．さらに口腔乾燥，抗菌薬投与やステロイド投与により，口腔カンジダ症が発症することがある（**図25-8**）．また，口腔扁平苔癬，白板症などの粘膜疾患や前癌病変も多いので，詳細な口腔粘膜の検査が必要である．口腔が原発の癌は，癌全体の1〜3％といわれており，高齢者に発生することが多いため，人口の高齢化に伴い増加傾向にある．舌癌が半数を占めるが，歯肉癌，頰粘膜癌，口底癌など口腔各部に発生する．肉眼的に観察されやすい場所にも関わらず，高齢者では発見がしばしば遅れ，進行癌の状態で受診する場合がある．普段の診療の中でチェックすることが重要であるが，日常使用している義歯が短期間で合わなくなったり，食事量が減少したり，口臭が発生した場合は要注意である．

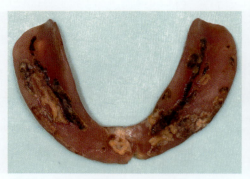
図25-9 破折した義歯をそのまま使用している．

図25-10 診療器具・器材をコンパクトに収納しておく．

2）義歯の観察

　定期的な義歯のメインテナンスを受けることが困難な歯科訪問診療を必要とする患者の義歯には，不適合，破損，支台歯の脱離後の未修理などさまざまな問題点が含まれていることが多い（図25-9）．また人工歯の咬耗や，顎堤の吸収による義歯床粘膜面の不適合に起因する義歯床の変位により，本来の上下顎の顎間関係ではない位置で咬合していることが多い．

　さらに応急処置の後に診療を継続できなかったため，劣化し硬くなったティッシュコンディショナーや本来の義歯床からはがれかかった軟質リライン材が義歯床粘膜面にあり，義歯の清掃性を著しく低下させていることもある．義歯の清掃を十分に行うことが困難な患者の場合，義歯表面のデンチャープラークの堆積や歯石様沈着物の付着が著しく，義歯性口内炎や口腔カンジダ症を助長する場合がある．

器具，器材

1 診療器具・器材と環境の整備

　初回の訪問では予備診察が主となる．このときに電気のコンセントや水道の位置，福祉用具や寝具の種類など，患者や家族の生活環境について情報を得ておく．2回目以降の訪問から実際の治療が始まるので，治療内容に従って器具や器材を準備する．あらかじめ治療内容別の基本的な器具，材料をパックにして組んでおくと便利である（図25-10）．患者の居室は限られたスペースであり，診療に必要な器材のみを持参するように心がける．術野や明るさを確保することは重要である．また口腔内を照らすペンライトやヘッドライトを併用する．

2 感染予防

　歯科訪問診療を必要とする患者の多くは，免疫機能の低下や糖尿病などの合併症を有しており，易感染者である．すべての患者の血液，体液，粘膜，損傷のある皮膚などは感染性があるとして取り扱うスタンダードプリコーションは歯科訪問診療においても考慮すべきであ

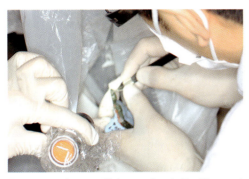

図 25-11 ビニール袋をテーブルなどに貼りつけ，切削片が飛散しないように配慮している．

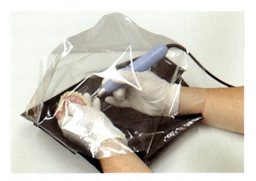

図 25-12 ディスポーザブルのクリーンバッグ（ジーシー）
かさばらず，使用後はそのまま医療廃棄物とする．

る．診療場所に近い手洗い場を確認しておく．擦式アルコール手指消毒薬は付着した細菌を除去できるので持参すると便利ではあるが，汚染はあくまでも洗い流さなければ除去できないことに留意するべきである．無歯顎補綴治療では，血液・唾液の飛沫が発生する切削行為は少ないものの，血液・唾液・粘膜との接触への対策が重要で，手洗い，手袋・マスクの着用を徹底する．

診療器具は滅菌シートの上に置き，テーブルや床にはシートや新聞紙を広く敷き，生活用品などはできるだけ遠くへ移動させ，唾液，血液，切削片の飛散に対応する（**図 25-11**）．感染性廃棄物はそのまま厚手のビニール袋に入れて持ち帰り，医療廃棄物として廃棄する（**図 25-12**）．

Ⅳ 治療方針・治療計画と処置

1 治療方針・治療計画の立案

歯科訪問診療を必要とする患者の多くは要介護高齢者である．したがって患者の全身状態や家族の状況，経済的な状況によって，理想的な治療方針・治療計画を立てることができない可能性がある．また診療機器にも制限があるため，思うような治療結果を得ることができない可能性もある．これらを考慮し，歯科医学的に理想とされる治療計画からある程度妥協した治療計画を立てざるを得ず，さらには患者の状態によっては適宜変更を加えなければならない．これらの治療計画の立案・変更には，歯科医学的な知識や技術だけでなく，医学的，社会学的知識や包括的な判断力，チーム医療に対する意識が必要となる（**図 25-13**）．

2 歯科訪問診療の実際

訪問日は緊急度を加味し，患者の生活環境，介護環境などを考慮して決定する．要介護高齢者ではデイサービスなどの介護サービスを利用している場合も多く，内科などの訪問診療

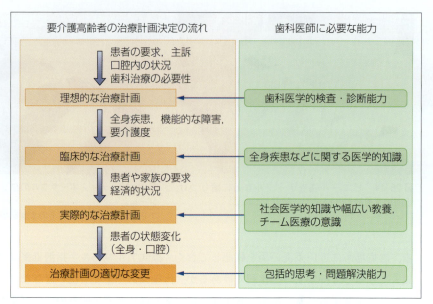

図 25-13 要介護高齢者の歯科治療の決定の流れと歯科医師に必要な能力

もあるので，それらと重ならないように日程を調整する．また家族や介護者，担当医など複数の関係者に歯科治療の進行状況や，指導事項を伝えたり，患者の日常を把握するためには連絡ノートのような連絡手段が望ましい．なお，居宅療養管理指導書は診療のたびごとにケアマネジャーに提出しなければならない．

　診療中は，介護者や家族の同席を求めるべきである．患者の中には意思表示が困難で痛みや不快感などの訴えをうまく表現できない場合もある．また患者の全身状態が急変する可能性もある．普段から患者に接している人ならば，患者の意思表示，疲労や体調の変化も気づきやすいからである．さらに，患者の周囲の人々に診療をみてもらい，患者の歯科的問題点について理解を深めてもらうことも重要である．

　歯科訪問診療の患者の多くは口腔乾燥であることが多い．そのような場合，診療に先立ってスポンジブラシや粘膜ブラシを洗口液や保湿剤で濡らして，口蓋，顎堤，舌，口腔粘膜の清掃とマッサージを行うと，口腔内が爽快になり，その後の治療に役立つ．

　印象採得では印象材が咽頭部へ流れて誤嚥・誤飲することがないように留意しなければならない．印象材の流動性には留意し，トレーに盛る量も多すぎないように注意する．なにより術者は印象採得に習熟しておくことが重要である．また咬合採得やろう義歯試適において，患者との意思疎通が難しい場合は，下顎安静位を取らせることや，[s]発音をさせることができない．したがって機能的方法による咬合高径の設定が困難で，顔貌や使用中の義歯の情報が有用となる．義歯調整では，疼痛部位の伝達がうまくできない患者の場合は，適合試験材の情報から術者の判断のみで，的確に調整部位をみつけ出さなければならない．このように，歯科訪問診療では，通常の診療より困難な状況が多いため，無歯顎補綴治療の診療技術を十分に磨いておかなければならない．

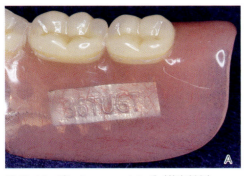
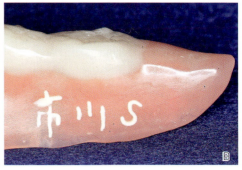

図 25-14 デンチャーマーキング（義歯刻印）
A：歯科用金属に名前を刻印し，義歯床に埋入したもの．B：オペーク色の歯科用レジンを使用したもの．さまざまな方法が考えられるが，クラックの発生などにより，埋入物から為害作用のある物質が溶出しないように配慮するべきであろう．

　さまざまな制約や危険が伴う歯科訪問診療では，担当する歯科医師は独自に工夫し治療をしている．たとえば，使用中の義歯の複製義歯を改変し診断用義歯として使用し，適切な床縁形態や人工歯排列位置などを勘案した後に，その義歯を個人トレーや咬合床として印象採得や咬合採得を行っている．複製義歯を用いる方法は，使用中の義歯を直接改造するのとは違い，患者の口腔環境を変化させず，高齢者が新義歯に適応しやすいため推奨される（☞ p.100 参照）．これらの作業を歯科技工士とチームを組み行う場合もある．このようなチームアプローチは技工操作の割合が大きい無歯顎補綴治療の歯科訪問診療では有効であり，治療時間の短縮や治療の精度の向上には有効である．
　義歯に患者の氏名を入れる刻印（デンチャーマーキング，**図 25-14**）は，施設入居者の場合，義歯の取り違えを防ぐためにも必要である．

患者指導

① 義歯および口腔内の清掃に関する指導

　義歯の清掃には義歯用ブラシなどを用いる機械的清掃と義歯洗浄剤を用いる化学的清掃を併用して行うが，機械的清掃では患者自らが行うセルフケアを補助するような清掃用具が推奨される．脳血管障害後遺症の片麻痺では，片手でも使えるような自立援助用品〔D字型義歯用ブラシ（**図 25-15**）や洗面台に吸盤で固定するようなブラシ（**図 25-16**）〕，わきの下に挟めるような長い柄をもったブラシを転用するなど，工夫した指導が必要となる．
　また義歯だけでなく，舌ブラシ（**図 25-17**），スポンジブラシや軟毛ブラシなどを用いた舌や口腔粘膜などの清掃指導も行う．患者自らが口腔清掃できない場合，家族や訪問介護員に義歯や口腔内の清掃方法をよく指導しておく．また介護者にとって義歯の着脱は難しいので十分に義歯着脱の要点を指導しておく．

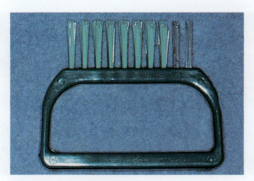

図 25-15　D字型義歯用ブラシ（ライオン）

図 25-16　自立援助用品の例（ザイコア・インターナショナル・インク）
吸盤部分で洗面台などに固定すると，片手でも義歯清掃が可能となる．取り外すときは吸盤についた赤い取っ手を引くと簡単に取り外すことができる．

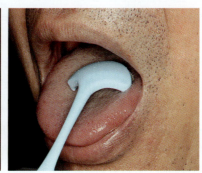

図 25-17　舌ブラシ
舌背などの口腔粘膜の清掃は粘膜を傷つけないように注意して行う．

2 義歯への慣れ，摂食に関する指導

　歯科訪問診療によって義歯の修理，新製が終了しても，実際に使用されなければ意味がない．要介護高齢者では義歯の装着による治療効果を高めるために口腔周囲筋の機能を改善しながら調整を進めることが肝要である．したがって口腔機能の維持回復のためには，口腔のケア（機能的な口腔のケア）が重要である．新義歯は，口腔機能のリハビリテーションを開始するための装具であると認識し，その後の義歯への慣れと摂食や栄養に関する指導を十分に行う必要がある．

3 メインテナンスに関する指導

　無歯顎補綴治療では，歯科医師による定期検査と義歯の評価および調整が極めて重要である．しかし，歯科訪問診療の現状は依頼があった時だけ訪問する往診的な傾向が強いため，顎堤，口腔粘膜，適合，咬合などの異常がかなり進行してからの受診となることが多い．歯科訪問診療の主たる目的である「食べる」ことを通じて患者のQOLを向上させ，全身状態を良好に維持するためには，患者や家族だけでなく，介護者や担当医など多職種との連携を定期的，継続的にはかっていくことが重要である．

（水口俊介）

第26章 補綴歯科治療における作業環境の整備

　医療従事者は，その業務において常に，肝炎などの血液が媒介する感染症や，結核，インフルエンザ，COVID-19などの新興・再興感染症の危険にさらされている．患者-患者だけでなく，患者-医療従事者の感染にも注意を払わなければならない．また，補綴歯科治療および歯科技工では，多くの器材を使用するとともに，歯や材料の切削という行為があり，粉塵，振動，騒音などの問題も生じやすい．それ以外にも，放射線，電磁波，有害光線，高温・低温，高湿度などの問題がわれわれの治療，作業現場では存在する．労働安全衛生法においては，職場における労働者（医療従事者）の安全と健康の確保が求められており，定期的な作業環境測定が義務づけられている．
　本章では，補綴歯科治療における感染と粉塵の問題について説明する．

1 感染対策

　感染対策の基本は，スタンダードプリコーション standard precaution である．スタンダードプリコーションとは，感染症の有無にかかわらず，すべての人の血液，汗を除くすべての体液，分泌物，排泄物，傷のある皮膚，粘膜を感染の可能性があるものとしてみなして対応し，これらとの直接接触，および付着した物との接触が予想されるときに防護用具を用い，自分自身を防御し同時に拡散を防止する予防策をいう．
　また，感染症発生の3要因である①感染源，②感染経路，③宿主のそれぞれの面から考える必要がある．感染源対策としては，補綴歯科治療によって生じるさまざまな歯科技工物，廃棄物などに対して推奨される方法で消毒・滅菌することである．感染経路対策としては空気感染，飛沫感染，接触感染防止のための手洗い，うがい，手袋，マスク，ゴーグルの着用と環境維持などを適切に行うことである．宿主に対しては健康管理，ワクチン接種，感染対策教育である．これらの対策を組織的，総合的に行っていくことが大事である．
　全部床義歯に関係する印象体や試適後の技工物はセミクリティカル（体液には触れるが，軟組織を貫通せず，血液にも触れない）なものであり，消毒する必要がある．また，逆に試適するための歯科技工物，義歯などは口腔内で粘膜に接触するためセミクリティカルとして扱う必要があり，やはり患者の口腔内に挿入前に消毒されるべきである．ただし，歯科用器具類とは異なり，他の患者の粘膜や体液に接触することはないので，十分な洗浄後に，簡易的に（低水準消毒薬ないしアルコールなどで）消毒されれば十分と考えられる．
　補綴歯科治療（一般歯科診療も同様と考えられる）は他の医療と比較し，感染対策において**表26-1**のような特徴をもつと考えられる．補綴歯科治療は一般的な医療のように使い捨ての器材ですむことが少なく，印象体，歯科技工物などが診療室と歯科技工室（歯科技工所）を往復する．**図26-1**に補綴歯科治療における各治療，歯科技工過程における感染対策

表 26-1 補綴歯科治療の感染対策の問題点（日本補綴歯科学会，2019）

①従来の補綴歯科治療の多くは非観血処置であり，また，これまでに歯科技工物などに起因した感染の問題が少なかったため，消毒，感染予防の必要性の認識が菲薄であること

②補綴歯科治療はオーダーメイド治療であり，被消毒体の大量滅菌・消毒，使い捨てができず，診療報酬を考慮すると消毒に要する経費がかかりすぎること

③被消毒体の材料は多岐にわたり，1つの消毒・滅菌方法では対応できないこと．最も使用頻度の高い石膏やアルジネート印象材の消毒が困難であること

④被消毒体には高い精度を必要とされるため，消毒操作による変形などが危惧されること

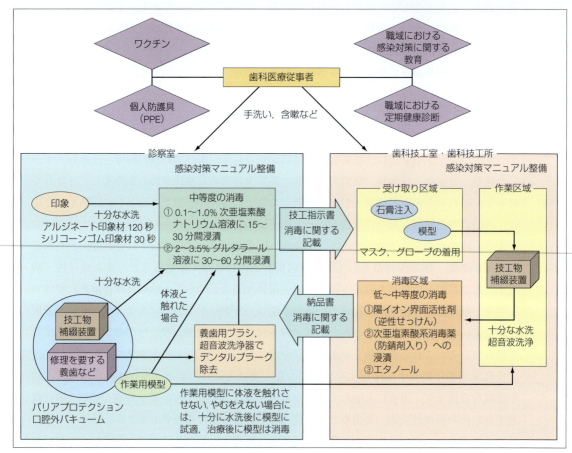

図 26-1 補綴歯科治療過程における感染対策指針の概要（日本補綴歯科学会，2019 より改変）

の指針を示す．また必要に応じて作業区域と消毒区域，室内の陰圧環境の設定が求められる．

補綴歯科治療および歯科技工作業では適切な個人防護具 personal protective equipment（PPE）が求められる（**図 26-2**）．ガウン，ゴーグル，フェイスシールド，マスクなどをその状況に従って選択し，着用する．適切な着け方や外し方をしないと着用者や周囲環境を汚

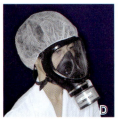

図 26-2　補綴歯科治療における個人防護具
A，B：サージカルマスク（通常診療用のマスク；ジーシー），フェイスシールド（ジーシー），キャップ
C：N95マスク（ウイルスを含んだ飛沫の侵入を防ぐことができる高性能なマスク），ゴーグル，キャップ
D：防塵マスク，キャップ

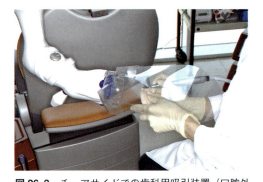

図 26-3　チェアサイドでの歯科用吸引装置（口腔外バキューム）の使用
歯科用吸引装置はできるだけ切削物の近くに設置し，吸引面を切削ポイント長軸の延長線上とする．

表 26-2　歯科技工士のじん肺症の疫学調査報告（中野ほか，2005 をもとに作成）

対象数（人）	受診率（%）	平均年齢（歳）	平均曝露年数（年）	じん肺発生頻度（%）	報告者（報告年）
24		39		20.8	Lob ら（1977）
70	28			2.9	Kronenberger ら（1980）
70		30	11	38.6	Tuengerthal ら（1983）
178	55.8	35.9	12.8	4.5	Rom ら（1984）
149		34.4	15.7	1.3	Szadkowski ら（1987）
31		42.1	20	19.4	Sherson ら（1988）
102	32.9	47.2	28.4	11.8	Choudat ら（1993）
37	93	43	18.5	16	Selden ら（1995）
39		43	23	5.1	森（1995）
51	88	38.5	18.6	9.8	Froudarakis ら（1999）
174	7.8			3.4	森永ら（2002）
363	39	42.8	22.1	11	中野ら（2005）

染する危険性がある．

　歯科用吸引装置（口腔外バキューム）は，歯の形成や補綴装置，技工物の切削調整時に発生し，空気中に舞い上がった粉塵，粉滴を吸引するもので，感染対策でも粉塵対策でも有効

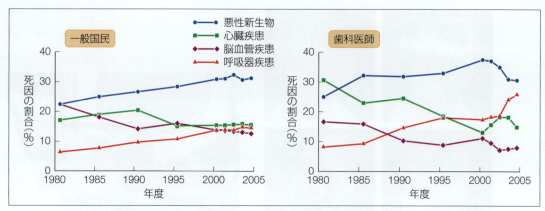

図 26-4　一般国民と歯科医師の死因割合の推移（加来ほか，2006 をもとに作成）

な装置である（**図 26-3**）．本装置の設置は，厚生労働省が推奨している「かかりつけ歯科医機能強化型歯科診療所（か強診）」においての施設基準の 1 つでもある．

2　粉塵対策

補綴歯科治療および技工作業では，多くの歯科材料や有機溶媒を使用するため，空気中に多くの粉塵や化学物質が舞いやすい．それらを吸入することによって起こる肺の線維性増殖変化をじん肺とよぶ．

表 26-2 は，歯科技工士のじん肺に関する疫学調査結果を示す．重篤な状態を示す症例報告もされている．**図 26-4** は，歯科医師の死因の割合を調査した報告で，呼吸器系疾患が原因での死亡が一般の人より有意に高い．特に，コバルト，クロム，インジウム，クリストバライトは発癌性やさまざまな疾病を引き起こしやすいことが指摘されている．

対策は，①作業管理，②作業環境管理，③健康管理の 3 つからなる．作業管理としては，防塵マスクなどの適切な PPE を装着し作業をする（**図 26-2**）などがあげられる．作業環境管理としては，粉塵が空気中に飛ばないような環境，たとえば切削時の歯科用吸引装置の使用（**図 26-3**），部屋の換気，湿度を高める，粉系材料の使用後にはすぐに蓋をするなどがあげられる．健康管理は，定期健康診断となる．特に，防塵マスクの使用と歯科用吸引装置の適切な使用が基本的な遵守事項になろう．

（市川哲雄）

文　献

第1章　無歯顎補綴治療の健康に果たす役割と全部床義歯
1) 葛谷雅文：老年医学における Sarcopenia & Frailty の重要性．日老医誌，**46**：279～285，2009．
2) 日本歯科医師会：通いの場で活かすオーラルフレイル対応マニュアル～高齢者の保健事業と介護予防の一体的実施に向けて～．2020年版，2020．

第2章　無歯顎補綴治療の歴史と変遷
1) 谷津三雄：義歯（入れ歯）の歴史．歯学史資料図鑑－目で見る歯学史．増補改訂版．医歯薬出版，東京，1980，145～181．
2) Fauchard P：Le Chirurgien Dentiste Ou Traite Des Dents, Tome 2, 2nd ed. 1728.
3) 歯の歴史博物館／長崎県歯科医師会「8020 ながさき」
 http://www.nda.or.jp/study/history
4) 歯の博物館／公益社団法人神奈川県歯科医師会
 https://www.dent-kng.or.jp/chishiki/museum/hakubutukan/mokugishi/moku1.htm
5) 水口俊介，金澤　学：CAD/CAM による全部床義歯製作の未来．*DENTAL DIAMOND*，**39**：64～72，2014．

第3章　無歯顎の病因と病態
1) Lamb MJ：Biology of Aging. Blackie, London, 1977.
2) 厚生労働省ホームページ：歯科疾患実態調査．
 https://www.mhlw.go.jp/toukei/list/62-17.html
3) Carlsson GE and Person G：Morphologic changes of the mandible after extraction and wearing of dentures. A longitudinal, clinical, and x-ray cephalometric study covering 5 years. *Odontol Revy*, **18**：27～54, 1967.
4) Atwood DA：The reduction of residual ridge. A major oral disease entity. *J Prosthet Dent*, **26**：266～279, 1971.
5) Boucher CO：Complete denture prosthodontics—the state of the art. *J Prosthet Dent*, **34**：372～383, 1975.

第4章　加齢と歯の喪失に伴う咬合機能の変化
Ⅰ-1　顎関節
1) 井出吉信，上松博子：歯の喪失に伴う顎骨の形態変化．*J Oral Biol*，**39**：79～90，1997．

Ⅰ-2　筋
1) 井出吉信：顎関節機能解剖図譜．クインテッセンス出版，東京，1990．
2) 小林茂夫ほか：歯科学生のための解剖学実習．南江堂，東京，1990．
3) 伊藤　隆：解剖学講義．南山堂，東京，1983．
4) 小田嶋梧郎：図説 人体の構造．メヂカルフレンド社，東京，1992．

Ⅰ-3　神経系
1) 角　保徳：認知症学　下－その解明と治療の最新知見－臨床編　認知症の重症化に伴う医学的諸問題　口腔ケア．日本臨床，**69**：513～516，2011．
2) 森戸光彦：認知症学　下－その解明と治療の最新知見－臨床編　老年歯科医学からみた認知症．日本臨床，**69**：613～616，2011．
3) Chalmers J and Pearson A：Oral hygiene care for residents with dementia：a literature review. *J AdvNurs*, **52**：410～419, 2005.
4) Rejnefelt I et al.：Oral health status in individuals with dementia living in special facilities. *Int J DentHyg*, **4**：67～71, 2006.

5) Syrjälä AM et al.：Dementia and oral health among subjects aged 75 years or older. *Gerodontology*, **29**：36～42, 2012.
6) Gray GE：Nutrition and dementia. J Am Diet Assoc, 89：1795～1802, 1989.
7) Kerstetter JE, Holthausen BA, Fitz PA：Malnutrition in the institutionalized older adult. *J Am Diet Assoc*, **92**：1109～1116, 1992.
8) Stewart R and Hirani V：Dental health and cognitive impairment in an English national survey population. *J Am Geriatr Soc*, **55**：1410～1414, 2007.
9) Leopold NA and Kagel MC：Laryngeal deglutition movement in Parkinson's disease. *Neurology*, **48**：373～376, 1997.
10) Nozaki S et al.：Rinsho Shinkeigaku. Relationship between weight loss and dysphagia in patients with Parkinson's disease. *Article in Japanese*, **39**：1010～1014, 1999.

Ⅰ-4 下顎運動・下顎位

1) Posselt U：Physiology of occlusion and rehabilitation. Blackwell Scientific Pub, Oxford, 1962.
2) 古谷野 潔，矢谷博文編：月刊「歯科技工」別冊 目で見る咬合の基礎知識．医歯薬出版，東京，2002, 43, 123, 164.
3) 林 都志夫編：全部床義歯補綴学．医歯薬出版，東京，1982, 127.
4) Guichet NF：Occlusion A Collection of Monographs. The Denar Corporation, 1970, 45～46.
5) Lundeen HC and Wirth CG：Condylar movement patterns engraved in plasic blocks. *J Prosthet Dent*, **30**：866～875, 1973.
6) 渡邉 誠ほか編：月刊「歯科技工」別冊目でみる顎口腔の世界．医歯薬出版，東京，1996, 35.
7) 藍 稔：顎口腔の基礎知識．学建書院，東京，2002.
8) 中村嘉男：咀嚼運動の生理学．医歯薬出版，東京，1998.
9) 腰原 好：アンテリアガイダンス．歯科技工別冊 図解咬合の基礎知識．医歯薬出版，東京，1984, 1～3.
10) 西 克師：下顎運動の加齢による変化に関する研究 第1報 矢状面内運動の分析．補綴誌，**33**：225～236, 1989.
11) 西 克師ほか：下顎運動の加齢による変化に関する研究 第2報 側方滑走運動の分析．補綴誌，**36**：434～445, 1992.

Ⅰ-5 唾液

1) 山垣和子ほか：口腔保湿剤の物性と義歯の維持力との関係．老年歯科医学，**26**：402～411, 2011.
2) 兼平 孝：歯科における唾液検査．日口腔検会誌，**3**：13～20, 2011.
3) 中村誠司：ドライマウスの分類と診断．日口腔外会誌，**55**：169～176, 2009.
4) Furuta M and Yamashita Y：Oral Health and Swallowing Problems. *Curr Phys Med Rehabil Rep*, **15**：216～222, 2013.

Ⅰ-6 味覚

1) 日本顎口腔機能学会編：新よくわかる顎口腔機能 咬合・摂食嚥下・発音を理解する．医歯薬出版，東京，2017.

Ⅱ-2 嚥下障害

1) Logemann JA（道 健一・道脇幸博監訳）：Logemann 摂食・嚥下障害．医歯薬出版，東京，2000.
2) 藍 稔：顎口腔の基礎知識．学建書院，東京，2002.

Ⅱ-3 構音障害

1) 松木教夫：全部床義歯患者の発音の研究（その1）自覚的障害について．口腔病会誌，**38**：252～265, 1971.
2) 松木教夫：全部床義歯患者の発音の研究（その2）他覚的障害について．口腔病会誌，**38**：333～362, 1971.

第 7 章　診察, 検査, 診断

Ⅰ　医療面接とインフォームドコンセント
1) 伊藤孝訓編著：歯科医療面接アートとサイエンス．第 3 版．砂書房，東京，2010，54〜119．
2) 日野原重明監修：POS による歯科診療録の書き方．医歯薬出版，東京，2005，12〜26．
3) 片倉　朗：初診患者の医療面接―患者と良好な関係を構築することが治療成功への第一歩―．日歯医師会誌，61：231〜223，2008．
4) 森戸光彦編集主幹：老年歯科医学．第 1 版．医歯薬出版，東京，2015，182〜185．

Ⅱ　診察, 検査
1) 日本補綴歯科学会 医療問題検討委員会：症型分類 特に歯質，部分歯列欠損，無歯顎について．補綴誌，**49**：373〜411，2005．
2) Yamazaki M et al.：Japanese version of the Oral Health Impact Profile（OHIP-J）．*J Oral Rehabil*, **34**：159〜168, 2007．

第 8 章　前処置
1) 日本補綴歯科学会編：歯科補綴用語専門用語集．第 6 版．医歯薬出版，東京，2024．
2) 日本歯科理工学会編：歯科理工学会教育用語集．第 3 版補訂版．医歯薬出版，東京，2021．
3) 矢崎秀昭：複製義歯を応用した咬座印象法による総義歯の臨床．医歯薬出版，東京，2004，64〜77．
4) 平井敏博ほか：第一章診察・検査・診断・治療計画・前処置の問題点と対策，Q13 複製義歯の利用法は？．無歯顎補綴の臨床 Q&A 成功のための問題点と対策（松本直之編著）．医歯薬出版，東京，2006，26〜27．
5) 浜田泰三，足立文子：複製義歯の考え方と臨床応用（上）考え方．日本歯科評論，**453**：45〜53，1980．
6) 浜田泰三，足立文子：複製義歯の考え方と臨床応用（下）臨床応用．日本歯科評論，**454**：47〜57，1980．
7) 古屋克典：複製義歯を応用した無歯顎補綴の一症例．日補綴会誌，**6**：176〜179，2014．
8) 日本口腔外科学会編：口腔顎顔面外科学専門用語集．医歯薬出版，東京，2011．
9) 日本口腔外科学会編：イラストでみる口腔外科手術第 3 巻補綴前外科手術．クインテッセンス出版，東京，2013，13〜45．
10) 遠藤　実ほか：いわゆる義歯性線維種の外科的切除に対する補綴学的検討．補綴誌，**32**：1082〜1089，1988．
11) 阪口英夫：高齢者における口腔カンジダ症の治療と予防．日医真菌会誌，**58**：43〜49，2017．
12) Bradbury J et al.：Nutrition counseling increases fruit and vegetable intake in the edentulous．*J Dent Res*, **85**：463〜468, 2006．
13) 上田貴之ほか：口腔機能低下症の検査と診断―改訂に向けた中間報告―．老年歯学，**33**：299〜303，2018．

第 9 章　印象採得
1) 長尾正憲ほか：無歯顎の印象．デンタルテクニックス 4．口腔保健協会，東京，1993．
2) 津留宏道, 佐藤隆志：アトラス コンプリートデンチャーコンストラクション．クインテッセンス出版，東京，1982．
3) 細井紀雄ほか編：コンプリートデンチャーテクニック．第 6 版．医歯薬出版，東京，2011．
4) 坪根政治，豊田静夫：総義歯臨床形態学．医歯薬出版，東京，1978．
5) 長尾正憲監訳（Levin．B．著）：コンプリートデンチャーの印象．クインテッセンス出版，東京，1986．
6) 豊田静夫，守川雅男：コンプリートデンチャー その考え方と臨床．クインテッセンス出版，東京，1994．
7) 細井紀雄，大貫昌理：フランジテクニック．全部床義歯の筋圧維持法．デンタルテクニクス 23，口腔保健協会，東京，2001．
8) Raybin NH：The polished surface of complete dentures．*J Prosthet Dent*, **13**：236〜239, 1963.
9) Brill N et al.：The dynamic nature of the lower denture space．*J Prosthet Dent*, **15**：401〜418, 1965.
10) Lott F and Levin B：Flange technique：An anatomic and physiologic approach to increased retention, function, comfort, and appearance of dentures．*J Prosthet Dent*, **16**：394〜413, 1966.
11) Beresin E and Schiesser J：The neutral zone in complete dentures．C V Mosby, St. Louis, 1973.

12) Murphy WM：The neutral zone and the polished surfaces of full dentures. *Dent Pract*（bristol）, **16**：244～248, 1966.
13) 林　都志夫編：全部床義歯補綴学．医歯薬出版，東京，1982．

第10章　顎間関係の記録

1) 山縣健佑，黒岩昭弘：図説無歯顎補綴学―理論から装着後の問題解決まで．学建書院，東京，2004．
2) 福島俊士，平井敏博，古屋良一：臨床咬合学．医歯薬出版，東京，1992．
3) Cooperman HN：HIP plane of occlusion in oral diagnosis. Dent Surv, 51：60～62, 1975.
4) Ismail YH and Bowman JF：Position of the occlusal plane in nature and artificial teeth. *J Prosthet Dent*, **20**：407, 1968.
5) Boos RH：Intermaxillary relation established by biting power. *JADA*, **27**：1192～1199, 1940.
6) Lytle RB：Vertical relation of occlusion by the patient's neuromuscular perception. *J Prosthet Dent*, **14**：12～21, 1964.
7) 平沼謙二ほか：コンプリートデンチャーの咬合採得．補綴誌，**39**：793～815，1995．
8) 松本　正：頭部Ｘ線規格写真計測法の補綴学的応用に関する研究（とくに咬合高径について）．補綴誌，**15**：209～220，1971．
9) Ricketts RM et al.：Orthodontic Diagnosis and Planning: Their roles in preventive and rehabilitative dentistry Volume 1. Denver, Rocky Mountain/Orthodontics; 1982, 37～147.
10) Yamashita S et al.：A newly proposed method to predict optimum occlusal vertical dimension. *J Prosthodont*, **24**：43～57, 287～290, 2015.
11) 野首孝祠編著：咬合・咀嚼が創る健康長寿．大阪大学出版会，大阪，2007．
12) 野首孝祠，安井　栄：下顎位置感覚測定装置（PMPレコーダ）を用いたコンプリートデンチャーにおける咬合採得法．QDT, 25：68～77, 2000．
13) Pound E and Murrell GA：An introduction to denture simplification. *J Prosthet Dent*, **26**：570～580, 1971.
14) 市川哲雄，松本直之：審美的見地からみた咬合採得．歯科ジャーナル，**37**：979～986，1993．
15) Yasaki M：Height of the occlusion rim and the inter-occlusal distance. *J Prosthet Dent*, **11**：26, 1961.
16) Watarai Y et al.：Highly producible method for determination of occlusal vertical dimension:relationship between measurement of lip contact position with the closed mouth and area of upper prolabium. *J Prosthodont Res*, **62**：485～489, 2018.
17) 小出　馨編：咬合の7要素・Ⅰ－中心咬合位の位置，臨床機能咬合学．医歯薬出版，東京，2009，77～96．
18) 遠藤　舞，大川周治ほか：垂直顎間距離決定の基準下顎位に関する研究―咬合支持喪失状態が [n] 持続発音位に及ぼす影響―．顎機能誌，**21**：97～108，2015．
19) 林　都志夫編：全部床義歯補綴学．医歯薬出版，東京，1982．

第11章　下顎運動の記録と咬合器装着

Ⅰ　下顎運動の記録

1) 村上義和，志賀　博，小林義典：無歯顎患者における Gothic Arch および Tapping Point の定量的評価．歯学，**80**：783～808，1992．
2) 志賀　博，小林義典：有床義歯補綴治療における総合的咬合・咀嚼機能検査．日歯医師会誌，**64**：6～16, 2012．

Ⅱ　咬合器

3) Farias-Neto A and Carreiro AF：Complete denture occlusion: an evidence-based approach. *J Prosthodont*, **22**：94～97, 2013.
4) Shigli K et al.：The effect of remount procedures on patient comfort for complete denture treatment. *J Prosthet Dent*, **299**：66～72, 2008.
5) Farias-Neto A et al.：Face-bow transfer in prosthodontics: a systematic review of the literature. *J OralRehabil*, **40**：686～692, 2013.

6) Wang MQ et al.: Evaluation of the use of and attitudes towards a face-bow in complete denture fabrication: a pilot questionnaire investigation in Chinese prosthodontists. *J Oral Rehabil*, **35**: 677〜681, 2008.
7) Kordass B et al.: The virtual articulator in dentistry: concept and development. *Dent Clin North Am*, **46**: 493〜506, 2002.
8) Koralakunte PR and Aljanakh M: The role of virtual articulator in prosthetic and restorative dentistry. *J Clin Diagn Res*, **8**: ZE25〜28, 2014.

第12章 人工歯の排列
I 前歯部人工歯の選択と排列
1) Williams JL: A new classification of human toothforms with specials refernce to a new system of artificial teeth. *Dent Cosmos*, **56**: 627〜628, 1914.
2) 林　都志夫編：全部床義歯補綴学．医歯薬出版，東京，1982.
3) Frush JP and Fisher RD: The dynesthetic interpretation of the dentogenic concept. *J Prosthet Dent*, **8**: 558〜581, 1958.
4) Frush JP and Fisher RD: How dentogenic interprets the personality factor. *J Prosthet Dent*, **6**: 441〜449, 1956.
5) Frush JP and Fisher RD: How dentogenic interprets the sex factor. *J Prosthet Dent*, **6**: 160〜172, 1956.
6) Frush JP and Fisher RD: Introduction to dentogenic restorations. *J Prosthet Dent*, **7**: 5〜13, 1957.
7) 藤田恒太郎，桐野忠太：歯の解剖学．第22版．金原出版，東京，1995，30〜46.
8) 細井紀雄ほか編：コンプリートデンチャーテクニック．第6版．医歯薬出版，東京，2011，56〜60.

II 臼歯部人工歯の選択と排列
1) 林　都志夫編：全部床義歯補綴学．医歯薬出版，東京，1982.
2) Boucher CO et al.: Prosthodontic treatment for edentulous patients. 7th ed. Mosby, St. Louis, 1975.
3) 川邊清治ほか編著：コンプリートデンチャーの臨床．医歯薬出版，東京，1973，477〜487，501〜510.
4) Uhlig H: Zahnersatz für Zahnlose. Quintessenz, Berlin, 1970.
5) 岡本　信ほか：新しい顎堤対向関係の検査法（オクルーザルマップ）を用いた全部床義歯の症例　一片側性咬合平衡の確立に主眼を置いた新しい人工歯排列法―．日補綴会誌，**5**：300〜308，2013.
6) Hanau RL: Articulation defined, analyzed and formulated. *J Am Dent Assoc*, **13**: 1694〜1709, 1926.
7) Gysi A: Handbuch der Zahnheilkunde IV. Scheff-Pichler, Berlin, 1929.
8) 平沼謙二ほか編：コンプリートデンチャーテクニック．第4版．医歯薬出版，東京，1996.
9) 野首孝祠，佐嶌英則：臼歯部人工歯の選択基準硬質レジン歯を中心に．*DE*，**144**：13〜16，2003.
10) 松本直之編著：無歯顎補綴の臨床Q&A 成功のための問題点と対策．医歯薬出版，東京，2006，151〜168.
11) 河野文昭，松本直之：市販の各種人工歯の特徴とその比較前歯人工歯について．クインテッセンス，**15**：1417〜1424，1996.
12) 河野文昭，松本直之：市販の各種人工歯の特徴とその比較臼歯人工歯について．クインテッセンス，**15**：1695〜1701，1996.
13) Pound E: Controlling anomalies of vertical dimension and speech. *J Prosthet Dent*, **36**: 124〜135, 1976.

第14章 埋没，重合，研磨
1) 髙橋　裕：上下顎レジン床総義歯粘膜面部の重合に伴う経日的形態変化について．補綴誌，**34**：136〜148，1990.
2) Vallittu PK et al.: Effect of polymerization temperature and time on the residual monomer content of denture base polymers. *Eur J Oral Sci*, **106**: 588〜593, 1998.
3) Takahashi Y et al.: Equilibrium strengths of denture polymers subjected to long-term water immersion. *Int J Prosthodont*, **12**: 348〜352, 1999.

4) 小柳進祐ほか：マイクロ波重合レジン床義歯の寸法変化に影響を及ぼす因子の検討．歯材器，**19**：289～293, 2000.
 5) Kawaguchi T et al.：Mechanical properties of denture base resin cross-linked with methacrylated dendrimer. *Dent Mater*, **27**：755～761, 2011.
 6) Takahashi Y et al.：Flexural properties of denture base resins subjected to long-term water immersion. *Acta Odontol Scand*, **71**：716～720, 2013.

第16章　義歯の装着

 1) 權田悦通：最新総義歯補綴学．第2版．医歯薬出版，東京，2001．
 2) 長尾正憲，森谷良彦編：最新歯科医学知識の整理．Ⅰ概説．Ⅱ全部床義歯．第2版．医歯薬出版，東京，1995．
 3) 津留宏道，佐藤隆志：アトラスコンプリートデンチャーコンストラクション．クインテッセンス出版，東京，1982．
 4) 山縣健佑：無歯顎補綴学．デンタルフォーラム，東京，1995．
 5) 山口秀晴ほか監修：MFT臨床指導力アップ・アドバンス編．増補カラー版．わかば出版，東京，2018．
 6) 才藤栄一，植田耕一郎監修：摂食嚥下リハビリテーション．第3版．医歯薬出版，東京，2017．
 7) 横山友里（東京都健康長寿医療センター研究所）：地域高齢者の栄養疫学研究とエビデンスに基づく健康支援．2017.
    https://www.mhlw.go.jp/file/04-Houdouhappyou-10904750-Kenkoukyoku-Gantaisakukenkouzoushinka/0000168190.pdf

第20章　オーバーデンチャーによる治療

 1) 岸本悦央，尾形和彦，河原研二：ブラッシングしやすいオーバーデンチャー維持歯の形態—シミュレータによる評価—．口腔衛会誌，**47**：132～138, 1997.
 2) 日本補綴歯科学会：歯科補綴学専門用語集．第5版．医歯薬出版，東京，2019, 10．
 3) 前田芳信，權田知也：パーシャルデンチャー・オーバーデンチャーを活かす31のQ&A．永末書店，京都，2020, 69.
 4) 前田芳信：臨床にいかすオーバーデンチャー．クインテッセンス出版，東京，1993．

第21章　各種機能障害に対する治療

 1) 大山喬史，谷口　尚編：顎顔面補綴の臨床．医学情報社，東京，2006．
 2) 菊谷　武監修：歯科医師のための構音障害ガイドブック．医歯薬出版，東京，2019．
 3) 大山喬史編：口唇口蓋裂の補綴治療．医歯薬出版，東京，1997．
 4) 小野高裕，阪井丘芳監著：開業医のための摂食嚥下機能改善と装置の作り方超入門：口腔機能低下症・摂食機能療法・舌接触補助床（PAP）の基本がわかるQ&A55．クインテッセンス出版，東京，2019．
 5) 才藤栄一，植田耕一郎監修：摂食嚥下リハビリテーション．第3版．医歯薬出版，東京，2016．
 6) 日本補綴歯科学会：摂食・嚥下障害，構音障害に対する舌接触補助床（PAP）の診療ガイドライン2011．日本補綴歯科学会，2011．
 7) 日本顎顔面補綴学会：顎顔面補綴診療ガイドライン2019．日本顎顔面補綴学会，2019．

第22章　顎義歯による治療

 1) 日本顎顔面補綴学会編：顎顔面補綴診療ガイドライン．2019.
    https://minds.jcqhc.or.jp/n/med/4/med0409/G0001151
 2) 日本顎顔面補綴学会編：顎補綴装置解説書—顎補綴治療の流れと顎補綴装置—．2019.
    https://jamfp.sakura.ne.jp/wp-content/uploads/7110769b3964daf7954f936e71f8597e.pdf
 3) 日本補綴歯科学会編：歯科補綴学専門用語集．第6版．医歯薬出版，東京，2023．

4) 三谷春保原著，赤川安正ほか編：歯学生のパーシャルデンチャー．第6版．医歯薬出版，東京，2018，298〜306．
5) 市川哲雄ほか編：無歯顎補綴歯科学．第3版．医歯薬出版，東京，2016，287〜292．
6) 村山龍平ほか：舌切除再建症例に対して舌接触補助床により機能回復を図った一例．顎顔面補綴，**34**：20〜26，2011．
7) 大山喬史，谷口　尚編：顎顔面補綴の臨床．第1版．医学情報社，東京，2006，38〜56，61〜87，97〜99，106〜109．
8) 小林太郎ほか：下顎骨区域切除・非再建例に対する補綴的対応による機能回復．補綴誌，**50**：10〜15，2006．
9) 武部　純ほか：当科における最近5年間の補綴治療からみた上顎顎義歯の製作時期に関する一考察．顎顔面補綴，**20**：19〜26，1997．
10) Beumer J et al.：Maxillofacial rehabilitation: Prosthodontic and surgical considerations. The C.V.Mosby Company, St.Louis, Toronto and London, 1979, 110〜112.

第23章　インプラント義歯による治療

1) Brånemark PI et al.：Intra-osseous anchorage of dental prostheses. I. Experimental studies. *Scand J Plast Reconstr Surg*, **3**：81〜100, 1969.
2) Perrotti V et al.：Radiographic comparison of periimplant bone resorption and assessment of survival rates of 2 implant systems: a 10-year prospective multicenter study. *Implant Dent*, **24**：77〜82, 2015. doi:10.1097/ID.0000000000000195.
3) Wittneben JG：Clinical performance of screw- versus cement-retained fixed implant-supported reconstructions--a systematic review. *Int J Oral Maxillofac Implants*, **29**：84〜98, 2014. doi: 10.11607/jomi.2014suppl.g2.1. 2014
4) Feine JS et al.：The McGill consensus statement on overdentures. Mandibular two-implant overdentures as first choice standard of care for edentulous patients. Montreal, Quebec, May 24-25, 2002. *Int J Oral Maxillofac Implants*, **17**：601〜602, 2002.

第24章　全部床義歯製作のデジタル化

1) Kanazawa M et al.：Digital impression and jaw relation record for the fabrication of CAD/CAM custom tray. *J Prosthodont*, **62**：509〜513, 2018.
2) Katase H et al.：Face simulation system for complete dentures by applying rapid prototyping. *J Prosthet Dent*, **109**：353〜360, 2013.
3) 水口俊介，金澤　学：CAD/CAMによる全部床義歯製作の未来．*DENTAL DIAMOND*，**39**：64〜72，2014．
4) Soeda Y et al.：CAD-CAM milled complete dentures with custom disks and prefabricated artificial teeth: A dental technique. *J Prosthet Dent*, **S0022-3913**：30489〜30493, 2020.

第26章　補綴歯科治療における作業環境の整備

1) 日本補綴歯科学会編：補綴歯科治療過程における感染対策指針2019．
2) 中野郁夫ほか：北海道の歯科技工士じん肺に関する疫学調査．日本職業・災害医学会会誌，**53**：112〜116，2005．
3) Suito H et al.：Effective use of an extraoral vacuum in preventing the dispersal of particulate matter from metal dental materials. *J Occup Health*, **65**：e12412, 2023.
4) 加来洋子ほか：歯科医師の死因の推移　一般国民の死因と比較して．日歯医史会誌，**26**：210〜213，2006．
5) 森本泰夫ほか：歯科技工士の職場における労働衛生管理．日補綴会誌，**12**：227〜233，2020．

索　引

数字

0°臼歯　210
3D printed denture　323, 327
3D プリンタ　289, 327
3D プリント　10
4-META　273
4 基本味　86
5 基本味　46
5 要素　221
8020 運動　12
8020 達成者　12

A

abutment　311
acrylic impression material　111
Activities of Daily Living　1
ADL　1, 95
age　198
aging　11
Ah-line　27
AI　329
ala-tragus line　149
alginate impression material　109
alveolar arch　144
alveolar ridge crest　16
alveolar ridge line　144
Alzheimer 型認知症　29, 55
anatomic artificial tooth　210
anatomic impression　116
anatomical landmark　120
apex　167
articular disk　20
articulation　52
artificial tooth　6, 197
axis orbital plane　35

B

balanced occlusion　41
balancing side　37
Balkwill 角　180, 181, 193
basal seat surface　59
Bennett angle　39
Bennett's movement　37
Bennett 運動　37, 38, 189
Bennett 角　39, 189
bilateral balanced articulation　220
bilateral balanced occlusion　220
Bio-form 陶歯　197
biomaterial　311
bite-seating impression　119
block out　130
Bonwill 三角　180, 181, 193

border molding　120
boxing　138
BRONJ　18
Bruno 法　154
buccal shelf　19, 120
Bulb-PLP　302
BULL の法則　251
Buyanov 法　155

C

CAD/CAM　10, 286, 288, 289, 322
CAD ソフト　317, 324
Camper's plane　35
Camper 平面　35, 89, 148, 217
Candida albicans　258
cast plate　286
centric relation　33
cheek biting　260
chew-in technique　170
chewing　3
chief complaint　70
Christensen's phenomenon　220
Christensen 現象　183, 220, 224
clenching　3, 33, 65
closest speaking space　43
combination impression　112
combination syndrome　19
complete denture　5
composite resin tooth　57
compound impression material　109
computed tomography　81
computer aided design　10, 322
computer aided manufacturing　10, 322
condyle　20
COVID-19　339
cross bite　223
CT 画像　81
CT 検査　313
cuspid protected occlusion　40

D

definitive cast　138
dental implant　311
dentogenics　198
denture base　6
denture border　120
denture fibrosis　19
denture flange　59
denture space　172
denture ulcer　19
diagnostic cast　126

Dietary Variety Score　258
digastric muscle　23
disclusion　40
disocclusion　40
Donders の空隙　49
dry-wet line　159
DVS　258
dynamic impression　116
dysarthria　53

E

edentulous jaw　5
edentulous patient　5
esthetic line　153
evidence based　97

F

face bow　193
facial muscle　22
Fauchard　8
festoon　228
final impression　114
finish line　285
Fischer angle　39
Fischer 角　39, 195
flabby gum　19
flange technique　175
food oral processing　95
frailty　2
framework　284
Frankfort horizontal plane　35
free-way space　156
full denture　5
fully balanced articulation　221
fully balanced occlusion　221
functional artificial tooth　210
functional impression　116

G

geniohyoid muscle　24
GOHAI　96
gothic arch　37, 165
gothic arch tracing method　165
grinding　65
group function　40
Guichet　39
Gysi　221
　——の咬合小面学説　248
　——の軸学説　222
Gysi 法　224

H

hamular notch　35

hamular-notch incisive papilla plane　35
Hanau's Quit　221
Hanauの咬合5要素　221
Hanauの公式　182
hand pressure impression　116
head tilting method　164
high lip line　172
hinge axis　33
hinge point　33
HIP平面　35, 149, 217
history of present illness　75
homeostasis　11
horizontal overlap　36

I

immediate complete denture　291
immediate denture　291
immediate disclusion　40
immediate side shift　39
immediate surgical obturator　306
implant　311
implant body　311
implant denture　5
implant prosthesis　311
impression area　108
impression plaster　111
impression taking　108
impression wax　111
incisal guide table　208
incisal point　31
inclination of sagittal condylar path　36
inclination of sagittal incisal path　36
informed consent　66
infrahyoid muscles　21
interalveolar ridge line　217
intercuspal position　31
ISO　306

J

joint capsule　20

L

lateral incisal path　37
lateral movement　37
lateral occlusal position　35
lateral pterygoid muscle　23
Lewy小体型認知症　55
line of reference　171
lingual muscles　22
lingualized articulation　222
lingualized occlusion　222
lip support　203
low lip line　172
Lundeen　39

M

[m] 発音位　43
magnetic resonance imaging　79, 81
mandibular kinesiograph　186
mandibular position　31
masseter muscle　22
mastication　3
masticatory efficiency　48
masticatory muscles　21
masticatory performance　48
maxillofacial prosthetics　304
maxillomandibular registration　142
maxillomandibular relationship record　142
maximal occlusal force　158
maximum opening position　31
McGee法　154
MCI　55
medial pterygoid muscle　22
median line　171
medical interview　66
mentolabial sulcus　153
metal base　283
metal base denture　283
metamerism　201
MFT　257
mild cognitive impairment　55
milled denture　323, 327
mimic muscles　22
mini nutritional assessment　83
MKG　186
MNA　83
MNA-SF　257
modified water swallowing test　83
modiolus　25
mold guide　198
Monsonカーブ　281
most retruded contact position　34
motion visi-trainer　186
mouth corner line　172
MRI　79
MR画像　81
mucostatic impression　116
Müller法　224
muscle fatigue method　163
muscle trimming　120
mutually protected occlusion　40
MVT　186
MWST　83
mylohyoid muscle　23
myofunctional therapy　257

N

[n] 持続発音　160

nasolabial angle　153
nasolabial sulcus　153
neutral zone　218
neutral zone technique　174
non-anatomic artificial tooth　210
non-pressure impression　114
non-working side　37

O

obturator prosthesis　305
occlusal balance　62, 219
occlusal plane　35
occlusal plane guide　149
occlusal pressure impression　116
occlusal scheme　40
occlusal surface　59
occlusal vertical dimension　150
occlusion　3
occlusion rim　142
OHIP　88, 96
OHIP-J　88
omohyoid muscle　24
oral dyskinesia　30
Oral Health Impact Profile　88
oral implant　311
orbitale　35
osseointegrated implant　311
osteoporosis　18
overbite　36
overdenture　296
overjet　36

P

palatal augmentation prosthesis　302
palatal lift prosthesis　301
PAP　53, 85, 302
Parkinson病　29, 46, 55
past medical history　76
patient / problem oriented system　66
Payneのmodified set-up法　222
PEM　96
perception of mandibular position　161
personal protective equipment　340
personality　198
philtrum　153
physiologic rest position　34
piezography　179
PLP　53, 85, 301
PMMA　9
polished surface　59
polymerization　241
polysulfide rubber impression material　110

索　引

POMR　69, 92
POS　66
Posselt　3
　——の図形　31
Posselt figure　31
post dam　130
post damming　141
Pound　159, 218, 219
　——のリンガライズドオクルージョン　225, 227
Pound's line　218
Pound's triangle　218
Pound 三角　218, 219
Pound ライン　218, 219
PPE　340
precise impression　114
preliminary impression　113
present illness　76
pressure impression　114
problem list　93
problem-oriented medical record　69
prosthetic dentistry　5
prosthodontics　5
protein-energy malnutrition　96
provisional restoration　314
pupillary line　148

Q

QOD　1
QOL　1, 64, 95
Quality of Death　1
Quality of Life　1

R

record base with occlusion rim　142
record rim　142
relief　129
removable denture　5
removable partial denture　5
repetitive saliva swallowing test　83
residual ridge　5
residual ridge arch　144
residual ridge crest　144
RSST　83

S

s position　160
[s] 発音位　160
[s] 発音時　43
sagittal incisal path　36
sarcopenia　28
Saxon テスト　46, 79
Schüller 氏変法　79
selective pressure impression　115
senile appearance　3, 153

sex　198
shade guide　201
side shift　39
silicone rubber impression material　110
Silverman　159
single impression　112
Sjögren 症候群　46
smile line　172, 204
smiling line　172, 204
SOAP　69, 92
SPA factor　198
SPA 要素　198
speech　3
speech aid　300
stabilized condylar position　62
standard precaution　339
stereolithography データ　324
sternocleidomastoid　22
sternohyoid muscle　24
sternothyroid muscle　24
STL データ　324
stomatognathic function　3
stomatognathic system　2
study cast　127
superstructure　311
suprahyoid muscles　21
swallowing　3
swallowing disorder　48
swallowing method　160
swallowing position　43
S 字状隆起　229

T

tapping method　163
temporal muscle　22
temporomandibular disorders　81
temporomandibular joint　20
Tench のコア法　234, 235, 243, 247
tentative occlusal plane　147
terminal hinge axis　33
terminal hinge movement path　31
thyrohyoid muscle　24
tilting test　162
TMD　81
TMJ　20
Tooth indicator　200
Trubyte form 人工歯　197

U

unilateral balanced articulation　221, 225
unilateral balanced occlusion　221, 225
unilateral occlusal balance　219

V

VE　85

vertical overlap　36
VF　81, 85
videofluorography　81

W

Walkhoff 小球利用法　163
wash impression　112
wax rim　142
Williams の 3 基本型　197
Willis 法　154
working side　37

X

xerostomia　46

Z

zinc oxide eugenol impression material　110
zone of minimal conflict　172

あ

アーライン　27, 78, 120
アクセスホール　315
アクリル系印象材　111
アクリル系軟質リライン材　273
アクリルレジン　57, 58
アタッチメント　298, 318
圧搾空間　216
アバットメント　311
アバットメントスクリュー　315
アプローチ　94
アペックス　167, 182, 184
アミロイド β　55
アメリカ式埋没法　236, 237, 238
アルギン酸ナトリウム　109
アルコールトーチ　122
アルコン型咬合器　188
アルジネート印象材　109
　——による概形印象採得　124
安静空隙　34, 77, 156
安静空隙量　230
安静時唾液　45
アンダーカット　61, 124
アンチ Monson カーブ　267, 281
安定　62
アンテリアガイダンス　188

い

移行義歯　295
維持　296
維持格子　284, 285, 286
異常習癖　82
異常老化　11
移植皮弁　309
維持力　59, 60
意味記憶　29
イミディエートサイドシフト　39, 191

イヤーピースタイプフェイスボウ
　194
医療従事者　69, 339
医療情報　66, 91
医療面接　66
陰圧　60
印象圧　114
印象域　108
印象採得　108, 136, 280
印象材　108
印象法　112
印象用材料　109
咽頭　27
咽頭期　49, 303
インフォームドコンセント　66, 69, 96, 283, 313
インプラント　311
インプラントオーバーデンチャー
　316
インプラント義歯　5, 311
インプラント周囲炎　321
インプラント体　311
インプラント埋入計画　81
インフルエンザ　339

う
ウォッシュインプレッション　112
齲蝕　4
うつ　54
うつ病　77
旨味　46
運動経路　48
運動神経　29
運動性構音障害　53
運動速度　48
運動リズム　48

え
栄養指導　257
栄養状態　2, 95
えくぼ　25
エステティックライン　153
エストロゲン　18
エックス線コンピュータ断層撮影法
　81
エックス線ビデオ透視検査　50, 81
エピソード記憶　29, 54
嚥下　3
嚥下位　43, 160
嚥下運動　24, 42
嚥下機能　47, 81, 300
嚥下機能検査　83
嚥下機能障害　81
嚥下機能低下　86
嚥下困難　28
嚥下障害　48
嚥下造影検査　81, 85
嚥下内視鏡検査　85

嚥下の3相　43
嚥下法　160, 164
塩味　46

お
嘔吐反射　151
オーバージェット　36, 206, 207, 260
オーバーデンチャー　10, 296
オーバーバイト　36, 206, 207, 281
オーラルディアドコキネシス　85
オーラルディスキネジア　30, 78
オーラルフレイル　2
オクルーザルランプ　310
オッセオインテグレーション
　318
オトガイ棘　24
オトガイ筋　60
オトガイ筋付着部　120
オトガイ孔　79
オトガイ唇溝　153
オトガイ舌筋　26
オトガイ舌骨筋　24
オトガイ底　154
オブチュレータ　305
音響検査法　85
音声　51

か
加圧印象　114, 116
加圧印象材　109
外観　3
概形印象　109, 113
概形印象採得　120
開口印象　119
開口筋　23
開口障害　34
介護者　68
介護福祉施設　93
外耳孔　35
外斜線　120
外舌筋　26
外側翼突筋　21, 23
改訂水飲みテスト　83
回転運動　31
開鼻声　301
開閉口運動　31, 36
解剖学的因子　17, 60
解剖学的印象　116
解剖学的咬合器　180, 188
解剖学的指標　120, 143, 230
解剖学的人工歯　210, 211
解剖学的特徴　90
解剖学的ランドマーク　143
界面張力　59
会話明瞭度検査　302
下顎安静位　32, 34, 156
下顎安静位利用法　56

下顎位　31, 32, 44, 266
下顎位置感覚　161
下顎運動　20, 31, 35
下顎運動障害　82
下顎運動測定装置　82
下顎運動範囲　44
下顎窩　20, 81
下顎角　22
下顎顎堤　120
下顎管　309
下顎後退接触位　34
下顎骨　17
下顎最後退位　31
下顎最後退接触位　34, 36
下顎枝　22
化学的清掃　258, 337
下顎頭　20, 81
下顎頭位　32, 56
下顎法　147
下顎隆起　61, 120
下顔面高　151
かかりつけ歯科医　342
下筋群　309
顎間関係記録　142
顎間記録　142
顎関節　14, 20
顎関節エックス線画像　79
顎関節エックス線撮影　79
顎関節雑音　81
顎関節受容器　14
顎関節症　81
顎関節脱臼　266
顎顔面補綴　304
顎義歯　304
顎機能　43, 81
顎機能異常　45, 65
顎機能障害　266
顎口腔機能　3
顎口腔系　2
核磁気共鳴画像　81
顎舌骨筋　23, 60, 78
顎舌骨筋線　23, 60, 120
顎堤　5, 15, 92
顎堤弓　17, 61, 62, 144
顎堤吸収　15, 79, 266
顎堤粘膜　6, 18, 77
顎二腹筋　23
顎補綴　304
過酸化物系義歯洗浄剤　259
過剰栄養者　95
下唇下制筋　121
下唇上縁　150
下唇小帯　25, 120
下唇線　172
画像検査　79
仮想咬合平面　146, 223
──の傾斜度　207
顎骨壊死　18, 76

353

索引

可撤性義歯　5
顆頭安定位　33, 62
顆頭間距離　194
顆頭間軸　36, 38
加熱重合法　234, 241
噛みしめ　3, 64
ガムテスト　79
加齢　11, 44, 64, 77
加齢変化　21, 28, 47
顆路角　43
顆路型咬合器　180, 188
顆路機構　188
顆路傾斜角　43, 220
顆路指導板　194
顆路調節　179
簡易栄養状態評価表　83, 257
簡易咬合器　127
眼窩下点　35, 193
感覚情報　47
感覚神経　29
眼窩点　35
顔弓　193
カンジダ菌　265
眼耳平面　35
患者教育　66
患者指導　94, 96, 256, 268
患者中心医療　66
緩衝腔　298
関節円板　20, 81, 266
関節窩　20
関節腔　20
関節腔造影　81
関節結節　20
間接的検査法　48
関節突起　20
間接法　278
関節包　20, 21
間接リライン　117
感染経路　339
感染源　339
感染症　339
眼点　35
顔貌　4, 77, 89
顔貌シミュレーション　325
顔貌写真　150, 151
甘味　46
顔面エピテーゼ　304
顔面筋　22, 24
顔面神経支配　24
顔面補綴　304
管理栄養士　96

き

ギージーシンプレックス咬合器　180
キーパー　298
キーパーハウジング　298
キーパーボンディング法　298

キール　176
既往歴　76
機械的感覚受容器　14
機械的刺激　17
機械的清掃　258, 337
義歯安定剤　290, 333
義歯刻印　337
義歯床　6, 57, 58, 301
義歯床下粘膜　45, 61, 272
義歯床研磨面　59, 60, 310
義歯床研磨面形態　64, 88
義歯床後縁　28
義歯床粘膜面　45, 58, 88
義歯性潰瘍　19, 262, 275, 333
義歯性口内炎　89, 107, 259, 268, 333
義歯性線維腫　19, 106, 259, 262, 263, 333
義歯清掃　89
義歯洗浄剤　258, 274, 299, 337
器質性構音障害　53
義歯の安定　62
義歯の装着　252
義歯の動揺　64
義歯の不適合　64
義歯用ブラシ　299
基準線　144
基準平面　148
既製トレー　112, 114
基礎疾患　76
基礎床　142
機能圧　115
機能印象　116
機能運動　31, 42
機能性構音障害　53
機能的因子　92
機能的回復　95
機能的咬合系　56
機能的人工歯　210, 211
客観的事項　92
臼歯部人工歯　89
臼歯離開咬合　40
吸水性　283
吸着力　60
共感の態度　69
頰筋　26
頰骨弓　22
胸骨甲状筋　24
胸骨舌骨筋　24
胸鎖乳突筋　22, 28
凝集力　59
頰小帯　19, 120
頰舌径　214
頰舌的排列位置　89
頰側前庭　26
頰棚　19, 90, 120, 133
共通帯法　218
頰粘膜　77

局所的な診断情報　92
虚弱　2
筋圧　60
筋圧形成　111, 116, 120, 275
筋圧中立帯　218
近遠心径　214
筋形成　111
金属アレルギー　283
金属歯　58, 211, 264
金属床　283
金属床義歯　9, 283
筋電図　48, 82
筋突起　22
筋肉位　33
筋疲労法　163
筋紡錘　14

く

空気感染　339
口の機能低下　2
クッション効果　276
グミゼリー　83
グラインディング　65
グラインディングタイプ　42
クラウンブリッジ補綴学　6
クラスプ　300
クリーム系適合試験材　253
グループファンクション　40, 227
グルコースの溶出量　83
クレンチング　33, 65
クローズドロック　82
クロスアーチバランス　227
クロストゥースバランス　227

け

茎状突起　24
形態修正　244
形態的因子　92
形態的回復　95
形態的分類　70
形態的変化　21
傾聴　67
茎突舌筋　26
茎突舌骨筋　24
軽度認知障害　55
外科手術　313
外科的前処置　105
結晶性知能　54
欠損歯列患者　70
欠損部顎堤　113
限界運動　31
限界運動路　31
研究用模型　89, 126, 292
健康寿命　12
肩甲舌骨筋　24
健康日本21　12
言語能力の低下　68
検査　70

犬歯誘導咬合　40, 227
現症　76
健常有歯顎者　14
検知閾値　87
現病歴　75
研磨　244

こ

抗うつ薬　76
構音　97
構音運動　52
構音機能　47
構音機能検査　85
構音障害　28, 53, 65, 85, 300
高温鋳造用埋没材　287
口蓋咽頭弓　27
口蓋床　85, 301
口蓋小窩　28, 78, 120
口蓋床部　59
口蓋垂　27, 53
口蓋正中縫合　28
口蓋舌弓　27
口蓋舌筋　121
口蓋腺　27
口蓋断面の形態　61
口蓋帆挙筋　27
口蓋帆張筋　27
口蓋ヒダ　120, 229
口外描記法　166
口蓋隆起　61, 78, 120, 287
光学スキャナー　322
光学スキャン　322
後顎舌骨筋窩　120
口角結節　25
口角線　172
口角線間距離　199
口渇　45
口峡　27
咬頬　260
咬筋　22, 60
咬筋触診法　165
口腔インプラント　311
口腔衛生状態不良　85
口腔外バキューム　341
口腔カンジダ症　46, 333
口腔乾燥　85, 336
口腔乾燥症　46, 78
口腔関連QOL　70, 74, 87, 96
口腔期　43, 49, 303
口腔機能　83, 92
口腔機能低下症　2, 46, 85
口腔筋機能療法　257
口腔ケア　12
口腔健康管理　97
口腔水分計　46
口腔前庭　26
口腔相　43
口腔底　23, 59, 78

口腔内スキャナー　309, 323
口腔内の形態的分類　71
口腔内の診察　77, 90
口腔不潔　85
口腔扁平苔癬　333
口腔保湿剤　290
口腔リテラシー　54
広頸筋　26
咬合　3, 300
咬合圧印象　116
咬合圧負担域　133
硬口蓋　27, 78
後口蓋弓　27
硬口蓋部　300
咬合関係　275
咬合器　187
咬合器再装着　246
咬合器装着　192
咬合高径　56, 77, 150, 230
咬合採得　56, 142, 282
咬合紙　89
咬合床　142
咬合小面　248
咬合小面学説　222
咬合接触　267
咬合接触状態　89
咬合接触面積　48, 216
咬合調整　280
咬合治療　99, 101, 104
咬合堤　142
咬合平衡　62, 218, 219, 227, 233
咬合平面　35, 89, 230
　──の傾斜　220
咬合平面設定板　149
咬合平面板　192
咬合面　59
咬合面コア　279
咬合面再形成　266, 280, 282
咬合様式　40
咬合力　4, 65, 82
咬合力測定　28
咬合力低下　85
咬合彎曲　281
咬座印象　119
交叉咬合　223
交叉咬合排列　223
高次機能　29
硬質リライン材　272
硬質レジン歯　10, 57, 203, 211, 264
口臭　268
恒常性　11, 29
甲状舌骨筋　24
口唇　25
口唇支持　147
抗真菌薬　107
抗精神病薬　30
酵素系義歯洗浄剤　259
後退位　162

巧緻性　28
後堤法　141, 287
咬頭嵌合位　32, 36, 56, 188, 266, 275
咬頭傾斜角　207, 210, 220
口内描記法　166
抗Parkinson病薬　30
後鼻棘　27
後方運動　36
後方基準点　193
後方限界運動路　31, 32
後方咬合小面　248
後方離開型　62
咬耗　88, 264
口輪筋　25
高齢化　13
高齢者　1
誤嚥　49, 83
誤嚥性肺炎　50
コーピング法　297
コーンビームCT　322
呼吸　51
ゴシックアーチ　37, 165
ゴシックアーチトレーサー　166, 167
ゴシックアーチ描記　23
ゴシックアーチ描記法　56, 165, 180, 183
ゴシックアーチ描記路　183
個人トレー　90, 128
個人防護具　340
個性的な排列　208
骨鋭縁部　105
骨改造　15
骨吸収因子　17
骨結合型インプラント　311
骨新生　15
骨喪失量　15
骨粗鬆症　18, 76, 331
骨代謝ホルモン　18
骨内インプラント　311
骨密度　17
骨隆起　105
固定式・術者可撤式インプラント義歯　10
固定性義歯　5
固定性補綴装置　312
コバルトクロム合金　9, 58
個別性　68
コミュニケーション　67
コミュニケーションスキル　66, 67, 69
ゴム床義歯　9
コンダイラー型咬合器　188
コンパウンド印象材　109
コンビネーションシンドローム　19, 297
コンピュータ支援製造　322

索　引

コンピュータ支援設計　322
コンポジットレジン　57
根面アタッチメント　298
根面齲蝕　330
根面板　299

さ

サージカルガイド　317
サージカルテンプレート　293
最終印象　114
最終義歯　295
最終補綴装置　314
最小発音空隙　43, 159, 160, 208
最大開口位　31, 34
最大開口量　34, 82
最大筋力　28
最大咬合力　48, 158
在宅歯科診療　330
サイドシフト　39
サ行音　65
作業環境　339
作業側　37
作業側顆路　195
作業用模型　138, 285
削合　248
殺菌作用　45
サベイヤー　130
サベイング　130
サルコペニア　28, 95, 258
酸化亜鉛ユージノール印象材　110
暫間義歯　295
暫間補綴装置　314, 315
残根　104
酸味　46

し

次亜塩素酸塩系義歯洗浄剤　259
仕上げ研磨　245
シートワックス　287
子音　52
シェードガイド　201
耳介側頭神経　21
歯科インプラント　311
自覚的症状　92
歯科疾患実態調査　12
自家製アタッチメント　319
歯科訪問診療　330
歯科補綴学　5
歯科用吸引装置　341
耳管　27
歯冠歯根比　296
歯冠長　215
磁気共鳴画像　79
軸眼窩平面　35
刺激時唾液　45
自己決定権　69
歯根膜　6
歯根膜支持　14

歯根膜受容器　15
歯根膜負担　14
支持　62, 296
支持機能　137
支持的態度　69
支持能力　18
四肢麻痺　55
磁石構造体　298
歯周病　4, 296
耳珠下縁　149
耳珠上縁　35
視床下部　47
矢状顆路角　36
矢状顆路傾斜角　21, 36, 180, 207
自浄作用　296
矢状切歯路　36
矢状切歯路角　36
矢状切歯路傾斜角　36
矢状前方顆路傾斜角　43
矢状側方顆路傾斜角　43
磁性アタッチメント　298, 309, 319
歯石様沈着物　264
歯槽骨整形術　105
歯槽頂　16, 62, 144
歯槽頂間線　17, 223
歯槽頂間線法則　217
歯槽頂線　144
歯槽堤形成術　105
歯槽突起　16
歯槽隆起　120
支台歯　296
質問票　96
質問方法　67
試適　147
耳点　35
自動削合　251
歯肉頬移行部　59
歯肉形成　228
歯肉唇移行部　59
死の質　1
篩分法　48, 83
脂肪細胞　18
社会の因子　92
射出成形法　241
手圧印象　116
自由運動咬合器　187
習慣性開閉口運動　33
習慣性顎関節脱臼　21
習慣性咀嚼側　182, 310
習慣性閉口終末位　33, 56
習慣性閉口路　230
重合　241
重合収縮　328
重層扁平上皮　18
終末蝶番運動　32
終末蝶番運動路　31
終末蝶番軸　33
修理　268

主観的事項　92
宿主　339
縮重合型　110
主訴　66, 70, 95
主要症候　64
準解剖学的人工歯　210
準備期　49, 303
上咽頭収縮筋　26
床縁　59, 108, 120
常温重合法　234, 241
常温重合レジン　265
上顎結節　61, 120
上顎骨　16
上顎法　147
消化作用　45
症型分類　70, 71
条件等色　201
上唇下縁　146, 147
上唇小帯　25, 120
上唇線　172
少数歯残存症例　297
笑線　172, 204
使用中の義歯　88, 92
小帯　105
上部構造　311
情報収集　66
床用材料　9
床用レジン　9
床翼　59
蒸和ゴム　9
蒸和ゴム床義歯　9
ショートコーピング　298
食事・栄養指導　96
食道期　50, 303
食品摂取アンケート表　84
食品摂取状況　83
食物残渣　64, 274
食欲不振　47
食塊　26
食塊形成　27, 45
シリコーン系適合試験材　253
シリコーン系軟質リライン材　273
シリコーンゴム　88
シリコーンゴム印象材　110
自立高齢者　93
ジルコニア　289
人格　54
神経筋機構　150
神経系　29
神経症　77
神経障害　86
神経伝達物質　29
人工歯　6, 57, 197, 264
人工歯咬合面　88
人工歯根　311
人工歯選択　171
人工歯排列　230, 285, 297, 324
人工唾液　290

診察　70
心身症　77
靱帯位　33
身体社会的条件　72
身体社会的分類　70
身体的因子　91
診断　90, 97
診断シミュレーション　317
診断情報　93
診断用義歯　295
診断用テンプレート　313, 317
診断用ワックスアップ　313
人中　153
新陳代謝的因子　17
じん肺　342
審美障害　65
審美性　3, 300
信頼関係　66
心理的因子　91
心理的影響　5
診療ガイドライン　97

す

推進現象　62
垂直的顎間関係　150
垂直被蓋　36, 206, 207
水平基準面　35
水平側方切歯路　37
水平側方切歯路角　37
水平的下顎位　150
水平的顎間関係　162
水平的幅径　16
水平被蓋　36, 206, 207
水平面投影　37
睡眠障害　77
皺襞　229
スキャン　289
スクリュー固定式　314
スクリュー固定式上部構造　315
スタッドアタッチメント　319
スタンダードプリコーション　339
ストレス　11
スピーチ　52, 97
スピーチエイド　300
スプリットキャスト法　191, 234, 235, 243, 246
スプルー　287
スペーサー　115
スマイリングライン　204
スマイルライン　204
すれ違い咬合　34
スロット型咬合器　189, 190

せ

性格　198
生活の質　1
正常老化　11
精神医学的条件　75
精神医学的状態　77
精神医学的背景　70
精神心理学的因子　82
精神心理的変化　54
声帯　51
生体材料　311
生体親和性　283, 289
正中口蓋縫線　120
正中線　144, 171
声道　52
性別　198
精密印象　110, 114
精密印象採得　128
声門　52
生理的老化　11
脊髄　29
積層造形　289, 323, 327
舌　78
舌圧測定　302
舌運動　133
舌下ヒダ　120
舌下小丘　120
舌筋　22
舌筋群　309
石膏印象材　111
石膏系埋没材　287
石膏コア　177
石膏分離剤　177
舌口唇運動機能低下　85
舌骨下筋群　21, 24
舌骨上筋群　21, 23, 309
舌骨舌筋　26
切削加工　289, 323, 327
切歯孔　115
切歯指導釘　188, 247
切歯指導板　188, 208
切歯点　31, 48
切歯乳頭　35, 90, 120, 229
舌習癖　78
摂取可能食品　48
摂取可能食品アンケート法　48
摂取食品多様性スコア　258
舌小帯　120
摂食嚥下　48, 303
摂食嚥下障害　300
接触感染　339
摂食行動　47
摂食中枢　47
摂食の5期　43
切歯路傾斜角　220
舌接触補助床　53, 85, 300, 302
舌側化咬合　218
舌側歯槽溝　120
切端咬合位　32, 34
舌背　26, 217
接着材　137
舌ブラシ　338
舌房　61, 231

セトリング　318
セファログラム　155
セミクリティカル　339
セメント固定式　314
セメント固定式上部構造　315
セラミックス　58
セルフケア　12, 96
線維性結合組織　20
線維性増生　19
前顎舌骨筋窩　120
前口蓋弓　27
先行期　49, 303
全口腔法　86, 87
前処置　274
全身運動　33
全身疾患　331
全身的な診断情報　91
栓塞子　53, 305
栓塞部　306
腺組織　18
選択削合　249
選択的加圧印象　115
全調節性咬合器　180, 188
前頭側頭型認知症　55
全部床義歯　5, 283
全部床義歯装着者　13
全部床義歯補綴学　6
前方位チェックバイト　183
前方運動　36
前方滑走運動　36, 37
前方顆路　36
前方基準点　193
前方咬合小面　248
前方指導要素　36
前方描記路　182
前方離開型　63
全面均衡咬合　227

そ

総義歯　5
早期接触　269
増歯　265
喪失歯数　12
即時荷重　314
即時義歯　291, 295
即時栓塞子　306, 307
即時全部床義歯　291
即時離開咬合　40
側頭窩　22
側頭筋　22
側頭筋触診法　164
側方運動　37
側方滑走運動　37
側方顆路角　180
側方咬合位　35, 37
側方切歯路　37
側方チェックバイト　179, 182
側方描記路　182

357

索引

咀嚼　3, 300
咀嚼圧　17
咀嚼運動　29, 37, 42
咀嚼運動経路　42
咀嚼機能　47, 65, 83
咀嚼機能検査　83
咀嚼機能低下　86
咀嚼筋　14, 21, 266
咀嚼効率　48
咀嚼周期　43
咀嚼終末位　32, 56
咀嚼障害　47, 65
咀嚼試料　48
咀嚼値　48, 84
咀嚼能率　65, 216
咀嚼能力　47, 83
　──の評価　48
咀嚼能力検査　84
ソフトプレートワックス　176

た

耐火模型　287
対向関係　17, 62, 92
退行性変化　44
ダイナミック印象　116, 272
ダイナミック印象材　277
大脳皮質　47
唾液　45, 59, 78
唾液腺　309
唾液腺機能低下　79
唾液分泌量　45, 46, 64, 78
他覚的所見　92
タッピング　157, 163
タッピング運動　33, 82, 89
タッピングポイント　45, 169, 182, 184
タッピングポイント収束位　33, 56
タッピング法　163
脱離　60
食べこぼし　28
単一印象　112
弾音　53
単音節明瞭度検査　85
単純撮影　79
断層撮影　81
タンパク・エネルギー栄養不足　96

ち

チークバイト　260
チーム医療　335
チェックバイト　56, 179, 183, 195
チェックバイト材　162, 163
チェックバイト法　180
遅延離開咬合　40
チタン合金　58
緻密骨　15
チャモイスホイール　245
チューイン法　170, 180

中間構造　315
中心位　33, 56
中心咬合位　56, 230
中枢神経系　15, 29
調音運動　52
超音波画像診断　81
超音波診断画像　79
蝶形骨　22
超硬質石膏　139
超高齢社会　21, 300
調節性咬合器　188
調節彎曲　62, 281
　──の深さ　207, 220
蝶番運動　34
蝶番咬合器　187
蝶番軸　33, 36, 193
蝶番点　33
超微粒子フィラー　10
聴力の低下　68
直接的検査法　48
チョッピングタイプ　42
治療計画　90, 94, 96
治療計画立案　97
治療効果　95
　──の判定　48
治療用義歯　56, 94, 98, 182, 295

つ

付添者　69
黄楊　7
坪根法　155

て

低位咬合　266
低栄養　95
低栄養者　95
低栄養状態　95
低温長時間重合法　241
定期検査　266
デイサービス　335
ディスペンサー　276
低舌圧　85
ティッシュコンディショナー　98, 266, 333
ティッシュコンディショニング　98
ティッシュストップ　285
適合検査　263
適合試験　266, 280
適合試験材　88, 253
適合性　64
　──の検査　88
デジタル技術　10
デジタルデンチャー　322
天蓋開放型　307
てんかん　46
電気味覚計　86
電気味覚検査　86
デンタルエックス線画像　79

デンチャースペース　60, 172, 309
デンチャープラーク　258, 265
デンチャープラークコントロール　258
デンチャーマーキング　337
デントジェニックス　198
天然歯列　313
転覆試験　162

と

同意　69
頭蓋　142
動機づけ　66
瞳孔線　89, 148
陶歯　9, 57, 58, 202, 211, 264
疼痛　64
疼痛閾値　277
動的印象　116
糖尿病　46, 79
頭部エックス線規格写真　15
頭部後傾法　164
特発性オーラルディスキネジア　30
ドライウェットライン　159
トレー用レジン　128

な

内舌筋　26
内側翼突筋　22
流し込み法　241
軟口蓋　27, 78
軟口蓋挙上装置　53, 85, 300, 301
軟口蓋部　300
軟質リライン材　272, 333

に

苦味　46
二次齲蝕　296
二次手術　314
日常生活動作　1
ニトログリセリン　76
乳突切痕　23
ニュートラルゾーン　60, 218
ニュートラルゾーンテクニック　174
認知閾値　46, 87
認知機能　54
認知症　12, 50, 54, 93

ね

熱可塑性　109
熱可塑性樹脂　58
熱伝導性　283
粘膜下組織　18
粘膜支持　15
粘膜静止印象　116
粘膜調整　98, 278
粘膜治療　98
粘膜負担　15

年齢　198

の
ノギス　157, 158
脳　29
脳血管障害　50
脳血管性認知症　55
ノンコーピング法　297

は
バーアタッチメント　298, 319
バーチャル咬合器　196
排出空間　216
バイタルサイン　331
バイトゲージ　154
バイトフォーク　193
ハイドロキシアパタイト　313
廃用性萎縮　17, 29
白板症　333
破擦音　53
把持　296
破折　264
発音　52, 97
発音利用法　159
バッカルシェルフ　120
発語　3, 52, 97, 300
発語運動　42
発語機能　21, 45
発語障害　65
発語明瞭度　302
抜歯　15
抜歯窩　130
発声　51
発話　52
発話明瞭度検査　85
パトリックス　298, 319
歯の残存率　12
歯の寿命　12
パノラマエックス線画像　79
ハミュラーノッチ　35, 120, 217
パラトグラム　232, 233, 302
パラトグラム法　85
パラファンクション　44
パラフィンワックス　129
バランシングランプ　225
バランシングランプ法　224
バランストオクルージョン　41
バルブ付き軟口蓋挙上装置　302
破裂音　52
半調節性咬合器　180, 187, 188
パントグラフ　194
パントグラフ法　180
反応時間　28
反復唾液嚥下テスト　83

ひ
被圧変位性　108, 114
被圧変位量　61

鼻咽腔部　300
鼻咽腔閉鎖　27, 49, 52
鼻咽腔閉鎖機能　300
鼻咽腔閉鎖機能検査　85
鼻咽腔閉鎖機能不全　301
ピエゾグラフィ　179, 218
鼻音　52
非解剖学的咬合器　188
非解剖学的人工歯　210, 211
鼻下点　153, 154
鼻下点 - オトガイ点間距離　77
光硬化樹脂　328
非作業側　37
非作業側側方顆路角　189, 191, 195
微笑線　172, 204
鼻唇角　153
鼻唇溝　153
ビスホスホネート系薬剤関連顎骨壊死　18
ビスホスホネート製剤　18, 76
鼻息鏡　85
鼻聴道線　149
鼻聴道平面　35
非復位性関節円板前方転位　82
鼻幅線　172
鼻幅線間距離　199
飛沫感染　339
病因　11
評価　92
評価用紙　71
標示線　171
表情筋　22, 26
病的因子　11
病的老化　11
表面活性剤　139
描記針　166
描記装置　166
描記板　166
鼻翼下縁　35
鼻翼幅線　172
疲労破壊　269
ヒンジアキシス　34
ヒンジアキシス理論　33
ヒンジアキシスロケーター　194

ふ
フィニッシュライン　285, 286
フィメール　298, 319
フィンガーレスト　128
フェイスボウ　182, 193, 246, 247
フェイスボウトランスファー　194
フェルトコーン　245
付加重合型　110
複印象　287
複製義歯　100
複製義歯用フラスク　101, 102
服用薬剤　76
不顕性誤嚥　50

不随意運動　30
付着力　45
不定愁訴　54
部分床義歯　5
　　——の支台歯　297
部分床義歯装着者　12
部分床義歯補綴学　6
部分歯列欠損　5
部分無歯顎　5
プライマー　275
ブラキシズム　82, 89, 268
フラスク埋没　276
プラスターレス咬合器　127
フラビーガム　19, 61, 89, 259, 263, 333
フランクフルト平面　35, 149
フランス式埋没法　236, 237
ブリッジ　5
フルバランストオクルージョン　37, 221, 227
フレイル　2, 47, 95
フレームワーク　9, 284, 286
フレンジテクニック　116, 175, 218, 229
フレンジワックス　176
ブローイング検査　85
ブロックアウト　130, 141
プロフェッショナルケア　265, 299
プロブレムリスト　93
分割義歯　308
分子間引力　59
粉塵　339

へ
平均値咬合器　180, 187, 188
平均的顆頭点　194
閉口印象　119
平行型　62
平衡咬合　42, 233
平衡咬合小面　248
平衡側　37
平線咬合器　187
平坦化　21
ペースト系適合試験材　253
辺縁形成　111, 120
辺縁封鎖　60, 88
変曲点　31
偏心位　188
偏心咬合位　231
片側性咬合平衡　219
片側性平衡咬合　221, 225, 227

ほ
母音　52
放射線　339
放射線治療　46
頬杖　82
ボールアタッチメント　298, 319

359

索　引

ボーンアンカードブリッジ　10
ボクシング　138, 279
ボクシング用ワックス　139
保湿剤　336
ポステリアガイダンス　188
ポストダム　130, 141
ポストダム法　287
ボックス型咬合器　189, 190
補綴歯科治療　5
補綴主導型インプラント治療　314
補綴前処置　98
補綴装置　5, 311
仏姫　7
ホメオスタシス　11
ポリカーボネート樹脂　9, 57, 58
ポリサルファイドゴム印象材　110
ポリメチルメタクリレート樹脂　9
ホワイトシリコーン　266

ま
マイオモニター　157
マイクロ波重合法　234, 242, 243
マイクロ波重合用フラスコ　237
埋没　235, 287
摩擦音　53
末梢神経系　29
マトリックス　298, 319
満足度　70, 87
満腹中枢　47

み
味覚　46
味覚検査法　86
味覚障害　46, 86
水飲みテスト　51
ミューチュアリープロテクテッドオクルージョン　40, 227
味蕾　46
ミリング　10

む
無圧印象　114
無圧印象材　110, 111
無歯顎　5
　　──の病態　14
無歯顎患者　5
無歯顎補綴治療　5
無歯顎補綴治療学　6
無声音　52

め
メインテナンス　96
メール　298, 319
メタメリズム　201
メチルメタクリレート　57

も
モールドガイド　198

木床義歯　7
目標設定　95
モグモグ運動　30
モディオラス　25, 133
餅状レジン　240
モデリングコンパウンドによる概形印象採得　121
モノプレーンオクルージョン　45, 225
問題志向型診療記録　69, 92

や
薬物性オーラルディスキネジア　30
薬物の副作用　30

ゆ
有床義歯　6, 296
有声音　52
ユーティリティワックス　139

よ
要介護高齢者　300, 330
要介護状態　2
抑うつ状態　54
翼状突起　22
翼突窩　22
翼突下顎ヒダ　120
翼突下顎縫線　26
翼突筋粗面　22
翼突鉤　27
翼突上顎切痕　120
予後　96

ら
ランドマーク　120, 230

り
理学療法　106
力学的因子　17
リコール　96
離脱力　60
リップサポート　89, 147, 203
リハビリテーション　90
リファレンスポインター　193
リベース　266, 280
流動性　275
流動性知能　54
両側性平衡咬合　220, 221, 282
リライニングジグ　279
リライン　266, 272, 316
リリーフ　129, 140, 287
リンガライズドオクルージョン　218, 222, 225

る
ルージュ　245
流ろう　239

れ
レーズ　245
レジン歯　9, 57, 202, 211, 264
レジン床義歯　9
レジン塡入　239
レトロモラーパッド　89, 90, 120, 133
レファレンスポインター　194
連合印象　112

ろ
老化　11
老化因子　11
老化現象　11
ろう義歯　285, 288
ろう義歯試適　230
老人様顔貌　3, 77, 153
蠟石歯　7
ろう堤　142
労働安全衛生法　339
ロケーターアタッチメント　319
濾紙ディスク法　86
ロングコーピング　298

わ
ワーファリンカリウム　76
ワクチン　340
ワックス系印象材　111
ワックス系適合試験材　253
ワックスパターン　287

【編者略歴】

市川　哲雄
- 1983年　徳島大学歯学部卒業
- 1987年　徳島大学大学院修了
- 1997年　徳島大学歯学部教授
- 2004年　徳島大学大学院教授
- 2024年　徳島大学名誉教授

大川　周治
- 1980年　広島大学歯学部卒業
- 2002年　明海大学歯学部教授
- 2021年　明海大学臨床教授
- 2024年　明海大学名誉教授

大久保　力廣
- 1986年　鶴見大学歯学部卒業
- 1990年　鶴見大学大学院修了
- 2009年　鶴見大学歯学部教授

水口　俊介
- 1983年　東京医科歯科大学歯学部卒業
- 1987年　東京医科歯科大学大学院修了
- 2008年　東京医科歯科大学大学院教授
- 2024年　東京医科歯科大学（現 東京科学大学）名誉教授

本書の内容に訂正等があった場合には，弊社ホームページに掲載いたします．下記URL，または二次元コードをご利用ください．

https://www.ishiyaku.co.jp/corrigenda/details.aspx?bookcode=458680

無歯顎補綴治療学　第4版　　ISBN978-4-263-45868-6

- 2004年 9月10日　第1版第1刷発行
- 2009年 2月10日　第2版第1刷発行
- 2016年 2月10日　第3版第1刷発行
- 2022年 2月10日　第4版第1刷発行
- 2025年 2月20日　第4版第4刷発行

編　集　市　川　哲　雄
　　　　大　川　周　治
　　　　大久保　力　廣
　　　　水　口　俊　介
発行者　白　石　泰　夫
発行所　医歯薬出版株式会社

〒113-8612　東京都文京区本駒込1-7-10
TEL. (03)5395-7638（編集）・7630（販売）
FAX. (03)5395-7639（編集）・7633（販売）
https://www.ishiyaku.co.jp/
郵便振替番号 00190-5-13816

乱丁，落丁の際はお取り替えいたします　　印刷・あづま堂印刷／製本・榎本製本

© Ishiyaku Publishers, Inc., 2004, 2022. Printed in Japan

本書の複製権・翻訳権・翻案権・上映権・譲渡権・貸与権・公衆送信権（送信可能化権を含む）・口述権は，医歯薬出版(株)が保有します．

本書を無断で複製する行為（コピー，スキャン，デジタルデータ化など）は，「私的使用のための複製」などの著作権法上の限られた例外を除き禁じられています．また私的使用に該当する場合であっても，請負業者等の第三者に依頼し上記の行為を行うことは違法となります．

JCOPY ＜出版者著作権管理機構　委託出版物＞

本書をコピーやスキャン等により複製される場合は，そのつど事前に出版者著作権管理機構（電話 03-5244-5088，FAX 03-5244-5089，e-mail : info@jcopy.or.jp）の許諾を得てください．